16	3	2	13
5	10	11	8
9	6	7	12
4	15	14	1

Coleção LESTE

Fiódor Dostoiévski

OS IRMÃOS KARAMÁZOV

Romance em quatro partes com epílogo

Vol. 1

Tradução, posfácio e notas
Paulo Bezerra

Desenhos
Ulysses Bôscolo

editora■34

EDITORA 34

Editora 34 Ltda.
Rua Hungria, 592 Jardim Europa CEP 01455-000
São Paulo - SP Brasil Tel/Fax (11) 3811-6777 www.editora34.com.br

Copyright © Editora 34 Ltda., 2008
Tradução © Paulo Bezerra, 2008
Ilustrações © Ulysses Bôscolo, 2008

A FOTOCÓPIA DE QUALQUER FOLHA DESTE LIVRO É ILEGAL E CONFIGURA UMA
APROPRIAÇÃO INDEVIDA DOS DIREITOS INTELECTUAIS E PATRIMONIAIS DO AUTOR.

Edição conforme o Acordo Ortográfico da Língua Portuguesa.

Título original:
Brátya Karamázovi

Ilustrações:
Ulysses Bôscolo

Capa, projeto gráfico e editoração eletrônica:
Bracher & Malta Produção Gráfica

Digitalização e tratamento das imagens:
Cynthia Cruttenden

Preparação:
Cide Piquet

Revisão:
Sérgio Molina
Fabrício Corsaletti

1ª Edição - 2008 (1 Reimpressão), 2ª Edição - 2009,
3ª Edição - 2012 (6 Reimpressões), 4ª Edição - 2023

CIP - Brasil. Catalogação-na-Fonte
(Sindicato Nacional dos Editores de Livros, RJ, Brasil)

Dostoiévski, Fiódor, 1821-1881

D724i   Os irmãos Karamázov / Fiódor Dostoiévski;
tradução, posfácio e notas de Paulo Bezerra; desenhos
de Ulysses Bôscolo. — São Paulo: Editora 34, 2023
(4ª Edição).
Vol. 1: 448 p. (Coleção LESTE)

Tradução de: Brátya Karamázovi

ISBN 978-85-7326-410-4

      1. Ficção russa. I. Bezerra, Paulo. II. Bôscolo,
Ulysses. III. Título. IV. Série.

CDD - 891.73

OS IRMÃOS KARAMÁZOV
Romance em quatro partes com epílogo

Volume 1

Do autor 13

Primeira parte
Livro I: História de uma família 17
Livro II: Uma reunião inoportuna 55
Livro III: Os lascivos 141

Segunda parte
Livro IV: Mortificações... 231
Livro V: Pró e contra 295
Livro VI: Um monge russo 389

Lista das principais personagens i
Índice geral iii

Volume 2

Terceira parte
Livro VII: Aliócha 443
Livro VIII: Mítia 489
Livro IX: Investigação preliminar 591

Quarta parte
Livro X: Os meninos.. 671
Livro XI: O irmão Ivan Fiódorovitch 733
Livro XII: Um erro judiciário 849

Epílogo 971

Lista das principais personagens i
Índice geral iii

Posfácio do tradutor vii

OS IRMÃOS KARAMÁZOV

Romance em quatro partes com epílogo

Vol. 1

ÍNDICE DO VOLUME 1

Do autor 13

Primeira parte

Livro I: História de uma família

    i. Fiódor Pávlovitch Karamázov 17

    ii. Descartado o primeiro filho 20

    iii. Segundo casamento e novos filhos 24

    iv. O terceiro filho, Aliócha 32

    v. Os *startzí* 43

Livro II: Uma reunião inoportuna

    i. A chegada ao mosteiro 55

    ii. O velho palhaço 61

    iii. Mulheres de fé 75

    iv. Uma senhora de pouca fé 84

    v. Assim seja, assim seja! 94

    vi. Para que vive um homem como esse?! 107

    vii. Um seminarista-carreirista 120

    viii. O escândalo 130

Livro III: Os lascivos

    i. Os criados 141

    ii. Lizavieta Smierdiáschaia 147

    iii. Confissão de um coração ardente, em versos 153

    iv. Confissão de um coração ardente, em anedotas 164

    v. Confissão de um coração ardente, "de pernas para o ar" 172

    vi. Smierdiakóv 181

    vii. A controvérsia 187

    viii. Tomando conhaque 194

    ix. Os lascivos 202

    x. As duas mulheres juntas 208

    xi. Mais uma reputação destruída 220

Segunda parte

Livro IV: Mortificações

    i. O padre Fierapont 231

    ii. Com o pai 243

    iii. Os colegiais 248

    iv. Em casa das Khokhlakova 254

    v. Mortificação no salão 261

    vi. Mortificação na isbá 273

    vii. Ao ar puro também 283

Livro V: Pró e contra

    i. Os esponsais 295

    ii. Smierdiakóv e seu violão 306

    iii. Os irmãos se conhecem 315

    iv. A revolta 326

    v. O Grande Inquisidor 341

    vi. Ainda muito obscuro 366

    vii. "É até curioso conversar com um homem inteligente" 379

Livro VI: Um monge russo

    i. O *stárietz* Zossima e seus visitantes 389

    ii. A vida do hieromonge *stárietz* Zossima,
morto na graça de Deus, redigida a partir de suas
próprias palavras por Alieksiêi Fiódorovitch Karamázov.
Dados biográficos 394

    iii. Trechos das palestras e sermões do *stárietz* Zossima 425

Lista das principais personagens i

Índice geral iii

As notas do tradutor fecham com (N. do T.). As notas dos organizadores da edição russa estão assinaladas como (N. da E.).

Traduzido do original russo *Pólnoie sobránie sotchiniénii v tridtsatí tomákh — Khudójestvennie proizvediénia* (Obras completas em 30 tomos — Obras de ficção) de Dostoiévski, tomos XIV e XV, Ed. Naúka, Leningrado, 1976.

para Anna Grigórievna Dostoiévskaia

"Em verdade, em verdade vos digo: Se o grão de trigo, caindo na terra, não morrer, fica ele só; mas se morrer, produz muito fruto."

João, 12, 24[1]

---

[1] Todas as citações bíblicas empregadas nesta tradução se baseiam no texto de *A Bíblia Sagrada*, traduzido para o português por João Ferreira de Almeida (1628-1691) e publicado pela Sociedade Bíblica do Brasil, edição revista e atualizada, 1993. (N. do T.)

DO AUTOR

Ao iniciar a biografia de meu herói Alieksiêi Fiódorovitch Karamázov, acho-me tomado de certa perplexidade. Ei-la: embora chame Alieksiêi Fiódorovitch de meu herói, eu mesmo, porém, sei todavia que ele nada tem de grande e por isso prevejo perguntas inevitáveis como essas: em que seu Alieksiêi Fiódorovitch é digno de nota, por que o escolheu como seu herói? O que lhe deu esse destaque? A quem chega sua fama e por quê? Por que eu, leitor, devo perder tempo estudando episódios de sua vida?

A última pergunta é a mais fatídica, pois só posso responder: "Talvez o senhor mesmo note isso a partir da leitura do romance". Mas e se lerem o romance e não notarem, não concordarem com a notoriedade de meu Alieksiêi Fiódorovitch? Digo isso porque o prevejo com pesar. Para mim ele é digno de nota, mas duvido terminantemente que consiga demonstrá-lo ao leitor. O caso é que talvez até se trate de um ativista, mas um ativista indeciso, indefinido. Pensando bem, seria estranho exigir clareza das pessoas numa época como a nossa. Uma coisa, é de crer, fica bastante evidente: trata-se de um homem estranho, de um excêntrico até. No entanto, a estranheza e a excentricidade mais prejudicam que permitem chamar a atenção, sobretudo quando todo mundo procura unir particularidades e encontrar ao menos algum sentido comum na balbúrdia geral. Quanto ao excêntrico, o mais das vezes é uma particularidade, um caso isolado. Não é?

Mas se os senhores não concordarem com essa última tese e responderem: "Não é assim" ou "não é sempre assim", é possível que eu até crie ânimo em relação à importância de meu herói Alieksiêi Fiódorovitch. Porque não só o excêntrico "nem sempre" é uma particularidade e um caso isolado, como, ao contrário, vez por outra acontece de ser justo ele, talvez, que traz em si a medula do todo, enquanto os demais viventes de sua época — todos, movidos por algum vento estranho, dele estão temporariamente afastados sabe-se lá por que razão.

De resto, eu não me meteria nessas explicações confusas e desinteressantes, e começaria pura e simplesmente sem mais preâmbulos: se gostarem, acabarão mesmo lendo; o mal, porém, é que biografia eu tenho uma, mas

Os irmãos Karamázov

13

romances, dois. O romance principal é o segundo[2] — a atividade de meu herói já em nossa época, precisamente em nosso momento atual. O primeiro romance aconteceu já faz treze anos e quase nem chega a ser romance, mas tão somente um instante da primeira juventude do meu herói. Prescindir desse primeiro romance é impossível, porque muita coisa ficaria incompreensível no segundo romance. Mas dessa maneira minha dificuldade inicial se agrava ainda mais: se eu mesmo, isto é, o próprio biógrafo, acho que um só romance já é, talvez, um excesso para um herói tão modesto e indefinido, então como é que vou aparecer com dois e como explicar tamanha presunção de minha parte?

Atrapalhado com a solução de semelhantes questões, decido-me por deixá-las sem qualquer solução. É claro que o leitor perspicaz já percebeu, há muito tempo, que desde o início eu vinha dando esse rumo à coisa, e apenas se afligia comigo, perguntando-se por que eu gastava à toa palavras estéreis e o precioso tempo. Já tenho uma resposta pontual: gastava palavras estéreis e o precioso tempo, em primeiro lugar, por cortesia e, em segundo, por astúcia: vamos, seja como for eu preveni de antemão. Aliás, até me agrada que meu romance tenha se dividido por si mesmo em dois relatos, mantendo "a unidade essencial do todo": ao tomar conhecimento do primeiro relato, o próprio leitor se decidirá: valerá a pena passar à segunda? É claro que ninguém está tolhido por nada; pode largar o livro na segunda página do primeiro relato para não voltar a abri-lo. Acontece, porém, que há leitores delicados, que forçosamente desejarão ler até o fim para não se enganar em sua apreciação imparcial; assim são, por exemplo, todos os críticos russos. Pois é perante esses que fico com o coração mais leve, apesar de tudo; a despeito de todo seu esmero e sua honestidade, dou-lhes, todavia, o mais legítimo pretexto para largar o relato no primeiro episódio do romance.

Bem, eis todo o prólogo. Concordo plenamente que isso é excessivo, mas como já está escrito, que fique.

E agora mãos à obra.

---

[2] Estava nos planos de Dostoiévski dar continuidade a *Os irmãos Karamázov*, escrevendo um novo romance que teria Aliócha como personagem central. Daí a expressão "segundo" romance. (N. do T.)

PRIMEIRA PARTE

Livro I
HISTÓRIA DE UMA FAMÍLIA

I. Fiódor Pávlovitch Karamázov

Alieksiêi Fiódorovitch Karamázov era o terceiro filho do fazendeiro de nosso distrito Fiódor Pávlovitch Karamázov, muito famoso em sua época (aliás, ainda hoje é lembrado entre nós) por seu fim trágico e obscuro, ocorrido há exatos treze anos, e sobre o qual relatarei no devido momento. Agora, porém, direi a respeito desse "fazendeiro" (como o chamavam entre nós, embora durante toda sua vida ele quase não morasse em sua fazenda) apenas que era um tipo estranho, desses encontrados, todavia, com bastante frequência, justamente um tipo de homem não só reles e devasso, mas ao mesmo tempo bronco — contudo, daqueles broncos que, não obstante, sabem arranjar magistralmente seus negociozinhos com propriedades e, parece, só e unicamente estes. Fiódor Pávlovitch, por exemplo, começou quase do nada, era um fazendeiro insignificante, vivia a correr atrás de almoços em mesas alheias, empenhava-se a fundo na condição de comensal, mas ao morrer deixou uma quantia que beirava os cem mil rublos em dinheiro sonante. E, ao mesmo tempo, passou toda a vida, apesar de tudo, sendo um dos mais broncos extravagantes de todo o nosso distrito. Torno a repetir: aí não se trata de tolice; em sua maioria esses extravagantes são bastante inteligentes e ladinos: trata-se precisamente de bronquice, e ainda por cima de uma bronquice algo peculiar, nacional.

Casara-se duas vezes e tinha três filhos; Dmitri Fiódorovitch, da primeira mulher, e os dois restantes, Ivan e Alieksiêi, da segunda. A primeira mulher de Fiódor Pávlovitch era do ramo bastante rico e nobre dos Miússov, também fazendeiros de nosso distrito. De como foi acontecer que uma moça com dote, além de bonita e ainda por cima daquelas inteligências vivas, muito frequentes em nosso país na geração atual mas também encontradas no passado, pôde casar-se com tão insignificante "fuinha", como todos o chamavam, não vou dar maiores explicações. É que, ainda na penúltima geração "romântica", conheci uma moça que, depois de vários anos de um amor enigmático por um homem, com quem, aliás, sempre pôde casar-se da maneira mais tranquila, acabou, não obstante, por inventar ela mesma obstáculos insuperáveis, e numa noite de tempestade lançou-se de uma margem alta, semelhante a um penhasco, em um rio bastante fundo e veloz e ali morreu devido terminantemente aos próprios caprichos, com o único fito de se parecer com a Ofélia de Shakespeare,[3] tanto que, se esse penhasco, que ela havia observado e tornado seu predileto fazia tanto tempo, não fosse lá tão pitoresco e em seu lugar houvesse apenas uma prosaica margem plana, é possível que nem tivesse havido nenhum suicídio. Trata-se de um fato real e é de pensar que em nossa vida russa, nas duas ou três últimas gerações, não houve poucos fatos iguais ou congêneres. De modo semelhante, a atitude de Adelaída Ivánovna Miússova foi, sem dúvida, um eco de sopros alheios e também a excitação de uma ideia prisioneira.[4] Talvez tenha querido proclamar a independência feminina, ir contra as condições sociais, contra o despotismo de seu clã e de sua família, mas a prestimosa fantasia a convenceu, por apenas um instante, suponhamos, de que Fiódor Pávlovitch, a despeito de sua condição de comensal, era, não obstante, um dos homens mais ousados e galhofeiros daquela época em transição para tudo o que havia de melhor, quando na verdade ele não era senão um palhaço perverso e nada mais. O picante do caso foi ter sido resolvido com um rapto, e isso deixou Adelaída Ivánovna muito lisonjeada. Já Fiódor Pávlovitch, até por sua condição social, estava então muito preparado para todos os lances dessa natureza, pois desejava ardentemente arranjar sua carreira fosse lá como fosse; encostar-se numa boa família e receber um dote era muito sedutor. Quanto ao amor recíproco, parece que não havia absolutamente — nem da parte da noiva, nem da parte dele, até mesmo apesar da beleza de Adelaída Ivánovna. De sorte que esse caso foi, talvez, o único do gênero na vida de Fiódor Pávlovitch, homem voluptuosíssimo em toda a sua existência, disposto a grudar num abrir e fechar de olhos em qualquer saia, bastando apenas que ela o atraísse. E entretanto essa mulher foi a única a não provocar nele nenhuma impressão especial sob o aspecto da paixão.

Logo após o rapto, Adelaída Ivánovna percebeu num abrir e fechar de olhos que sentia pelo marido apenas desprezo e nada mais. Assim, as consequências do casamento se evidenciaram com excepcional rapidez. Apesar de

[3] A referência a Ofélia, personagem de *Hamlet*, está aqui associada à ideia da emancipação da mulher. (N. da E.)

[4] Citação de um poema de M. Yu. Liérmontov, de 1839: "Não creias, não creias, jovem sonhador,/ Teme como chaga a inspiração.../ Ela é delírio penoso de tua alma enferma/ Ou de ideia prisioneira uma excitação". (N. da E.)

a família ter se conformado com o fato até com bastante presteza e liberado o dote para a fugitiva, o casal começou a vida mais desregrada e com brigas eternas. Contava-se que a jovem esposa revelara aí muito mais dignidade e elevação do que Fiódor Pávlovitch, que, como hoje se sabe, surrupiou-lhe na ocasião e de um só golpe todo o dinheiro mal ela o recebeu, os vinte e cinco mil inteirinhos, de sorte que desde então aqueles milharezinhos como que evaporaram. A aldeota e a casa bastante boa da cidade, que também couberam a ela como parte do dote, ele tentou por muito tempo e todos os meios transferir para o seu nome mediante a execução de algum ato apropriado, e certamente o teria conseguido unicamente graças, por assim dizer, ao desprezo e ao asco que a cada instante despertava na esposa com suas desavergonhadas extorsões e súplicas, unicamente graças ao cansaço espiritual experimentado por ela, que cederia só para que ele a deixasse em paz. Mas por sorte a família de Adelaída Ivánovna entrou em ação e coibiu o larápio. Sabe-se ao certo que o casal brigava com frequência, mas pelo que se conta quem batia não era Fiódor Pávlovitch e sim Adelaída Ivánovna, senhora fogosa, ousada, morena, impaciente, dotada de notável força física. Por fim ela largou a casa e fugiu com um seminarista preceptor morto de fome, deixando com Fiódor Pávlovitch o filho Mítia,[5] de três anos. Da noite para o dia Fiódor Pávlovitch montou em casa um verdadeiro harém e a mais orgiástica das bebedeiras, enquanto nos intervalos percorria quase toda a província e entre lágrimas queixava-se a todos e a cada um de Adelaída Ivánovna, que o abandonara, e além do mais entrava em detalhes tais de sua vida conjugal que para um esposo seria o cúmulo da vergonha comunicá-los. O grave é que lhe parecia prazeroso e até lisonjeiro representar perante todos seu ridículo papel de marido ofendido e desenhar, inclusive com exageros, os pormenores de sua ofensa. "É de pensar, Fiódor Pávlovitch, que o senhor até recebeu um título, de tão satisfeito que anda, apesar de toda a sua amargura" — diziam-lhe os galhofeiros. Muitos até acrescentavam que ele se comprazia em aparecer com a renovada feição de palhaço e o fazia de propósito com o fim de provocar mais riso, fingindo não se dar conta de sua situação cômica. Pensando bem, quem sabe isso não fosse até ingenuidade dele? Por fim ele conseguiu descobrir as pistas de sua fugitiva. A coitada estava em Petersburgo, para onde se mudara com seu seminarista e onde se lançara sem reservas à mais completa emancipação. Imediatamente Fiódor Pávlovitch desdobrou-se e começou a preparar viagem a Petersburgo, sem, é claro, saber para quê. De fato, é possível que então tivesse mesmo viajado; contudo, depois de to-

[5] Diminutivo de Dmitri. (N. do T.)

Os irmãos Karamázov

19

mar tal decisão, julgou-se incontinenti com um direito especial de entregar-se, antes da partida, à mais desbragada bebedeira para levantar o ânimo. Pois foi nesse momento que a família da esposa recebeu a notícia de sua morte em Petersburgo. Ela morreu assim meio de repente em um sótão, segundo uns, de tifo, segundo outros, parece que de fome. Fiódor Pávlovitch soube da morte da esposa bêbado; dizem que saiu correndo pela rua e começou a gritar, levantando os braços para o céu tomado de alegria: "Agora me deixas livre!"; mas, conforme outros contam, soluçava como uma criancinha, e tanto que, segundo dizem, dava até pena olhar para ele, a despeito de todo o asco que tinham dele. É muito possível que tenha havido tanto uma coisa como a outra, ou seja, que estivesse alegre com sua libertação e chorasse pela libertadora — tudo ao mesmo tempo. Na maioria dos casos, as pessoas, inclusive os facínoras, são muito mais ingênuas e simples do que costumamos achar. Aliás, nós também.

II. Descartado o primeiro filho

Pode-se, é claro, imaginar que educador e pai poderia dar semelhante homem. Justo como pai aconteceu-lhe o que teria de acontecer, isto é, ele abandonou de vez e inteiramente seu filho com Adelaída Ivánovna, não por raiva dele ou quaisquer sentimentos de marido ofendido, mas apenas porque o esqueceu por completo. Enquanto ele importunava todo mundo com suas lágrimas e queixas e transformava sua casa num antro de devassidão, Grigori, o fiel criado dessa casa, tomou Mítia, menino de três anos, sob seus cuidados, e não tivesse ele se preocupado com a criança naquela ocasião é possível que não houvesse ninguém para lhe trocar uma camisa. Além do mais, aconteceu que nos primeiros tempos os familiares maternos da criança também como que a esqueceram. Seu avô, isto é, o próprio senhor Miússov, pai de Adelaída Ivánovna, já não se encontrava entre os vivos; sua viúva, a avó de Mítia, que se mudara para Moscou, andava doente demais e suas irmãs se haviam casado, de sorte que Mítia teve de passar quase um ano inteiro morando com o criado Grigori na *isbá* do quintal. Aliás, ainda que o pai se lembrasse dele (de fato, não dava mesmo para ignorar sua existência), ele o mandaria de volta para a *isbá*, pois o menino, apesar de tudo, seria um estorvo para sua baderna. Aconteceu, porém, que de Paris regressou Piotr Alieksándrovitch Miússov, primo da falecida Adelaída Ivánovna, que depois moraria muitos anos consecutivos no estrangeiro, mas que na ocasião era um homem ainda muito jovem, porém especial entre os Miússov — culto, metro-

politano, radicado no exterior e que, ademais, em toda a sua vida fora um europeu e em seus últimos anos um liberal das décadas de quarenta e cinquenta. Ao longo de sua carreira manteve relações com muitas pessoas das mais liberais de sua época e, tanto na Rússia quanto no estrangeiro, conheceu pessoalmente Proudhon e Bakúnin, e já no final de suas viagens gostava particularmente de rememorar e narrar episódios dos três dias da revolução de fevereiro de 1848 em Paris, insinuando que por pouco não participara pessoalmente das barricadas. Essa era uma das lembranças mais gratas de sua mocidade. Tinha fortuna própria de aproximadamente mil almas,[6] segundo estimativas daquela época. Sua magnífica fazenda ficava logo na saída de nossa cidadezinha e confinava com as terras do nosso famoso mosteiro, contra quem Piotr Alieksándrovitch, ainda em sua primeira juventude, mal recebera a herança, começara, sem pestanejar, um infindável processo pelo direito a certo tipo de pesca no rio ou corte de madeira na mata, não sei ao certo, e achou que era até sua obrigação de cidadão e homem culto iniciar um processo contra os "clericais".[7] Depois de ouvir tudo sobre Adelaída Ivánovna, de quem certamente se lembrava e a qual outrora até havia observado, e inteirar-se da existência de Mítia, envolveu-se com essa questão a despeito de toda a sua indignação juvenil e de seu desprezo por Fiódor Pávlovitch. Foi aí que travou conhecimento com Fiódor Pávlovitch pela primeira vez. Declarou-lhe sem rodeios que gostaria de assumir a educação do menino. Mais tarde, contou durante muito tempo, para frisar uma peculiaridade, que, quando começou a falar de Mítia com Fiódor Pávlovitch, este ficou por muito tempo com a expressão de quem não estava compreendendo absolutamente de que menino se tratava e até se admirou de ter um filho pequeno em algum canto da casa. Se no relato de Piotr Alieksándrovitch podia haver exagero, assim mesmo também devia haver alguma coisa com ares de verdade. A realidade, porém, é que em toda sua vida Fiódor Pávlovitch sempre gostou de faz de conta, de representar subitamente diante de nós algum papel inesperado e, o principal, às vezes sem qualquer necessidade e até em detrimento de si mesmo, como, por exemplo, no presente caso. Aliás, esse traço é peculiar a um número extraordinário de pessoas, e até àquelas muito inteligentes, não só a Fiódor Pávlovitch. Piotr Alieksándrovitch conduziu o caso com fervor, e foi inclusive nomeado tutor do menino (junto com Fiódor Pávlovitch), porque, a despeito de tudo, a mãe dele deixara uma peque-

[6] Assim eram designados os camponeses servos. (N. do T.)

[7] Referência irônica aos representantes da Igreja Ortodoxa, que não usavam esse qualificativo não russo. (N. do T.)

na propriedade rural — casa e fazenda. Mítia se mudou de fato para a casa desse primo de segundo grau, mas este não tinha família própria, e como tão logo fez os acertos e recebeu os rendimentos provenientes de suas fazendas precipitou-se de volta a Paris com a intenção de ali permanecer por muito tempo, acabou confiando o menino a uma de suas tias de segundo grau, uma senhora de Moscou. Aconteceu que, uma vez habituado a Paris, ele também esqueceu o menino, sobretudo quando veio aquela tal revolução de feverei-ro que tanto mexeu com sua imaginação e a qual já não conseguiu esquecer pelo resto da vida. A tal senhora de Moscou morreu, e Mítia passou a mo-rar com uma de suas filhas casadas. Parece que depois ele ainda mudou de ninho pela quarta vez. Sobre isso não vou me alongar agora, tanto mais por-que ainda terei de falar muito desse primogênito de Fiódor Pávlovitch; neste momento, porém, limitar-me-ei a informações estritamente necessárias a seu respeito, sem as quais não me seria possível sequer iniciar o romance.

Em primeiro lugar, esse Dmitri Fiódorovitch foi o único dos três filhos de Fiódor Pávlovitch que cresceu convencido de que, a despeito de tudo, possuía certa fortuna e, quando atingisse a maioridade, seria independente. Sua adolescência e sua mocidade transcorreram em desordem: não concluiu o colégio, depois ingressou numa escola militar, mais tarde apareceu no Cáu-caso, foi promovido no serviço, brigou em duelos, foi degradado, tornou a ser promovido, farreou e esbanjou um dinheiro considerável. Passou a recebê--lo de Fiódor Pávlovitch não antes de atingir a maioridade, e até então se meteu em dívidas. Viu e conheceu Fiódor Pávlovitch, seu pai, pela primeira vez já depois da maioridade, quando apareceu deliberadamente em nossas paragens com o objetivo de lhe pedir esclarecimentos sobre seus bens. Pare-ce que não gostou do genitor; passou pouco tempo em sua casa e partiu às pressas, conseguindo apenas receber certa quantia e fazer com ele um acor-do para futuro recebimento de rendas da fazenda, da qual (fato notável) aca-bou não arrancando dessa vez informações de Fiódor Pávlovitch, nem sobre a rentabilidade, nem sobre o valor. Na ocasião, Fiódor Pávlovitch fez ver logo de saída (e isso cabe observar) que Mítia fazia de sua fortuna uma ideia exa-gerada e incorreta. Fiódor Pávlovitch ficou muito satisfeito com isso, tendo em vista seus cálculos especiais. Apenas concluiu que o rapaz era leviano, violento, dado a arrebatamentos, impaciente, farrista, e era só lhe arranjar algum empréstimo provisório que no mesmo instante se acalmava, ainda que por pouco tempo, é claro. Pois foi isso que Fiódor Pávlovitch começou a explorar, ou seja, limitou-se a pequenas migalhas, a remessas provisórias, e no fim das contas aconteceu que quatro anos depois, quando Mítia, tendo perdido a paciência, apareceu pela segunda vez em nossa cidadezinha com o

Os irmãos Karamázov

23

intuito de resolver definitivamente a questão com o pai, para seu maior espanto, viu-se de repente que já não tinha rigorosamente nada, que era até difícil fazer as contas, que já havia recebido de Fiódor Pávlovitch todo o valor correspondente aos seus bens e que talvez estivesse mesmo lhe devendo; que, segundo esses e aqueles acordos que ele mesmo quisera fazer nesse e naquele momento, ele não tinha sequer o direito de reclamar nada mais, etc., etc. O rapaz ficou estupefato, suspeitou de trapaça, de embuste, quase se descontrolou e como que perdeu o juízo. Pois foi essa circunstância que acabou redundando na catástrofe cuja exposição é o objeto do meu primeiro romance, ou melhor, o seu aspecto externo. Contudo, antes de começar esse romance, preciso ainda falar dos dois outros filhos de Fiódor Pávlovitch, irmãos de Mítia, e explicar de onde vieram.

III. Segundo casamento e novos filhos

Depois de livrar-se de Mítia, então com quatro anos, Fiódor Pávlovitch logo se casou pela segunda vez. Esse segundo casamento durou uns oito anos. Arranjou essa segunda esposa, Sófia Ivánovna, bem jovenzinha também, em outra província, aonde fora tratar de um negócio de pouca monta acompanhado de um *jidezinho*[8] qualquer. Embora caísse na farra, e na bebida, e, é claro, na baderna, não obstante nunca deixava de aplicar seu capital e sempre se dava bem em seus negocinhos, ainda que, evidentemente, quase sempre misturados com baixezas. Sófia Ivánovna era uma "orfãzinha", sem família desde a infância, filha de um obscuro diácono, que crescera na casa rica de sua benfeitora, educadora e carrasca, uma velha nobre viúva do general Vórokhov. Desconheço os pormenores, mas ouvi dizer apenas que a pupila, dócil, complacente e calada, certa vez fora tirada de um laço que havia pendurado em um prego na despensa — tão duro lhe era suportar os caprichos e as eternas censuras dessa velha, que não parecia cruel mas que, movida pela ociosidade, era simplesmente a mais insuportável tirana. Fiódor Pávlovitch propôs casamento, tomaram informações sobre ele e o tocaram porta afora, e foi aí que mais uma vez, como no primeiro casamento, ele propôs fuga à orfãzinha. É muito, muito possível que ela nem mesmo tivesse se casado com ele por nada nesse mundo se houvesse se inteirado a tempo de mais detalhes a seu respeito. O caso, porém, se deu em outra província; ademais, o que uma mocinha de dezesseis anos podia compreender senão que era me-

---

[8] De *jid*, denominação depreciativa de judeu. (N. do T.)

lhor atirar-se no rio do que continuar com a benfeitora? Foi assim que a coitadinha trocou a benfeitora pelo benfeitor. Desta feita Fiódor Pávlovitch não recebeu um vintém de dote, porque a generala zangou-se, não deu nada, e ainda por cima amaldiçoou os dois; mas desta vez ele não contava mesmo com dote, e deixou-se seduzir só pela beleza extraordinária da mocinha inocente e, o mais importante, por seu ar casto, que impressionou a ele, voluptuoso e até então um depravado adepto apenas da beleza rude das mulheres. "Esses olhinhos inocentes me deram uma navalhada na alma naquela ocasião" — dizia ele mais tarde, soltando a seu modo risadinhas sórdidas. Aliás, em um devasso até isso podia ser mero pendor lascivo. Não tendo recebido nenhuma recompensa, Fiódor Pávlovitch não fez cerimônias com a esposa e, valendo-se de que ela, por assim dizer, era "culpada" perante ele, de que quase a havia "tirado da forca" e aproveitando-se, além disso, de sua fenomenal humildade e submissão, chegava a pisotear até o mais costumeiro decoro conjugal. Em sua casa, ali mesmo na presença da mulher, juntavam-se mulheres de vida fácil e armavam-se bacanais. Informo, como traço característico, que Grigori, criado sentencioso, sorumbático, tolo e teimoso, que odiava a antiga patroa Adelaída Ivánovna, desta feita tomou o partido da nova patroa, defendendo-a e, por sua causa, trocando desaforos com Fiódor Pávlovitch de forma quase inadmissível para um criado, e certa vez chegou até a acabar à força com um bacanal e expulsar todas as indecentes que ali se encontravam. Posteriormente, a jovem mulher, infeliz e assustada desde a infância, foi acometida de uma espécie de doença nervosa de mulher, encontrada com maior frequência entre a gente simples, as camponesas, por isso chamadas de *klikuchas*.[9] Essa doença, com seus terríveis ataques de histeria, de quando em quando levava a doente até a perder a razão. Ainda assim, ela deu dois filhos a Fiódor Pávlovitch, Ivan e Alieksiêi, o primeiro, no primeiro ano de casamento e o segundo, três anos depois. Quando ela morreu, o menino Alieksiêi caminhava para os quatro anos e, embora isso seja estranho, sei, entretanto, que ele guardou a lembrança da mãe pelo resto da vida — como se estivesse sonhando, é claro. Após a morte dela, aconteceu com os dois meninos quase exatamente o mesmo que acontecera com Mítia, o primeiro: foram totalmente esquecidos e abandonados pelo pai e acabaram na companhia do mesmo Grigori e em sua mesma *isbá*. Foi nessa *isbá* que os encontrou a velha e tirana generala, benfeitora e educadora de sua mãe. A velha ainda estava entre os vivos e, durante todos os oito anos de-

---

[9] Mulheres doentes dos nervos, acometidas com frequência de ataques histéricos acompanhados de gritos estridentes. (N. do T.)

corridos, não conseguira esquecer por um só instante a ofensa que lhe fora infligida. Durante todos aqueles oito anos tivera as notícias mais precisas da vidinha de sua "Sófia" e, ao ouvir falar de como esta andava doente e das desordens que a rodeavam, umas duas ou três vezes pronunciou em voz alta para suas comensais: "Bem feito para ela; isso foi Deus que lhe mandou pela ingratidão".

Depois de exatos três meses da morte de Sófia Ivánovna, a generala apareceu de súbito pessoalmente em nossa cidade e foi direto à casa de Fiódor Pávlovitch, passou ao todo coisa de meia hora na cidade, mas fez muito. Era noitinha. Fiódor Pávlovitch, que ela não vira durante todos aqueles oito anos, recebeu-a de porre. Conta-se que ela, mal pôs a vista nele, sem quaisquer explicações deu-lhe três grandes e sonoras bofetadas e três vezes o puxou pelo topete, de cima para baixo; depois, sem acrescentar palavra, foi direto à *isbá* à procura dos dois meninos. Notando à primeira vista que eles não estavam limpos e tinham a roupa imunda, deu incontinenti mais uma bofetada no próprio Grigori, comunicou-lhe que ia levar suas crianças para sua casa, em seguida os conduziu como estavam, enrolou-os numa manta, pôs os dois na carruagem e os levou para sua cidade. Grigori suportou essa bofetada como um escravo dedicado, não disse uma só grosseria, e quando acompanhou a velha senhora até a carruagem, após uma reverência profunda, disse-lhe com gravidade: "Deus pagará pelos órfãos". "Mesmo assim és um bobalhão" — gritou-lhe a generala, partindo. Considerando toda a questão, Fiódor Pávlovitch achou que era um bom negócio, e depois não recuou em nenhum ponto de seu consentimento formal para que as crianças fossem educadas na casa da generala. Quanto às bofetadas recebidas, ele mesmo saiu espalhando o fato por toda a cidade.

Aconteceu que logo em seguida a generala também morreu, deixando, porém, mil rublos em herança para cada um dos pequerruchos, "para sua educação, e para que todo esse dinheiro seja gasto necessariamente com eles, e que dure até a maioridade dos dois, porque mesmo esse auxílio é mais que suficiente para crianças como estas, e se alguém quiser, que dê do próprio bolso", etc., etc. Eu mesmo não li o testamento, mas ouvi dizer que houve mesmo esse tipo de coisa esquisita e lavrada de um jeito demasiado original. Contudo, o principal herdeiro da velha veio a ser um homem honesto, o decano da nobreza da província Iefim Pietróvitch Polióniov.[10] Após trocar correspondência com Fiódor Pávlovitch e compreender num piscar de olhos que

---

[10] Na Rússia tsarista, o decano da nobreza era eleito pela assembleia da província ou da nobreza para tratar dos assuntos específicos da casta. (N. do T.)

não conseguiria arrancar dinheiro dele para a educação dos próprios filhos (embora ele nunca negasse abertamente, mas sempre se limitasse a adiar, às vezes debulhando-se em sentimentalismo), ele cuidou pessoalmente dos órfãos e gostou particularmente do caçula Alieksiêi, de sorte que durante muito tempo este foi até criado com sua família. Peço que o leitor observe isso desde o início. E se os jovens deviam a alguém por sua educação e instrução para toda a vida, então era precisamente a Iefim Pietróvitch, homem nobilíssimo e humaníssimo, desses que raramente se encontram. Ele manteve intactos os mil rublos deixados pela generala a cada um dos pequerruchos, de modo que, quando eles atingiram a maioridade, o dinheiro havia crescido com os juros, cada mil chegando a dois; educou-os às suas próprias custas e, é claro, gastou com cada um bem mais do que aqueles mil. Por ora deixo mais uma vez de fazer um relato minucioso da infância e da adolescência dos dois e aponto apenas suas circunstâncias mais importantes. Aliás, sobre Ivan, o mais velho, informo apenas que foi um adolescente um tanto macambúzio e ensimesmado, nem de longe tímido, mas já desde os dez anos como que compenetrado de que ambos, apesar de tudo, eram criados no seio de uma família estranha e às custas da caridade alheia, e que o pai deles era um tipo sobre quem dava até vergonha falar, etc., etc. Esse menino revelou logo muito cedo, quase que desde tenra infância (ao menos era o que diziam), aptidões extraordinárias e brilhantes para os estudos. Não sei ao certo, mas aconteceu que ele deixou a família de Iefim Pietróvitch quando beirava os treze anos, transferindo-se para um colégio moscovita e para um internato aos cuidados de um pedagogo experiente e então famoso, amigo de infância de Iefim Pietróvitch. Mais tarde, o próprio Ivan contava que tudo se devera "ao ímpeto para boas ações" de Iefim Pietróvitch, que estava dominado pela ideia de que um menino de aptidões geniais devia ser educado por um educador também genial. Aliás, nem Iefim Pietróvitch, nem o educador genial estavam mais vivos quando o jovem, tendo terminado o colegial, ingressou na universidade. Como Iefim Pietróvitch não tomara as devidas providências e o recebimento do dinheiro — deixado pela generala tirana para as crianças e já transformado em dois mil pelos juros — demorasse por causa de formalidades e protelações absolutamente inevitáveis entre nós, o jovem viu-se em apuros em seus dois primeiros anos de universidade, pois foi forçado a alimentar-se e manter-se por conta própria e estudar ao mesmo tempo. Cabe observar que na ocasião ele não quis nem tentar escrever ao pai, talvez por orgulho, por desprezo, mas é também possível que levado por um raciocínio frio e judicioso, que lhe sugeria que do paizinho não receberia nenhum apoio minimamente relevante. De qualquer maneira, o jovem não ficou nem

Os irmãos Karamázov

um pouco desnorteado e acabou arranjando trabalho, primeiro dando aulas a vinte copeques e depois correndo de redação em redação de jornal e conseguindo artiguinhos de dez linhas sobre episódios de rua, que assinava como "Uma testemunha". Conta-se que esses artiguinhos eram sempre escritos de forma tão curiosa e picante que rapidamente ganharam o público, e só com isso o jovem já mostrou toda sua superioridade prática e intelectual sobre aquela numerosa parcela da nossa juventude estudantil de ambos os sexos, eternamente necessitada e infeliz, que da manhã à noite costuma lotar as salas de espera dos vários jornais e revistas das capitais, sem nada melhor para inventar senão repetir eternamente o mesmo pedido de tradução do francês ou algo para copiar. Depois de travar conhecimento com os redatores, Ivan Fiódorovitch esteve sempre em contato com eles, e em seus últimos anos de universidade passou a publicar com muito talento análises de livros sobre vários temas especiais, de modo que chegou até a ficar conhecido nos círculos literários. Aliás, só bem ultimamente conseguiu atrair por acaso e de uma hora para outra a atenção particular de um círculo muito mais amplo de leitores, de sorte que num instante foi notado e lembrado por uma parcela numerosa deles. Foi um caso muito curioso. Já de saída da universidade e preparando-se para viajar ao estrangeiro às custas de seus dois mil rublos, Ivan Fiódorovitch publicou de repente num dos grandes jornais um artigo estranho, atraindo a atenção até de não especialistas e, o principal, sobre um assunto que, pelo visto, absolutamente não conhecia, porque o curso que concluíra era de ciências naturais. O artigo versava sobre os tribunais eclesiásticos, questão levantada em toda parte naquele momento. Analisando algumas opiniões já emitidas sobre essa questão, ele expôs também seu ponto de vista pessoal. O principal estava no tom do artigo e na extraordinária surpresa da conclusão. Entrementes, muitos representantes da Igreja acharam terminantemente que o autor era um dos seus. E com eles não só os *grajdánstvenniki*,[11] mas até os próprios ateus passaram por sua vez a aplaudir. No fim das contas, algumas pessoas perspicazes concluíram que o artigo inteiro era tão somente uma ousada farsa e uma zombaria. Menciono esse caso sobretudo porque o artigo penetrou oportunamente em nosso famoso mosteiro dos arredores da cidade, onde havia interesse pela recentíssima questão

---

[11] Em face da reforma do tribunal eclesiástico e da polêmica por ela desencadeada no início de 1870 (até a revista *Grajdanin*, dirigida por Dostoiévski, participou dessa polêmica), dois campos se destacaram nos debates: os *grajdánstvenniki* (civilistas) defendiam o fortalecimento dos princípios do Estado no futuro tribunal eclesiástico, contrariando os eclesiásticos (*tzierkóvniki*), que queriam sua total subordinação ao clero. (N. do T.)

dos tribunais eclesiásticos — penetrou e causou estupefação. Revelado o nome do autor, ficaram interessados ainda por saber que era oriundo de nossa cidade e filho "desse mesmo Fiódor Pávlovitch". E eis que justo nesse momento o próprio autor apareceu de repente em nossa cidade.

Por que Ivan Fiódorovitch aparecia então em nossa cidade, eu — lembro-me —, mesmo na ocasião, ainda me fazia essa pergunta até com certa inquietude. Essa vinda tão fatal, que desencadeou tantas consequências, durante muito tempo depois sempre foi para mim um caso obscuro. A julgar de um modo geral, era estranho que um jovem tão sábio, tão orgulhoso e cauteloso na aparência, aparecesse de uma hora para outra numa casa tão indecente, na presença daquele pai que a vida inteira o havia ignorado, não o conhecia nem se lembrava dele, e que, embora fosse evidente que por nada deste mundo e em nenhuma circunstância daria dinheiro caso o filho viesse a pedir, ainda assim passara a vida inteira com medo de que um dia os filhos, Ivan e Alieksiêi, aparecessem e pedissem dinheiro. E eis que o jovem se instala na casa daquele pai, mora com ele um mês, outro, e ambos vivem no melhor dos entendimentos. Esta última circunstância chegou até a surpreender não só a mim, mas a muitas outras pessoas também. Piotr Alieksándrovitch Miússov, parente distante de Fiódor Pávlovitch por parte da primeira mulher, ao qual já me referi antes, tornou a aparecer entre nós na ocasião, em sua fazenda nos arredores da cidade, vindo de Paris, onde já se instalara em definitivo. Lembro-me de que, entre todos, foi justamente ele quem teve a maior surpresa ao conhecer o jovem, que o deixou sumamente interessado e com o qual vez por outra entrava em duelo de erudição, não sem sentir uma dor no fundo da alma. "É orgulhoso — dizia-nos na ocasião, referindo-se a ele —, sempre conseguirá batalhar o seu copeque, agora mesmo está com dinheiro para viajar ao exterior — o que estará querendo aqui? Está claro para todo mundo que não veio procurar o pai por causa de dinheiro, porque o pai não o dará em nenhuma circunstância. Não gosta de beber nem de libertinagem, e entretanto o pai não consegue passar sem ele, a tal ponto os dois se dão bem!" Era verdade: o rapaz chegava a exercer uma visível influência sobre o velho: vez por outra este quase insinuava que ia lhe dar ouvidos, embora às vezes fosse caprichoso demais e até raivoso; começou mesmo a comportar-se com mais decência em certas ocasiões...

Só posteriormente se esclareceu que Ivan Fiódorovitch viera em parte a pedido e para tratar de negócios de seu irmão mais velho, Dmitri Fiódorovitch, de quem ouvira falar pela primeira vez na vida e o qual também conhecera quase nessa mesma época, durante a própria viagem, mas com quem, não obstante, ainda antes de sua vinda de Moscou começara a corresponder-

-se por motivo de um caso importante, relacionado mais com Dmitri Fiódorovitch. Que negócio era esse, o leitor ficará sabendo de forma minuciosa em momento oportuno. Entretanto, mesmo naquela ocasião, quando eu já estava a par até dessa circunstância especial, Ivan Fiódorovitch continuava a me parecer enigmático e sua vinda à nossa cidade, inexplicável, apesar de tudo.

Acrescento ainda que Ivan Fiódorovitch parecia então ser o mediador e conciliador entre o pai e seu irmão mais velho, Dmitri Fiódorovitch, que dera início a uma grande disputa e inclusive a uma demanda formal contra o pai.

Essa familiazinha, repito, estava então toda reunida pela primeira vez na vida, e alguns de seus membros se viam pela primeira vez. Só Alieksiêi Ivánovitch, o caçula, já morava em nossa cidade havia coisa de um ano, e portanto apareceu entre nós antes de todos os outros irmãos. Pois é sobre esse Alieksiêi que tenho mais dificuldade de falar neste meu relato preambular antes de colocá-lo na cena do romance. Contudo, tenho de escrever uma introdução também sobre ele, ao menos para esclarecer de antemão um ponto muito estranho, ou seja: sou forçado a apresentar aos leitores meu futuro herói em hábito de noviço desde a primeira cena de seu romance. Sim, já fazia um ano que ele estava em nosso mosteiro, e parecia disposto a enclausurar-se nele pelo resto da vida.

IV. O TERCEIRO FILHO, ALIÓCHA

Tinha ele na ocasião apenas vinte anos (o irmão Ivan caminhava para os vinte e quatro, Dmitri, o mais velho, para os vinte e oito). Aviso, antes de tudo, que esse rapaz, Aliócha, não era absolutamente um fanático e, a meu ver, nem chegava a ter nada de místico. Antecipo minha opinião completa: era simplesmente imbuído de um precoce amor ao ser humano, e se se lançou no caminho do mosteiro, foi apenas porque, na ocasião, só ele lhe calou fundo e lhe ofereceu, por assim dizer, o ideal para a saída de sua alma, que tentava arrancar-se das trevas da maldade mundana para a luz do amor. E esse caminho só lhe calou fundo porque aí ele encontrou naquele momento um ser que achava extraordinário — o nosso famoso Zossima, *stárietz*[12] do mosteiro, a quem se afeiçoou com todo o ardente primeiro amor de seu insaciável coração. Pensando bem, não questiono que mesmo então ele já era

[12] Monge ancião, mentor espiritual e guia dos religiosos ou de outros monges. A instituição dos *startzí* era muito respeitada pelo povo russo. (N. do T.)

muito estranho, e isso inclusive vinha do berço. Aliás, já mencionei que ele, tendo perdido a mãe mal completara três anos, guardou-a na memória pelo resto da vida, seu rosto, seus carinhos, "como se ela estivesse viva à minha frente". Lembranças como essas podem ser conservadas (e todo mundo sabe disso) desde a mais tenra idade, até desde os dois anos, mas durante toda a vida só se manifestam como uma espécie de pontos de luz saídos das trevas, de um cantinho de um imenso quadro que se apagou e desapareceu por inteiro, excetuando-se apenas esse cantinho. Era exatamente o que lhe acontecia: ele se lembrava de uma tarde de verão, tranquila, uma janela aberta, raios oblíquos do sol poente (era desses raios oblíquos que mais se lembrava), um ícone num canto do quarto, diante deste uma lamparina acesa, e diante da imagem sua mãe ajoelhada, aos prantos como em crise de histeria, entre gritos e ganidos, agarrando-o com ambos os braços, abraçando-o com força a ponto de lhe causar dor e orando por ele a Nossa Senhora, estendendo-o dos seus abraços para o ícone com ambas as mãos como se o colocasse sob a proteção da Virgem... e de repente a ama entra correndo e o arranca dos braços da mãe assustada. Que quadro! Aliócha guardou na memória desse instante também o rosto da mãe: dizia que era um rosto alucinado, porém belo, até onde a lembrança lhe permitia julgar. Mas raramente gostava de confiar essa lembrança a alguém. Na infância e na juventude era pouco expansivo e até de poucas palavras, mas não por desconfiança nem por timidez ou soturna insociabilidade, e sim até bem ao contrário, por outro motivo qualquer, por alguma preocupação como que interior, especificamente pessoal, que não dizia respeito a outros, mas era tão importante para ele que o fazia como que esquecer o resto. Mas amava os homens: parecia ter vivido a vida inteira acreditando plenamente neles, e entretanto nunca ninguém o considerara nem simplório, nem ingênuo. Nele havia qualquer coisa que dizia e infundia (aliás, foi assim pelo resto da vida) que ele não queria ser juiz dos homens, que não queria assumir sua condenação e por nada os condenaria. Parecia até que admitia tudo, sem qualquer condenação, embora tomado amiúde de uma tristeza muito amarga. Nesse sentido, chegou mesmo a tal ponto que ninguém poderia surpreendê-lo nem assustá-lo, e isso acontecera até em sua mais tenra juventude. Chegando com dezenove anos à casa do pai, um antro de sórdida depravação na plena acepção da palavra, ele, casto e pudico, apenas se afastava em silêncio quando era insuportável contemplar, mas sem o mínimo sinal de desprezo ou condenação de quem quer que fosse. Já o pai, outrora parasita e por isso sensível e suscetível a ofensas, depois de recebê-lo a princípio com ar desconfiado e sorumbático ("fica um tempão calado, dizia, e pensando muito consigo mesmo"), não obstante logo

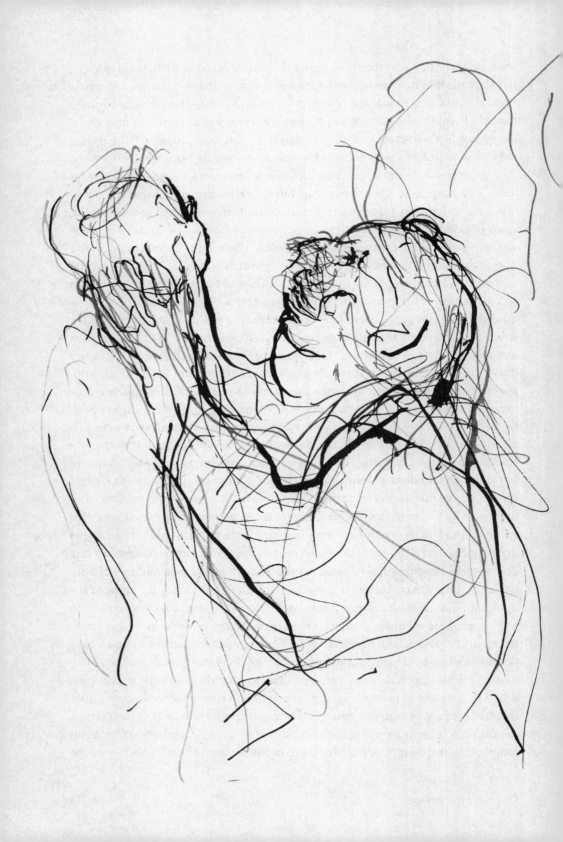

passou a abraçá-lo e beijá-lo com enorme frequência, e isso apenas coisa de duas semanas após sua chegada, embora com lágrimas de bêbado nos olhos, tocado por sensibilidade de bêbado; mas via-se que o amara sincera e profundamente, e de um modo que alguém como ele nunca conseguira, é claro, amar ninguém...

Sim, todos gostavam desse rapaz onde quer que ele aparecesse, e isso desde sua tenra infância. Em casa de seu benfeitor e educador Iefim Pietróvitch Poliónov, todos os membros da família se haviam afeiçoado de tal forma a ele que o consideravam quase um filho. Entretanto, ele chegara a essa casa ainda naquela infância tão tenra em que não há como esperar da criança astúcia de calculista, esperteza ou arte de bajular e agradar, habilidade para se fazer gostar. De sorte que o dom de infundir um amor especial por si nos outros estava nele, por assim dizer, em sua própria índole, em forma natural e espontânea. O mesmo acontecera na escola e, não obstante, parecia ser precisamente daquele tipo de criança que desperta a desconfiança dos colegas, às vezes zombaria e, é de crer, até ódio. Por exemplo, ficava meditativo e meio desligado. Desde criança gostava de afastar-se para um canto e ficar lendo livros, e ainda assim os colegas se afeiçoaram tanto a ele que se poderia chamá-lo de o predileto de toda a escola durante todo tempo que passou ali. Raramente fazia travessuras, era até raro estar alegre, mas todos que olhavam para ele logo percebiam que isso não se devia a nenhuma casmurrice, que, ao contrário, ele era uma pessoa equilibrada e serena. Nunca procurava se destacar entre seus coetâneos. Talvez por isso mesmo nunca temesse ninguém, e por outro lado os meninos logo compreenderam que ele não se vangloriava absolutamente de seu destemor, mas era como se não compreendesse que era corajoso, destemido. Nunca guardava ressentimento. Em alguns casos, uma hora depois de ter recebido uma ofensa respondia ao ofensor e iniciava ele mesmo uma conversa de forma tão crédula e serena como se nada houvesse acontecido entre os dois. E não é que aí aparentasse esquecimento casual ou desculpa premeditada da ofensa; ele simplesmente não a considerava ofensa, e isso cativava e conquistava de vez as crianças. Havia apenas um traço em seu caráter que suscitava nos colegas de todas as turmas do colégio, desde as iniciantes até as superiores, uma vontade constante de galhofar dele, não por maldade, mas porque se divertiam com isso. Esse traço era o acanhamento desmedido, o pundonor. Não conseguia ouvir certas palavras e certas conversas sobre mulheres. Essas "certas" palavras e conversas, infelizmente, era impossível desenraizar das escolas. Meninos puros de coração e alma, ainda quase crianças, muito amiúde gostam de falar entre si, nas turmas, e inclusive em voz alta, de coisas, quadros e imagens sobre as quais nem sempre se fala sequer com soldados; além disso, neste tipo de assunto os próprios soldados ignoram e não compreendem muito do que já conhecem os filhos ainda crianças da nossa intelectualidade e da alta sociedade. Entre eles, é de crer, ainda não existe perversão moral; cinismo verdadeiro, pervertido, interior, também não, mas existe perversão exterior, e é esta que não raro eles consideram algo até delicado, fino, galhardo e digno de imitação. Vendo que, quando começavam a falar "naquilo", "Aliócha Karamázov" tapava rapidamente os ouvidos com os dedos, às vezes eles se aglomeravam junto dele e, arrancando-lhe à força as mãos dos ouvidos, gritavam-lhe indecências ao pé de ambos os ouvidos, enquanto ele se debatia, jogava-se no chão, deitava-se, cobria-se, e tudo isso sem dizer uma palavra, sem altercar, suportando calado a ofensa. Entretanto, acabaram por deixá-lo em paz, já não o chamavam de "mocinha" e ainda demonstravam compaixão por ele. A propósito, ele estava sempre entre os melhores da turma em matéria de aprendizagem, mas nunca o destacaram como o primeiro.

Depois que Iefim Pietróvitch morreu, Aliócha ainda permaneceu dois anos no colégio da província. Quase imediatamente após a morte de Iefim Pietróvitch, sua inconsolável viúva viajou para a Itália por um longo período com toda a família, formada apenas por pessoas do sexo feminino, e Aliócha foi para a casa de duas senhoras, parentas distantes de Iefim Pietróvitch, que nunca vira antes e em condições que ele mesmo não sabia quais seriam. Era também seu traço, até muito peculiar, o de nunca se preocupar em saber a expensas de quem vivia. Nisto era o oposto total de seu irmão mais velho, Ivan Fiódorovitch, que passara os dois primeiros anos de universidade na penúria, sustentando-se com seu trabalho, depois de sentir amargamente desde a infância que vivia a expensas de seu benfeitor. É de crer, porém, que não se podia julgar com muita severidade esse estranho traço do caráter de Alieksiêi, porque qualquer um que mal começasse a travar o mínimo conhecimento com ele e se deparasse com uma pergunta a esse respeito já teria como certo que Alieksiêi era daquele tipo de jovens que se pareciam com os *iuródivi*[13] e que, se de repente calhasse de lhe cair nas mãos até mesmo uma verdadeira fortuna, não teria dificuldade de cedê-la ao primeiro pedido, fosse para uma boa causa ou, talvez, até a um espertalhão que lha pedisse. Aliás, em linhas gerais era como se ele não tivesse nenhuma noção do valor do dinheiro, não no sentido literal, é claro. Quando lhe davam dinheiro para pequenas des-

---

[13] Plural de *iuródiv*, termo que comporta os seguintes sentidos: 1) tipo atoleimado, esquisitão, pessoa juridicamente irresponsável; 2) entre os religiosos do norte da Rússia, pedinte, louco com dons proféticos. (N. do T.)

pesas, que ele mesmo nunca pedia, ou ficava semanas a fio sem saber o que fazer com ele, ou o esbanjava, e o dinheiro sumia num piscar de olhos. Piotr Alieksándrovitch Miússov, homem muito melindroso quando se tratava de dinheiro e da honestidade burguesa, certa vez pronunciou o seguinte aforismo após observar Alióecha: "Está aí, talvez, o único homem no mundo que a gente pode deixar sozinho e sem dinheiro numa cidade desconhecida de um milhão de habitantes, que ele de maneira nenhuma sucumbirá ou morrerá de fome e frio, porque num abrir e fechar de olhos lhe darão de comer, num abrir e fechar de olhos lhe darão guarida e, se não lha derem, ele mesmo arranjará guarida num abrir e fechar de olhos, e isso não lhe custará qualquer esforço ou qualquer humilhação, e ele não será nenhum fardo a quem lhe der guarida mas, ao contrário, talvez achem isso um prazer".

Não concluiu o colégio; restava-lhe ainda um ano inteiro quando de repente comunicou às suas senhoras que estava indo procurar o pai com o intuito de tratar de um assunto que lhe dera na telha. As senhoras lamentaram muito e não queriam deixá-lo partir. A viagem não era nada cara, e as senhoras não lhe permitiram vender o relógio com que a família de seu benfeitor o presenteara antes de viajar ao exterior, e ainda o abasteceram de fartos recursos financeiros e até de roupa nova e roupa-branca. Ele, não obstante, devolveu-lhes metade do dinheiro, comunicando que queria viajar impreterivelmente de terceira classe. Depois de chegar à nossa cidadezinha, às primeiras indagações do pai: "O que vieste mesmo fazer aqui antes de concluir teu curso?", não deu nenhuma resposta direta e esteve, como se diz, mergulhado numa meditação incomum. Logo depois se descobriu que andava procurando o túmulo da mãe. Naqueles dias, teria inclusive confessado que essa fora a única finalidade de sua vinda. Contudo, é pouco provável que todo o motivo de sua vinda se resumisse a isso. O mais provável é que, naquela ocasião, nem ele mesmo soubesse ou tivesse qualquer condição de explicar o que precisamente lhe brotara da alma como que de súbito e o arrastara de forma avassaladora para um caminho algo novo, ignorado, mas já inevitável. Fiódor Pávlovitch não lhe podia indicar onde enterrara sua segunda mulher, porque nunca visitara seu túmulo desde que haviam coberto o caixão, e pela distância dos anos já esquecera completamente onde a sepultara naqueles idos...

A propósito de Fiódor Pávlovitch. Antes daqueles idos, ele havia morado durante muito tempo em outra cidade. Uns três ou quatro anos após a morte da segunda mulher, viajara para o sul da Rússia e finalmente aparecera em Odessa, onde acabou morando vários anos consecutivos. Primeiro travara conhecimento, segundo suas próprias palavras, com "muitos *jides*, *jidezinho*s, *jidocas, jidachos*",[14] e acabara sendo recebido não só por *jides*, mas "até por judeus". Cabe supor que foi nesse período de sua vida que ele desenvolveu sua habilidade especial de garimpar e amealhar dinheiro. Só voltara definitivamente à nossa cidadezinha uns três anos antes da chegada de Alióchas. Seus antigos conhecidos o acharam terrivelmente envelhecido, embora ele ainda não fosse lá tão velho. Não se comportava com mais dignidade, e sim de um jeito mais insolente. Surgiu-lhe, por exemplo, a descarada necessidade de ressuscitar o antigo palhaço — fazer os outros de palhaços. Gostava de aprontar com o sexo feminino, não propriamente daquele seu jeito antigo, mas agindo de um modo até mais asqueroso. Logo começou a abrir muitos botequins novos pelo distrito. Dava para perceber que possuía, talvez, uns cem mil rublos ou quiçá apenas um pouco menos. Muita gente da cidade e dos distritos foi logo contraindo dívidas com ele, sob as garantias mais seguras, é claro. Bem ultimamente havia ficado meio obeso, de certo modo começara a perder a lisura, o autodiscernimento, até caía em certa leviandade, começava em uma coisa e terminava em outra, ficava um tanto dispersivo e embebedava-se cada vez mais e mais amiúde, e se não fosse aquele mesmo criado Grigóri, que àquela altura também já estava um bocado velho e às vezes cuidava dele quase como um preceptor, é possível que Fiódor Pávlovitch não tivesse se livrado de umas consideráveis dores de cabeça. A chegada de Alióchas como que produziu sobre ele certo efeito até no aspecto moral, foi como se nesse velho precoce tivesse despertado algo amortecido em sua alma havia muito tempo: "Sabes — dizia frequentemente a Alióchas, procurando familiarizar-se com ele — que te pareces com ela, com a *klikucha*?". Era assim que ele chamava sua falecida mulher, mãe de Alióchas. Finalmente o criado Grigóri mostrara a Alióchas o túmulo da "*klikucha*". Levou-o ao cemitério de nossa cidade e lá, num canto distante, mostrou-lhe uma placa de ferro fundido, barata porém limpa, sobre a qual estava escrito o nome, a estirpe, a idade e o ano de sua morte, e embaixo aparecia uma espécie de quadrinha daqueles poemas antigos geralmente usados nos túmulos de pessoas das camadas médias. Para surpresa de Alióchas, essa placa fora obra de Grigóri. Ele mesmo mandara colocá-la sobre o pequeno túmulo da pobre "*klikucha*", e às suas próprias custas, depois que Fiódor Pávlovitch, que ele importunara um sem-número de vezes com menções a esse túmulo, partira

---

[14] Traduzindo os diminutivos da denominação depreciativa de judeu aqui empregados, teríamos, pela ordem, "judeu", "judeuzinho", "judeuzoca", "juderracho". Entre o *jide* e o judeu, referidos por Fiódor Pávlovitch, há uma gradação de certo "respeito" à posição econômica e social mais elevada do último. (N. do T.)

finalmente para Odessa, encolhendo os ombros não só para o túmulo como também para todas as suas lembranças. Aliócha não manifestara nenhuma emoção especial junto ao túmulo da mãe; limitara-se a ouvir o relato solene e judicioso de Grigori sobre a colocação da placa, ficara algum tempo postado de cabeça baixa e se fora sem dizer palavra. Desde então — talvez durante todo aquele ano — não voltara ao cemitério. Mas esse pequeno episódio também surtira sobre Fiódor Pávlovitch o seu efeito, e muito singular. Súbito ele pegou mil rublos e os levou ao nosso mosteiro para mandar rezar missa pela alma da esposa, mas não da segunda, não da mãe de Aliócha, da "*klikucha*", e sim da primeira, de Adelaída Ivánovna, a que lhe batia. Na noite do mesmo dia embebedou-se e insultou os monges diante de Aliócha. Ele mesmo não era nem de longe pessoa religiosa; talvez nunca tivesse acendido uma vela de cinco copeques diante de um ícone. Esse tipo de gente experimenta estranhos arroubos de sentimentos repentinos e pensamentos repentinos.

Eu já disse que ele estava muito obeso. Àquela altura, sua fisionomia era algo que testemunhava acentuadamente as peculiaridades e a essência de toda a vida por ele vivida. Além de bolsas longas e carnudas debaixo daqueles olhos miúdos, eternamente descarados, desconfiados e zombeteiros, além de uma infinidade de rugas fundas em seu rosto pequeno mas balofo, do queixo pontiagudo pendia ainda uma grande papada, carnuda e alongada como uma bolsinha para moedas, o que lhe dava um aspecto asquerosamente lascivo. Acrescente-se a isso a boca larga e lasciva, com lábios carnudos, por trás dos quais apareciam pequenos cacos de dentes negros, quase podres. Ele sempre borrifava saliva quando começava a falar. Aliás, ele mesmo gostava de galhofar de seu rosto, embora parecesse satisfeito com ele. Apontava particularmente para o nariz, não muito grande mas muito fino, com forte saliência aquilina: "Um verdadeiro nariz romano — dizia —, e com o pomo de adão forma a autêntica fisionomia de um patrício romano antigo dos tempos da decadência". Parece que se orgulhava disso.

E eis que pouco tempo depois de encontrar o túmulo da mãe, Aliócha lhe comunicou subitamente que queria ingressar no mosteiro e que os monges estavam dispostos a admiti-lo como noviço. Explicou na ocasião que era uma extraordinária vontade sua e lhe pedia solenemente a permissão como pai. O velho já sabia que o *stárietz* Zossima, que vivia em retiro espiritual permanente no eremitério do nosso mosteiro, causara uma impressão extraordinária em seu "quieto menino".

— Esse *stárietz* é entre eles, é claro, o monge mais honesto — proferiu, depois de ouvir Aliócha em silêncio, mas quase sem demonstrar nenhuma sur-

presa com o pedido. — Hum, então é para lá que queres ir, meu menino quieto! — Estava meio tocado, e de repente sorriu com seu sorriso largo, meio embriagado, mas não desprovido de astúcia e malícia de bêbado. — Hum, pois eu bem que pressenti que acabarias fazendo mesmo alguma coisa desse tipo; podes imaginar isso? Era para lá mesmo que ia todo teu empenho. Pois bem, tens teus dois mil rublos, eis o teu dote, mas eu, meu anjo, nunca te deixarei, e agora mesmo pagarei por ti o que for preciso, se lá me pedirem. Mas se não pedirem, a troco de que iríamos insistir, não é mesmo? Ora, tu gastas dinheiro como um canário, dois grãozinhos por semana... Hum. Sabes, há um mosteiro nos arredores da cidade que tem uma vila, e todo mundo sabe que lá só moram "mulheres do mosteiro", é assim que são chamadas, há umas trinta mulheres, acho eu... Estive lá e, sabes, é interessante, no seu gênero, é claro, no sentido da diversidade. A única coisa ruim é que há um russismo horrível, ainda não há nenhuma francesinha, mas podia haver, os recursos são consideráveis. Se elas souberem, virão para cá. Bem, aqui não há nada, aqui não há mulheres de mosteiros, já monges há uns duzentos. Estou sendo franco. Vivem jejuando. Confesso... Hum. Quer dizer que vais ser monge? Pois tenho pena de ti, Aliócha, de verdade, acredites ou não, passei a te amar... Pensando bem, eis uma ocasião oportuna: rezarás por nós, pecadores; por aqui, andamos pecando demais. Sempre pensei nisso: quem irá rezar por mim um dia? Existe no mundo essa pessoa? Meu querido menino, sou terrivelmente tolo a esse respeito, será que não acreditas? Terrivelmente. Vê: por mais tolo que seja, estou sempre pensando, sempre pensando, de raro em raro, não sempre, mas é isso. Porque é impossível, penso eu, que os diabos se esqueçam de me arrastar com seus ganchos quando eu morrer.[15] E aí penso: ganchos? Mas de onde vieram? De que são feitos? De ferro? Onde são forjados? Será que têm alguma fábrica por lá? Ora, lá no mosteiro os monges certamente supõem que no inferno, por exemplo, existe teto. Já eu só aceito acreditar no inferno que não tenha teto; assim ele ficaria com uma aparência mais delicada, mais culta, ou seja, do jeito dos luteranos. Mas será que, no fundo, não daria no mesmo: com teto ou sem teto? Porque é nisso que consiste a maldita questão! Bem, se não há teto, quer dizer que também não há ganchos. E se não há ganchos, então adeus tudo, quer dizer, de novo fica inverossímil: quem vai me arrastar com ganchos, porque, se não me arrastarem, como é que ficarão as coisas, onde é que estará a ver-

---

[15] A ideia de que, depois da morte da alma, os diabos arrastam com ganchos os pecadores para o inferno está representada nas imagens do Juízo Final. (N. da E.)

dade no mundo? Esses ganchos, *il faudrait les inventer*[16] propositadamente para mim, só para mim, porque se tu soubesses, Alliócha, que tipo desavergonhado eu sou!...

— Sim, mas lá não há ganchos — proferiu Alliócha em tom baixo e sério, fitando o pai.

— Pois é, pois é, são apenas sombras de ganchos. Sei, sei. Foi assim que um francês descreveu o inferno: "*J'ai vu l'ombre d'un cocher, qui avec l'ombre d'une brosse frottait l'ombre d'une carrosse*".[17] Como sabes, meu caro, que lá não há ganchos? Depois de conviveres com os monges, tua cantiga será outra. Mas, pensando bem, vai, encontra lá a verdade e volta para contá-la: seja lá como for, ficará mais fácil ir para o outro mundo se a gente souber ao certo o que existe por lá. E ademais será mais decente para ti viver entre monges do que aqui, com um velhote beberrão e ainda com mocinhas... mesmo que, como anjo, nada te atinja. Bem, vai ver que lá também nada te atingirá, e é por ter essa última esperança que te permito o ingresso. Afinal, o diabo não te devorou a inteligência. Vais conversar e apagar essa chama, curar-te e voltar para casa. E estarei te esperando: pois sinto que és a única pessoa na face da terra que não me condenou, meu menino querido, eu sinto isso, não posso mesmo deixar de senti-lo!...

E até choramingou longamente. Era sentimental. Mau e sentimental.

V. Os *STARTZÍ*[18]

Talvez algum leitor pense que meu jovem fosse de natureza doentia, dada a arroubos, precariamente desenvolvida, um pálido sonhador, uma pessoa estiolada e macilenta. Ao contrário, naquele tempo Alliócha era um esbelto jovem de dezenove anos, corado, de olhar claro, que vendia saúde. Era até muito bonito, airoso, de estatura acima da mediana, cabelos castanhos escuros, rosto regular, embora de um oval meio alongado, olhos cinza-escuro brilhantes e acentuadamente rasgados, muito pensativo e de aparência mui-

---

[16] "Seria preciso inventá-los", em francês no original. Perífrase irônica da famosa afirmação de Voltaire (1694-1778): "*Si dieu n'existait pas, il faudrait l'inventer*", isto é, "Se Deus não existisse, seria preciso inventá-lo". (N. da E.)

[17] "Eu vi a sombra de um cocheiro, que com a sombra de uma escova esfregava a sombra de uma carruagem". Versos, um tanto modificados, da paródia do canto VI da *Eneida*, escrita pelos irmãos Claude, Charles e Nicolas Perrault por volta de 1648. (N. da E.)

[18] Plural de *stárietz*. (N. do T.)

to tranquila. Talvez digam que as faces vermelhas não impedem nem o fanatismo, nem o misticismo; a mim, porém, me parece que Aliócha era até mais realista que qualquer outra pessoa. Oh, é claro, no mosteiro ele acreditava piamente em milagres, mas a meu ver os milagres nunca desconcertam o realista. Não são os milagres que inclinam o realista para a fé. O verdadeiro realista, caso não creia, sempre encontrará em si força e capacidade para não acreditar no milagre, e se o milagre se apresenta diante dele como um fato irrefutável, é mais fácil ele descrer de seus sentidos que admitir o fato. E se o admite, admite-o como fato natural, que apenas lhe fora até então desconhecido. No realista a fé não nasce do milagre, mas é o milagre que nasce da fé. Se o realista acredita uma vez, é justamente por seu realismo que ele deve forçosamente admitir o milagre. O apóstolo Tomé declarou que não acreditaria sem antes ver, e quando viu disse: "Senhor meu e Deus meu!". Terá sido o milagre que o fez acreditar? É mais provável que não, mas ele acreditou unicamente porque desejou acreditar, e talvez já acreditasse plenamente, lá no mais recôndito de seu ser, mesmo quando disse: "Se não o vir... de modo algum acreditarei".[19]

Talvez digam que Aliócha era obtuso, atrasado, que não concluíra seu curso, etc. Que não concluíra seu curso era verdade, mas dizer que era obtuso ou tolo seria uma grande injustiça. Vou simplesmente repetir o que já disse: ele só enveredou por esse caminho porque foi o único que o fascinou naquele momento e ao mesmo tempo lhe ofereceu todo o ideal para a saída de sua alma, que tentava arrancar-se das trevas para a luz. Acrescente-se que ele já era, em parte, um jovem do nosso tempo, ou seja, honesto por natureza, que reclamava a verdade, que a procurava e acreditava nela e, uma vez tendo acreditado, exigia participar imediatamente dela com toda a força de sua alma, reivindicava um feito urgente, movido pelo premente desejo de doar tudo de si, até mesmo a própria vida, para realizar esse feito. Embora esses jovens infelizmente não compreendam que o sacrifício da vida é, talvez, o mais fácil de todos os sacrifícios numa infinidade de casos similares, e que sacrificar, por exemplo, de cinco a seis anos de sua vida, inflamada de

---

[19] Trata-se do episódio descrito no Evangelho de João, 20, 19-29, em que Jesus aparece aos discípulos na ausência de Tomé, que descrê da vinda do mestre. "Disseram-lhe então os outros discípulos: vimos o Senhor. Mas ele respondeu: Se eu não vir nas suas mãos o sinal dos cravos, e ali não puser o meu dedo, e não puser a minha mão no seu lado, de modo algum acreditarei". Passados oito dias, Jesus reaparece aos discípulos na presença de Tomé, e lhe diz: "Põe aqui o teu dedo e vê as minhas mãos; chega também a tua mão e põe-na no meu lado; não sejas incrédulo, mas crente. Respondeu-lhe Tomé: Senhor meu e Deus meu". (N. do T.)

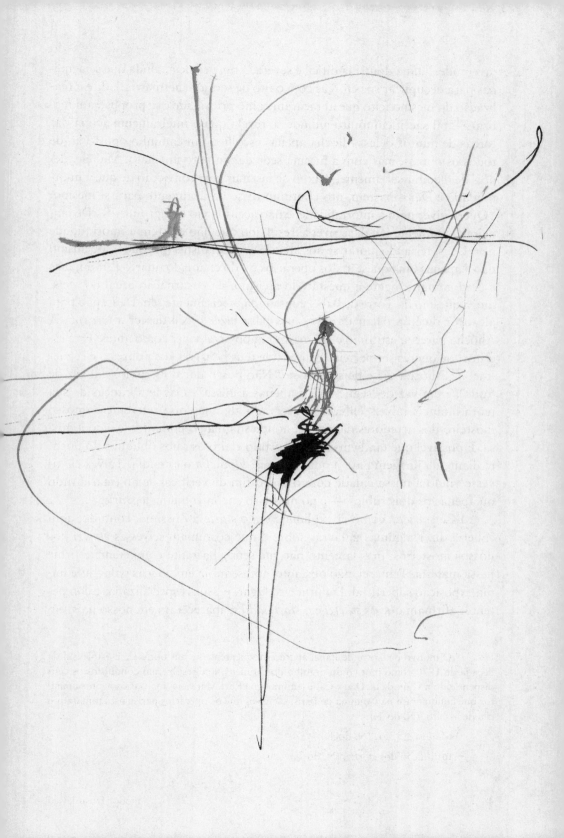

juventude, a uma doutrina difícil e severa, a uma ciência, ainda que seja apenas para decuplicar suas forças com o fito de servir à mesma verdade e à realização do mesmo feito que abraçaram como prioridade e se propuseram realizar — tal sacrifício muito amiúde se revela quase inteiramente acima das forças de muitos deles. Aliócha apenas escolheu um caminho oposto ao de todos os outros, mas com a mesma sede de um feito imediato. Mal ele, depois de meditar seriamente, deixou-se fascinar pela convicção de que a imortalidade e Deus existem, ato contínuo disse naturalmente para si mesmo: "Quero viver para a imortalidade, e não aceito meio compromisso". De maneira exatamente igual, se tivesse resolvido que não existem a imortalidade nem Deus, teria ido juntar-se aos ateus e aos socialistas (porque o socialismo não é apenas uma questão dos operários ou do chamado quarto Estado, mas é predominantemente a questão do ateísmo, da encarnação atual do ateísmo, a questão da Torre de Babel construída precisamente sem Deus, não para alcançar o céu a partir da terra mas para fazer o céu descer à terra).[20] A Aliócha pareceu estranho e até mesmo impossível viver como antes. Está escrito: "Se queres ser perfeito, vai, vende teus bens, dá aos pobres... e segue-me".[21] Aliócha disse de si para si: "Não posso dar dois rublos em vez de 'tudo', e em vez de 'segue-me' ir apenas à missa". Das lembranças de sua tenra infância talvez tenha se conservado alguma coisa referente ao nosso mosteiro dos arredores da cidade, aonde sua mãe o podia ter levado à missa. É possível que também tenham surtido efeito os raios oblíquos do poente diante da imagem para a qual sua mãe-*klikucha* o estendia. Talvez ele tivesse vindo à nossa cidade com o único fim de verificar se ali estaria tudo ou apenas os dois rublos — e no mosteiro encontrou aquele *stárietz*...

Esse *stárietz*, como já expliquei, era o *stárietz* Zossima; contudo, aqui caberia dizer algumas palavras sobre o que costumam ser esses *startzí* nos nossos mosteiros, mas lamento não me sentir bastante competente e firme nessa matéria. Tentarei, não obstante, apresentá-la em poucas palavras e numa exposição superficial. Em primeiro lugar, pessoas especializadas e competentes afirmam que os *startzí* e o *startziado*[22] apareceram em nosso país, em

---

[20] O motivo da Torre de Babel aparece frequentemente nas obras de Dostoiévski da década de 1870 como motivo do orgulho dos homens, que resolveram conquistar os céus dispensando a vontade de Deus. Cabe lembrar que Karl Marx, ao analisar os acontecimentos que culminaram na Comuna de Paris, escreveu que os operários parisienses tomaram o céu de assalto. (N. do T.)

[21] Mateus, 19, 21. (N. do T.)

[22] Instituição dos *startzí*. (N. do T.)

nossos mosteiros russos, só bem recentemente, não faz nem cem anos, ao passo que em todo o Oriente ortodoxo, particularmente no Sinai e no monte Atos, já existem há muito mais de um milênio. Afirma-se que o *startziado* existiu ou deve forçosamente ter existido também aqui em nosso país em tempos antiquíssimos, mas em virtude das catástrofes sofridas pela Rússia, do jugo tártaro, das revoltas, da interrupção das antigas relações com o Oriente depois da conquista de Constantinopla, essa instituição caiu no esquecimento e os *startzí* deixaram de existir. Foi ressuscitada na Rússia em fins do século passado por um dos maiores ascetas (era assim que o chamavam), Paissi Vielitchkovski, e seus discípulos, mas até hoje, quase cem anos depois, existe em um número ainda bem reduzido de mosteiros e chegou inclusive a sofrer perseguições esporádicas, como se fosse uma novidade inaudita em nosso país. Aqui ela prosperou particularmente no famoso deserto de Koziélskaia Optina. Quando e por quem foi ela implantada em nosso mosteiro não posso dizer, mas ali já se considerava que ela formava uma terceira geração de *startzí*, e destes Zossima era o último, só que ele também já estava quase morrendo de fraqueza e doenças e sequer se sabia por quem substituí-lo. A questão era importante para o nosso mosteiro, pois até então não houvera nada de especial que o tornasse famoso: ali não havia nem relíquias de santos, nem imagens milagrosas, e nem mesmo lendas gloriosas ligadas à nossa história, não se lhe atribuíam feitos históricos nem serviços prestados à pátria. Ele prosperara e ganhara fama em toda a Rússia precisamente graças aos *startzí*, e, para vê-los e ouvi-los, multidões de peregrinos se deslocavam milhares de verstas de todos os confins da Rússia. Então, o que é um *stárietz*? O *stárietz* é alguém que pega a vossa alma e a vossa vontade e as absorve em sua alma e em sua vontade. Ao escolher um *stárietz*, abdicais de vossa vontade e a pondes em plena obediência a ele, num ato de plena renúncia de vós mesmos. Quem a isto se condena assume voluntariamente essa provação, essa terrível escola da vida na esperança de, após longa provação, vencer a si mesmo, dominar-se a ponto de poder finalmente atingir pela obediência de toda a vida a liberdade já completa, isto é, a liberdade de si mesmo, evitar a sorte daqueles que viveram uma vida inteira mas não se encontraram em si mesmos. Essa invenção, isto é, o *startziado*, não é coisa teórica, e sim tirada de uma prática do Oriente já milenar em nossos dias. As obrigações para com o *stárietz* não são aquela "obediência" corriqueira que sempre houve em nossos mosteiros russos. Ali se aceita a confissão permanente de todos os subordinados ao *stárietz*, bem como um vínculo indestrutível entre subordinante e subordinado. Conta-se, por exemplo, que certa vez, nos primórdios do Cristianismo, na Síria, um noviço descumpriu uma penitência noviciária que seu *stárietz* lhe impusera, abandonou-o e fugiu para o Egito. Ali, depois de longos e grandes feitos, finalmente se fez merecedor de suplícios e morte de mártir pela fé. Quando, porém, a igreja dava sepultura a seu corpo, já lhe prestando as honras de santo, assim que o diácono proferiu: "Que saiam os catecúmenos!",[23] o caixão com o corpo do mártir desprendeu-se subitamente do lugar e foi precipitado para fora do templo, e assim por três vezes. Enfim, soube-se apenas que esse santo supliciado descumprira a penitência noviciária e abandonara seu *stárietz*, e por isso, sem a permissão do *stárietz*, não podia ser perdoado, mesmo a despeito de seus grandes feitos. Mas só depois que, instado, o *stárietz* o absolveu é que foi possível seu sepultamento. É claro que isso não passa de uma antiga lenda, mas eis um fato recente: um de nossos monges contemporâneos estava em retiro no monte Atos, e súbito o *stárietz* lhe deu ordem para deixar Atos, que ele passara a amar do fundo de sua alma como um lugar sagrado, como um refúgio tranquilo, ir primeiro a Jerusalém em adoração aos lugares sagrados, e depois voltar para a Rússia, para o norte, para a Sibéria: "Teu lugar é lá, e não aqui". Perplexo e morto de desgosto, o monge apareceu em Constantinopla para ter com o patriarca ecumênico e lhe implorou que o dispensasse da penitência, mas o patriarca lhe respondeu que não só não podia dispensá-lo, como em toda a Terra não havia nem podia haver uma autoridade que pudesse dispensá-lo da penitência imposta pelo *stárietz*, a não ser o próprio *stárietz* que a impusera. Assim, o *startziado* é dotado de um poder em certos casos ilimitado e inconcebível. Eis por que inicialmente o *startziado* foi alvo de perseguição em muitos mosteiros de nosso país. Por outro lado, os *startzí* ganharam imediatamente a estima do povo. Por exemplo, muita gente do povo e muitos membros da mais alta nobreza afluíam ao nosso mosteiro para prosternar-se aos pés dos seus *startzí*, confessando-lhes suas dúvidas, seus pecados, seus sofrimentos, e pedindo conselhos e orientação. Ao verem isso, os inimigos dos *startzí* gritavam, entre outras acusações, que ali se aviltava de forma despótica e leviana o segredo da confissão, embora a contínua abertura da alma de um noviço ou de um homem mundano em confissão ao *stárietz* não se dê absolutamente como um segredo. Disso resultou, não obstante, que o *startziado* se manteve e pouco a pouco vai se estabelecendo nos mosteiros russos. Também

---

[23] Segundo Vladímir Dall, em *Tolkóviy slovar jovago vielikorússkogo yaziká* (Dicionário da língua russa viva), o termo *oglachênnii* (catecúmeno) era aplicado aos idólatras no templo durante as cerimônias de sua conversão ao Cristianismo. Quando o sacerdote proferia essa exortação durante a liturgia, os não cristãos eram obrigados a deixar o recinto da igreja. (N. do T.)

pode ser verdade que essa arma experimentada e já milenar de transformação moral do homem, que o conduz da escravidão para a liberdade e o aperfeiçoamento moral, possa converter-se em faca de dois gumes, de sorte que em lugar da resignação e do autocontrole definitivo talvez venha a redundar algumas vezes no contrário, no mais satânico orgulho, ou seja, em grilhões, e não em liberdade.

O *stárietz* Zossima tinha uns sessenta e cinco anos, era de família de grandes senhores de terra, e outrora, em sua tenra mocidade, fora militar e servira como oficial subalterno no Cáucaso. Sem dúvida, encantara Aliócha com alguma peculiaridade de sua alma. Aliócha morava na própria cela do *stárietz*, que se afeiçoara muito a ele e o admitira em sua cela. Cabe observar que, morando no mosteiro, Aliócha ainda não estava preso a nada, podia ir aonde quisesse mesmo que fosse por dias inteiros, e se usava batina era por livre vontade, para não ser diferente de ninguém no mosteiro. Mas ele mesmo gostava disso, é claro. É possível que a imaginação juvenil de Aliócha tenha experimentado intensamente a influência da força e da fama que cercavam constantemente o seu *stárietz*. A respeito do *stárietz* Zossima, muita gente dizia que ele, depois de receber durante tantos anos todos os que o procuravam para abrir-lhe o coração, ansiosos por seu conselho e sua palavra regeneradora, havia incorporado à alma tantas revelações, aflições e consciências que acabara adquirindo uma perspicácia já tão refinada que, à primeira mirada no rosto de um estranho que o procurasse, podia adivinhar o que o trazia ali, de que necessitava e inclusive o tipo de tormento que lhe torturava a consciência e, às vezes, antes que este pronunciasse uma palavra, deixava-o surpreso, perturbado e quase assustado com o conhecimento que revelava de seu segredo. Mas, além disso, Aliócha quase sempre observava que muitos, quase todos os que iam à cela do *stárietz* pela primeira vez para uma conversa a sós, entravam apavorados e perturbados e de lá saíam quase sempre iluminados e radiantes, e o rosto mais sombrio ganhava uma expressão feliz. Aliócha ainda ficava sobremaneira impressionado com o fato de que o *stárietz* não era nada severo; ao contrário, era sempre quase alegre ao tratar com as pessoas. Diziam os monges que ele se apegava justamente a quem mais pecava, e quem mais pecava recebia dele uma afeição maior que os outros. Até bem no fim da vida do *stárietz*, havia entre os monges aqueles que o odiavam e o invejavam, mas estes já iam rareando, e calavam, embora houvesse entre eles gente muito notável e importante no mosteiro, como, por exemplo, um dos monges mais antigos, grande silenciário e jejuador excepcional. E mesmo assim a imensa maioria estava, sem dúvida, do lado do *stárietz* Zossima, e muitos deles até o amavam de todo coração, com ardor e sinceridade; alguns tinham por ele um apego quase fanático. Estes diziam francamente, se bem que não de viva voz, que ele era um santo, que isso já estava fora de dúvida e, prevendo para breve sua morte, esperavam dele até milagres imediatos e uma grande glória para o mosteiro no futuro mais próximo. Na força milagrosa do *stárietz*, até Aliócha acreditava, assim como acreditava sem reservas na história do caixão que saíra voando da igreja. Via como muitos dos que apareciam com seus filhos doentes ou parentes adultos e imploravam para que o *stárietz* pusesse as mãos sobre eles e rezasse, logo retornavam, uns já no dia seguinte, e prostravam-se a seus pés banhados em lágrimas, agradecendo pela cura de seus doentes. Se havia cura de fato ou apenas melhora natural no curso da doença estava fora de questão para Aliócha, porque ele já acreditava plenamente na força espiritual de seu mestre, cuja glória ele via como se fosse seu próprio triunfo. Seu coração tremia particularmente e ele ficava todo radiante quando o *stárietz* saía para a multidão de peregrinos, gente simples que acorria de toda a Rússia e o aguardava ao portão do eremitério só para ver o *stárietz* e lhe pedir a bênção. Eles caíam de joelhos à sua frente, choravam, beijavam-lhe os pés, beijavam o chão que ele pisava, berravam, as mulheres lhe estendiam os filhos, conduziam para ele as *klikuchas*. O *stárietz* conversava com todos, lia para eles uma oração breve, abençoava-os e os dispensava. Ultimamente, os ataques da doença o deixavam às vezes tão fraco que ele mal tinha forças para deixar a cela, e de quando em quando os peregrinos passavam vários dias no mosteiro à espera de sua saída. Para Aliócha, não havia nenhuma dúvida da razão por que eles o amavam tanto, por que caíam de joelhos diante dele e choravam comovidos mal lhe viam o rosto. Oh, ele compreendia perfeitamente que para a alma humilde do homem do povo russo, exaurida pelo trabalho e pelo infortúnio e, principalmente, pela eterna injustiça e pelo eterno pecado, tanto seu como do mundo, não havia necessidade e consolo mais fortes que encontrar um santuário ou um santo e cair prosternado diante ele: "Se aqui há o pecado, a inverdade e a tentação, ainda assim existe em algum lugar, em algum ponto da Terra um ser santo e superior; por isso ele tem a verdade, por isso ele conhece a verdade; logo, ela não morre na Terra e, consequentemente, algum dia virá a nós e reinará por toda a Terra, como foi prometido". Sabia Aliócha que era assim mesmo que o povo sentia e até pensava, ele compreendia isso, e quanto ao fato de que o *stárietz* era precisamente esse mesmo santo, esse guardião da palavra divina aos olhos do povo — disso ele não tinha a mínima dúvida e nesse ponto estava com aqueles mujiques chorosos e suas mulheres doentes, que estendiam seus filhos ao *stárietz*. Já a convicção de que o *stárietz*, ao morrer, deixaria uma glória extraordinária ao mosteiro, reinava na alma de Aliócha talvez até com mais intensidade do que na alma de qualquer outra pessoa no mosteiro. Em todo o decorrer dos últimos tempos, um enlevo interior profundo e ardente vinha se inflamando com intensidade cada vez maior em seu coração. Não o perturbava minimamente que esse *stárietz* fosse, todavia, um ser único para ele; "Seja como for, ele é um santo, tem no coração o mistério da renovação para todos, a força que finalmente estabelecerá a verdade na Terra, e todos serão santos, e amarão uns aos outros, e não haverá nem ricos, nem pobres, nem exaltados, nem humilhados, mas serão todos como filhos de Deus e chegará o verdadeiro reino de Cristo". Eis com que sonhava o coração de Aliócha.

Parece que Aliócha ficara sumamente impressionado com a chegada dos dois irmãos que ele até então não conhecia. Com o irmão Dmitri Fiódorovitch ele fez amizade mais rápida e íntima, embora este tivesse chegado depois do outro irmão (seu irmão uterino), Ivan Fiódorovitch. Tinha enorme interesse em conhecer o irmão Ivan, mas este já estava ali havia dois meses, e nada de fazerem amizade, embora os dois se vissem com bastante frequência: o próprio Aliócha era calado e parecia esperar por alguma coisa, como se se envergonhasse de alguma coisa, e o irmão Ivan, ainda que de início Aliócha se visse sob seu olhar comprido e curioso, parece que logo deixou até de pensar nele. Aliócha notou isto com certa perturbação. Atribuiu a indiferença do irmão à diferença de idade e particularmente de instrução entre os dois. Mas Aliócha ainda pensava em outra coisa: tão pouca curiosidade e interesse do irmão em relação a ele talvez ainda viessem de algo que ele desconhecia inteiramente em Ivan. Por alguma razão, sempre lhe parecia que Ivan estava ocupado com alguma coisa, com algo interior e importante, que visava a algum fim, talvez muito difícil, de sorte que não tinha tempo para ele, e esse era o único motivo que o fazia olhar distraído para Aliócha. Fazia ainda esta reflexão: não haveria aí algum desprezo por ele, pelo tolinho do noviço, por parte do sábio ateu? Estava inteiramente a par de que o irmão era ateu. Com esse desprezo, se é que existia mesmo, não podia ofender-se, mas ainda assim esperava com alguma ansiedade, incompreensível para si mesmo e inquietante, o momento em que o irmão sentisse vontade de chegar-se mais intimamente a ele. O irmão Dmitri Fiódorovitch se referia ao irmão Ivan com o mais profundo respeito, falava dele com uma afetuosidade especial. Foi através dele que Aliócha ficou a par de todas as minúcias da importante questão que ultimamente havia unido os dois irmãos mais velhos por uma ligação extraordinária e estreita. As referências entusiásticas de Dmitri ao irmão Ivan eram ainda mais peculiares aos olhos de Aliócha porque o irmão Dmitri, comparado a Ivan, era um homem quase totalmente ignorante, e os dois, lado a lado, formavam, ao que parecia, tal contraste de personalidades e caracteres que talvez não fosse possível sequer imaginar duas pessoas mais diferentes.

Pois foi justo nesse momento que se deu a entrevista, ou melhor, a reunião da família, de todos os membros dessa desastrada família na cela do *stárietz*, reunião que exerceu influência excepcional sobre Aliócha. Em verdade, o pretexto para essa reunião era falso. Na ocasião, as discrepâncias de Dmitri Fiódorovitch com seu pai Fiódor Pávlovitch no tocante à herança e às estimativas dos bens de Dmitri pareciam ter chegado ao limite do impossível. As relações se agravaram e se tornaram insuportáveis. Fiódor Pávlovitch, parece, foi o primeiro a sugerir, e parece que também por brincadeira, a ideia de que todos se reunissem na cela de Zossima e, mesmo sem recorrer à mediação direta do *stárietz*, chegassem, contudo, a um entendimento mais decente, pois o título e a pessoa do *stárietz* poderiam ter qualquer coisa de persuasivo e conciliador. Dmitri Fiódorovitch, que nunca visitara Zossima e sequer o vira, pensou, é claro, que estivessem querendo como que assustá-lo com o *stárietz*; mas como ele mesmo no íntimo se censurava por muitos desatinos particularmente ríspidos cometidos nos últimos tempos nas discussões com o pai, acabou aceitando o desafio. É oportuno observar que não morava com o pai, como Ivan Fiódorovitch, mas em seu canto no outro extremo da cidade. E aconteceu que Piotr Alieksándrovitch Miússov, que na ocasião morava em nossa cidade, aferrou-se particularmente a essa ideia de Fiódor Pávlovitch. Liberal dos anos 40 e 50, livre-pensador e ateu, talvez por tédio, talvez visando a um passatempo leviano, teve nesse episódio uma participação extraordinária. Súbito lhe deu vontade de ver o mosteiro e o "santo". Como ainda prosseguissem suas antigas querelas com o mosteiro e também persistisse o litígio em torno dos limites terrestres de suas propriedades, bem como de certos direitos ao desmatamento e à pesca no riacho, etc., ele se apressou em aproveitar-se disso pretextando que desejaria pessoalmente chegar a um acordo com o padre igúmeno:[24] quem sabe não dariam um final amistoso às querelas? Um visitante com propósitos tão bons, é claro, deveria ser recebido no mosteiro com mais atenção e cortesia que um simples curioso. Em consequência de todas essas considerações, seria possível estabelecer no interior do mosteiro alguma influência sobre o *stárietz* doente, que nos últimos tempos quase nunca deixava a cela e por causa da doença se recusava a receber até as visitas comuns. Por fim o *stárietz* deu seu de acordo,

---

[24] O igúmeno equivale mais ou menos ao abade, com a diferença de ser exclusivo de mosteiros masculinos. (N. do T.)

e marcou-se o dia da visita. "Quem me fez partidor entre eles?"[25] — declarou a Aliócha limitando-se a um sorriso.

Aliócha ficou muito perturbado ao tomar conhecimento da entrevista. Se algum daqueles litigantes e demandistas podia ter propósitos sérios para essa reunião, não havia dúvida de que só podia ser o irmão Dmitri; todos os outros compareceriam com fins levianos e talvez até ofensivos para o *stárietz* — eis como Aliócha interpretava a questão. O irmão Ivan e Miússov compareceriam por curiosidade, possivelmente a mais grosseira, e o pai talvez até com o fito de armar alguma palhaçada ou cena teatral. Oh, ainda que calasse, Aliócha já conhecia o pai de forma suficiente e profunda. Repito; esse rapazinho não tinha nada de simplório, como todos o consideravam. Aguardou com angústia o dia marcado. Sem dúvida, lá com seus botões ansiava de coração por algum fim para todas aquelas desavenças familiares. Entretanto, sua maior preocupação era o *stárietz*: tremia por ele, por sua glória, temia ofensas a ele, sobretudo as caçoadas sutis e corteses de Miússov e as reticências do grande sábio Ivan, que era como tudo isso se apresentava a ele. Quis até correr o risco de prevenir o *stárietz*, dizer-lhe alguma coisa sobre aquelas pessoas que deveriam aparecer, mas refletiu e ficou calado. Só na véspera do dia marcado transmitiu ao irmão Dmitri, através de um conhecido, que o amava muito e esperava dele o cumprimento do prometido. Dmitri ficou matutando, porque não conseguia se lembrar de nada que lhe tivesse prometido, e limitou-se a responder por escrito que faria todos os esforços para se conter "diante de baixezas" e que, embora respeitasse profundamente o *stárietz* e o irmão Ivan, estava, todavia, convencido de que ali havia para ele alguma armadilha ou uma comédia indigna. "Entretanto, prefiro engolir a língua a faltar com o respeito ao santo homem que tanto estimas" — concluiu Dmitri seu bilhete. O qual não deixou Aliócha muito animado.

---

[25] Palavras quase idênticas às de Jesus: "Homem, quem me constituiu juiz ou partidor entre vós?". Lucas, 12, 14. (N. da E.)

Livro II
UMA REUNIÃO INOPORTUNA

I. A CHEGADA AO MOSTEIRO

Fazia um dia lindo, morno e claro. Estávamos em fins de agosto. A entrevista com o *stárietz* fora marcada para logo depois da segunda missa, por volta das onze e meia. Todavia, nossos visitantes dispensaram a missa e chegaram no exato momento em que ela terminava. Vieram em duas carruagens; na primeira, uma caleche elegante puxada por uma parelha de cavalos caros, chegou Piotr Alieksándrovitch Miússov com seu parente distante Piotr Fomitch Kalgánov, rapaz muito jovem, de uns vinte anos. Esse rapaz se preparava para ingressar na universidade; porém Miússov, em cuja casa ele morava provisoriamente não se sabe por quê, procurava induzi-lo a ir para o estrangeiro, Zurique ou Iena, para que ali ingressasse numa universidade e concluísse os estudos. O rapaz ainda não se decidira. Era meditativo e meio distraído. Tinha um rosto agradável, compleição forte, altura bastante elevada. Vez por outra tinha no olhar uma estranha fixidez; como todas as pessoas muito distraídas, às vezes fixava demoradamente o olhar numa pessoa, sem, entretanto, enxergá-la. Era calado e um tanto desajeitado, mas sucedia que de repente ficava muito loquaz — se bem que isso nunca acontecia senão quando estava a sós com alguém —, impetuoso, de riso solto, rindo às vezes sabe Deus de quê. Contudo, sua animação se extinguia tão rápida e subitamente como rápida e subitamente começava. Sempre se vestia bem e até com requinte; já desfrutava inclusive de certa independência financeira, e ainda esperava bem mais. Era amigo de Aliócha.

Numa caleche muito velha, rangente mas espaçosa, puxada por uma parelha de velhos cavalos rosilhos, que seguia com bastante atraso a carruagem de Miússov, chegaram Fiódor Pávlovitch e o filho Ivan. Ainda na véspera Dmitri Fiódorovitch fora informado do dia e da hora, mas estava atrasado. Os visitantes deixaram as carruagens no pátio da hospedaria e atravessaram a pé o portão do mosteiro. Além de Fiódor Pávlovitch, os outros três, parece, nunca tinham visto nenhum mosteiro e fazia, talvez, uns trinta anos que Miússov nem sequer punha os pés numa igreja. Ele olhava ao redor com

Os irmãos Karamázov

55

alguma curiosidade, não desprovida de uma assumida sem-cerimônia. Contudo, à exceção das edificações da igreja e suas dependências, aliás, muito comuns, sua inteligência observadora nada reparou no interior do mosteiro. O último grupo de pessoas deixava o mosteiro, tirando os chapéus e se benzendo. No meio da plebe também havia peregrinos da mais alta sociedade, umas duas ou três damas, um general muito velho; todos estavam instalados na hospedaria. Os mendigos logo rodearam os nossos visitantes, mas ninguém lhes deu nada. Só Pietrucha[26] Kalgánov tirou do porta-níqueis uma moeda de dez copeques e, apressado e desconcertado sabe Deus por quê, meteu-a rapidamente na mão de uma mulher, proferindo às pressas: "Repartir meio a meio". Nenhum de seus companheiros reparou nesse seu gesto, de sorte que ele não tinha razão para desconcerto; ao percebê-lo, porém, ficou ainda mais desconcertado.

Era, porém, esquisito; alguém deveria recebê-los adequadamente, talvez até com alguma consideração: havia pouco um deles doara mil rublos, e o outro era o senhor de terras mais rico e o homem, por assim dizer, mais instruído, de quem todos ali em parte dependiam para pescar no rio, conforme o rumo que o processo viesse a tomar. E eis que, não obstante, nenhuma personalidade oficial os recebeu. Miússov olhava distraído para os túmulos próximos à igreja e quis observar que aqueles túmulos deviam ter custado meio caro a quem pagava pelo direito de sepultura nesse lugar "sagrado", mas calou: a sua simples ironia liberal foi se transformando quase em cólera.

— Que diabo! A quem vamos nos dirigir aqui, no meio dessa trapalhada? Sim senhor!... Precisamos resolver isso, porque o tempo está passando — proferiu de repente como que de si para si.

Súbito achegou-se um senhor idoso calvo, de olhinhos doces e metido num folgado casaco de verão. Depois de levantar o chapéu, com um cicio melífluo apresentou-se a todos como o fazendeiro Maksímov de Tula. Num piscar de olhos inteirou-se da preocupação dos nossos viandantes.

— O *stárietz* Zossima mora no eremitério, isolado no eremitério, a uns quatrocentos metros do mosteiro, depois do bosquezinho, do bosquezinho...

— Até eu sei que é depois do bosquezinho — respondeu-lhe Fiódor Pávlovitch —, só que não nos lembramos direito do caminho, faz tempo que não vimos aqui.

— Então é atravessar aquele portão e seguir direto pelo bosquezinho, pelo bosquezinho... Vamos. Não querem que... eu mesmo... eu mesmo... É por aqui, por aqui...

---

[26] Diminutivo de Piotr. (N. do T.)

Atravessaram o portão e seguiram pelo bosque. O fazendeiro Maksímov, homem de uns sessenta anos, não caminhava propriamente, mas, melhor dizendo, quase corria ao lado deles, observando a todos com uma curiosidade febril quase insuportável. Estava com os olhos meio esbugalhados.

— Veja, vamos tratar de questões pessoais com esse *stárietz* — observou Miússov em tom severo —, nós, por assim dizer, conseguimos uma audiência "com essa pessoa" e, embora lhe sejamos gratos pela companhia, todavia não o convidamos a entrar conosco.

— Eu já estive, estive, já estive... *Un chevalier parfait!*[27] — e o fazendeiro estalou os dedos no ar.

— Quem é esse *chevalier*? — indagou Miússov.

— O *stárietz*, o magnífico *stárietz*, o *stárietz*... Honra e glória do mosteiro. Zossima. É um *stárietz*...

Contudo, sua fala desordenada foi interrompida por um mongezinho baixo, muito pálido, macilento e metido num *kobluk*,[28] que alcançava os caminhantes. Fiódor Pávlovitch e Miússov pararam. Com uma cortesia extraordinária e curvando-se numa reverência quase até a cintura, o monge pronunciou:

— O padre igúmeno pede encarecidamente que todos os senhores fiquem para almoçar com ele depois de o visitarem no eremitério. Ele almoça à uma hora, no máximo. E o senhor também — disse ele a Maksímov.

— Isso eu cumprirei sem falta! — bradou Fiódor Pávlovitch, sumamente satisfeito com o convite —, sem falta. E sabe, todos demos a palavra de nos comportarmos aqui com dignidade... E o senhor, Piotr Alieksándrovitch, participa?

— Sim, e por que não? E por que vim para cá senão com o intuito de ver todos os costumes daqui? Minha única dificuldade é precisamente estar neste momento em sua companhia, Fiódor Pávlovitch...

— Sim, mas Dmitri Fiódorovitch ainda não deu sinal de vida.

— Aliás, seria até ótimo que não desse; por acaso me agrada toda essa lambança, e ainda por cima a sua companhia? Bem, vamos comparecer ao almoço, agradeça ao padre igúmeno — disse ao monge.

— Não, minha obrigação é conduzi-los à presença do *stárietz* — respondeu o monge.

— Quanto a mim, já que é para ir ao padre igúmeno, então vou direto ao padre igúmeno — chilrou o fazendeiro Maksímov.

[27] "Um perfeito cavalheiro!", em francês. (N. da E.)

[28] Cobertura de cabeça com véu, usada pelos monges ortodoxos. (N. do T.)

— O padre igúmeno está ocupado neste momento, mas seja como o senhor quiser... — pronunciou indeciso o monge.

— Esse velhote é o cúmulo do importuno — observou Miússov em voz alta, quando o fazendeiro Maksímov correu de volta ao mosteiro.

— Ele se parece com Von Sohn[29] — proferiu Fiódor Pávlovitch.

— É só o que o senhor sabe... Por que ele se parece com Von Sohn? O senhor viu pessoalmente Von Sohn?

— Vi uma foto dele. Embora não seja pelos traços do rosto, por alguma coisa inexplicável ele se parece. É a cópia mais genuína de Von Sohn. Isto eu sempre reconheço só pela fisionomia.

— Certamente; nisso o senhor é perito. Só que tem uma coisa, Fiódor Pávlovitch; o senhor mesmo acabou de lembrar que demos a palavra de que nos comportaremos com decência, lembre-se disso. Estou lhe dizendo, contenha-se. Se começar a bancar o palhaço, saiba que não tenho a intenção de ser aqui posto no mesmo saco com o senhor... Veja que espécie de homem — dirigiu-se ao monge —, tenho medo de visitar pessoas decentes na companhia dele.

Nos lábios pálidos e exangues do monge apareceu um sorrisinho sutil e silencioso, não sem uma espécie de malícia, mas ele nada respondeu, e era claro demais que calava movido pela própria dignidade. Miússov franziu ainda mais o cenho.

"O diabo que os carregue a todos; exibem uma aparência mal forjada ao longo dos séculos, mas que no fundo é charlatanismo e tolice!" — passou-lhe pela cabeça.

— Eis o eremitério, chegamos! — gritou Fiódor Pávlovitch. — O murado e o portão estão fechados.

E pôs-se a fazer, em gestos longos, o sinal da cruz diante dos santos pintados acima e aos lados do portão.

— Ninguém leva regra própria a mosteiro alheio — observou ele. — Aqui no eremitério, vinte e cinco santos vivem para a salvação, entreolham-se e se alimentam de repolho. Nenhuma mulher cruza esses portões; eis o que é particularmente digno de nota. E é verdade. Mas como é que ouvi dizer que o *stárietz* recebe senhoras? — perguntou de repente ao monge.

---

[29] Vítima de um famoso crime julgado pelo tribunal distrital de São Petersburgo em 28 e 29 de março de 1870. Von Sohn foi atraído para um covil no centro de Petersburgo. Enquanto era barbaramente torturado, assassinado e roubado, uma das participantes batia com as mãos e os pés num piano para abafar os gritos da vítima. Dostoiévski se refere mais de uma vez a Von Sohn em sua obra. (N. da E.)

— Agora mesmo há mulheres do povo aqui, vejam ali, junto ao anexo, estão aguardando. Já para as senhoras da alta sociedade foram construídos dois pequenos cômodos aqui mesmo no anexo, mas fora do murado, vejam aquelas janelas ali; o *stárietz*, quando está bem de saúde, sai pela passagem interna para visitá-las, ou seja, sempre para além do murado. Neste exato momento, uma fidalga fazendeira de Khárkov, a senhora Khokhlakova, está à espera dele com sua filha que sofre de uma fraqueza.

— Quer dizer que assim mesmo há um acesso do eremitério aos cômodos das senhoras. Não vá pensar, santo padre, que eu esteja insinuando alguma coisa, só falei por falar. Sabe, no monte Atos, não sei se está a par, não só são proibidas as visitas de mulheres, como não se permite absolutamente a presença de mulheres e nem mesmo de criaturas do sexo feminino, como galinhas, peruas, bezerras...

— Fiódor Pávlovitch, vou voltar e largá-lo aqui sozinho, e sem minha presença o senhor será posto para fora pelo braço, estou lhe prevenindo.

— Em que eu o atrapalho, Pior Alieksandróvitch? Veja isto — gritou de repente, dando uns passos além do murado do eremitério —, veja em que vale de rosas eles moram!

De fato, embora no momento nem houvesse rosas, havia uma infinidade de raras e lindas flores de outono em toda parte onde pudessem ser plantadas. Via-se que eram mimadas por mão experiente. Os canteiros estavam dispostos dentro do murado da igreja e entre os túmulos. A casinha de madeira, térrea, com uma galeria à entrada e na qual ficava a cela do *stárietz*, também era rodeada de flores.

— Isso já acontecia antes, no tempo do *stárietz* Varsonofi? Dizem que de elegância ele não gostava, que levantava de um salto e até batia nas senhoras com o bastão — observou Fiódor Pávlovitch, subindo ao pequeno alpendre.[30]

— Às vezes o *stárietz* Varsonofi tinha realmente um quê de *iuródiv*, mas se conta muita tolice a seu respeito. Nunca deu bastonada em ninguém — respondeu o monge. — Agora aguardem um minuto, senhores, que vou comunicar sua presença.

— Fiódor Pávlovitch, estou lhe avisando pela última vez, e escute. Com-

---

[30] Trata-se do vocábulo russo *kriltzó*, de difícil tradução. Em mansões ou palacetes, é uma espécie de pórtico, às vezes com colunas e ornamentos, mas em casas simples, sobretudo no meio rural, é uma espécie de alpendre fechado, lateral, com uma pequena escada por onde se entra na casa. Nos romances de Dostoiévski, tem sempre esse aspecto de alpendre fechado. (N. do T.)

porte-se direito, senão o senhor vai ver — Miússov ainda teve tempo de murmurar.

— Desconheço completamente o motivo de tamanha inquietação — observou Fiódor Pávlovitch em tom de galhofa —, ou estará com medo de uns pecadilhos? Porque, segundo dizem, pelo olhar das pessoas, ele sabe por que o procuram. E como o senhor, um homem de Paris e tão avançado, tem a opinião dele em tão alto apreço! Até me deixa admirado, veja só!

Mas não deu tempo para Miússov responder a esse sarcasmo; pediram que entrassem.

"Bem, já sei como sou, estou irritado, vou começar a discutir... ficar excitado, e acabar rebaixando a mim mesmo e às minhas ideias" — passou-lhe pela cabeça.

II. O VELHO PALHAÇO

Entraram no recinto quase junto com o *stárietz*, que saiu de seu pequeno dormitório mal eles apareceram. Na cela, ainda antes deles, aguardavam o *stárietz* dois hieromonges[31] do eremitério — um, o padre bibliotecário, o outro, o padre Paissi, homem doente que, mesmo não sendo velho, era, contudo, muito sábio, como se dizia a seu respeito. Além disso, aguardava em pé num canto (depois permaneceria o tempo todo em pé) um jovenzinho que aparentava uns vinte e dois anos, metido numa sobrecasaca civil, seminarista e futuro teólogo, protegido, sabe-se lá por quê, do seminário e da confraria. Era bastante alto, de rosto fresco, pômulos salientes, olhos castanhos apertados, inteligentes e atentos. O rosto exprimia respeito, mas digno, sem servilismo visível. Nem sequer fez aos visitantes a reverência devida como alguém que não era igual a eles, mas, ao contrário, subordinado e dependente.

O *stárietz* Zossima apareceu acompanhado de um noviço e de Aliócha. Os hieromonges se levantaram e o saudaram com a mais profunda reverência, tocando o chão com os dedos e, depois de receberem a bênção, beijaram-lhe a mão. Depois de lhes dar a bênção, o *stárietz* respondeu a cada um com uma reverência igualmente profunda, tocando o chão com os dedos, e pediu a cada um a bênção para si também. Toda a cerimônia transcorreu de modo

---

[31] Do grego ἱερουόναχος. Há dois tipos de monge na Igreja Ortodoxa russa: o monge simples, ou *monákh*, que mora fora do mosteiro, e o monge interno, ou hieromonge, que vive exclusivamente no mosteiro, mas recebe fiéis para conselhos espirituais, bem como outros visitantes para conversas, palestras, etc. (N. do T.)

muito sério, bem diferente desses rituais diários, mas quase com algum sentimento. Miússov, porém, achou que tudo tinha o deliberado intuito de impressionar. Estava à frente de todos os acompanhantes que com ele entraram. Caberia — e ele até considerara isso ainda no entardecer da véspera —, a despeito de quaisquer ideias, unicamente por simples cordialidade (já que eram esses os costumes dali), aproximar-se e pedir a bênção do *stárietz*, ao menos pedir a bênção, se não ia lhe beijar a mão. Contudo, assistindo agora a todas aquelas reverências e beijos dos hieromonges, em um segundo mudou de decisão: num gesto altivo e sério, fez uma reverência bastante profunda, ao jeito mundano, e afastou-se para uma cadeira. O mesmo fez Fiódor Pávlovitch, desta vez macaqueando totalmente Miússov. Ivan Fiódorovitch fez uma reverência muito altiva e cortês, mas também se manteve em posição de sentido, ao passo que Kalgánov atrapalhou-se de tal forma que nem reverência fez. O *stárietz* baixou a mão, que ia levantando para a bênção e, fazendo-lhes mais uma reverência, pediu que todos se sentassem. O sangue inundou as faces de Aliócha; estava envergonhado. Seus maus pressentimentos haviam se confirmado.

O *stárietz* sentou-se num divãzinho de mogno forrado de couro, de feitio muito antigo, e fez as visitas, exceto os dois hieromonges, tomarem assento junto à parede defronte, todos os quatros em cadeiras de mogno forradas de um couro preto muito gasto. Os hieromonges sacerdotes se sentaram dos lados, um junto à porta e outro à janela. O seminarista, Aliócha e o noviço permaneceram em pé. Toda a cela era muito pequena e de uma aparência meio sem vida. Os trastes e móveis eram grosseiros, pobres, apenas o indispensável. Dois jarros de flores na janela, num canto muitos ícones — um da Virgem, enorme, provavelmente pintado ainda bem antes do cisma.[32] À sua frente uma lamparina derramava sua luz frouxa. Perto dela havia dois outros ícones em seus resplandecentes adornos de metal, ao lado de querubins pequenos e artificiais, ovinhos de porcelana, uma cruz católica de marfim abraçada pela Mater Dolorosa e mais algumas gravuras estrangeiras de grandes pintores italianos de séculos passados. Ao lado dessas gravuras preciosas e cheias de graça resplandeciam vários exemplares das mais vulgares litografias russas de santos, mártires, prelados, etc., dessas que se vendem a copeques em tudo quanto é feira. Havia alguns retratos em litografia de prelados russos contemporâneos e antigos, mas já espalhados

[32] Corrente surgida em meados do século XVII na Igreja russa como protesto contra as inovações do patriarca Nikon (1605-1681), que consistiam na modificação dos livros e de alguns costumes e rituais eclesiásticos. (N. da E.)

por outras paredes. Miússov correu a vista por toda aquela "rotina" e cravou no *stárietz* seu olhar percuciente. Nutria consideração por esse olhar, tinha essa fraqueza, não obstante perdoável nele, tendo em vista que já estava com cinquenta anos — idade em que um homem mundano, inteligente e abastado sempre se torna mais respeitoso consigo mesmo, às vezes até involuntariamente.

À primeira vista não gostou do *stárietz*. De fato, em seu rosto havia algo que desagradaria a muitos, não só a Miússov. Era um homem alto, encurvado, de pernas muito fracas, de apenas sessenta e cinco anos, mas que a doença fazia parecer bem mais velho, uns dez anos pelo menos. Todo o rosto, aliás muito ressecado, tinha-o sulcado por rugas miúdas, muito abundantes nas proximidades dos olhos, olhos miúdos, do tipo claro, rápidos e brilhantes como dois pontos reluzentes. Conservara os cabelinhos grisalhos apenas nas têmporas, tinha uma barbicha minúscula e rala em forma de cavanhaque, e os lábios, sempre sorridentes, finos como dois barbantes. O nariz não é que fosse grande, mas era pontudo como um bico de pássaro.

"Por todos os indícios é uma alminha rancorosa e um pouquinho arrogante" — passou de relance pela cabeça de Miússov. Ele estava muito aborrecido consigo mesmo.

As batidas do relógio ajudaram a começar a conversa. Um relógio de parede pequeno e barato bateu doze horas em rápidas badaladas.

— Está em cima da hora — bradou Fiódor Pávlovitch —, e ainda nada de meu filho Dmitri Fiódorovitch. Peço desculpas por ele, santo *stárietz*! (Aliócha tremeu todo por causa desse "santo *stárietz*".) Eu mesmo sempre sou pontual, pontualíssimo, lembrando-me de que a pontualidade é a cortesia dos reis...

— Mas acontece que pelo menos rei o senhor não é — resmungou Miússov no ato, sem se conter.

— Sim, é verdade, não sou rei. E imagine, Piotr Alieksándrovitch, que eu mesmo o sabia, juro! E veja só, eu sempre cometo algum despropósito. Reverendo! — exclamou com uma ênfase algo repentina. — O senhor está vendo à sua frente um palhaço, um verdadeiro palhaço! É assim que me apresento. É um velho hábito, lamentavelmente. E se às vezes desafino na hora errada, existe nisso uma intenção, a intenção de fazer rir e ser agradável. É preciso ser agradável, não é verdade? Chego a uma cidadezinha, há uns sete anos, tinha lá uns negocinhos, e estava para fazer uma associaçãozinha com uns comerciantes do lugar. Vamos procurar o comissário de polícia, porque precisávamos lhe pedir alguma coisa e convidá-lo para almoçar conosco. Aparece o comissário, um homem alto, gordo, louro e carrancudo — o tipo

de sujeito mais perigoso em casos como aquele: sofrem do fígado, do fígado. Dirijo-me a ele de forma direta, e, vejam, com o desembaraço de homem da sociedade. "Senhor *isprávnik*, digo eu, seja, por assim dizer, nosso Naprávnik!" — "Que Naprávnik, diz ele, é esse?"[33] Desde o primeiro meio segundo, já vejo que a coisa não deu certo; e ele ali sério, obstinado: "Quis, digo eu, fazer uma brincadeira, para alegria geral, uma vez que o senhor Naprávnik é o nosso famoso regente de orquestra russo, e para a harmonia de nossa empresa precisamos justamente de algo como um regente de orquestra...". Fui razoável na explicação e na comparação, não é verdade? "Desculpe, diz ele, sou um *isprávnik* e não permito trocadilhos com minha patente." Deu meia-volta e foi saindo. Fui atrás dele, gritando: "Sim, sim, o senhor é um *isprávnik*, e não Naprávnik!" — "Não, diz ele, já que foi dito, então quer dizer que sou Naprávnik". E imaginem, nosso negócio acabou não dando em nada! Todavia sou assim, sempre assim. Não tem jeito, com minha gentileza acabo prejudicando a mim mesmo! Uma vez, já faz muitos anos, disse a uma pessoa até influente: "Sua esposa é uma mulher melindrosa" — quer dizer, no que se refere à honra, por assim dizer, às qualidades morais, e de repente ele me vem com essa: "E o senhor, já fez cócegas nela?".[34] Não me contive e, num ai, pensei cá com meus botões: vou ser amável: "Sim, respondo, fiz" — e aí ele também fez cócegas em mim... Só que já faz muito tempo que isso aconteceu, de sorte que não me dá vergonha contar; assim vivo eternamente me prejudicando...

— O senhor continua fazendo isso até hoje — resmungou Miússov com nojo.

Calado, o *stárietz* observava os dois.

— Pois é! E imagine, Piotr Alieksándrovitch, que até disso eu já sabia e — para seu governo — até pressenti que o estava fazendo mal comecei a falar, e fique sabendo que inclusive pressenti que o senhor seria o primeiro a notá-lo. Nesses instantes, Reverendo, quando vejo que uma brincadeira minha não dá certo, minhas duas faces começam a grudar nas gengivas inferiores, quase como se fosse uma espécie de convulsão; isso já me acontecia

---

[33] *Isprávnik* é comissário de polícia, em russo. Nesse diálogo, Fiódor Pávlovitch faz um trocadilho com *isprávnik* e Naprávnik, em alusão a E. F. Naprávnik (1839-1916), compositor russo e, a partir de 1869, primeiro regente de orquestra do Teatro Mariinski de Petersburgo. (N. do T.)

[34] Fiódor Pávlovitch provoca um quiproquó com o adjetivo *schekotlívaya* (coceguenta, melindrosa) e o verbo *schekotat*, isto é, melindrar, excitar, ou fazer cócegas. Mulher *schekotlívaya* tanto pode ser melindrosa como coceguenta. Daí a pergunta: "E o senhor, já fez cócegas nela?". Por isso ele diz uma coisa, e o marido da mulher entende outra. (N. do T.)

na mocidade, quando eu parasitava em casa dos nobres e com o parasitismo safava o de comer. Sou um palhaço inveterado, de nascença, o mesmo que um *iuródiv*, seu Reverendo; não nego que em mim talvez até habite um espírito mau, se bem que de pequeno calibre; ele deveria ter escolhido outra morada mais importante, só não a sua, Piotr Alieksándrovitch, pois o senhor também é uma morada bem ruinzinha. Mas em compensação eu creio, creio em Deus. Só nos últimos tempos andei com dúvidas, mas agora estou aqui e espero as grandes palavras. Eu, seu Reverendo, sou como o filósofo Diderot. O santíssimo padre na certa sabe como o filósofo Diderot se apresentou ao metropolita Platon,[35] no tempo de Catarina. Foi entrando e dizendo na bucha: "Deus não existe". Nisso, o grande santo pôs o dedo em riste e respondeu: "Diz o insensato no teu coração: não há Deus!".[36] Ali mesmo o outro lhe caiu aos pés:[37] "Creio", grita ele, "e aceito o batismo". E assim foi batizado ali mesmo. A princesa Dashkova[38] foi a madrinha e Potiómkin,[39] o padrinho.

— Fiódor Pávlovitch, isso é insuportável! O senhor mesmo não sabe que está mentindo e que essa piada tola é uma inverdade, então por que essa palhaçada? — pronunciou Miússov com voz trêmula e já sem nenhum autocontrole.

— A vida inteira pressenti que era uma inverdade! — exclamou Fiódor Pávlovitch com entusiasmo. — Por isso, senhores, vou lhes dizer toda a verdade: grande *stárietz*! perdoe-me a última, essa sobre o batismo de Diderot, eu mesmo acabei de inventar, nesse minutinho em que contava, porque antes nunca me tinha sequer passado pela cabeça. Inventei para tornar a coisa mais picante. Faço palhaçada, Piotr Alieksándrovitch, para ser mais amável.

---

[35] Liévshin Piotr Iegórovitch (1737-1812), metropolita de Moscou e famoso pregador e escritor religioso, professor de catecismo do filho de Catarina II, príncipe herdeiro e depois imperador Pável I. A história do encontro de Diderot e Platon, parodiada na passagem acima por Fiódor Pávlovitch, é relatada, com algumas diferenças, por I. N. Snieguíriov em *A vida de Platon, metropolita de Moscou*, de 1856. (N. da E.)

[36] Salmos, 14, 1. (N. do T.)

[37] Paródia das passagens das hagiografias dos mártires, nas quais, graças aos milagres dos santos, os pagãos se convertiam com uma facilidade incomum ao Cristianismo, exclamando "Creio", e aceitavam o batismo. (N. da E.)

[38] Iekaterina Románovna Dashkova (1743-1810), auxiliar imediata de Catarina II, em cujo governo foi presidente da Academia Russa, correspondeu-se com figuras eminentes, como Voltaire e Diderot. (N. do T.)

[39] Grigorii Alieksándrovitch Potiómkin (1739-1791), militar e homem de Estado russo, favorito de Catarina II. (N. da E.)

Aliás, às vezes nem eu mesmo sei para quê. E quanto a Diderot, a essa história do "diz o insensato", ouvi umas vinte vezes dos próprios fazendeiros daqui quando ainda era jovem e morava com eles; a propósito, Piotr Alieksándrovitch, também a ouvi de sua tiazinha Mavra Fomínichna. Até hoje todos eles estão certos de que o ateu Diderot foi ao metropolita Platon discutir sobre Deus...

Miússov levantou-se, não só por ter perdido a paciência, mas como se também o controle. Estava furioso e consciente de que ele mesmo saíra ridicularizado. De fato, estava acontecendo na cela algo totalmente inconcebível. Naquela mesma cela, talvez uns quarenta ou cinquenta anos antes, ainda no tempo dos antigos *startzí*, reuniam-se visitantes, mas sempre com a mais profunda veneração, nunca de outro modo. Quase todos os admitidos, ao entrarem na cela, compreendiam que com isso já lhes concediam uma grande graça. Muitos deles caíam de joelhos e assim permaneciam durante todo o tempo da visita. Muitas pessoas da "alta sociedade" e até das mais eruditas e, digo mais, inclusive alguns livres-pensadores que ali apareciam por curiosidade ou por algum outro motivo, quando entravam todos juntos na cela ou conseguiam uma entrevista a sós, colocavam como sua primeiríssima obrigação, todos sem exceção, o mais profundo respeito e delicadeza durante todo o tempo da visita, ainda mais porque ali não se admitia dinheiro e havia tão somente amor e benevolência, por um lado e, por outro, arrependimento e sede de resolver alguma questão difícil da alma ou algum momento difícil na vida do próprio coração. E de repente a palhaçada feita por Fiódor Pávlovitch, desrespeitando o recinto em que se encontrava, deixou os presentes, ao menos alguns deles, surpresos e estupefatos. Os hieromonges, aliás, cujas fisionomias permaneceram imperturbáveis, aguardavam com séria atenção o que o *stárietz* poderia dizer, mas parecia que já se dispunham a levantar-se, como Miússov. Aliócha estava a ponto de chorar, de cabeça baixa. O que lhe parecia mais estranho era que seu irmão Ivan Fiódorovitch, o único em quem depositava esperança e o único que exercia tal influência sobre o pai que podia contê-lo, estava agora ali sentado em sua cadeira totalmente imóvel, de olhos no chão e pelo visto aguardando com uma curiosidade até ávida como tudo aquilo iria terminar, como se ali ele mesmo fosse pessoa totalmente estranha. Para Rakítin (o seminarista), que Aliócha também conhecia bem e lhe era quase íntimo, nem conseguia olhar: conhecia-lhe os pensamentos (embora só Aliócha os conhecesse em todo o mosteiro).

— Perdoe-me... — começou Miússov dirigindo-se ao *stárietz* — por eu, talvez, também poder lhe parecer um participante dessa brincadeira indigna. Meu erro foi ter acreditado que até um tipo como Fiódor Pávlovitch desejasse compreender suas obrigações ao visitar uma pessoa tão respeitável... Não atinei que teria de pedir desculpas justamente por entrar com ele...

Piotr Alieksándrovitch não concluiu e, totalmente desconcertado, já fazia menção de deixar o recinto.

— Não se preocupe, peço-lhe — o *stárietz* soergueu-se de repente de seu lugar sobre as pernas extremamente fracas e, tomando Piotr Alieksándrovitch por ambas as mãos, fê-lo sentar-se de volta em sua poltrona. — Fique tranquilo, peço-lhe. Peço-lhe particularmente que seja meu hóspede — e deu meia-volta depois de fazer uma reverência, tornando a sentar-se em seu sofazinho.

— Grande *stárietz*, diga se o ofendo ou não como minha vivacidade — bradou subitamente Fiódor Pávlovitch, agarrando com ambas as mãos os braços da poltrona e como que se preparando para se levantar de um salto conforme a resposta.

— Peço encarecidamente também ao senhor que não se preocupe nem fique constrangido — proferiu-lhe o *stárietz* em tom grave... — Não fique constrangido, sinta-se completamente em casa. E o principal: não se envergonhe tanto de si mesmo, porque é só disso que tudo decorre.

— Inteiramente em casa? Ou seja, em meu estado natural? Oh, isso é muito, é demais, no entanto aceito, e comovido! Sabe, bendito padre, o senhor não me incite a ficar em meu estado natural, não corra esse risco... eu mesmo não vou chegar ao estado natural. Sou eu que estou prevenindo, para protegê-lo. E quanto ao resto, tudo ainda está sujeito às trevas da ignorância, ainda que alguns desejem carregar nas tintas para me pintar. Isso lhe diz respeito, Piotr Alieksándrovitch, e quanto ao senhor, santíssima criatura, só posso dizer: extravaso meu encantamento! — Soergueu-se e, levantando os braços, pronunciou: — Bendito seja o ventre que te carregou, e os peitos que te alimentaram[40] — especialmente os peitos! Com sua observação de ainda agorinha: "Não se envergonhe tanto de si mesmo, porque é só disso que tudo decorre", o senhor como que me penetrou o íntimo e o leu de cabo a rabo. Quando vou a algum lugar, sempre fico com a impressão de que é isso mesmo, que sou o mais torpe de todos e que todos me acham um palhaço, e então, vamos lá, eu realmente banco o palhaço, porque os senhores todos, sem exceção, são mais tolos e mais torpes que eu. É por isso que sou palhaço, sou palhaço levado pela vergonha, grande *stárietz*, pela vergonha. Só levado pela

[40] "Bem-aventurada aquela que te concebeu e os seios que te amamentaram!". Lucas, 11, 27. (N. da E.)

Fiódor Dostoiévski

cisma e pela desordem. Porque, se eu estivesse certo de que, ao entrar num recinto, todos me tomariam pela pessoa mais amável e mais inteligente — meu Deus! que pessoa boa eu seria nesse momento! Mestre! — pôs-se subitamente de joelhos —, o que devo fazer para herdar a vida eterna?[41] — Até num momento como esse era difícil decidir: ele estava de brincadeira ou tomado mesmo de tamanha comoção?

O *stárietz* ergueu a vista para ele e pronunciou com um sorriso:

— Há muito tempo o senhor sabe o que precisa fazer, tem inteligência suficiente: não se entregue à bebedeira nem à incontinência verbal, não se entregue à voluptuosidade, e sobretudo à adoração pelo dinheiro; sim, feche suas casas de bebida, se não pode fechar todas, ao menos duas ou três. E o principal, o essencial — não minta.

— Quer dizer, isso é sobre Diderot, não é?

— Não, não é propriamente sobre Diderot. O principal é não mentir para si mesmo. Quem mente para si mesmo e dá ouvidos à própria mentira chega a um ponto em que não distingue nenhuma verdade nem em si, nem nos outros e, portanto, passa a desrespeitar a si mesmo e aos demais. Sem respeitar ninguém, deixa de amar e, sem ter amor, para se ocupar e se distrair entrega-se a paixões e a prazeres grosseiros e acaba na total bestialidade em seus vícios, e tudo isso movido pela contínua mentira para os outros e para si mesmo. Aquele que mente para si mesmo é o primeiro que pode se sentir ofendido. Porque às vezes é muito agradável ofender-se, não é mesmo? É que ele sabe que ninguém o ofendeu, e que foi ele mesmo que inventou a ofensa e mentiu para enfeitar, ele mesmo exagerou com o fito de criar um quadro, aferrou-se à palavra e de um argueiro fez um cavaleiro —, ele mesmo sabe disso e ainda assim é o primeiro a ofender-se, e ofender-se a ponto de achar isso agradável, de experimentar uma sensação de grande prazer, e assim chega também a uma animosidade verdadeira... Ora, levante-se ou sente-se, eu lhe peço encarecidamente, porque todos esses gestos também são simulados...

— Criatura bem-aventurada! Dê-me a mão para beijar — Fiódor Pávlovitch achegou-se de um salto e deu um beijo rápido e estalado na mão magrinha do *stárietz*. — É isso mesmo, é mesmo agradável sentir-se ofendido. O senhor o disse tão bem como eu nunca ouvira antes. É isso mesmo, isso mesmo, em toda a minha vida me senti ofendido de um jeito que beirava o prazer, ofendia-me por uma questão de estética, porque às vezes não é só agradável mas até bonito ser ofendido; eis o que o senhor esqueceu,

---

[41] "Mestre, que farei para herdar a vida eterna?". Lucas, 10, 25. (N. do T.)

grande padre: bonito! Vou pôr isso num caderno de notas! Menti, menti, menti terminantemente a vida inteira, todo santo dia e a cada hora. Na verdade, sou a mentira e o pai da mentira![42] Pensando bem, parece que o pai da mentira não sou, estou sempre me atrapalhando com os textos, mas sou ao menos o filho, e isso já basta. Só que... anjo meu... sobre Diderot às vezes se pode dizer isso! Diderot não é nocivo; já uma palavrinha ou outra, é. Grande *stárietz*, a propósito, eu ia esquecendo; é que desde o ano retrasado eu tinha resolvido vir até aqui e me pôr a assuntar e perguntar insistentemente: peço que não permita a Piotr Alieksándrovitch interromper. Eis minha pergunta: será verdade, grande padre, o que se conta nas *Tcheti-Minei*[43] sobre um certo santo milagreiro que não sei onde foi martirizado por causa da fé e que, quando enfim o decapitaram, ele se levantou, apanhou sua cabeça e, "beijando-a amavelmente", caminhou por longo tempo com ela nas mãos, sempre "a beijá-la amavelmente". Isso será verdade, meus íntegros padres?

— Não, não é verdade — disse o *stárietz*.

— Não há nada semelhante em todas as *Tcheti-Minei*. Que santo é esse de quem o senhor está falando, é assim que está escrito? — perguntou o monge-sacerdote, o padre bibliotecário.

— Eu mesmo não sei de quem se trata. Não sei, e não faço a mínima ideia. Fui enganado, contaram-me. Ouvi dizer, e sabem quem me contou? Aquele ali, Piotr Alieksándrovitch Miússov, o que agorinha mesmo se zangou por causa de Diderot, pois foi ele quem me contou.

— Nunca lhe contei isso, e nunca mantenho nenhuma conversa com o senhor.

— É verdade, não foi a mim que o senhor contou; mas o senhor contou numa reunião em que eu estava presente, no ano retrasado. Eu mencionei isso porque com essa história engraçada o senhor abalou minha fé, Piotr Alieksándrovitch. O senhor não sabia disso, não fazia ideia, mas eu voltei para casa com a fé abalada e desde então só tive dúvidas. É, Piotr Alieksándrovitch, o senhor foi a causa de minha grande queda! Já não se trata de Diderot!

[42] Vejam-se as palavras de Cristo sobre o demônio em João, 8, 44: "Quando ele profere a mentira, fala do que lhe é próprio, porque é mentiroso e pai da mentira". (N. do T.)

[43] Coletânea de relatos sobre a vida dos santos, dispostos segundo o dia de cada mês, com ensinamentos para o ano todo. Fiódor Pávlovitch tem em vista o santo católico Denis de Paris, de quem os enciclopedistas, particularmente Voltaire e Diderot, zombavam constantemente, pois dizia a lenda que, depois de decapitado, o santo teria pegado e beijado a própria cabeça. (N. da E.)

Fiódor Pávlovitch estava pateticamente exaltado, embora já fosse totalmente claro para todos ali que mais uma vez ele representava. Ainda assim, Miússov estava muito melindrado.

— Que absurdo, tudo isso é um absurdo — balbuciava ele. — É possível que eu realmente tenha dito isso em alguma ocasião... só que não ao senhor. A mim mesmo já me haviam dito. Ouvi isso de um francês, em Paris, segundo quem as *Tcheti-Minei* são lidas durante a missa aqui na Rússia... Ele é um grande erudito, que estudou especialmente as estatísticas da Rússia... morou por muito tempo na Rússia... Eu mesmo não li nenhuma *Tcheti-Minei*... e nem vou ler. O que é que não se fala num almoço?... Na ocasião estávamos almoçando...

— É, na ocasião os senhores almoçavam, mas acontece que eu tinha perdido a fé! — provocou Fiódor Pávlovitch.

— Pouco se me dá a sua fé! — ia gritando Miússov, mas súbito se conteve, pronunciando com desdém: — O senhor literalmente emporcalha tudo o que toca.

O *stárietz* se levantou de supetão:

— Desculpem, senhores; vou deixá-los por apenas alguns minutos — pronunciou, dirigindo-se a todos os presentes —, é que já me aguardavam antes de sua chegada. Quanto ao senhor, mesmo assim, não minta — disse para Fiódor Pávlovitch com uma expressão de alegria no rosto.

Ele saiu da cela. Aliócha e o noviço se precipitaram para ajudá-lo a descer a escada. Aliócha ofegava, estava contente por sair dali, mas contente ainda porque o *stárietz* não se ofendera e estava alegre. O *stárietz* tomava a direção do anexo na intenção de abençoar quem o aguardava. Mas ainda assim Fiódor Pávlovitch o reteve à saída da cela.

— Bem-aventurada criatura! — exclamou com sentimento —, permita-me mais uma vez lhe beijar a mão! Não, com o senhor ainda dá para conversar, ainda dá para viver! O senhor pensa que eu sempre minto assim e banco o palhaço? Pois fique sabendo que estive o tempo todo representando de propósito para tentá-lo. Fiquei o tempo todo a sondá-lo com um fim: daria para viver com o senhor? Haveria, junto à sua altivez, lugar para minha humildade? Dou-lhe o diploma da lisonja: com o senhor dá para viver! Agora me calo, vou ficar o tempo todo de boca calada. Sentado na poltrona e de boca calada. Agora é sua vez de falar, Piotr Alieksándrovitch, agora resta o senhor como a pessoa mais importante... por dez minutos.

III. Mulheres de fé

Embaixo, junto ao anexo de madeira ligado à parede externa do pátio, desta feita havia uma aglomeração só de mulheres, umas vinte ao todo. Tinham sido avisadas de que o *stárietz* finalmente apareceria, e elas se aglomeraram à espera. Também apareceram no anexo as fazendeiras Khokhlakova, que igualmente aguardavam o *stárietz*, mas ficaram no recinto destinado às visitantes nobres. Eram duas: a mãe e a filha. A senhora Khokhlakova, dama rica e sempre vestida com gosto, ainda era bastante jovem e muito graciosa, um pouco pálida, tinha olhos muito vivos e quase inteiramente negros. Não passava dos trinta e três anos, e já fazia uns cinco que enviuvara. A filha de catorze anos sofria de paralisia das pernas. A pobre mocinha não conseguia andar fazia já coisa de meio ano, e era carregada numa grande e confortável cadeira de rodas. Tinha um rostinho encantador, meio magrinho por causa da doença, mas alegre. Um quê de travesso irradiava de seus olhos graúdos de cílios longos. Desde a primavera que a mãe se preparava para levá-la ao estrangeiro, mas os afazeres da fazenda a retiveram durante o verão. Já estavam em nossa cidade havia cerca de uma semana, mais a negócio do que por devoção, porém já tinham visitado o *stárietz* uma vez, três dias antes. Agora reapareciam de repente por ali, mesmo sabendo que ele quase já não tinha condições de receber mais ninguém, e imploravam com persistência por uma nova "felicidade de ver o grande salvador".

A mãe aguardava o *stárietz* sentada numa cadeira ao lado da cadeira de rodas da filha; a dois passos dela, um monge velho, de um mosteiro do norte distante e pouco conhecido, aguardava em pé. Também desejava pedir a bênção do *stárietz*. Mas este, ao aparecer no anexo, primeiro foi direto ao povo. A aglomeração se comprimia junto aos três degraus do pequeno alpendre que ligava o anexozinho ao chão. O *stárietz* parou no degrau superior, pôs a estola e começou a abençoar as mulheres que se apinhavam em sua direção. Arrastaram até ele uma *klikucha* segura pelos dois braços. Mal avistou o *stárietz*, ela começou a gritar e gaguejar, ganindo de um jeito meio absurdo, e a tremer toda como se estivesse com eclampsia. Pondo-lhe a estola na cabeça, o *stárietz* rezou uma breve oração, e ela se calou no ato e se acalmou. Não sei como é hoje, mas quando eu era menino tive a oportunidade de ouvir e ver frequentemente essas *klikuchas* pelas aldeias e mosteiros. Levavam-nas à missa, elas ganiam ou latiam feito cães, o que ecoava em toda a igreja, mas quando traziam o Santíssimo e lhes permitiam achegar-se a ele, a "possessão" cessava e as doentes sempre se acalmavam por algum tempo. Menino, eu sempre ficava muito admirado e estupefato com aquilo. Mas naquela mesma época, em resposta às minhas indagações, ouvi de alguns senhores de terra — e particularmente de meus professores da cidade — que aquilo tudo era simulação para não trabalhar, que sempre se podia erradicá--lo com a devida severidade, e ainda respaldavam essas afirmações com anedotas várias. Mais tarde, porém, ouvi de médicos especialistas que naquilo não havia simulação nenhuma, que era uma terrível doença que afetava as mulheres e, parece, predominantemente aqui na Rússia, um testemunho do pesado destino da nossa mulher do campo, uma doença que provinha do trabalho extenuante executado logo após os partos difíceis, malfeitos e sem qualquer socorro médico; além disso, ela provinha da mágoa inconsolável, das surras e outros maus-tratos que, a despeito do modelo geral, algumas naturezas femininas não conseguem suportar. Já a cura estranha e instantânea da mulher, assim que a aproximavam da eucaristia, cura que me explicavam como simulação, além de truque quase forjado pelos próprios "clericais", provavelmente também se dava do modo mais natural, e as mulheres que a conduziam para a eucaristia acreditavam piamente como verdade estabelecida — inclusive a própria doente, o que é essencial — que o espírito mau, tendo se apossado dela, nunca poderia suportar vê-la curvar-se perante a eucaristia quando a conduziam para recebê-la. É por essa razão que sempre se processava (e devia mesmo se processar) forçosamente naquela doente dos nervos e, é claro, também do cérebro, uma espécie de comoção de todo o organismo no momento da adoração do Santíssimo, comoção essa suscitada pela expectativa do milagre infalível da cura e pela própria fé absoluta em que ele aconteceria. E acontecia, ainda que fosse por apenas um minuto. Assim como acabava de acontecer também agora, mal o *stárietz* cobrira a doente com a estola.

Muitas das mulheres que se acotovelavam à volta dele estavam banhadas em lágrimas de enternecimento e êxtase, suscitadas pelo efeito do momento; outras se precipitavam para beijar ao menos as fímbrias do burel, outras lamentavam alguma coisa. Ele abençoou a todas e começou a conversar com algumas. Já conhecia a *klikucha*, trazida de perto, de uma aldeia a apenas seis verstas do mosteiro, pois já antes a haviam trazido à sua presença.

— Vejam essa que veio de longe! — apontou para uma mulher ainda nada velha, embora muito magra e macilenta, de rosto não propriamente bronzeado, mas como que todo enegrecido. Estava ajoelhada e fitava o *stárietz* com um olhar imóvel. Havia um quê de delirante em seu olhar.

— De longe, *bátiuchka*,[44] de longe, trinta verstas daqui. De longe, pa-

---

[44] Palavra antiga da língua russa, muito empregada em diversas situações, sobretudo

dre, de longe — pronunciou a mulher arrastando as palavras, balançando suavemente a cabeça para os lados e apoiando a face na palma da mão. Ela falava como se lamentasse. Existe no povo uma mágoa silenciosa e muito tolerante, que se recolhe em si mesma e cala. Mas há também uma mágoa dorida: esta irrompe às vezes em lágrimas e daí deságua em lamentos. Isso acontece particularmente com as mulheres. No entanto, ela não é mais leve que a mágoa silenciosa. Aí os lamentos só mitigam porque agastam e mortificam ainda mais o coração. Essa mágoa dispensa até o consolo, seu alimento é sentir que não pode ser mitigada. Os lamentos são apenas uma necessidade de sempre avivar a ferida.

— És do meio pequeno-burguês, não? — continuou o *stárietz*, olhando com curiosidade para ela.

— Somos da cidade, padre, da cidade, camponeses, mas da cidade, moramos na cidade. Vim para te ver, padre. Ouvi falar a teu respeito, *bátiuchka*, ouvi falar. Enterrei um filhinho pequeno, saí para orar a Deus. Estive em três mosteiros, e então me disseram: "Vai lá, Nastássiuchka",[45] e vim para cá, ou seja, para te ver, meu caro, para te ver. Cheguei, ontem passei a noite sentada na igreja, e hoje vim te ver.

— Por que estás chorando?

— Com pena de meu filhinho, *bátiuchka*, tinha três anos,[46] só faltavam três meses pra ele completar três aninhos. Estou sofrendo por meu filhinho, padre, sofrendo por meu filhinho. Era o último dos quatro que eu e Nikítuchka[47] tivemos, mas lá em casa as crianças não duram, não duram, meu amado, não duram. Os três primeiros eu enterrei, não lamentei muito por eles, mas enterrei esse último e não consigo me esquecer dele. Parece que ele está aqui na minha frente, sem arredar pé. Secou minha alma. Olho pras suas roupinhas — pra blusinha ou pras botinhas — e caio no pranto. Remexo no que sobrou dele, em tudo que era coisa dele, e fico a olhar em pranto. Digo a Nikítuchka, meu marido: deixe eu sair em peregrinação, meu senhor. Ele

com matiz de respeito: 1) como pai, no tratamento ou referência a ele; 2) como padre, tratamento dispensado a ele ou referência; 3) como tratamento familiar e carinhoso dispensado ao interlocutor, com sentido de "meu caro". (N. do T.)

[45] Diminutivo de Nastácia. (N. do T.)

[46] Segundo Anna Grigórievna Dostoiévskaia, essa passagem é um reflexo das impressões deixadas em Dostoiévski pela morte do filho Alieksiêi três meses antes de completar três anos de idade. O menino morreu em 1878, ano do início da escrita de *Os irmãos Karamázov*. (N. da E.)

[47] Diminutivo de Nikita. (N. do T.)

é cocheiro, não somos pobres, padre, não somos pobres, fazemos carreto por conta própria, tudo é nosso, tanto o cavalo como a carruagem. E pra que precisamos de bens agora? Sem mim, ele, meu Nikítuchka, deu pra beber, é verdade, mas antes ele já fazia isso: assim que eu dava as costas ele caía na fraqueza. Mas agora nem nele eu penso. Já estou entrando no terceiro mês fora de casa. Esqueci, esqueci tudo, e não quero me lembrar de nada; que adiantaria eu ficar com ele agora? Terminei com ele, terminei com todos, terminei. Hoje eu nem ligaria pra minha casa nem pra meus bens, não ligaria pra coisa nenhuma!

— Escuta, mãe — pronunciou o *stárietz* —, certa vez um grande santo antigo viu no templo uma mãe chorando como tu, e também por seu filhinho, o único, que o Senhor também chamara. "Ou não sabes — disse-lhe o santo — o quanto essas criancinhas são atrevidas perante o trono de Deus? Inclusive não há ninguém mais atrevido do que elas no reino do céu: tu, Senhor, nos deste a vida, dizem elas, e mal a vislumbramos, tu a recolheste. E elas pedem e interrogam com tanta impertinência que o Senhor as promove imediatamente a anjos. Por isso — pronunciou o santo — alegra-te, mulher, e não chores, pois agora teu filhinho também faz parte da plêiade de anjos d'Ele". Foi isso que o santo disse à mulher chorosa nos tempos antigos. Ele era um grande santo, e não podia lhe dizer uma inverdade. Portanto, mãe, fica também sabendo que na certa teu filhinho se encontra agora perante o trono do Senhor e, é claro, está alegre, e brinca e pede a Deus por ti. Por isso chora tu também, mas também te regozija.

A mulher o ouvia com a face apoiada na mão e de cabeça baixa. Deu um suspiro profundo.

— Foi assim mesmo que Nikítuchka me quis consolar; numa palavra, disse como tu: "Tu és uma insensata, diz ele; por que choras? Na certa nosso filhinho está agora na casa do Senhor Deus e cantando com os anjos". Ele me diz isso, mas vejo que também chora como eu. "Eu sei, digo; onde ele haveria de estar senão com o Senhor Deus? Aqui conosco, sentado ali onde ficava antes é que não está, Nikítuchka!" Se eu pudesse olhar pra ele ao menos uma vezinha, ao menos uma vezinha tornar a olhar pra ele, nem me aproximaria, não diria uma palavra, ficaria escondida num canto só pra vê-lo um minutinho que fosse, ouvi-lo, espiá-lo brincando no quintal, chegando-se, como fazia, com aquele gritinho: "Mãezinha, onde estás?". Apenas ouvi-lo ao menos uma vezinha passando pelo quarto com seus pezinhos, uma vezinha só com seus pezinhos fazendo toque-toque, como era tão frequente, tão frequente, eu me lembro, às vezes corria pra mim, gritando e sorrindo; eu só queria ouvir seus passinhos, ouvi-los, reconhecê-los. Só que ele não existe

Os irmãos Karamázov

mais, *bátiuchka*, não existe, e nunca mais vou ouvi-lo! Tenho aqui o cintinho dele, mas ele mesmo não existe mais, e nunca mais vou poder vê-lo, nem ouvi-lo!...

Tirou do seio o cintinho com galões de seu filhinho e, mal olhou para ele, estremeceu em soluços, cobrindo os olhos com os dedos entre os quais as lágrimas jorraram imediatamente.

— Isso — disse o *stárietz* — é a antiga Raquel "chorando por seus filhos, e inconsolável por causa deles, porque já não existem",[48] e esse é o fim reservado a vocês, mães, na Terra. Não te consoles e não precisas consolar-te, não te consoles e chora, mas cada vez que chorares lembra-te sempre de que teu filhinho é o único dos anjos de Deus que de lá te olha e te vê, e regozija-se com tuas lágrimas, e as mostra ao Senhor Deus. Esse teu grande pranto de mãe ainda há de durar muito, mas no fim das contas se converterá numa alegria serena, e tuas lágrimas amargas serão apenas lágrimas de suave enternecimento e da purificação do coração que redime dos pecados. Quanto ao teu filhinho, rezarei por sua alma. Como se chamava?

— Alieksiêi, *bátiuchka*.

— Um nome encantador. Homenagem a Alieksiêi, homem de Deus?[49]

— De Deus, *bátiuchka*, de Deus. Alieksiêi, homem de Deus!

— É um santo! Vou rezar por ele, mãe, vou rezar e me lembrar de tua tristeza durante a reza e também pela saúde de teu marido. Só que se o deixares agora cometerás um pecado. Volta para teu marido e cuida dele. De lá de onde está, teu menino há de ver que largaste seu pai e chorará por ambos; então por que perturbas sua bem-aventurança? Ora, ele está vivo, vivo porque sua alma vive para todo o sempre; ele não está em casa, mas está invisível ao lado dos dois. Como poderá vir para casa se dizes que te tomaste de ódio por ela? E quem ele há de procurar se não vai encontrar os dois, o pai e a mãe? Hoje tu sonhas com ele e te atormentas, mas depois ele te mandará sonhos doces. Volta para o teu marido, mãe, volta hoje mesmo.

— Volto, querido, volto atendendo à tua palavra. Desarmaste meu coração. Nikítuchka, meu Nikítuchka, estás me esperando, me esperando, meu pombinho! — ela ensaiava umas lamentações, no entanto o *stárietz* já se dirigia a uma velhinha que não trajava roupa de peregrino, mas da cidade. Via-se por seu olhar que tinha algum assunto a tratar e algo a comunicar. Apre-

---

[48] Jeremias, 31, 15. (N. do T.)

[49] Alieksiêi, homem de Deus: personagem de uma hagiografia medieval muito popular na Rússia, que Dostoiévski tomou como protótipo para a construção da personagem Alieksiêi (Aliócha) Karamázov. (N. do T.)

sentou-se como viúva de um suboficial, disse que era dali de perto, de nossa cidade. Que Vássienka,[50] seu filhinho, servia no comissariado e viajara para Irkutsk, na Sibéria. De lá escrevera duas vezes, mas já fazia um ano que não escrevia. Andara atrás de notícias dele, mas, para falar a verdade, não sabia onde procurá-las.

— Há poucos dias Stiepanida Ilínichna Biedriáguina, uma comerciante rica, ficou repisando comigo: "Prókhorovna, pega o nome de teu filhinho, inscreve-o no livro,[51] leva-o à igreja e reza pela alma dele. A alma dele, diz ela, há de sentir saudade e ele te escreverá. E isso — disse Stiepanida Ilínichna — é a pura verdade, foi experimentado muitas vezes". Só que tenho dúvidas... Luz nossa, isso é ou não é verdade, é certo fazer isso?

— Nem penses nisso. A pergunta já é uma vergonha. Ademais, como é possível que alguém, e ainda mais a mãe, reze pelo repouso da alma viva do filho?[52] É um grande pecado, semelhante à bruxaria, e só podes ser perdoada por causa de tua ignorância. É melhor que rezes pela saúde dele à Rainha dos Céus, nossa defensora imediata e auxiliadora nossa, e ainda para que te perdoe por teu pensamento errado. E ouve o que te digo mais, Prókhorovna: ou ele, teu filhinho, logo estará voltando para ti ou te escreverá na certa. Fica tu sabendo. Vai, e doravante sossega. Teu filho está vivo, é o que te digo.

— És o nosso amado, que Deus te recompense, benfeitor nosso, que rezas por todos nós e por nossos pecados...

O *stárietz* já divisara entre os presentes dois olhos ardentes de uma camponesa exausta, tísica, embora de aparência ainda jovem, que o procuravam. Fitava-o em silêncio, os olhos suplicavam algo, mas ela parecia temerosa de aproximar-se.

— Que desejas, minha filha?

— Alivia minha alma, meu pai — ela pronunciou baixinho e sem pressa, ajoelhou-se e prosternou-se aos pés dele. — Pequei, pai querido, e temo por meu pecado.

O *stárietz* sentou-se no degrau inferior, a mulher achegou-se, ajoelhada.

---

[50] Diminutivo de Vassili. (N. do T.)

[51] Os russos levavam à igreja um *pominánie*, livro que mantinham em casa com nomes de pessoas, e lá rezavam pela saúde ou pelo repouso eterno de suas almas. (N. do T.)

[52] No *Dicionário da língua russa* da Academia de Ciências da U.R.S.S. (Instituto de Língua Russa, vol. III, pp. 385-6), encontramos duas citações de dois diferentes escritores que confirmam o costume citado por Prókhorovna: *Nos bosques* (*V lessákh*), de P. I. Miélnikoh-Pecherskii (1818-1883), e *Memórias* (*Vospominaniya*), de Rikov. (N. do T.)

— Estou viúva, caminhando para o terceiro ano — começou a mulher entre meios sussurros, como que tremendo. — Tive um casamento difícil, ele era velho, me dava surras de doer. Estava doente de cama; e eu pensava, olhando para ele: se ficar bom, se levantar de novo, como vai ser? E foi aí que me entrou na cabeça aquela ideia...

— Espera — disse o *stárietz*, e chegou seu ouvido aos lábios dela. A mulher continuou em voz baixa, de forma que não dava para captar quase nada. E logo concluiu.

— Entrando no terceiro ano?

— No terceiro ano. No começo eu não pensava nisso, mas agora começo a ter achaques, a tristeza me pegou.

— Vens de longe?

— De quinhentas verstas daqui.

— Disseste isso na confissão?

— Disse, duas vezes.

— Permitiram que tu comungasses?

— Permitiram. Estou com medo; com medo de morrer.

— Não tenhas medo de nada, e nunca tenhas medo, nem caias em melancolia. Desde que o arrependimento não míngue em tua alma, Deus perdoará tudo. E ademais não há nem pode haver em toda a Terra tamanho pecado que o Senhor não perdoe àquele que em verdade se arrepende. Além disso, um homem não pode, absolutamente, cometer um pecado tão grande que esgote o infinito amor de Deus. Ou será que pode haver um pecado capaz de superar o amor divino? Preocupa-te apenas com o arrependimento, sempre, e quanto ao medo, afugenta-o de todo. Crê que Deus te ama de uma forma que nem imaginas, e te ama mesmo com teu pecado e em teu pecado. Há maior júbilo no céu por um pecador que se arrepende, do que por dez justos[53] — isto foi dito há muito tempo. Vai, e não tenhas medo. Não fiques amargurada com as pessoas, nem te zangues com as ofensas. Perdoa tudo do falecido em teu coração, suas ofensas, reconcilia-te de fato com ele. Se te arrependes, é porque também amas. E se amas, então já és de Deus... Com amor tudo se resgata, tudo se salva. Se até eu, um pecador como tu, fiquei comovido contigo e tive piedade de ti, que dirá Deus! O amor é um tesouro tão precioso que com ele podes comprar o mundo inteiro, e ainda redimes não só teus pecados, mas também os dos outros. Vai, e não tenhas medo.

---

[53] "Digo-vos que assim haverá mais júbilo no céu por um pecador que se arrepende, do que por noventa e nove justos que não necessitam de arrependimento". Lucas, 15, 7. (N. da E.)

Ele a abençoou três vezes, tirou um santinho do pescoço e o pôs no dela. Ela se prosternou em silêncio. Ele se levantou e olhou com alegria para uma camponesa saudável, que tinha nos braços uma criança de peito.

— Venho de Vichegórie, meu amado.

— Mas são seis verstas daqui, deves ter ficado exausta com a criança. Que desejas?

— Vim para te ver. Eu já estive contigo, ou esqueceste? Não tens boa memória se já me esqueceste. Lá onde moro disseram que estavas doente, e pensei cá comigo: então eu mesma vou visitá-lo. Agora te vejo: que doente que nada! Vais ter mais vinte anos de vida, palavra, com Deus a teu lado! Além disso, como irias adoecer com tanta gente rezando por ti?

— Grato por tudo, minha filha.

— A propósito, tenho um pequeno pedido: aqui há sessenta copeques; peço que os dê àquela que for mais pobre do que eu. Vim para cá, pensando: é melhor dá-los por intermédio dele, que sabe a quem repassá-los.

— Grato, minha cara, grato, és uma pessoa boa. Gosto de ti. Cumprirei sem falta teu pedido. É uma menininha que tens nos braços?

— Uma menininha, luz nossa; Lizavieta[54] se chama.

— O Senhor vos abençoe a ambas, a ti e à bebê Lizavieta. Alegraste meu coração, mãe. Adeus, minhas filhas, adeus, minhas caras, queridas.

Abençoou a todas e lhes fez uma reverência profunda.

IV. Uma senhora de pouca fé

Ao assistir a toda a cena da conversa com a gente simples e a bênção do *stárietz*, a fazendeira de fora derramava lágrimas serenas e as enxugava com um lencinho. Era uma senhora da sociedade, sensível e dotada de inclinações sinceramente boas em muitos aspectos. Quando o *stárietz* finalmente se achegou, ela o recebeu com entusiasmo:

— Fiquei tão, mas tão impressionada assistindo a toda essa cena comovente... — a emoção não a deixou concluir. — Oh, eu compreendo que o povo o ama, eu mesma amo o povo, desejo amá-lo, e aliás como não amar o povo, o nosso maravilhoso povo russo, simples em sua grandeza!

— Como está a saúde de sua filha? A senhora deseja uma nova conversa comigo?

[54] Diminutivo de Ielizavieta. (N. do T.)

— Oh, pedi insistentemente, implorei, estava disposta a passar até três dias ajoelhada diante de suas janelas até que o senhor me permitisse entrar. Estamos aqui, grande salvador, para externar todo o nosso entusiástico agradecimento. Porque o senhor curou minha Liza, curou-a inteiramente, e como? Rezando por ela e pondo-lhe as mãos na cabeça quinta-feira passada. Corremos para cá com o fim de beijar essas mãos, extravasar nossos sentimentos e nossa gratidão!

— Como assim, curei? Ela ainda continua deitada na poltrona de rodas.[55]

— Mas a febre noturna sumiu completamente já faz dois dias, desde quinta-feira mesmo — precipitou-se nervosamente a senhora. — E mais: as pernas estão mais fortes. Hoje de manhã se levantou saudável, dormiu a noite inteira, olhe o corado no rosto, os olhinhos brilhando. Antes andava sempre chorando, agora sorri, está alegre, cheia de júbilo. Hoje quis porque quis que a puséssemos em pé, e ficou um minuto inteirinho em pé sozinha, sem qualquer apoio. Ela aposta comigo que daqui a duas semanas vai dançar quadrilha. Chamei o doutor Herzenstube, médico daqui; ele deu de ombros e disse: estou admirado, perplexo. E o senhor ainda queria que não o incomodássemos, que deixássemos de voar para cá e de agradecer? Lise, agradece, vai, agradece!

Súbito o rostinho encantador e sorridente de Lise esboçou um ar sério, ela se soergueu na poltrona até onde pôde e, olhando para o *stárietz*, cruzou diante dele os braços, mas não se conteve desatou a rir...

— É dele, dele que estou rindo! — e apontou para Aliócha, contrariada como uma criança porque não se conteve e desatou a rir. Quem olhasse para Aliócha, postado um passo atrás do *stárietz*, notaria em seu rosto um rápido rubor que num instante lhe cobriu as faces. Seus olhos cintilaram e ele os baixou.

— Ela tem um recado para o senhor, Alieksiêi Fiódorovitch... Como vai sua saúde? — continuou a mãe, dirigindo-se subitamente a Aliócha e estendendo-lhe a mão magnificamente enluvada. O *stárietz* voltou-se e olhou atentamente para Aliócha. Este se chegou a Lise e, sorrindo de um modo meio estranho e desajeitado, estendeu-lhe a mão. Lise assumiu ares de importância.

— Catierina Ivánovna lhe enviou por meu intermédio isto aqui — e lhe entregou um bilhete. — Ela lhe pede encarecidamente que passe em sua casa, e sem demora, sem demora, e que não a engane, mas apareça sem falta.

---

[55] Trata-se de uma grande poltrona (*kriéslo*) adaptada às condições de Ielizavieta. (N. do T.)

— Ela me pede que eu passe por lá? Que eu vá... Para quê? — murmurou Aliócha tomado de profunda surpresa. Súbito estampou-se em seu rosto uma grande preocupação.

— Oh, tudo diz respeito a Dmitri Fiódorovitch e... a todos esses últimos acontecimentos — explicou de passagem a mamã. — Neste momento Catierina Ivánovna está firme numa decisão... mas para isto precisa vê-lo impreterivelmente... Para quê? É claro que não sei, mas ela pede que o senhor apareça o mais cedo possível. E o senhor fará isto, certamente o fará, até porque é o que manda o sentimento cristão.

— Eu só a vi uma vez — continuou Aliócha com a mesma perplexidade.

— Oh, ela é uma criatura tão elevada, tão inatingível!... Só por seus sofrimentos... Imagine o que terá suportado, o que anda suportando agora, imagine o que a espera... tudo isso é um horror, um horror!

— Está bem, vou visitá-la — resolveu Aliócha, correndo os olhos pelo bilhete breve e enigmático, no qual, afora o pedido encarecido de aparecer por lá, não havia nenhuma explicação.

— Ah, como isso é gentil e magnânimo de sua parte — bradou de chofre Lise, enchendo-se de entusiasmo. — E eu que disse à mamãe: ele não irá por nada deste mundo, está cuidando de sua salvação. Ah, ah, você é maravilhoso! Veja, eu sempre o achei maravilhoso, e acho agradável lhe dizer isso agora!

— Lise! — pronunciou a mãe com gravidade, e incontinenti sorriu. — Você também nos esqueceu, Alieksiêi Fiódorovitch, recusa-se terminantemente a nos visitar: e no entanto Lise me disse duas vezes que só em sua companhia se sente bem.

Aliócha ergueu os olhos, até então baixos, tornou a enrubescer num átimo, e subitamente voltou a sorrir sem atinar por quê. Aliás, o *stárietz* já não o observava. Iniciara uma conversa com um monge de fora, que, como já dissemos, ao lado da poltrona de Lise, aguardava que ele aparecesse. Era, pela aparência, um monge dos mais simples, isto é, de baixa condição, tinha uma visão de mundo limitada e inquebrantável, mas era um homem de fé e a seu modo obstinado. Disse que era de Obdorsk, um lugar do Extremo Norte, de um mosteiro pobre de São Silvestre que possuía apenas nove monges. O *stárietz* o abençoou e o convidou a visitar sua cela quando ele quisesse.

— Como o senhor ousa fazer tais coisas? — perguntou de súbito o monge, apontando Lise com ar grave e solene. Aludia à "cura" da moça.

— Evidentemente, ainda é cedo para falar disso. O alívio ainda não é cura completa e poderia ter acontecido por outras causas. Mas se alguma coisa houve não se deveu à força de mais ninguém senão à vontade de Deus.

Tudo vem de Deus. Visite-me, padre — acrescentou ao monge —, pois nem sempre estou em condição: ando doente, e sei que meus dias estão contados.

— Oh, não, não, Deus não vai tirá-lo de nós, o senhor ainda vai viver muito, muito — bradou a mamã. — Ora, de que o senhor está doente? Parece tão saudável, alegre, feliz.

— Hoje estou excepcionalmente melhor, mas já sei que isso é apenas por um instante. Agora compreendo corretamente minha doença. Se me acha tão alegre, a senhora nunca e de nenhuma outra maneira poderia me alegrar tanto quanto fazendo semelhante observação. Porque as pessoas foram criadas para serem felizes, e quem é plenamente feliz merece de fato dizer a si mesmo: "Cumpri os ensinamentos de Deus nesta terra". Todos os justos, todos os santos, todos os santos mártires foram felizes.

— Oh, como o senhor fala, que palavras ousadas e superiores — bradou a mamã. — O senhor fala, e é como se a fala nos atravessasse. No entanto, a felicidade, a felicidade — onde está? Quem pode dizer de si para si que é feliz? Oh, já que o senhor foi tão bondoso que hoje nos permitiu mais uma visita, escute tudo o que da outra vez não cheguei a concluir, não me atrevi a dizer, tudo o que me vem fazendo sofrer tanto e há tanto tempo, há tanto tempo! Estou sofrendo, desculpe-me, estou sofrendo... — E tomada de um ímpeto ardente, juntou as mãos diante dele.

— De que especialmente?

— Sofro de... descrença...

— De descrença em Deus?

— Oh, não, não, não me atrevo nem a pensar nisso, mas a vida futura — é um grande enigma! E ninguém, ninguém tem resposta para ele! Ouça-me, o senhor faz curas, é um conhecedor da alma humana; eu, é claro, não ouso pretender que o senhor acredite inteiramente em mim, mas lhe asseguro com as palavras mais elevadas que, neste momento, não estou sendo leviana ao dizer que essa ideia sobre a futura vida além-túmulo me inquieta a ponto de me deixar sofrendo, assustada e apavorada... Não sei a quem apelar, a vida inteira não me atrevi... E eis que agora me atrevo a apelar ao senhor... Oh, Deus, por quem o senhor há de me tomar neste momento! — Ela ergueu as mãos, batendo-as emocionada.

— Não se preocupe com minha opinião — respondeu o *stárietz*. — Acredito plenamente na sinceridade de sua angústia.

— Oh, como lhe sou grata! Veja, fecho os olhos e fico pensando: se todo mundo crê, a que se deve isso? E então me asseguram que tudo isso se deveu inicialmente do pavor perante as temíveis manifestações da natureza, e que nada disso existe. Bem, penso eu, durante toda minha vida tive essa crença:

Os irmãos Karamázov

morro, e de repente não existe nada, só "bardanas nascerão sobre o túmulo", como li em um escritor.[56] Isso é apavorante! Como, como recuperar a fé? Aliás, eu só cri quando era uma criancinha, de forma mecânica, sem pensar em nada... Como, como provar isso, vim para cá com o intuito de cair de joelhos perante o senhor e lhe pedir isso. Porque se eu perder também esta oportunidade, ninguém mais há de me responder pelo resto de minha vida. Como provar, como me convencer? Oh, que infelicidade a minha! Estou aqui em pé e vejo ao redor que ninguém se importa, quase ninguém se importa, hoje ninguém se preocupa com isso, e só eu não consigo suportá-lo. Isso é de matar, de matar!

— Sem dúvida, é de matar. Neste caso não se pode provar nada, mas a pessoa se convencer é possível.

— Como? De que jeito?

— Pela experiência do amor ativo. Procure amar seus próximos de forma ativa e incansável. À medida que progredir no amor irá convencer-se da existência de Deus e da imortalidade de sua alma. Se atingir o pleno desprendimento no amor ao próximo, chegará, sem dúvida, à crença firme e nenhuma dúvida sequer terá condição de penetrar em sua alma. Isto está provado, isto é certo.

— Um amor ativo? Eis o problema de novo, e que problema, que problema! Veja, amo tanto a humanidade que, não sei se acredita, às vezes sonho em largar tudo o que tenho, deixar Lise e me tornar irmã de caridade. Fecho os olhos, penso e sonho, e nesses momentos sinto em mim uma força invencível. Nenhuma ferida, nenhuma chaga supurada pode me assustar. Eu as lavaria e lhes faria curativos com minhas próprias mãos, eu seria a enfermeira desses sofredores, estou disposta a beijar essas chagas...

— E já é muito e bom que sua mente sonhe com isso e não com outra coisa. De uma hora para outra a senhora acabará por acaso praticando de fato alguma boa ação.

— Sim, mas será que eu aguentaria muito tempo levando uma vida assim? — continuou a senhora ardorosamente e quase como que tomada de arrebatamento. — Eis a questão fundamental! É a minha questão mais torturante entre as demais. Abro os olhos e pergunto a mim mesma: aguentarias muito tempo nesse caminho? E se um doente, cujas chagas lavasses, não te retribuísse imediatamente com a gratidão, mas, ao contrário, começasse a te torturar com caprichos, sem apreciar nem ligar para teu esforço huma-

---

[56] Referência a Turguêniev e seu romance *Pais e filhos*, cuja personagem central, Bazárov, faz uma afirmação semelhante. (N. do T.)

nitário, passasse a gritar contigo, a fazer exigências grosseiras, até a queixar-se com algum superior (o que é muito frequente nos que sofrem muito), o que farias? Teu amor continuaria ou não? Pois veja — eu mesma já concluí estremecida: se existe algo capaz de esfriar imediatamente meu amor "ativo" pela humanidade, esse algo é unicamente a ingratidão. Numa palavra, trabalho por dinheiro, exijo pagamento imediato, ou seja, que me elogiem e que amor com amor se pague. De outro modo não sou capaz de amar ninguém!

Ela estava num acesso da mais sincera autoflagelação e, após concluir, lançou ao *stárietz* um olhar decidido e provocante.

— É tal qual me dizia um médico, aliás, faz muito tempo — observou o *stárietz*. — Era um homem já entrado em anos e, sem nenhuma dúvida, inteligente. Falava com a mesma franqueza que a senhora, embora em tom de brincadeira, mas de uma brincadeira dorida; eu, dizia ele, amo a humanidade, mas me admiro de mim mesmo; quanto mais amo a humanidade em geral, menos amo os homens em particular, ou seja, em separado, como pessoas isoladas. Em meus sonhos, dizia ele, não raro chegava a intentos apaixonados de servir à humanidade e é até possível que me deixasse crucificar em benefício dos homens se de repente isso se fizesse de algum modo necessário, mas, não obstante, não consigo passar dois dias com ninguém num quarto, o que sei por experiência. Mal a pessoa se aproxima de mim, e eis que sua personalidade já esmaga meu amor-próprio e tolhe minha liberdade. Em vinte e quatro horas posso odiar até o melhor dos homens: este por demorar muito a almoçar, aquele por estar resfriado e não parar de assoar o nariz. Eu, dizia, viro inimigo das pessoas mal elas roçam em mim. Em compensação, sempre acontecia que quanto mais eu odiava os homens em particular, mais ardente se tornava meu amor pela humanidade em geral.

— Então, o que fazer? Neste caso, o que fazer? É preciso cair em desespero?

— Não, porque já basta sua aflição. Faça o que puder, e isso lhe será creditado. A senhora já fez muito, pois conseguiu compreender a si mesma de forma profunda e sincera! Se agora falou comigo com tanta sinceridade com o único fim de ganhar elogios por sua franqueza, como espera de mim neste momento, então é claro que não vai chegar a nada nos feitos de amor ativo; assim, tudo permanecerá apenas em seus sonhos, e toda a vida passará num relance como um fantasma. Aí, compreende-se, esquecerá também a vida futura, e no fim das contas acabará tranquila consigo mesma.

— O senhor me deixou esmagada! Só agora, neste momento em que o senhor falava, compreendi que eu realmente só esperava seus elogios à minha sinceridade quando lhe dizia que não suportaria a ingratidão. O senhor me mostrou a mim mesma, o senhor me decifrou o pensamento e até o explicou!

— Está falando a verdade? Bem, agora, depois dessa confissão, acredito que a senhora é sincera e tem um bom coração. Se não chegar à felicidade, lembre-se sempre, porém, de que está no bom caminho e procure não sair dele. E o principal: fuja da mentira, de toda e qualquer mentira, particularmente de mentir para si mesma. Vigie sua mentira, examine-a a toda hora, a cada minuto. Fuja também à repulsa, tanto aos outros quanto a si mesma: aquilo que a senhora, em seu próprio íntimo, acha ruim, já se purifica pelo simples fato de o haver notado dentro de si mesma. Fuja igualmente do medo, embora o medo seja apenas a consequência de todo erro. Nunca tema sua própria falta de coragem na tentativa de conquistar o amor, nem mesmo tema muito os próprios maus atos que aí tenha cometido. Lamento não poder lhe dizer nada de mais confortante, pois que o amor ativo, comparado ao contemplativo, é algo cruel e apavorante. O amor contemplativo anseia por uma proeza imediata, que possa ser rapidamente realizada e que todos vejam. E nisso chega efetivamente a ponto de sacrificar a vida, contanto que a coisa não demore muito e se realize bem depressa, como que no palco, para que todos a vejam e elogiem. Já o amor ativo é trabalho e autodomínio e, para quem o pratica, é talvez toda uma ciência. Contudo, predigo que no instante mesmo em que a senhora constatar horrorizada que, apesar de todos os seus esforços, não só não se aproximou da meta mas até como que se afastou dela — nesse mesmo instante, predigo-lhe, a senhora atingirá de repente a meta e perceberá claramente pairando sobre si a força miraculosa do Senhor, que sempre a amou e sempre a guiou misteriosamente. Desculpe por não poder ficar mais tempo com a senhora, pois me aguardam. Até logo.

A senhora chorava.

— Lise, abençoe Lise, abençoe! — e ficou toda saltitante.

— Nem vale a pena amá-la. Vi como esteve o tempo todo fazendo travessuras — pronunciou o *stárietz* em tom brincalhão. — Por que você esteve o tempo todo rindo de Alieksiêi?

E de fato, Lise estivera o tempo todo fazendo arte. Notara havia tempo, desde a vez anterior, que Aliócha ficava encabulado em sua presença e procurava não a olhar, e isso passou a diverti-la muitíssimo. Ela aguardava atentamente e captava o olhar dele: não suportando aquele olhar tenazmente fixado em si, o próprio Aliócha, movido por uma força invencível, olhava sem querer e de supetão para ela, e no mesmo instante ela lhe sorria na cara com um sorriso triunfal. Aliócha se atrapalhava e ficava ainda mais acabrunhado. Acabou por lhe voltar inteiramente as costas e esconder-se atrás do

Os irmãos Karamázov

stárietz. Após alguns minutos, impelido pela mesma força invencível, tornou a voltar-se com o intuito de ver se ela estava ou não olhando em sua direção, e notou que Lise, quase inteiramente inclinada para fora de sua poltrona, observava-o de lado e aguardava com todas as forças que ele voltasse a vista para ela; apanhando-lhe o olhar, ela deu tamanha gargalhada que nem o *stárietz* se conteve:

— Por que você, sua travessa, insiste em deixá-lo acanhado?

Súbito Lise corou de modo inteiramente inesperado, seus olhinhos chamejaram, o rosto ficou terrivelmente sério e ela desatou a falar depressa, nervosamente, em tom de queixa ardente e indignada:

— E ele, por que esqueceu tudo? Carregou-me nos braços quando eu era pequena, nós dois brincávamos juntos. Ele ia à minha casa me ensinar a ler, o senhor sabia? Dois anos atrás, ao se despedir de mim, disse que nunca iria esquecer que éramos amigos eternos, eternos, eternos! E agora eis que de repente tem medo de mim, pensa que vou comê-lo? Por que não quer se aproximar, por que não conversa? Por que não quer nos visitar? A menos que o senhor não o deixe sair: ora, sabemos que ele vai a toda parte. Não me fica bem convidá-lo, ele devia ser o primeiro a atinar, se é que não esqueceu. Não, agora ele cuida de salvar a alma! Por que o senhor o fez vestir essa batina comprida... Se ele correr, cai...

E súbito, sem se conter, cobriu o rosto com as mãos e desatou a rir de maneira horrível, incontida, com aquele seu riso longo, nervoso, convulso e abafado. O *stárietz* a escutou sorrindo e a abençoou com ternura; quando ela começou a beijar a mão dele, apertou-a de súbito contra os olhos e pôs-se a chorar:

— Não se zangue comigo, sou uma tola, não valho nada... e Aliócha talvez esteja certo, muito certo de não querer visitar uma pessoa tão ridícula.

— Vou mandá-lo visitá-la impreterivelmente — decidiu o *stárietz*.

V. ASSIM SEJA, ASSIM SEJA!

A ausência do *stárietz* na cela demorou cerca de vinte e cinco minutos. Já passava das doze e meia, e nada de aparecer Dmitri Fiódorovitch, motivo da presença de todos ali. Mas era como se quase o tivessem esquecido, e quando o *stárietz* tornou a entrar na cela encontrou seus convidados na mais animada conversa sobre assuntos vários. Participavam da conversa, em primeiro lugar, Ivan Fiódorovitch e os dois hieromonges. Miússov também interferia, e pelo visto de modo muito acalorado, mas outra vez não teve sor-

94   Fiódor Dostoiévski

te; estava aparentemente em segundo plano e inclusive pouco lhe respondiam, de sorte que essa nova circunstância só fazia aumentar sua irritação, que se acumulava cada vez mais. Acontece que já antes ele trocara algumas farpas com Ivan Fiódorovitch a respeito do saber e não engolia de sangue-frio certo desdém que o outro lhe dispensava. "Ao menos até hoje estive à altura de tudo o que existe de avançado na Europa, mas essa nova geração nos ignora categoricamente" — pensava de si para si. Fiódor Pávlovitch, que dera ele mesmo a palavra de sentar-se numa cadeira e ficar de bico calado, permanecera realmente calado por algum tempo, mas observava seu vizinho Piotr Alieksándrovitch com um sorrisinho zombeteiro e pelo visto estava alegre com seu agastamento. Fazia tempo que se preparava para lhe dar o troco e agora não queria perder a chance. Finalmente não se conteve, inclinou-se sobre o ombro do vizinho e murmurou em tom provocante:

— Ora veja, por que o senhor não se retirou há pouco, depois daquele "beijando-a amavelmente", e aceitou permanecer em tão indecente companhia? Foi porque se sentiu humilhado e ofendido e permaneceu para se desforrar, exibindo inteligência. Agora não vai arredar pé enquanto não a exibir.

— O senhor de novo? Agora mesmo vou me retirar, ao contrário do que diz.

— Depois, depois de todo mundo é que vai sair! — Fiódor Pávlovitch tornou a alfinetar. Quase nesse mesmo instante o *stárietz* entrou.

A discussão cessou por um instante, mas o *stárietz*, voltando a sentar-se no antigo lugar, correu o olhar por todos os presentes como que os convidando cordialmente a prosseguir. Aliócha, que lhe estudara quase todo tipo de expressão do rosto, via com clareza que ele estava exausto e se excedia. Nos últimos tempos da doença chegava vez por outra a desmaiar de tão esgotado. Uma palidez quase idêntica à que aparecia antes dos desmaios espalhava-se agora por seu rosto, os lábios estavam brancos. Mas pelo visto não queria dissolver a reunião; de mais a mais, parecia ter lá seu objetivo — quem sabe qual? Aliócha o observava atentamente.

— Estamos discutindo o curiosíssimo artigo dele — pronunciou o hieromonge Ióssif, o bibliotecário, dirigindo-se ao *stárietz* e apontando para Ivan Fiódorovitch. — Dele podemos deduzir muitas novidades, e parece que sua ideia se assenta em dois extremos. No tocante ao tribunal socioeclesiástico[57] e à amplitude de seus direitos, ele publicou um artigo num jornal respondendo a um clérigo,[58] que escreveu um livro inteiro sobre esse tema...

[57] Veja-se, a respeito, nota à p. 30. (N. do T.)

[58] O protótipo desse clérigo é M. I. Gortchakóv, professor da Universidade de Peters-

— Infelizmente não li seu artigo, mas ouvi falar a respeito... — respondeu o *stárietz*, pondo em Ivan Fiódorovitch um olhar fixo e penetrante.

— Ele sustenta um ponto de vista curiosíssimo — prosseguiu o padre bibliotecário. — Na questão do tribunal socioeclesiástico, parece rejeitar totalmente a separação entre Igreja e Estado.

— Isso é curioso; mas em que sentido? — perguntou o *stárietz* a Ivan Fiódorovitch.

Este finalmente lhe respondeu, mas sem aquela arrogância cortês que Alíocha tanto temia ainda na véspera, e sim com modéstia e moderação, com visível prevenção e, ao que parece, sem sombra de segundas intenções.

— Eu parto da tese de que essa mistura de elementos, isto é, de essências da Igreja e do Estado, tomados separadamente, será eterna, apesar de ser ela impossível e nunca se poder levá-la a uma situação não só normal como minimamente conciliatória, porque a mentira está na própria base da questão. O compromisso entre o Estado e a Igreja em questões como, por exemplo, a do tribunal, é, a meu ver, impossível em sua essência absoluta e genuína. O clérigo, a quem faço objeções, afirma que a Igreja ocupa um lugar preciso e definido no Estado. Eu lhe replico que, ao contrário, é a própria Igreja que deve abarcar todo o Estado e não ocupar nele apenas um canto qualquer e que, se por algum motivo isso é impossível neste momento, na essência das coisas deve, sem dúvida, ser colocado como objetivo direto e fundamental de todo o posterior desenvolvimento da sociedade cristã.

— Absolutamente justo! — disse com voz convicta e nervosa o padre Paissi, hieromonge erudito e taciturno.

— É o mais puro ultramontanismo! — exclamou Miússov, cruzando as pernas com impaciência.

— Ora, nem montanhas nós temos! — observou o padre Ióssif e, dirigindo-se ao *stárietz*, prosseguiu: — Ele responde, entre outras coisas, às seguintes teses "básicas e essenciais" do clérigo, seu opositor, observe o senhor. Primeira: que "nenhuma união social pode ou deve apropriar-se do poder de dispor dos direitos políticos e civis de seus membros".[59] Segundo: que o "po-

---

burgo e autor do livro *Enfoque científico do tribunal eclesiástico-criminal*, publicado em Petersburgo em 1875. O autor tenta conciliar os partidários da maior presença do Estado com os eclesiásticos. Afirma, à p. 233, que "a Igreja deve ser vista como uma sociedade e uma instituição, que ocupam uma posição determinada no Estado". Dostoiévski tinha um exemplar do livro em sua biblioteca. (N. da E.)

[59] Escreve Gortchakóv: "Nenhuma união social, admitida no Estado para a conquista de seus objetivos específicos, tem o direito, pode ou deve apropriar-se do poder de dispor dos direitos civis e políticos de seus membros". (N. da E.)

der penal ou cível-penal não deve pertencer à Igreja e é incompatível com sua natureza, quer como instituição divina, quer como agremiação humana com fins religiosos" e, por último, terceiro: que a "Igreja não é um reino deste mundo".

— O mais indigno dos jogos de palavras para um clérigo! — não se conteve e tornou a interromper o padre Paissi. — Li esse livro ao qual o senhor faz objeções — voltou-se para Ivan Fiódorovitch — e fiquei surpreso com as palavras do clérigo de que "a Igreja não é um reino deste mundo".[60] Se não é deste mundo, quer dizer então que não pode sequer existir sobre a Terra. No santo Evangelho, as palavras "não é deste mundo" estão empregadas em outro sentido. É impossível jogar com essas palavras. Nosso Senhor Jesus Cristo veio precisamente para estabelecer a Igreja na Terra. O Reino dos Céus, é claro, não é deste mundo mas está no céu, e nele não se entra senão através da Igreja, que foi fundada e estabelecida na Terra. É por isso que, nesse sentido, os trocadilhos mundanos são inviáveis e indignos. Já a Igreja é, em verdade, um reino, foi determinada a reinar, e no fim das contas deverá aparecer como reino em toda a face da Terra, incontestavelmente — isto nos foi prometido...

Calou-se de repente, como que se contendo. Ivan Fiódorovitch, que o ouvira com respeito e atenção, com uma tranquilidade extraordinária e a mesma boa vontade e simplicidade prosseguiu, dirigindo-se ao *stárietz*:

— Toda a ideia de meu artigo consiste em que, em tempos antigos, nos três primeiros séculos de Cristianismo, o Cristianismo na Terra era única e exclusivamente a Igreja. Quando o Estado pagão de Roma quis tornar-se cristão, aconteceu, necessariamente, que, ao tornar-se cristão, ele apenas abarcou a Igreja mas continuou a ser o mesmo Estado pagão em um número extraordinário de funções. No fundo era o que, sem dúvida, devia mesmo acontecer. Mas em Roma, enquanto Estado, permaneceram excessivos vestígios da civilização e da sabedoria pagãs, como, por exemplo, até os próprios fins e fundamentos do Estado. Já a Igreja de Cristo, ao ingressar no Estado, sem dúvida não podia arredar em nada de seus princípios, nem daquela pedra sobre a qual havia sido fundada, e conseguiu perseguir apenas aqueles seus fins, uma vez colocados e indicados com firmeza pelo próprio Senhor: converter o mundo inteiro, logo, todo o antigo Estado pagão, em Igreja. Assim (isto é, com vistas ao futuro), não é a Igreja que deve pro-

---

[60] Resposta de Jesus a Pilatos: "O meu reino não é deste mundo" (João, 18, 36). Os tradutores de Dostoiévski têm utilizado a expressão "o reino da Igreja não é deste mundo", quando ele de fato escreve "a Igreja não é um reino deste mundo". (N. do T.)

curar para si um lugar determinado no Estado, como "toda união social" ou "união de homens com fins religiosos"[61] (como se refere à Igreja o autor a quem replico), mas, ao contrário, todo Estado da Terra deveria transformar-se posteriormente e de forma plena em Igreja e vir a ser tão somente Igreja, e já depois de haver rejeitado todos e quaisquer fins que fossem diferentes dos eclesiásticos. Tudo isso em nada rebaixaria o Estado, não lhe tiraria a honra nem a glória como grande Estado, nem a glória de seus mandatários, e apenas o deslocaria de seu caminho falso, ainda pagão e equivocado, para o caminho correto e verdadeiro, o único que leva aos fins eternos. Eis por que o autor do livro *Fundamentos do tribunal socioeclesiástico* estaria fazendo um julgamento correto se, ao investigar e propor tais fundamentos, ele os visse apenas como um compromisso provisório, ainda necessário em nossa época pecadora e inacabada. No entanto, tão logo o autor desses "fundamentos" ousa declarar que os fundamentos que agora propõe, e parte dos quais o padre Ióssif acabou de resumir, são fundamentos inabaláveis, espontâneos e eternos, ele já se coloca francamente contra a Igreja e sua santa, eterna e inabalável predestinação. Eis todo o meu artigo, num resumo completo.

— Quer dizer, em duas palavras — retomou o padre Paissi, destacando cada palavra —, que, segundo certas teorias, demasiado elucidadas neste nosso século dezenove, a Igreja deve transformar-se em Estado, como se passasse de um tipo inferior de Estado a um superior, para em seguida desaparecer nele, dando lugar à ciência, ao espírito da época e à civilização. Se ela não aceita tal coisa e resiste, não se lhe reserva nada mais que uma espécie de canto no Estado, e ainda assim sob vigilância — e isso por toda a parte nos países europeus. Segundo nossa interpretação russa e firme esperança,[62] porém, não é a Igreja que deve transformar-se em Estado, como se passasse de um tipo inferior a outro superior, mas, ao contrário, é o Estado que deve fazer por merecer tornar-se enfim unicamente uma Igreja e nada mais. Assim será, assim será!

— Bem, confesso que agora o senhor me deu um pouco de ânimo — disse Miússov, com um risinho, tornando a cruzar as pernas. — Até onde pu-

---

[61] Escreve Gortchakóv: "Do ponto de vista do direito em sua essência, a Igreja, como sociedade, tem exatamente a mesma importância que qualquer outra organização social, constituída dentro do Estado com determinados fins independentes". (N. da E.)

[62] Segundo o filósofo Vladímir Solovióv, Dostoiévski estava envolvido com essa ideia quando escrevia *Os irmãos Karamázov*. (N. da E.)

de compreender, trata-se da realização de um ideal infinitamente distante,[63] para o segundo advento. Interpretem como quiserem. É um lindo sonho utópico sobre o desaparecimento das guerras, dos diplomatas, dos bancos etc. É até algo parecido com o socialismo. E eu que pensei que tudo fosse sério e que a Igreja, por exemplo, viesse agora a julgar crimes e sentenciar chibatadas e trabalhos forçados e, talvez, até a pena de morte.

— Sim, se hoje houvesse apenas o tribunal socioeclesiástico, hoje a Igreja não mandaria ninguém para trabalhos forçados nem aplicaria a pena de morte. Então, o crime e a visão que se tem dele deveriam, sem dúvida, mudar, é claro que aos poucos, não de súbito nem agora, mas, não obstante, com bastante brevidade... — pronunciou Ivan Fiódorovitch calmamente e sem pestanejar.

— Está falando sério?

— Se tudo se tornasse Igreja, ela excomungaria o criminoso e o rebelde, mas não cortaria cabeças — prosseguiu Ivan Fiódorovitch. — Eu lhe pergunto: para onde iria o excomungado? Porque teria de afastar-se não só dos homens, como agora, mas até de Cristo. Com seu crime, ele se teria rebelado não apenas contra os homens, mas contra a própria Igreja de Cristo. Hoje isso também acontece, em sentido estrito, é claro, no entanto não é coisa declarada, e a consciência do criminoso moderno age muitíssimo amiúde contra suas próprias convicções: "Roubei, mas não estou indo contra a Igreja, não sou inimigo de Cristo" — diz a si mesmo a torto e a direito o criminoso de hoje, mas se um dia a Igreja substituísse o Estado, então lhe seria difícil dizer isso para si mesmo, a menos que negasse toda a Igreja em toda a face da Terra. "Todos estão enganados, todos se desviaram, tudo é uma falsa Igreja, só eu, ladrão e assassino, sou a verdadeira Igreja de Cristo." Ora, dizer isto a si mesmo seria muito difícil, demandaria condições muito amplas e circunstâncias raras. Agora tome, por exemplo, o ponto de vista da própria Igreja sobre o crime: por acaso ele não deve mudar, contrapondo-se à visão atual, quase pagã, de amputação mecânica do membro contaminado, como hoje se faz para proteger a sociedade, e transformar-se de verdade e não falsamente na ideia de renascimento do homem, de sua ressurreição e salvação...

— Como assim? O que isto quer dizer? Mais uma vez, fico sem compreender — interrompeu Miússov —, de novo essa fantasia. Isso é uma coisa amorfa, nem dá para entender. Desconfio de que o senhor esteja simplesmente se divertindo, Ivan Fiódorovitch.

[63] Ver Mateus, 24, 7. (N. do T.)

— Pois em verdade essa mesma coisa continua acontecendo — falou de súbito o *stárietz*, e todos se voltaram ao mesmo tempo para ele —, porque se hoje não existisse a Igreja de Cristo, para o criminoso não haveria nenhum impedimento para o crime e nem mesmo castigo posterior, isto é, o castigo verdadeiro, e não o mecânico que acabou de ser mencionado aqui — que não faz senão exasperar o coração na maioria dos casos —, o castigo verdadeiro, o único real, o único que atemoriza e apazigua, que consiste em se ter consciência da própria consciência.

— Como é que pode, permite-me saber? — perguntou Miússov com vivíssima curiosidade.

— É assim — começou o *stárietz*. — Todas essas deportações para trabalhos forçados, antes acompanhados de espancamentos, nunca corrigem e, principalmente, quase não atemorizam nenhum criminoso, e o número de crimes não só não diminui como ainda aumenta com o passar do tempo. O senhor há de concordar comigo neste ponto. E assim resulta que a sociedade não ganha nenhuma proteção, pois, embora o membro pernicioso seja amputado mecanicamente e deportado para longe, fora do alcance da vista, em seu lugar aparece imediatamente outro criminoso ou talvez dois. Se algo protege a sociedade, inclusive em nossos dias, e até corrige e transforma o próprio criminoso em outro homem, mais uma vez esse algo é unicamente a lei de Cristo, manifesta na conscientização da própria consciência. Só reconhecendo sua culpa como filho da sociedade de Cristo, quer dizer, da Igreja, ele reconhece também sua culpa perante a própria sociedade, isto é, perante a Igreja. Mas se o tribunal pertencesse à sociedade como Igreja, a sociedade saberia a quem tirar da excomunhão e trazer de volta a seu convívio. Hoje a Igreja, sem dispor de nenhum tribunal ativo, mas apenas da possibilidade da condenação moral, esquiva-se de aplicar castigo ativo ao criminoso. Não o excomunga, mas se limita a não lhe faltar com o conselho paterno. Ademais, até procura manter com ele todo o convívio eclesiástico cristão: admite-o no ofício divino, na eucaristia, lhe dá esmola e o trata mais como prisioneiro que como culpado. E que seria do criminoso, meu Deus!, se a sociedade cristã, isto é, a Igreja, o renegasse como o renega e o isola a lei civil? Que seria dele se a Igreja o punisse com a excomunhão imediatamente e sempre após a punição imposta pela lei do Estado? Sim, não poderia haver um desespero maior, pelo menos para o criminoso russo, pois os criminosos russos ainda têm fé. Aliás, quem sabe? Poderia acontecer uma coisa terrível — talvez houvesse a perda da fé no coração desesperado do réu, e então, que seria dele? Mas a Igreja, como uma mãe terna e amorosa, esquiva-se ela mesma do castigo ativo, uma vez que já sem seu castigo ativo o culpado recebe um castigo excessivamente doloroso do tribunal do Estado, e é preciso que haja pelo menos quem se compadeça dele. E ela se esquiva principalmente porque seu tribunal é o único que contém a verdade e, como consequência, não pode, por uma questão de essência e ética, firmar sequer um compromisso provisório com nenhum outro tribunal. Aí já não é possível o acordo. Dizem que o criminoso estrangeiro raramente se arrepende, porque até mesmo as doutrinas modernas respaldam suas ideias de que seu crime não é um crime, mas tão somente um ato de rebeldia contra a força que oprime com a injustiça. A sociedade o alija pela força que sobre ele triunfa de forma plenamente mecânica e acompanha esse alijamento com o ódio (pelo menos é isso que eles mesmos, na Europa, relatam a seu próprio respeito) — com o ódio e a mais completa indiferença por seu futuro como irmão que ela relega ao esquecimento. Assim, tudo acontece sem a mínima compaixão por parte da Igreja, porquanto em muitos casos lá nem existem propriamente igrejas, tendo restado apenas funcionários eclesiásticos e magníficos prédios de igrejas, ao passo que as próprias Igrejas de lá vêm procurando, há tempo, passar do tipo inferior ao superior, como Estado, para nele desaparecerem por completo. Assim parece acontecer pelo menos nos países luteranos. Em Roma mesmo, já faz mil anos que o Estado foi proclamado em lugar da Igreja. É por isso que o próprio criminoso já não se considera membro da Igreja e, alijado, vive no desespero. Se, porém, retorna à sociedade, não raro o faz com tamanho ódio que a própria sociedade como que já o alija. Como isso vai terminar, os senhores mesmos podem julgar. Em muitos casos, pareceria que entre nós também ocorre o mesmo; mas acontece que, além dos tribunais estabelecidos, nós ainda temos a Igreja, que nunca perde o contato com o criminoso como seu filho amado e, apesar de tudo, ainda querido; e além disso existe e se conserva, embora só na imaginação, o tribunal da Igreja que, mesmo hoje não sendo ativo, não obstante vive para o futuro ainda que em sonho, e o próprio criminoso sem dúvida o reconhece pelo instinto de sua alma. Também é justo o que aqui acabou de ser dito, que se o tribunal da Igreja passasse de fato a vigorar, e em toda sua plenitude, ou seja, se toda a sociedade se convertesse apenas em Igreja, não só o tribunal da Igreja influenciaria a recuperação do criminoso — de uma maneira como nunca influencia hoje — como é possível que o número dos próprios crimes realmente sofresse uma redução extraordinária. Sim, a Igreja, não há dúvida, compreenderia o futuro criminoso e o futuro crime de modo em muitos casos totalmente diverso do que se vê hoje, e seria capaz de reintegrar o alijado, prevenir o criminoso em gestação e regenerar o decaído. É verdade — o *stárietz* deu um risinho — que hoje a própria sociedade cristã ainda não está preparada e se apoia apenas em uns sete justos;[64] mas como eles não decaem, ela permanece inabalável apesar de tudo, à espera de sua completa transformação, de sociedade como união ainda quase pagã, numa Igreja universal única e dominante. Assim seja, assim seja, mesmo que venha a ocorrer na consumação dos séculos, pois só isso está destinado a acontecer! E nada de nos perturbarmos com tempos e prazos, pois o mistério dos tempos e prazos[65] está na sabedoria de Deus, em sua previsão e em seu amor. E o que pelos cálculos humanos ainda pode estar muito distante, pela predestinação de Deus pode já estar na véspera de seu surgimento, à porta. Assim seja, assim seja.

— Assim será! Assim será! — confirmou o padre Paissi com reverência e severidade.

— É estranho, sumamente estranho! — pronunciou Miússov não propriamente com ardor, mas com um quê de indignação contida.

— O que lhe parece tão estranho? — indagou cautelosamente o padre Ióssif.

— Ora, mas o que é isso afinal? — exclamou Miússov, como se de repente lhe tivesse escapado. — Abole-se o Estado na Terra, e a Igreja se projeta ao nível de Estado! Isso não é propriamente ultramontanismo, é arqui-ultramontanismo! Isso nem o papa Gregório VII vislumbrou!

— Procure compreender absolutamente o contrário! — proferiu com severidade o padre Paissi. — Não é a Igreja que se transforma em Estado, entenda isso. Trata-se de Roma e seu sonho. Da terceira tentação do diabo![66] Ao contrário, é o Estado que se transforma em Igreja, que ascende à condição de Igreja e se torna Igreja em toda a Terra, o que já contraria totalmente o ultramontanismo, Roma e a interpretação que o senhor faz, e existe apenas a grande predestinação da religião ortodoxa na Terra. Esta estrela resplandecerá do lado do Oriente.

Miússov calou-se num gesto grave. Toda sua figura exprimia uma extraordinária dignidade. Um sorriso condescendente e superior estampou-se em seus lábios. Aliócha observava tudo com o coração batendo forte. Toda

---

[64] Segundo me informa Nikolai Pankóv, pesquisador russo da Universidade Lomonóssov, de Moscou, essa referência do *stárietz* Zossima pode ter dois sentidos: 1) não há muitos justos por aí; 2) a magia do "7" é muito presente como algo meio sagrado na cultura russa. Mas esse fenômeno também ocorre em outras culturas. (N. do T.)

[65] Ver as palavras de Cristo em Atos dos Apóstolos, 1, 7: "Não vos compete conhecer tempos ou épocas que o Pai reservou para sua exclusiva autoridade". Ver, ainda, Marcos, 13, 29. (N. da E.)

[66] Trata-se da terceira tentação de Cristo, segundo Mateus, 4, 8-10. (N. da E.)

aquela conversa o perturbara até o fundo da alma. Olhou casualmente para Rakítin; este permanecia postado e imóvel junto à porta, ouvindo e observando tudo com atenção, embora estivesse com a vista baixa. Mas, pelo rubor vivo de suas faces, Aliócha adivinhou que Rakítin, parece, não estava menos perturbado do que ele; Aliócha sabia o que o perturbava.

— Permitam-me, senhores, contar-lhes uma pequena anedota — proferiu subitamente Miússov com imponência e um garbo particular. — Alguns anos atrás, logo após o golpe de dezembro,[67] ao visitar, em Paris, um conhecido muitíssimo importante na época e ocupante de um cargo de direção, encontrei em sua casa um senhor curiosíssimo. Esse indivíduo não era propriamente um agente secreto, mas uma espécie de chefe de um verdadeiro batalhão de agentes da polícia política — cargo de bastante influência em seu gênero. Aproveitando a ocasião e levado por uma curiosidade extraordinária, entabulei conversa com ele; como ele não era recebido como conhecido, mas como funcionário subalterno que ali estava para apresentar uma espécie de relatório, ele, por sua vez, vendo como eu era recebido na repartição de seu chefe, honrou-me com certa franqueza — bem, até certo ponto, é claro, ou seja, foi antes polido que sincero, justamente como os franceses sabem ser polidos, ainda mais porque viu em mim um estrangeiro. No entanto eu o compreendi muito bem. Falava-se de socialistas-revolucionários, que, aliás, estavam sendo perseguidos. Deixando de lado o tema principal da conversa, lembrarei apenas uma observação curiosíssima, que de repente esse cavalheiro deixou escapar: "Nós — disse ele — não tememos propriamente todos os socialistas-anarquistas, ateus e revolucionários; nós os vigiamos e conhecemos os seus passos. Existem, porém, entre eles, embora poucos, alguns homens especiais: os que creem em Deus, são cristãos e ao mesmo tempo socialistas. Pois é a esses que mais tememos; são uma gente terrível! O socialista-cristão é mais temível que o socialista-ateu". Na ocasião essas palavras me deixaram estupefato, mas agora, em sua companhia, senhores, vieram-me como que de súbito à mente...

— Quer dizer, o senhor nos aplica essas palavras e nos vê como socialistas? — perguntou direto e sem rodeios o padre Paissi. Mas antes que Piotr Alieksándrovitch articulasse a resposta, a porta se abriu e entrou muito atrasado Dmitri Fiódorovitch. Era como se tivessem verdadeiramente deixado de aguardá-lo, e seu repentino aparecimento provocou até certa surpresa no primeiro momento.

[67] Alusão ao golpe de Luís Bonaparte, ocorrido em dezembro de 1851, analisado por Karl Marx em *O dezoito brumário de Luís Bonaparte*. (N. do T.)

VI. Para que vive um homem como esse?!

Dmitri Fiódorovitch, jovem de vinte e oito anos, estatura mediana, aparentava, entretanto, bem mais idade do que tinha. Era musculoso, nele se podia perceber uma considerável força física, e ainda assim havia um quê de doentio na expressão do rosto. Rosto magro, de faces cavadas, de cor tirante a um amarelo enfermiço. Dos olhos bastante graúdos, negros e saltados irradiava uma expressão que, embora aparentasse sólida obstinação, era todavia meio vaga. Até quando ele estava inquieto e falava com irritação, seu olhar parecia não obedecer ao seu estado de espírito e exprimia alguma outra coisa que, às vezes, não correspondia absolutamente ao momento. "É difícil inteirar-se do que ele pensa" — diziam vez por outra as pessoas que falavam com ele. Outras, que notavam em seus olhos algo meditativo e soturno, ficavam subitamente perplexas com seu sorriso inesperado, testemunha dos pensamentos alegres e jocosos que lhe habitavam a mente justo no momento em que tinha esse olhar soturno. Aliás, certo ar doentio em seu rosto podia ser compreensível nesse momento: todos sabiam ou tinham ouvido falar da vida "de farras" muitíssimo inquietante a que ele vinha se entregando precisamente nos últimos tempos, assim como todos sabiam também da excepcional irritação a que chegara nas brigas com o pai por causa de um dinheiro litigioso. A esse respeito algumas anedotas já circulavam pela cidade. É verdade que até por natureza ele era irascível, "de uma inteligência descontínua e irregular", como o caracterizou em uma reunião nosso juiz de paz Semeon Ivânovitch Katchálnikov. Ele entrou vestido com impecável elegância, de sobrecasaca desabotoada, luvas pretas e cartola na mão. Como militar recém-reformado, ainda usava bigodes e raspava a barba. Tinha os cabelos castanhos escuros curtos e penteados de um modo que projetava as têmporas. Seu passo era decidido, largo, ao modo do *front*. Parou por um instante à entrada e, depois de correr o olhar por todos os presentes, caminhou direto para o *stárietz*, adivinhando nele o anfitrião. Fez-lhe uma reverência profunda e pediu a bênção. Soerguendo-se, o *stárietz* o abençoou; Dmitri Fiódorovitch beijou-lhe respeitosamente a mão e pronunciou com certa emoção, quase irritado:

— Perdoe-me generosamente por tê-lo feito esperar tanto. É que, à minha insistente pergunta sobre o horário, o criado Smierdiakóv, enviado por meu pai, me respondeu duas vezes, com o tom mais decidido, que o encontro havia sido marcado para uma hora. Agora fico sabendo de repente...

— Não se preocupe — interrompeu o *stárietz* —, não foi nada, atrasou-se um pouco, não faz mal...

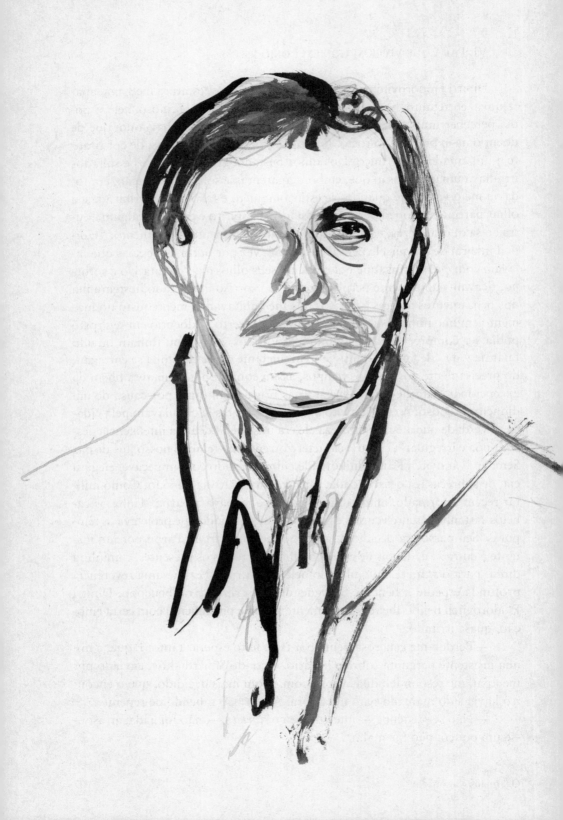

— Fico-lhe extraordinariamente grato e não podia esperar menos de sua bondade. — Depois dessa interrupção, Dmitri Fiódorovitch mais uma vez o reverenciou, e em seguida, voltando-se subitamente para seu *bátiuchka*, fez também a ele a mesma reverência respeitosa e profunda. Via-se que planejara de antemão essa reverência e resolvera sinceramente, quase como sua obrigação, exprimir dessa maneira seu respeito e suas boas intenções. Fiódor Pávlovitch, embora apanhado de surpresa, no mesmo instante apercebeu-se a seu modo e, em resposta à reverência de Dmitri Fiódorovitch, levantou-se de um salto da poltrona e devolveu ao filho a mesma reverência profunda. Seu rosto se fez de súbito importante e imponente, o que, não obstante, deu-lhe um ar decididamente mau. Em seguida, inclinando-se calado em uma reverência geral a todos os presentes, Dmitri Fiódorovitch foi até a janela com seus passos largos e decididos, sentou-se perto do padre Paissi na única vaga restante e, inclinando-se todo para a frente, preparou-se de imediato para ouvir a continuação da conversa que havia interrompido.

A entrada de Dmitri Fiódorovitch não demorou mais que uns dois minutos, e não impediu que a conversa recomeçasse. Mas desta vez Piotr Alieksândrovitch não achou necessário responder à pergunta insistente e quase irritante do padre Paissi.

— Permita-me declinar desse tema — pronunciou ele com certa negligência mundana. — Esse tema, além do mais, é intrincado. Veja Ivan Fiódorovitch rindo de nós: tudo indica que tem alguma coisa curiosa a dizer também sobre este caso. É só lhe perguntar.

— Nada de especial, a não ser uma pequena observação — respondeu incontinenti Ivan Fiódorovitch. — De modo geral, o liberalismo europeu e até o nosso diletantismo liberal russo amiúde e há muito tempo vêm misturando os resultados finais do socialismo com os do Cristianismo. Essa conclusão absurda, é claro, é um traço sintomático. Aliás, como se verifica, não só os liberais e os diletantes misturam socialismo e Cristianismo, mas com eles, em muitos casos, também os gendarmes, os estrangeiros, é claro. Sua anedota parisiense é bem sintomática, Piotr Alieksândrovitch.

— Mais uma vez peço permissão para deixar esse tema de lado — repetiu Piotr Alieksândrovitch —, e em vez disso, senhores, vou lhes contar outra anedota sobre o próprio Ivan Fiódorovitch, anedota interessantíssima e muito peculiar. Não mais que uns cinco dias atrás, debatendo numa reunião social aqui na cidade, em que predominavam senhoras, ele declarou em tom solene que em toda a face da Terra não existe terminantemente nada que obrigue os homens a amarem seus semelhantes, que essa lei da natureza, que reza que o homem ame a humanidade, não existe em absoluto e que, se até hoje existiu o amor na Terra, este não se deveu à lei natural mas tão só ao fato de que os homens acreditavam na própria imortalidade. Ivan Fiódorovitch acrescentou, entre parênteses, que é nisso que consiste toda a lei natural, de sorte que, destruindo-se nos homens a fé em sua imortalidade, neles se exaure de imediato não só o amor como também toda e qualquer força para que continue a vida no mundo. E mais: então não haverá mais nada amoral, tudo será permitido, até a antropofagia. Mas isso ainda é pouco: ele concluiu afirmando que, para cada indivíduo particular, por exemplo, como nós aqui, que não acredita em Deus nem na própria imortalidade, a lei moral da natureza deve ser imediatamente convertida no oposto total da lei religiosa anterior, e que o egoísmo, chegando até ao crime, não só deve ser permitido ao homem mas até mesmo reconhecido como a saída indispensável, a mais racional e quase a mais nobre para sua situação. Com base nesse paradoxo podem concluir, senhores, também sobre tudo mais que o nosso amável, excêntrico e paradoxista Ivan Fiódorovitch haverá por bem ou talvez ainda esteja propenso a proclamar.

— Com licença — bradou de súbito e inesperadamente Dmitri Fiódorovitch —, para que eu possa entender: "O crime não só deve ser permitido como também reconhecido como a saída mais necessária e mais inteligente para a situação de qualquer herege"! É isso ou não?

— É isso mesmo — disse o padre Paissi.

— Vou me lembrar disso.

Ao pronunciar isto, Dmitri Fiódorovitch calou-se tão subitamente quanto subitamente irrompera na conversa. Todos o olharam com curiosidade.

— Será que o senhor tem mesmo essa convicção acerca das consequências do esgotamento da fé dos homens na imortalidade de sua alma? — perguntou de supetão o *stárietz* a Ivan Fiódorovitch.

— Sim, eu afirmei isso. Não há virtude se não há imortalidade.

— Feliz é o senhor se assim o crê, ou já muito infeliz!

— Por que infeliz? — sorriu Ivan Fiódorovitch.

— Porque, ao que tudo indica, o senhor mesmo não crê nem na imortalidade de sua alma, nem mesmo no que escreveu a respeito da Igreja e da questão da justiça eclesiástica.

— Talvez o senhor tenha razão!... Bem, seja como for, eu não estava inteiramente brincando... — súbito confessou Ivan Fiódorovitch de um modo estranho, aliás depois de corar rapidamente.

— Não estava inteiramente brincando, isto é verdade. Essa ideia ainda não está resolvida em seu coração e o martiriza. Mas o mártir às vezes gosta de divertir-se com seu desespero, como que também levado pelo desespero.

Por ora o senhor também se diverte por desespero — quer através dos artigos jornalísticos, quer das conversas mundanas, sem acreditar em sua dialética e, com dor no coração, rindo dela consigo mesmo... No senhor esta questão não está resolvida, e nisto reside seu grande sofrimento, pois exige insistentemente uma solução...

— Mas ela não poderá estar resolvida dentro de mim? Resolvida num sentido positivo? — continuou Ivan Fiódorovitch a perguntar estranhamente, olhando sempre para o *stárietz* com um sorriso meio inexplicável.

— Se não pode resolver-se no sentido positivo, nunca se resolverá no negativo, o senhor mesmo conhece essa qualidade do seu coração; e nisso está todo o tormento dele. Mas agradeça ao Criador por lhe ter dado um coração superior, capaz de sofrer esse tormento: "Pensai nas alturas e as alturas buscai, porque nossa morada está nos céus".[68] Deus lhe permita que a decisão de seu coração ainda o alcance na Terra, e Deus abençoe os seus caminhos!

O *stárietz* levantou a mão e quis de seu lugar abençoar Ivan Fiódorovitch. Mas este se levantou de sua cadeira num átimo, foi até ele, recebeu sua bênção e, depois de lhe beijar a mão, voltou calado ao seu lugar. Tinha um ar firme e sério. Esse ato, inesperado da parte de Ivan Fiódorovitch, assim como toda a conversa anterior com o *stárietz*, de certo modo deixou todos estupefatos por seu tom enigmático e até por certa solenidade, de sorte que por um instante todos pareceram calar-se e no rosto de Aliócha estampou-se quase um susto. Mas súbito Miússov deu de ombros e no mesmo instante Fiódor Pávlovitch pulou de sua cadeira.

— Divino e santíssimo *stárietz*! — bradou ele, apontando para Ivan Fiódorovitch. — Este é meu filho, carne de minha carne, minha muito amada carne! Ele é o meu respeitabilíssimo, por assim dizer, Karl Moor, mas este outro filho aqui que acabou de entrar, Dmitri Fiódorovitch, contra o qual busco aqui sua justiça, é o irrespeitabilíssimo Franz Moor — ambos de *Os bandoleiros* de Schiller, e eu, neste caso, eu mesmo sou o *Regierender Graf Von Moor*![69] Julgue e me proteja! Precisamos não só de rezas, mas também de suas profecias.

— Fale sem se fazer de bobo e não comece a ofender os seus — respondeu o *stárietz* com voz fraca e esgotada. Via-se que ia ficando tanto mais cansado quanto mais o tempo passava, notava-se que estava perdendo as forças.

— Uma comédia indigna, que pressenti ainda quando vinha para cá! —

[68] O *stárietz* sintetiza em suas palavras passagens de duas epístolas de Paulo: a Epístola aos Colossenses e a Epístola aos Filipenses. (N. do T.)

[69] "Conde-regente Von Moor", em alemão. (N. do T.)

exclamou Dmitri Fiódorovitch com indignação e também pulando de seu lugar. — Perdão, padre reverendo — dirigiu-se ao *stárietz* —, sou um homem sem instrução e não sei sequer de que lhe chamar, mas o senhor foi enganado, e foi excessivamente bondoso permitindo-nos vir à sua presença. Meu *bátiuchka* só precisa de um escândalo: para quê — isso já faz parte do seu cálculo. Ele está sempre com um cálculo em mente. Mas acho que agora eu sei para quê...

— Todos me acusam, todos eles! — gritou por sua vez Fiódor Pávlovitch. — Até Piotr Alieksândrovitch me acusa. O senhor me acusou, Piotr Alieksândrovitch, acusou! — voltou-se de repente para Miússov, embora este nem pensasse em interrompê-lo. — Acusam-me de ter escondido nas botas o dinheiro dos meus filhos ainda crianças e de ter gastado tostão por tostão; mas, com licença, por acaso não existe tribunal? Lá você terá sua prestação de contas, Dmitri Fiódorovitch, com base em seus próprios recibos, nas cartas e acordos, quanto você tinha, quanto esbanjou e quanto ainda tem! Por que Piotr Alieksândrovitch se exime de proferir seu juízo? Dmitri Fiódorovitch não lhe é um estranho. Por isso todos me acusam, enquanto Dmitri Fiódorovitch, em resumo, ainda me deve, e não uma quantia qualquer, mas alguns milhares, e disso tenho todos os documentos! Ora, a cidade estrondeia e retumba com suas farras! E lá onde ele antes servia pagou mil e dois mil rublos pela sedução de moças honestas; isso, Dmitri Fiódorovitch, nós conhecemos nos mais secretos detalhes, e vou provar... Santíssimo padre, veja se acredita: fez apaixonar-se por ele a mais nobre das moças, de boa família, com posses, filha de seu antigo comandante, um valente coronel, condecorado com a medalha de Sant'Anna, comprometeu a moça propondo-lhe casamento, agora ela está aqui, agora é órfã, a noiva dele, mas ele visita na cara dela uma sedutora daqui. Contudo, mesmo que essa sedutora tenha vivido em, por assim dizer, matrimônio civil com um homem respeitável, ela é de caráter independente, uma fortaleza inexpugnável para todos, o mesmo que uma esposa legítima, porque é virtuosa — sim! santos padres, ela é virtuosa! Pois Dmitri Fiódorovitch quer abrir essa fortaleza com chave de ouro, para o que vive agora bancando o valentão para cima de mim; quer me arrancar dinheiro, mas enquanto isso torra milhares com essa sedutora; por isso não para de pedir dinheiro emprestado, aliás, a quem, o que os senhores acham? Digo ou não digo, Mítia?

— Cale-se! — gritou Dmitri Fiódorovitch —, espere que eu saia, mas na minha presença não se atreva a macular uma moça nobilíssima... O simples fato de o senhor se atrever a gaguejar o nome dela já é uma desonra para ela... Não admito!

Os irmãos Karamázov

113

Ele arfava.

— Mítia! Mítia! — bradou Fiódor Pávlovitch com nervosismo e reprimindo as lágrimas que iam brotando. — Para que serve a bênção paterna? Eu te amaldiçoo, e então, o que vai acontecer?

— O senhor é um sem-vergonha e um hipócrita![70] — rosnou enfurecido Dmitri Fiódorovitch.

— Ele está fazendo isso com o pai, com o pai! Que faria com os outros? Senhores, imaginem, mora aqui em nossa cidade um homem pobre, porém respeitável, um capitão da reserva, que caiu em desgraça, foi aposentado, mas não através de processo público, conforme a lei; preservou toda sua honra, é um homem sobrecarregado por uma família numerosa. Pois três semanas atrás nosso Dmitri Fiódorovitch o agarrou pelas barbas numa taverna, arrastou-o por essas mesmas barbas para a rua e na rua, diante de todo mundo, deu-lhe uma surra, e tudo porque ele é o encarregado secreto de um negociozinho meu.

— É tudo mentira! Por fora verdade, por dentro, mentira! — Dmitri Fiódorovitch tremia todo, tomado de ira. — Padre! Não justifico os meus atos; sim, reconheço publicamente; agi como um animal com aquele capitão e agora lamento e tenho nojo de mim por aquela ira animalesca, mas esse seu capitão, seu encarregado, procurou essa mesma senhora, a quem o senhor se refere como sedutora, e lhe propôs, em nome do senhor, que ela ficasse com as minhas letras de câmbio, que estão com o senhor, e me denunciasse à justiça para que eu fosse preso por causa dessas letras de câmbio se eu viesse a importuná-lo demais com pedidos de prestação de contas dos meus bens. Agora o senhor me censura porque eu tenho um fraco por essa senhora, ao passo que o senhor mesmo a instruiu a me envolver! Ora, ela mesma conta isso sem rodeios, ela mesma me contou, e rindo do senhor! O senhor quer mandar me prender só porque tem ciúme de mim com ela, porque o senhor mesmo passou a abordar essa mulher oferecendo-lhe o seu amor, e mais uma vez estou a par de tudo isso, e mais uma vez ela me contou tudo, e rindo — ouça, rindo do senhor. Vejam, santos homens, esta pessoa, este pai a acusar o filho depravado! Senhores testemunhas, desculpem minha ira, mas eu tinha pressentido que esse velho pérfido havia convidado todos os senhores para virem aqui assistir a um escândalo. Vim disposto a perdoar se ele me estendesse a mão, perdoar e pedir perdão! Mas como neste instante ele acabou de ofender não só a mim, mas também a uma decentíssima jovem, cujo

---

[70] Este episódio remonta a alguns motivos do drama de Púchkin *O cavaleiro avaro*. (N. do T.)

nome nem me atrevo a pronunciar aqui por veneração a ela, resolvi desmascarar todo esse jogo publicamente, ainda que ele seja meu pai!...

Não conseguiu mais continuar. Seus olhos brilhavam e ele respirava com dificuldade. Mas todos na cela também estavam inquietos. Todos, menos o *stárietz*, levantaram-se intranquilos de seus lugares. Os hieromonges estavam com um ar severo, mas, não obstante, esperavam a vontade do *stárietz*. Este continuava sentado já totalmente pálido, mas não de emoção e sim de fraqueza provinda da doença. Um sorriso de súplica brilhava em seus lábios; de quando em quando levantava a mão como se quisesse deter os possessos e, é claro, só um gesto seu já seria suficiente para interromper a cena; mas ele mesmo era como se ainda aguardasse algo e olhava fixamente para os lados como que desejando compreender mais alguma coisa, como se algo ainda não estivesse esclarecido para si mesmo. Por fim, Piotr Alieksândrovitch Miússov sentiu-se definitivamente humilhado e desonrado.

— Todos nós temos culpa por esse escândalo! — pronunciou ele com ardor. — Mas acontece que eu mesmo não o pressenti ao vir para cá, embora soubesse com quem estava lidando... Isso tem de acabar agora! Senhor reverendo, acredite que eu não conhecia com precisão todos os detalhes aqui revelados, não queria acreditar neles e só agora tomo conhecimento pela primeira vez... O pai tem ciúme do filho por uma mulher de conduta indecente, e ele mesmo entra em conluio com esse mesmo réptil com a finalidade de meter o filho na cadeia... E eis que fui forçado a vir para cá em semelhante companhia... Fui enganado, declaro a todos que não fui menos enganado que os outros...

— Dmitri Fiódorovitch! — berrou de repente Fiódor Pávlovitch com a voz um tanto estranha. — Se você não fosse meu filho, agora mesmo eu o desafiaria para um duelo... de pistolas, a três passos de distância... de olhos vendados! De olhos vendados! — concluiu batendo com ambos os pés no chão.

Os velhos mentirosos, que passaram a vida inteira representando, há momentos em que se incorporam tanto a esse papel que se põem a tremer de verdade e chorar de emoção, embora até nesse mesmo instante (ou só um segundo depois) possam murmurar para si mesmos: "Ora, estás mentindo, velho sem-vergonha, ora, estás sendo um ator também neste momento, apesar de toda tua 'santa' ira e de teu 'santo' minuto de ira".

Dmitri Fiódorovitch franziu o cenho num gesto terrível e fitou o pai com um desprezo inexprimível.

— Eu pensava... eu pensava — pronunciou ele baixinho e de um jeito contido — que vinha para a minha terra com o anjo de minha alma, minha noiva, para mimar a velhice dele, e encontro apenas um lascivo depravado e o mais torpe comediante!

— Ao duelo! — tornou a berrar o velhote, arfando e soltando borrifadas de saliva a cada palavra. — O senhor, Piotr Alieksândrovitch Miússov, fique sabendo, senhor, que em toda a sua família talvez não exista nem tenha existido uma mulher superior e mais honesta — ouça, mais honesta — do que essa que o senhor acabou de chamar de réptil! E você, Dmitri Fiódorovitch, por esse "réptil" trocou sua noiva, portanto você mesmo julgou que sua noiva não vale nem a sola do sapato dela; aí está o réptil!

— É uma vergonha! — deixou escapar de súbito o padre Ióssif.

— É uma vergonha e uma desonra! — gritou de súbito com sua voz adolescente, trêmulo de emoção e todo vermelho, Kalgánov, que até então estivera calado.

— Para que vive um homem como esse?! — rugiu surdamente Dmitri Fiódorovitch, já quase arrebatado de ira, erguendo de um jeito um tanto inusual os ombros e quase se curvando. — Não, digam-me se ainda se pode permitir que desonre a Terra com a sua presença — correu a vista por todos com a mão apontada para o velho. Falava de forma lenta e cadenciada.

— Estão ouvindo, estão ouvindo, senhores monges, o parricida? — precipitou-se Fiódor Pávlovitch para o padre Ióssif. Eis a resposta para o seu "é uma vergonha"! O que é uma vergonha? Esse "réptil", essa mulher de "conduta indecente" talvez seja mais santa do que todos vocês, senhores hieromonges que se preocupam em salvar a alma! Ela talvez tenha sofrido sua queda na mocidade, devorada pelo meio, mas ela "amou muito", e aquele que muito amou Cristo perdoou...

— Não foi por esse amor que Cristo perdoou... — deixou escapar impaciente o dócil padre Ióssif.

— Não, monges, foi por esse, por esse mesmo amor, por ele! Os senhores vivem aqui comendo repolho, procurando salvar a alma e achando que são uns justos! Comem gobiões, um gobião por dia, e acham que vão comprar Deus com esses peixinhos!

— É intolerável, é intolerável! — ouviu-se de todos os lados na cela.

Mas toda essa cena, que chegara à indecência, foi interrompida do modo mais inesperado. Súbito o *stárietz* se levantou quase totalmente desnorteado de temor por ele e por todos; Alióchka, não obstante, conseguiu segurá-lo pelo braço. O *stárietz* caminhou na direção de Dmitri Fiódorovitch e, chegando bem perto dele, ajoelhou-se à sua frente. Alióchka quase pensou que ele tivesse caído de fraqueza, mas não era isso. Uma vez ajoelhado, o *stárietz* fez uma reverência aos pés de Dmitri Fiódorovitch, a mais completa, nítida e consciente reverência, chegando até a tocar o chão com a testa, e Aliócha ficou tão surpreso que não conseguiu sequer apoiá-lo quando ele se levantava. Um sorriso fraco brilhava levemente em seus lábios.

— Perdoem! Perdoem todos! — pronunciou, inclinando-se para seus visitantes em todos os lados.

Dmitri Fiódorovitch ficou postado alguns instantes como que estupefato. Uma reverência a seus pés — o que era aquilo? Por fim, exclamou de repente: "Oh, Deus!" — E, tapando o rosto com as mãos, precipitou-se para fora do recinto. Atrás dele saíram em debandada todos os convidados, que, devido ao embaraço, sequer se despediram ou fizeram um aceno ao anfitrião. Só os hieromonges tornaram a chegar-se a ele para a bênção.

— O que ele quis sugerir ajoelhando-se aos pés dele, algum sinal? — arriscou Fiódor Pávlovitch, súbito acalmado e por alguma razão tentando iniciar uma conversa, sem entretanto se atrever a perguntar pessoalmente a ninguém. Nesse momento todos estavam atravessando o murado do eremitério.

— Eu não posso me responsabilizar por um manicômio e por loucos — respondeu imediata e exasperadamente Miússov —, mas em compensação me poupo de sua companhia, Fiódor Pávlovitch, e para sempre, acredite. Onde está aquele monge de ainda há pouco?

Mas "aquele monge", ou seja, o que ainda há pouco os convidara para o almoço com o igúmeno, não se fez esperar. Recebeu os convidados ali mesmo, mal eles desceram os degraus da entrada da cela do *stárietz*, como se os tivesse esperado durante todo o tempo.

— Faça-me o obséquio, meu respeitável padre, de testemunhar junto ao padre igúmeno meu profundo respeito e desculpar-me pessoalmente a mim, Miússov, ante Sua Reverendíssima pelo fato de que, devido a circunstâncias subitamente imprevistas, não posso tomar parte de sua mesa, apesar de todo o meu mais sincero desejo — proferiu Piotr Alieksándrovitch em tom agastado.

— Ora, essa circunstância imprevista sou eu! — secundou Fiódor Pávlovitch. — Ouça, padre, é comigo que ele não quer ficar, senão iria imediatamente. E irá, Piotr Alieksándrovitch, tenha a bondade de ir almoçar com o padre igúmeno e — bom apetite! Fique sabendo que eu é que estou rejeitando, não o senhor... Para casa, para casa, em casa vou comer, pois aqui me sinto incapacitado, meu amabilíssimo parente Piotr Alieksándrovitch.

— Não sou parente seu e nunca o fui, vil criatura!

— Eu disse de propósito para enfurecê-lo, porque o senhor nega esse parentesco, embora seja mesmo parente, por mais que banque o ladino, e eu posso prová-lo com base no calendário eclesiástico; quanto a ti, Ivan Fiódo-

118   Fiódor Dostoiévski

rovitch, fica também, se quiseres, que te mandarei os cavalos. Já o senhor, Piotr Alieksándrovitch, até a própria decência o obriga a ir ter com o padre igúmeno, e precisa se desculpar pela patuscada que nós dois fizemos...

— Será mesmo verdade que o senhor está indo embora? Não estará mentindo?

— Piotr Alieksándrovitch, como ousaria eu permanecer aqui, depois de tudo o que aconteceu? Deixei-me arrebatar, desculpem, senhores, deixei-me arrebatar! Além disso, estou perplexo! E com vergonha. Senhores, uns têm o coração como o de Alexandre da Macedônia e outros o têm como o da cadelinha Fidelca. O meu é como o da cadelinha. Fiquei intimidado! Como, depois de toda essa extravagância, ir ao almoço e devorar os molhos do mosteiro? Tenho vergonha... não posso... desculpem.

"O diabo sabe dele, e se estiver blefando?" — refletia Miússov, seguindo com um olhar perplexo o palhaço que se retirava. O outro olhou para trás e, ao notar que Piotr Alieksándrovitch o observava, mandou-lhe um beijinho.

— O senhor vai ao igúmeno? — perguntou Miússov a Ivan Fiódorovitch com voz entrecortada.

— E por que não? Além do mais, ontem fui especialmente convidado pelo igúmeno.

— Infelizmente, sinto-me quase na necessidade de comparecer a esse maldito almoço — continuou Miússov com a mesma irritação amarga, sem sequer reparar que o mongezinho os ouvia. — Ao menos precisamos nos desculpar e explicar que não fomos nós... O que acha?

— Sim, é preciso explicar que não fomos nós. Além disso meu *bátiuchka* não estará presente — observou Ivan Fiódorovitch.

— É, só faltava mesmo o seu *bátiuchka*! Maldito almoço!

E no entanto todos caminhavam para lá. O mongezinho ouvia tudo em silêncio. Apenas uma vez, quando atravessavam o pequeno bosque, ele observou que o padre igúmeno havia muito os esperava e eles estavam meia hora atrasados. Não recebeu resposta. Miússov olhou para Ivan Fiódorovitch com ódio.

"Pois é, vai ao almoço como se nada tivesse acontecido! — pensou. — Cabeça dura e consciência de Karamázov."

VII. UM SEMINARISTA-CARREIRISTA

Aliócha levou seu *stárietz* ao pequeno aposento e o fez sentar-se na cama. Era um quartinho mínimo com o mobiliário indispensável; havia uma caminha estreita, de ferro, coberta só por um feltro em vez de colchão. A um canto, perto das imagens, havia um atril, e sobre ele um crucifixo e o livro dos Evangelhos. O *stárietz* arriou sobre a cama sem forças; seus olhos brilhavam e ele respirava com dificuldade. Acomodado, fixou o olhar em Aliócha como se tivesse algo em mente.

— Vai, filho, vai, Porfiri me basta. E tu, apressa-te. Lá precisam de ti, vai ao padre igúmeno, ajuda a servir o almoço.

— Fiquei para o senhor me abençoar — proferiu Aliócha com voz súplice.

— Lá és mais necessário. Lá falta paz. Servirás a mesa e serás útil. Se os demônios se levantarem, lê uma oração. E fica sabendo, meu filho (o *stárietz* gostava de chamá-lo assim), que doravante este não é mais o teu lugar. Lembra-te disso, jovem. Tão logo Deus se digne vir a mim, deixa o mosteiro. De uma vez.

Aliócha estremeceu.

— O que tens? Por ora teu lugar não é aqui. Eu te abençoo para o grande noviciato no mundo. Ainda tens muito que peregrinar. Deves também casar-te, deves. Deverás passar por tudo antes de voltar para cá. Terás muitos afazeres. Mas de ti não duvido, e é por isto que te envio. Cristo estará a teu lado. Conserva-o, e ele te conservará. Verás um grande infortúnio, e no infortúnio serás feliz. Eis um legado para ti: procura a felicidade no infortúnio. Trabalha, trabalha sem esmorecimento. Lembra-te doravante de minha palavra, porque, embora eu ainda venha a conversar contigo, não só meus dias, mas também minhas horas estão contadas.

No rosto de Aliócha tornou a estampar-se uma forte expressão. As comissuras dos lábios estremeceram.

— Por que insistes? — sorriu baixinho o *stárietz*. — Deixemos que as pessoas se despeçam de seus mortos com lágrimas deste mundo enquanto nós aqui nos alegramos com a partida de um padre. Alegramo-nos e rezamos por ele. Deixa-me. Preciso orar. Vai e te apressa. Fica ao lado de teus irmãos. E não de um, mas de ambos.

O *stárietz* levantou a mão para benzê-lo. Era impossível fazer qualquer objeção, embora Aliócha quisesse demais permanecer. Queria ainda perguntar, e de fato quase lhe escapou a pergunta: "O que quis antecipar com aquela reverência até o chão feita ao irmão Dmitri?" — mas não se atreveu a perguntar. Sabia que, mesmo que ele não perguntasse, o próprio *stárietz* lhe explicaria se fosse possível. Mas se ele calava, queria dizer que não era a sua vontade. E no entanto aquela reverência deixara Aliócha estupefato; acreditava cegamente que naquilo havia um sentido misterioso. Misterioso e talvez até terrível. Quando ele atravessou o murado do eremitério para chegar ao mosteiro a tempo de pegar o começo do almoço do igúmeno (claro, apenas para servir à mesa), sentiu subitamente um forte aperto no coração e parou onde estava: era como se tornassem a ecoar à sua frente as palavras do *stárietz* profetizando seu fim iminente. O que o *stárietz* predizia, e ainda por cima com tamanha precisão, deveria sem dúvida acontecer, e Aliócha acreditava nisso piamente. Mas como ficar sem ele, como deixar de vê-lo, de ouvilo? E para onde iria? Ordenar que não chorasse e deixasse o mosteiro, meu Deus! Havia tempo que Aliócha não experimentava tamanha tristeza. Tomou às pressas o caminho do bosque, que separava o eremitério do mosteiro e, sem força sequer para suportar seus pensamentos, tamanha era a pressão que exerciam sobre ele, pôs-se a contemplar os pinheiros seculares de ambos os lados do caminho do bosque. A travessia não era longa, não mais que uns quinhentos passos; àquela hora não haveria de encontrar ninguém ali, mas, súbito, na primeira curva do caminho avistou Rakítin. Este o esperava.

— É a mim que estás esperando? — perguntou Aliócha, emparelhando com ele.

— A ti mesmo — Rakítin deu um risinho. — Corres para a casa do igúmeno. Estou sabendo; ele está de mesa posta. Desde que o arcebispo recebeu o general Pakhátov, tu te lembras, não houve mesa igual. Não vou comparecer, mas te apressa, vai servir os molhos. Aliócha, diz-me uma coisa: o que significa esse sonho?[71] Era isso que eu queria te perguntar.

— Que sonho?

— Aquela reverência a teu irmão Dmitri Fiódorovitch. E ainda por cima batendo com a testa no chão!

— Estás te referindo ao *stárietz* Zossima?

— Sim, ao *stárietz* Zossima.

— Com a testa?

— Ah, usei uma expressão desrespeitosa! Bem, vá lá que tenha sido desrespeitosa. Então, o que esse sonho significa?

— Não sei, Micha,[72] o que significa.

— Eu bem que sabia que ele não tinha te explicado. É claro que nisso não existe nada de complicado, apenas aquelas mesmas tolices inofensivas de sempre. Contudo, foi um truque proposital. Agora todos os santarrões da

---

[71] Na década de 1860-70 estava muito em voga essa pergunta, que é uma paráfrase de versos do conto "O noivo" (*Jenikh*), de Púchkin, nos quais se lê: "Que quer dizer esse teu sonho?/ Dize-nos o que...". (N. da E.)

[72] Diminutivo de Mikhail. (N. do T.)

cidade vão dar à língua, espalhar a história e perguntar por toda a província: "O que significaria esse sonho?". A meu ver, o velho é de fato clarividente: farejou o crime. A coisa está fedendo em tua família.

— Que crime?

Pelo visto, Rakítin queria manifestar alguma coisa.

— Esse crime vai acontecer em tua família. Vai acontecer entre teus irmãos e teu pai riquinho. Foi por isso que o *stárietz* Zossima bateu com a testa no chão para qualquer eventualidade futura. O que vai acontecer depois: "Ah, mas o santo *stárietz* previu, profetizou"; contudo, que profecia poderia haver no fato de ele ter batido com a testa no chão? Não, vai ver que foi um sinal, uma alegoria, só o diabo sabe o que foi! Vão espalhar, vão lembrar: ele previu o crime, marcou o criminoso. Os *iuródivi* fazem sempre a mesma coisa: benzem-se diante dos botequins mas atiram pedras nos templos. O teu *stárietz* faz o mesmo: expulsa os justos a cacetadas, mas reverencia o assassino caindo-lhe aos pés.

— Que crime? Que assassino? O que estás dizendo? — Aliócha parou como se estivesse plantado. Rakítin também parou.

— Quê? Será que não percebes? Aposto que tu mesmo já pensaste nisto. Aliás, é curioso. Escuta, Aliócha, sempre dizes a verdade, embora sempre estejas entre dois fogos:[73] pensaste ou não nisto? Responde.

— Pensei — respondeu baixinho Aliócha. Até Rakítin ficou confuso.

— O que estás dizendo? Tu também pensaste? — exclamou ele.

— Eu... não é que tenha pensado — murmurou Aliócha —, mas como começaste a falar sobre isso de maneira estranha, tive a impressão de que eu mesmo já havia pensado nisto.

— Estás vendo (como o exprimiste com clareza!), estás vendo? Hoje, olhando para teu paizinho e para teu irmãozinho Mítienka,[74] pensaste em crime? Quer dizer que não estou enganado, não é?

— Sim, mas espera, espera — interrompeu Aliócha inquieto —, o que te dá essa visão de tudo isso? Por que isso te interessa tanto? Eis a primeira pergunta.

— Duas perguntas distintas, porém naturais. Vou responder a uma de cada vez. Por que essa visão? Eu não teria visto nada se, hoje, eu não tivesse compreendido de repente teu irmão Dmitri Fiódorovitch tal qual ele é,

---

[73] Palavras com que Saltikóv-Schedrín, no polêmico artigo "As inquietações de *O Tempo*", caracterizava em 1863 a posição de Dostoiévski e da revista *O Tempo* (*Vriêmia*). (N. da E.)

[74] Diminutivo de Mítia. (N. do T.)

súbito e de uma vez, por inteiro. Foi por algum traço que o captei todo de uma vez. Essas pessoas honestíssimas porém impetuosas têm um limite que não te atreves a ultrapassar. Senão — senão metem a faca até no pai. E teu pai é um bêbado e um devasso descomedido, nunca soube o que é medida e em assunto nenhum — basta que os dois não se contenham e, pimba, caem na vala...

— Não, Micha, não. Se for só isso, me deixas animado! Não chegarão a esse ponto.

— Mas por que estás tremendo todo? Sabes de uma coisa? Oxalá esse Mítienka seja um homem honesto (é tolo, mas honesto); porém é um lascivo. Eis sua definição e toda sua essência íntima. Foi o pai que lhe transmitiu sua lascívia torpe. Vê, Aliócha, tu só me causas surpresa: como podes ser virgem? Ora, também és um Karamázov! Porque em tua família a lascívia chega a ser uma doença infecciosa. Pois bem, esses três lascivos agora vigiam uns aos outros... Com a faca escondida no cano da bota. Os três bateram de frente, e tu talvez sejas o quarto.

— Estás enganado a respeito daquela mulher. Dmitri a... despreza — pronunciou Aliócha meio sobressaltado.

— De Grúchenka?[75] Não, meu irmão, não despreza. Quando troca sua noiva por ela, é porque não despreza. Aí... aí, meu irmão, existe algo que ainda não compreendes. O homem se apaixona por alguma beldade, pelo corpo da mulher, ou até mesmo por uma parte do corpo da mulher (um lascivo pode compreender isso), e então troca por ela os próprios filhos, vende pai e mãe, a Rússia e a pátria; sendo honesto, sai por aí roubando; sendo dócil, mete a faca em alguém; sendo fiel, trai. Púchkin, o cantor dos pés femininos, cantou os pés em seus versos; outros não cantam, e no entanto não podem olhar para os pés sem tremores. Mas não se trata só de pés... Aí, meu irmão, o desprezo não ajuda, ainda que ele despreze Grúchenka. E despreza, mas não consegue desgrudar dela.

— Eu compreendo isso — deixou escapar subitamente Aliócha.

— Será? De fato, quer dizer que compreendes mesmo, já que foste logo disparando que compreendes — proferiu Rakítin com maldade. — Disparaste isso involuntariamente, te escapou. Por isso é mais preciosa a confissão: quer dizer que o tema, a lascívia, já é de teu conhecimento, já pensaste nisso. Sim senhor, seu donzelo! Tu, Aliócha, és um sonso, um santo, concordo, mas um santo do pau oco, e o diabo sabe o que já terás pensado, o diabo sabe o que já conheces! Virgem, mas já chegou a uma profundidade como essa — faz

---

[75] Diminutivo de Agrafiena. (N. do T.)

tempo que estou de olho em ti. Tu mesmo és um Karamázov, um Karamázov completo — logo, espécie e seleção significam alguma coisa. Da parte do pai és um lascivo, da mãe, um *iuródiv*. Por que estás tremendo? Ou estou dizendo a verdade? Escuta essa: Grúchenka me fez esse pedido: "Traze-o aqui (ou seja, levar-te), eu tiro a batina dele". Pois foi isso que ela pediu: traze-o, traze-o! E pensei: por que ela tem tanta curiosidade por ti? Sabes, ela também é uma mulher excepcional!

— Jura que dirás que não vou — Alióchia deu um riso amarelo. — Vamos, Mikhail, termina o que começaste, depois te direi qual é a minha ideia.

— Terminar o quê? Está tudo claro. Meu irmão, tudo isso é aquela velha cantilena. Se também tens dentro de ti um lascivo, o que será de teu irmão uterino Ivan? Ora, ele também é um Karamázov. Nisto consiste toda a vossa questão-Karamázov: lascivos, cobiçosos e *iuródivi*! Teu irmão Ivan anda publicando artigozinhos sobre teologia por brincadeira e algum cálculo tolíssimo e desconhecido, sendo ele mesmo ateu, e ele mesmo — esse teu irmão Ivan — confessa essa torpeza. Além disso, está tentando tomar a noiva do irmãozinho Mítia e, ao que parece, vai atingir esse objetivo. E ainda de que jeito: com a anuência do próprio Mítienka, porque o próprio Mítienka está lhe cedendo a noiva com o único fim de se livrar dela e correr o mais depressa para Grúchenka. E tudo isso mantendo toda a nobreza e o desinteresse, repara. Essas pessoas são mesmo as mais funestas! O diabo que as entenda depois disso: reconhecem sua torpeza e elas mesmas se precipitam para essa torpeza! Ouve mais: agora Mítienka está cruzando o caminho do seu velhote. Porque este de repente ficou louco por Grúchenka, a ponto de babar só de olhar para ela. Ora, foi só por causa dela que ele acabou de armar esse escândalo na cela, pelo simples fato de que Miússov se atreveu a chamá-la de réptil devasso. Ele está mais apaixonado que um gato. Antes, ela apenas lhe prestava serviços pagos para tratar de uns negocinhos obscuros ligados a botequins, mas agora ele se apercebeu e reparou nela, ficou tomado de um frenesi e anda a importuná-la com propostas, não honestas, é claro. Pois foi nesse caminho que os dois, pai e filho, se chocaram. Mas Grúchenka não tem preferência por um nem por outro; por enquanto, vai dando corda e bulindo com ambos, ponderando qual é o mais proveitoso porque, embora o *bátiuchka* possa arranjar muito dinheiro, por outro lado não se casará com ela e talvez acabe dando uma de *jid*[76] e fechando a bolsa. Neste caso, Mítienka tem seu valor; não tem dinheiro, mas em compensação é capaz de se casar. Sim, é capaz de se casar! Largará a noiva, a incomparável beldade Catierina

---

[76] Termo depreciativo de judeu. (N. do T.)

Ivánovna, rica, nobre e filha de coronel, e se casará com Grúchenka, uma ex- -manteúda do velho comerciante Samsónov, mujique depravado e prefeito da cidade. Tudo isso pode realmente redundar em crime. E é só isso que teu irmão Ivan espera, é por isso que está na surdina; conseguirá Catierina Ivá- novna, por quem anda seco, e ainda por cima meterá a mão nos sessenta mil rublos do dote. Para um homem insignificante e um pé-rapado como ele, isso é muito sedutor para começar. E repare ainda: não só não ofenderá Mítia co- mo ainda o deixará agradecido até a morte. Ora, eu sei ao certo que o pró- prio Mítienka, ainda na semana passada, gritou bêbado, ao lado de ciganas, para que todos ouvissem na taverna, que não era digno de sua noiva Catie- rina, mas Ivan sim era digno dela. E a própria Catierina Ivánovna, é claro, não acabará rejeitando uma pessoa tão cativante como Ivan Fiódorovitch; ora, neste momento ela já vacila entre os dois. Mas por que esse Ivan os se- duziu de tal forma que vocês todos o veneram? No entanto ele ri de vocês, como quem diz: vou ficando por aqui no bem-bom, comendo do seu pirão.

— Como podes estar a par de tudo isso? Como podes falar de maneira tão afirmativa? — perguntou Aliócha de um modo brusco e de cenho fran- zido.

— E por que agora me perguntas e temes de antemão minha resposta? Quer dizer que tu mesmo concordas que eu disse a verdade?

— Tu não gostas de Ivan. Ivan não se deixará seduzir por dinheiro.

— Será? E a beleza de Catierina Ivánovna? Aí não se trata só de dinhei- ro, embora sessenta mil rublos sejam uma coisa bem sedutora.

— Ivan está acima disso. Os milhares de rublos não o seduzem. Ivan não está atrás de dinheiro, nem de tranquilidade. Talvez esteja procurando um martírio.

— Que novo sonho é esse? Ah, vocês... nobres!

— Ah, Micha, a alma dele é uma tempestade. A inteligência o prende. Há nele uma ideia grande e não resolvida. Ele é daqueles que não precisam de milhões, mas precisam resolver uma ideia.

— Isso é plágio, Alióchka.[77] Estás parafraseando teu *stárietz*. Ora veja, Ivan lhes propôs um enigma! — bradou Rakítin com uma raiva evidente. Fi- cou até com a expressão no rosto alterada e os lábios contraídos. — E aliás um enigma tolo, sem nada a ser decifrado. Uma sacudidela no cérebro, e o entenderás. O artigo dele é ridículo e absurdo. Ouvi ainda há pouco sua teo- ria tola: "não existe a imortalidade da alma, então não existe tampouco a virtude, logo, tudo é permitido". (E teu irmão Mítienka, aliás, tu te lembras

---

[77] Diminutivo de Aliócha. (N. do T.)

de como gritou: "Hei de me lembrar disso!".) É uma teoria sedutora para os canalhas... Acabo de cometer um insulto, foi uma tolice... Não para os canalhas, mas para os fanfarrões escolares "dotados de uma insondável profundeza de pensamentos". É um gabola, mas eis toda a sua essência: "por um lado, não se pode deixar de reconhecer, por outro, não se pode deixar de confessar!". Toda essa teoria é uma torpeza! A própria humanidade encontrará força em si mesma para viver em função da virtude, mesmo sem acreditar na imortalidade da alma! Encontrará essa força no amor à liberdade, à igualdade, à fraternidade...

Rakítin estava exaltado, quase não conseguia se controlar. Mas, súbito, como quem se lembra de algo, parou.

— Mas basta — e deu um sorriso ainda mais amarelo do que antes. — De que estás rindo? Achas que eu sou vulgar?

— Não, nem cheguei a pensar que és vulgar. És inteligente, porém... esquece, foi por tolice que ri. Compreendo que podes ficar exaltado, Micha. Por teu fervor percebi que tu mesmo não és indiferente a Catierina Ivánovna, faz tempo que eu desconfiava disso, meu irmão, e por isso não gostas de meu irmão Ivan. Tens ciúme dele?

— E do dinheirinho dela também tenho ciúme? Acrescentas ou não?

— Não, sobre dinheiro não acrescento nada, não vou te ofender.

— Acredito porque o disseste, mas o diabo que te carregue mais uma vez com teu irmão Ivan! Vocês não são capazes de entender que alguém possa não gostar dele independentemente de Catierina Ivánovna. E por que eu haveria de gostar dele, com os diabos! Ora, ele mesmo se digna de me insultar. Por que não tenho o direito de insultá-lo?

— Nunca ouvi dele a mínima referência a teu respeito, boa ou má; ele não faz qualquer referência a ti.

— No entanto, ouvi dizer que anteontem ele me agraciou com os piores insultos, eis a que ponto estava interessado neste seu humilde criado. Então, meu caro, depois disso quem tem ciúme de quem? Não sei! Ele houve por bem expressar a ideia de que, se eu não aceitar a carreira de arquimandrita nem me decidir pela tonsura, então irei sem falta para Petersburgo, começarei a trabalhar numa grossa revista, forçosamente no departamento de crítica,[78] passarei uns dez anos escrevendo e no fim das contas

---

[78] Aqui Dostoiévski polemiza veladamente com G. Z. Ielissêiev (1821-1891), que, como Rakítin, começou sua carreira como seminarista. Graças ao talento natural e à vasta cultura, teve uma carreira brilhante: foi professor na Academia de Teologia de Kazan, onde publicou livros sobre religião. Depois rompeu com o meio eclesiástico, foi para Petersbur-

transferirei a revista para o meu nome. Depois voltarei a editá-la com uma tendência necessariamente liberal e ateia, até com certo verniz socialista, mas me mantendo de orelha em pé, isto é, com os nossos e os vossos, e distraindo a atenção dos imbecis. O final de minha carreira, segundo interpretação de teu irmão, consistirá em que o matiz de socialismo não me impedirá de transferir para a minha conta-corrente o dinheirinho dos assinantes e colocá-lo, quando houver oportunidade, em circulação sob a orientação de algum *jidezinho* até poder construir um edifício em Petersburgo, transferir para lá a redação da revista e alugar o restante dos andares para inquilinos.[79] Ele indica até o local do edifício: junto à ponte Novi Kámienni sobre o rio Nievá, que, como dizem, está sendo projetada em Petersburgo para ligar a rua Litêinaia à Víborgskaia...

— Puxa, Micha, olha que tudo isso talvez acabe mesmo acontecendo, e literalmente! — bradou de súbito Aliócha sem se conter e rindo alegremente.

— E tu ainda me vens com sarcasmos, Alieksiêi Fiódorovitch.

— Não, não, estou brincando, desculpa. É justamente o contrário o que tenho em mente. Mas com licença: quem poderia te contar semelhantes detalhes e de quem tu poderias ter ouvido essas coisas? Não poderias estar com Catierina Ivánovna pessoalmente quando ele se referiu a ti, não é?

— Eu não estava, mas em compensação Dmitri Fiódorovitch estava, e ouvi essa história de Dmitri Fiódorovitch com meus próprios ouvidos, ou seja, como queiras, ele não disse a mim, mas eu o escutei, evidentemente a contragosto, porque estava nos aposentos de Grúchenka e fiquei sem poder sair durante todo o tempo em que Dmitri Fiódorovitch esteve no quarto ao lado.

— Ah, eu tinha esquecido, ela é tua parenta...

— Parenta? Grúchenka, minha parenta? — bradou num átimo Rakítin, corando por inteiro. — Estarás doido? Teu cérebro desandou?

— E por quê? Acaso ela não é tua parenta? Foi o que ouvi dizer...

— Onde poderias ter ouvido isso? Não, vocês, senhores Karamázov, se fazem passar por nobres antigos e importantes, e no entanto teu pai andava bancando o palhaço pelas mesas alheias e figurava de pedinte em suas cozinhas. Suponhamos que eu seja um simples filho de pope e um pulgão para

go, onde trabalhou no jornal *Iskra* (A Centelha) e depois veio a ser um dos principais autores e diretores da revista de esquerda *Sovremiênnik* (O Contemporâneo), veículo muito influente entre a juventude progressista e revolucionária. (N. da E.)

[79] Alusão aos escritores que, a exemplo de G. E. Blagosviétlov (1821-1880) e A. A. Kraiévski (1810-1889), enriqueceram tanto com a literatura que conseguiram se tornar proprietários de vários imóveis. (N. da E.)

os senhores. Eu também tenho honra, Alieksiêi Fiódorovitch. Não posso ser parente de Grúchenka, uma mulher da vida, peço que entendas isso!

Rakítin estava fortemente irritado.

— Desculpa, por Deus, nunca poderia supor... e ademais, ela é mesmo uma mulher da vida? Por acaso... é dessas? — corou de súbito Aliócha. — Repito que ouvi mesmo dizer que era tua parenta. Tu a visitas frequentemente e tu mesmo me disseste que não tens relação amorosa com ela... pois eu nunca havia pensado que a desprezavas tanto! Será que ela merece mesmo isso?

— Se eu a visito, posso ter os meus motivos para isso, e chega dessa tua conversa. E quanto ao parentesco com ela, é mais fácil que teu irmãozinho ou até teu pai o imponha a ti e não a mim. Bem, chegamos. Vai para a cozinha, é melhor! Ai! o que é isso, o que está acontecendo? Ou chegamos atrasados? Sim, porque eles não podiam almoçar tão rápido, ou será que os Karamázov tornaram a aprontar das suas por aqui? Certamente foi isso. Ali está teu *bátiuchka*, com Ivan Fiódorovitch atrás dele. Conseguiram escapar do igúmeno. Vê lá o padre Issidor gritando alguma coisa do alpendre para eles. E teu pai também está gritando e agitando os braços, na certa insultando. Bah, olha ali Miússov indo para a caleche, olha lá. E o fazendeiro Maksímovitch também correndo — é, aí houve escândalo; quer dizer que não houve almoço! Será que bateram no igúmeno? Ou quem sabe eles é que apanharam? Isso sim seria bem feito!...

Rakítin não exclamou isso à toa. De fato, tinha havido um escândalo, inaudito e inesperado. Tudo acontecera "por inspiração".

VIII. O ESCÂNDALO

Quando Miússov e Ivan Fiódorovitch já entravam no refeitório do igúmeno, Piotr Alieksándrovitch, homem sinceramente delicado e decente que era, experimentou um processo rápido e até certo ponto melindroso; sentiu vergonha por ter-se zangado. Apercebeu-se de que, no fundo, nutria tamanho desprezo pelo reles Fiódor Pávlovitch que não devia ter perdido o sangue-frio na cela do *stárietz* nem ter se desnorteado tanto, como havia acontecido. "Pelo menos os monges não têm culpa por nada do que aconteceu — resolveu de repente à entrada da casa do igúmeno —, e se aqui existe gente decente (esse padre igúmeno Nikolai também parece ter origem nobre), por que não ser amável, gentil e cortês com eles?... Não vou discutir, vou fazer coro com eles, ser cativante e... e... enfim, provarei a todos que não sou companhia para aquele Esopo, aquele palhaço, aquele Pierrô, e que dei um passo em falso, como todos eles."

Decidiu ceder-lhes naquele mesmo dia, em definitivo, para sempre, todos aqueles abates litigiosos de madeira, toda aquela pesca (nem ele mesmo sabia onde isso era feito), ainda mais porque tudo aquilo valia muito pouco, e suspender todas as suas demandas contra o mosteiro.

Todas essas boas intenções foram reforçadas ainda mais quando eles entraram no refeitório do padre igúmeno. Aliás, não havia propriamente um refeitório, porque ele tinha de fato apenas dois cômodos em todo o estabelecimento, é verdade que bem mais amplos e confortáveis que o do *stárietz*. Mas a mobília dos cômodos também não se distinguia por um conforto especial: eram móveis de couro, de mogno, do velho feitio dos anos vinte; nem o assoalho estava pintado. Em compensação, tudo brilhava de limpo, havia nas janelas muitas flores caras; no entanto, o luxo principal que ali se notava no momento era, naturalmente, a mesa luxuosamente servida, embora, não obstante, isso apenas em termos relativos: toalha limpa, louça brilhante, três tipos de pão magnificamente assados, duas garrafas de vinho, duas garrafas do excelente mel do mosteiro e um grande vaso de vidro cheio do *kvas*[80] do mosteiro, famoso nas redondezas. De vodca não havia nada. Rakítin contou depois que, dessa feita, o almoço constava de cinco pratos: sopa de esturjão com uns pasteizinhos de peixe; depois, um peixe macio, excelente, cozido de um jeito especial; almôndegas de esturjão vermelho, sorvete, compota e, por fim, um creme à moda de *blanc manger*.[81] Tudo isso farejou Rakítin, que não se conteve e andou xeretando de propósito na cozinha do igúmeno, com a qual também tinha seus contatos. Tinha contatos em toda parte e em toda parte conseguia informações. Era de coração bastante intranquilo e invejoso. Tinha plena consciência de que era dotado de faculdades especiais, mas as exagerava nervosamente em sua presunção. Sabia ao certo que seria uma espécie de ativista, mas Aliócha, que nutria uma grande amizade por ele, torturava-se com o fato de que seu amigo Rakítin era desonesto e que ele mesmo não tinha a menor noção disso; ao contrário, sabendo que não roubaria dinheiro de cima de alguma mesa, considerava-se definitivamente um homem de honestidade suprema. Neste caso, nem Aliócha, nem ninguém mais podia fazer nada.

Rakítin, como pessoa sem importância, não poderia ter sido convidado para o almoço, mas em compensação haviam convidado os padres Ióssif

[80] Refresco fermentado de pão de centeio. (N. do T.)

[81] Geleia de creme de nata ou leite de amêndoas. (N. da E.)

Os irmãos Karamázov

e Paissi e, com eles, mais um hieromonge. Eles já esperavam no refeitório do igúmeno quando entraram Piotr Alieksándrovitch, Kalgánov e Ivan Fiódorovitch. Aguardava ainda à parte o fazendeiro Maksímov. O padre igúmeno avançou para o meio da sala para receber os convidados. Era um velhote alto, magricela, mas ainda forte, cabelos negros, com uma calva pronunciada e o rosto alongado, tristonho e imponente. Reverenciou em silêncio os convidados, mas desta feita estes se aproximaram para receber a bênção. Miússov ia até arriscando beijar-lhe a mão, mas o igúmeno deu um jeito de retirá-la a tempo e o beijo não aconteceu. Por outro lado, Ivan Fiódorovitch e Kalgánov receberam desta vez a bênção plena, ou seja, com o mais simples e popular beijo estalado na mão.

— Devemos nos desculpar imensamente, Sua Reverendíssima — começou Piotr Alieksándrovitch com um largo sorriso de amabilidade, mas mesmo assim em tom altivo e respeitoso —, nos desculpar por chegar aqui sem nosso acompanhante e seu convidado Fiódor Pávlovitch; ele foi forçado a evitar o seu repasto, e não sem motivo. Envolvido por sua infeliz desavença com o filho, na cela do reverendo Zossima ele pronunciou algumas palavras absolutamente despropositadas... ou seja, absolutamente indecorosas... o que, ao que parece (olhou para os hieromonges), já é do conhecimento de Vossa Reverendíssima. Por essa razão e consciente de sua própria culpa e sinceramente arrependido, sentiu vergonha e, sem conseguir superá-la, nos pediu, a mim e a seu filho Ivan Fiódorovitch, para externar aos senhores todo o seu sincero pesar, sua aflição e seu arrependimento... Em suma, ele espera e deseja recompensar tudo depois, mas agora pede a vossa bênção, e pede ainda que os senhores esqueçam o ocorrido...

Miússov fez silêncio. Depois de pronunciar as últimas palavras de sua tirada, ficou totalmente satisfeito consigo mesmo, e a tal ponto que em sua alma não restavam sequer vestígios da recente irritação. Mais uma vez amava plena e sinceramente a humanidade. O igúmeno, que o ouvira com imponência, inclinou levemente a cabeça e pronunciou em resposta:

— Lamento de todo o coração pelo ausente. Talvez durante nosso repasto ele se afeiçoasse a nós assim como nós a ele. Por favor, senhores, ao almoço.

Postou-se diante da imagem e começou a rezar em voz alta. Todos baixaram respeitosamente a cabeça, e o fazendeiro Maksímov chegou inclusive a avançar e ficar de mãos postas em sinal de devoção especial.

Pois foi aí que Fiódor Pávlovitch fez sua última trapalhada. Cabe observar que ele realmente quis ir embora e sentiu mesmo que, depois de seu comportamento vergonhoso na cela do *stárietz*, era de fato impossível ir ao almoço do igúmeno como se nada tivesse acontecido. Não é que sentisse lá essas vergonhas e se recriminasse; talvez fosse até bem ao contrário; mas mesmo assim sentia que não ficava bem ir ao almoço. Contudo, mal lhe trouxeram sua tilintante caleche à entrada do refeitório, ele, já subindo nela, parou de súbito. Vieram-lhe à mente suas próprias palavras ditas na cela do *stárietz*: "Quando entro em algum lugar, sempre me parece que sou o mais torpe de todos e que todos me acham um palhaço; e já que é assim, eu realmente banco o palhaço, porque os senhores todos, sem exceção, são mais tolos e mais torpes que eu". Deu-lhe vontade de se vingar de todos por suas próprias torpezas. Agora lhe vinha de repente à memória e a propósito a pergunta que antes já lhe haviam feito: "Por que o senhor odeia tanto fulano?". E ele respondera na ocasião, num acesso de sua sem-vergonhice de palhaço: "Eis por quê: ele, palavra, não fez nada contra mim, mas em compensação eu lhe aprontei a mais desavergonhada molecagem, e mal o fiz, senti ódio imediato dele". Ao lembrar-se disto agora, deu um risinho baixo e raivoso num instante de reflexão. Seus olhos brilharam e os lábios chegaram a tremer. "Já que comecei, devo terminar" — resolveu de supetão. Sua sensação ultrarrecôndita desse instante poderia ser expressa pelas seguintes palavras: "Bem, agora já não consigo me reabilitar, então vamos lá, vou tratá-los com um descaso que beire a sem-vergonhice: não me envergonho perante os senhores, e basta!". Mandou o cocheiro esperar, voltou a passos rápidos ao mosteiro e foi direto ao igúmeno. Ainda não sabia bem o que faria, mas sabia que já não tinha controle de si mesmo e — um empurrãozinho só — num abrir e fechar de olhos chegaria ao último limite de alguma torpeza, aliás, apenas torpeza e nunca um crime ou um desatino daqueles pelo qual poderia ser condenado. Na hora decisiva, sempre conseguia se conter, e então até se admirava de seu próprio comportamento. Apareceu no refeitório do igúmeno no exato momento em que terminavam as rezas e todos se dirigiam à mesa. Tendo parado à entrada, correu o olhar pelos presentes e riu com uma risota longa, descarada e perversa, olhando todos arrojadamente nos olhos.

— E eles que pensavam que eu tinha de ir embora, mas cá estou! — bradou para toda a sala.

Por um instante, todos fixaram o olhar nele, calados, e súbito todos sentiram que naquele instante aconteceria algo de repugnante, absurdo, um evidente escândalo. Piotr Alieksándrovitch passara imediatamente do estado de espírito mais benevolente ao mais furioso. Tudo o que antes adormecera e se extinguira em seu coração ressurgia e emergia de um golpe.

— Não, isso eu não posso suportar! — bradou ele. — Absolutamente não posso e... de jeito nenhum!

O sangue lhe subiu à cabeça. Ele ficou até embaraçado, e não mais encontrando palavra para se exprimir, agarrou o chapéu.

— O que é que ele não pode? — bradou Fiódor Pávlovitch. — "Não pode de jeito nenhum e por nada pode"? Sua Reverendíssima, entro ou não entro? O senhor recebe o comensal?

— Dou-lhe as boas vindas de todo o coração — respondeu o igúmeno. — Senhores! Posso me permitir — acrescentou de súbito — pedir-lhes do fundo da alma que, deixando de lado suas eventuais desavenças, juntem-se no amor e na harmonia familiar orando ao Senhor em volta do nosso humilde repasto...

— Não, não, é impossível — gritou Piotr Alieksándrovitch como que fora de si.

— Já que para Piotr Alieksándrovitch é impossível, então para mim também é impossível, e eu não fico. Vim com esse propósito. Doravante, estarei em toda parte com Piotr Alieksándrovitch: Piotr Alieksándrovitch se retira, eu também me retiro, fica, eu também fico. Com sua harmonia familiar o senhor o alfinetou sobremaneira, padre igúmeno: ele não se reconhece meu parente! Não é, Von Sohn? Eis Von Sohn também aqui. Olá, Von Sohn.

— O senhor... está falando comigo? — murmurou admirado o fazendeiro Maksímov.

— Claro que é contigo — gritou Fiódor Pávlovitch. — Com quem haveria de ser? O padre igúmeno é que não poderia ser Von Sohn!

— Ora, só que eu não sou Von Sohn, sou Maksímov.

— Não, tu és Von Sohn. Reverendo, o senhor sabe quem é Von Sohn?[82] Houve um processo criminal: ele foi morto num bordel — parece que é assim que aqui se chamam esses lugares —, foi morto e roubado e, apesar de sua respeitável idade, pregaram um caixote com ele dentro, meteram uma tampa e despacharam de Petersburgo para Moscou em um vagão bagageiro numerado. Enquanto pregavam, as dançarinas devassas cantavam e tocavam *gusli*,[83] ou seja, piano para dança. Pois este é o próprio Von Sohn. Ressuscitou dos mortos, não foi, Von Sohn?

— O que é isso? Como é que pode? — ouviram-se vozes no grupo de hieromonges.

— Vamos! — bradou Piotr Alieksándrovitch para Kalgánov.

---

[82] Fato real ocorrido em fins de março de 1870 em Petersburgo. Von Sohn foi atraído a um recinto no centro desta cidade, envenenado, barbaramente assassinado e roubado. Enquanto o crime era cometido, uma das comparsas sentou-se ao piano, bateu com as mãos e os pés no teclado e assim abafou os gritos e gemidos da vítima. (N. da E.)

[83] Instrumento musical russo de cordas. (N. do T.)

— Não, permitam-me! — interrompeu Fiódor Pávlovitch com voz esganiçada, dando mais um passo para dentro do recinto. — Permitam que eu também conclua. Lá, na cela do igúmeno, me desqualificaram, dizendo que eu teria me comportado de forma desrespeitosa justamente por ter gritado sobre os gobiões. Piotr Alieksándrovitch Miússov, meu parente, gosta de que tudo na fala seja *plus de noblesse que de sincérité*,[84] mas eu, ao contrário, gosto de que em minha fala haja *plus de sincérité que de noblesse*, e estou me lixando para a *noblesse*. Não é, Von Sohn? Permita-me, padre igúmeno; eu, mesmo sendo um palhaço e bancando o palhaço, ainda assim sou o cavaleiro da honra e quero me manifestar. Sim, sou cavaleiro da honra, já em Piotr Alieksándrovitch há um amor-próprio ferido e nada mais. Vim para cá, talvez, para observar e me manifestar. Aqui, meu filho Alieksiêi trata de salvar a alma; sou o pai, preocupo-me e devo me preocupar com o seu destino. Ouvi tudo e representei, e fiquei também observando na surdina, mas agora quero lhes mostrar o último ato da representação. Como é que a coisa se coloca entre nós? Entre nós o que cai, caído fica. Entre nós, uma vez caído, caído fica para sempre. Era só o que faltava! Eu quero me levantar. Santos padres, estou indignado com os senhores. A confissão é um grande segredo que eu também venero e diante do qual estou pronto a me prosternar, mas de repente, lá na cela, todos estão de joelhos e se confessando em voz alta. Por acaso é permitido confessar-se em voz alta? Os santos padres estabeleceram, desde tempos imemoriais,[85] a confissão ao pé do ouvido, e só assim a vossa confissão será um segredo. Senão, como vou explicar diante de todos que eu, por exemplo, sou isso e aquilo... bem, sou isso e aquilo, estão entendendo? Às vezes é até indecente dizer. Ora, isso é um escândalo! Não, padres, aqui com os senhores a gente pode até ser arrastada para a *khlistovschina*...[86] Na primeira oportunidade vou escrever ao Sínodo, e vou levar embora daqui meu filho Alieksiêi...

Aqui cabe um *nota bene*. Fiódor Pávlovitch ouvira cantar o galo e não sabia onde. Outrora, circularam umas bisbilhotices malévolas, que chegaram inclusive ao bispo (não só no nosso, mas também em outros mosteiros onde fora estabelecido o *startziado*), segundo as quais andavam estimando demais

---

[84] "Mais nobreza que sinceridade", em francês. (N. do T.)

[85] Até o século XIII havia confissões públicas entre os cristãos. A confissão individual "secreta" foi estabelecida por Inocêncio III no Concílio de Latrão, em 1215. (N. da E.)

[86] Seita religiosa dos *khlistí* (derivado de *khlist* — vara, chibata etc.) que surgiu na Rússia no século XVII e cujo dogma central era a encarnação de Deus no homem durante os rituais que visavam a purificar o corpo, expulsando dele "o diabo". (N. da E.)

os *startzí*, inclusive em detrimento da dignidade de igúmeno, e que, a propósito, os *startzí* andavam abusando do segredo da confissão, etc., etc. São acusações absurdas, que caíram por si mesmas na época em que surgiram entre nós e em toda parte. Mas o tolo do diabo, que agarrou e levou Fiódor Pávlovitch pelos próprios nervos para cada vez mais e mais longe em direção a um abismo da infâmia, soprou-lhe nos ouvidos essa antiga acusação, da qual Fiódor Pávlovitch não entendia sequer o começo. Ademais, ele não conseguia nem formulá-la com competência, ainda mais porque agora não havia ninguém ajoelhado ou se confessando em voz alta na cela do *stárietz*, de sorte que o próprio Fiódor Pávlovitch não podia ter visto nada semelhante e falava apenas com base em velhos rumores e bisbilhotices que de algum modo memorizara. Contudo, depois de dizer sua tolice, sentiu que soltara uma bobagem absurda e no mesmo instante quis provar aos ouvintes, e antes de tudo a si mesmo, que não tinha dito nenhum absurdo. E embora soubesse perfeitamente que a cada nova palavra que viesse a dizer acrescentaria cada vez mais absurdo ao absurdo já dito, mesmo assim já não conseguiu se conter e despencou como se caísse de uma montanha.

— Que infâmia! — bradou Piotr Alieksándrovitch.

— Desculpe — disse de chofre o igúmeno. — Desde tempos imemoriais foi dito: "e já me caluniaram, disseram até as coisas mais feias. Porém, depois de ouvi-las todas, pensei: este é o remédio que Jesus me envia para cura de minha alma orgulhosa". Por isso, nós lhe agradecemos resignadamente, precioso visitante!

E inclinou-se até a cintura numa reverência a Fiódor Pávlovitch.

— Xi! Isso é carolice e fraseado velho! Fraseado velho e gestos velhos! A velha mentira e o formalismo das reverências até o chão! Nós conhecemos essas reverências! "Um beijo nos lábios e uma punhalada no coração", como em *Os bandoleiros*, de Schiller. Padres, não gosto de falsidade, quero a verdade! Só que a verdade não está nos gobiões, isto eu proclamei! Padres monges, por que jejuam? Por que esperam receber por isso recompensas do céu? Ora veja, por uma recompensa como essa, até eu vou jejuar! Não, santo monge, procura ser virtuoso em vida, traze proveito à sociedade não te encerrando no mosteiro, comendo o pão já pronto e esperando a recompensa no Céu — se bem que isso já é mais difícil. Eu, padre igúmeno, também sei falar com estilo. O que andaram preparando por aqui? — foi até a mesa. — Vinho do Porto Velho Factore, mel engarrafado pelos irmãos Ielissêiev,[87] ai, seus pa-

---

[87] Os irmãos Ielissêiev figuravam entre os maiores comerciantes russos, especialmente no ramo do vinho. (N. da E.)

Os irmãos Karamázov

dres! Isto não parece coisa de comedores de gobiões. Caramba, quantas garrafinhas os padres estão servindo, eh-eh-eh! Mas quem trouxe tudo isso para cá? O mujique russo, o trabalhador, que traz para cá a migalha ganha com suas mãos calosas, tirando-a da família e das necessidades do Estado! Ora, santos padres, os senhores sugam o povo!

— Isto já é totalmente indigno de sua parte — proferiu o padre Ióssif. O padre Paíssi calava obstinadamente. Miússov correu para fora do recinto e Kalgánov atrás dele.

— Bem, padres, eu também vou seguir Piotr Alieksándrovitch. Não virei mais aqui, mesmo que peçam de joelhos não virei. Enviei mil rublos para os senhores, e novamente os senhores afiam os olhinhos, eh-eh-eh! Não, não vou dar mais nada. Estou me vingando de minha passada juventude, de todas as minhas humilhações! — Esse mosteirozinho significou muito em minha vida! Muitas lágrimas amargas derramei por ele! Os senhores colocaram contra mim a minha mulher *klikucha*. Os senhores me amaldiçoaram nos sete concílios,[88] e espalharam a maldição pelas redondezas! Basta, padres, hoje estamos no século liberal, no século dos navios a vapor e das estradas de ferro. Os senhores não vão mais receber de mim nem mil rublos, nem cem, nem cem copeques, nada!

Mais um *nota bene*. Na vida dele, nosso mosteiro não representou nunca nada de especial, e ele jamais derramou nenhuma lágrima amarga por causa do mosteiro. Mas se empolgou tanto com suas lágrimas alegadas que por um instante quase chegou a acreditar nelas; esteve a ponto de chorar de enternecimento; mas no mesmo instante percebeu que era hora de voltar como tinha vindo. Diante de sua mentira raivosa, o igúmeno tornou a baixar a cabeça e a pronunciar em tom imponente:

— Já foi dito: "tolera e olha com alegria aquele que te inflige desonra e não te alvoroces nem te zangues com quem te quer desonrar". E assim fazemos nós.

— Xi, isso é mera suposição! E tudo disparates. Não liguem, padres, eu vou indo. E uso meu pátrio poder para levar para sempre comigo meu filho Alieksiêi. Ivan Fiódorovitch, respeitabilíssimo filho meu, permita-me ordenar-lhe que me siga! Von Sohn, por que terás de ficar aqui? Vem agora co-

---

[88] Há um pequeno trocadilho com a palavra russa *sobór*, que sozinha significa catedral, mas acompanhada do adjetivo *vseliénski* significa concílio ecumênico. Como explicam os autores das notas à edição russa de *Os irmãos Karamázov*, "dentre os concílios ecumênicos, a Igreja Ortodoxa só reconhece os sete primeiros, realizados antes da divisão da Igreja em 1054. Nestes, os mínimos 'desvios' eram considerados heresias e em quase todos sempre houve alguém condenado e excomungado". (N. do T.)

migo para a cidade. Lá em casa é alegre. Uma verstazinha à toa, em vez de azeite, te servirei um leitãozinho com mingau; almoçaremos; te servirei conhaque, depois um licorzinho; tenho *mamurovka*...[89] Ei, Von Sohn, não deixe escapar a sua felicidade!

Saiu gritando e gesticulando. Foi nesse exato momento que Rakítin o viu saindo e o apontou para Aliócha.

— Alieksiêi! — gritou-lhe de longe o pai ao avistá-lo. — Hoje mesmo te mudarás definitivamente para minha casa, leva teu travesseiro e teu colchão, e que não fique nem cheiro de ti por aqui.

Aliócha parou como se estivesse plantado, observando atentamente a cena. Enquanto isso, Fiódor Pávlovitch subiu na caleche e, atrás dele e sem sequer se virar para despedir-se de Aliócha, Ivan Fiódorovitch começou a subir calado e com ar sombrio. Mas, nesse instante, deu-se mais uma cena bufa e quase inverossímil, que completava o episódio. Súbito apareceu junto ao estribo da caleche o fazendeiro Maksímov. Corria arquejando para não se atrasar. Rakítin e Aliócha viram como corria. Estava tão apressado que já pusera o pé no degrau em que ainda estava o pé esquerdo de Ivan Fiódorovitch e, agarrando-se à carroceria, pulou para dentro da carruagem.

— Eu também, eu também vou com os senhores! — bradou ele, saltitando, saltitando, rindo com um risinho miúdo e alegre, com a felicidade estampada no rosto e pronto para tudo. — Levem a mim também!

— Ora, eu não disse que esse era Von Sohn?! — gritou Fiódor Pávlovitch com ar triunfal. — Que este é o verdadeiro Von Sohn que ressuscitou dos mortos?! Sim, mas como te arrancaste de lá? O que tu *vonsohnaste* por lá e como conseguiste escapar do almoço? Ora, para isso é preciso ter cabeça-dura! Eu tenho cabeça, mas, meu irmão, me admiro da tua! Pula, pula depressa! Deixa-o entrar, Vânia,[90] vai ser divertido. Ele dará um jeito de sentar-se no chão. Consegue subir, Von Sohn? Ou o colocamos na boleia junto com o cocheiro?... Pula para a boleia, Von Sohn!...

Mas Ivan Fiódorovitch, que já estava sentado em seu lugar, deu de súbito e com toda força um empurrão no peito de Maksímov e este voou uma braça para trás. Se não caiu, foi só por acaso.

— A caminho! — gritou Ivan Fiódorovitch com raiva para o cocheiro.

— Ora, o que é isso? Por que fizeste isso com ele? — investiu Fiódor Pávlovitch, mas a caleche já havia partido.

[89] Bebida feita de *moróchka*, planta rasteira de frutos vermelhos que nasce em terrenos pantanosos. (N. da E.)

[90] Um dos diminutivos de Ivan. (N. do T.)

Os irmãos Karamázov

Ivan Fiódorovitch não respondeu.

— Tu, hein! — tornou a dizer Fiódor Pávlovitch olhando de esguelha para o filho, depois de uns dois minutos calado. — Tu mesmo tramaste toda essa vinda ao mosteiro, tu mesmo instigaste, aprovaste, por que agora estás zangado?

— Chega de repisar absurdos, pelo menos agora descanse um pouco — cortou severamente Ivan Fiódorovitch.

Fiódor Pávlovitch tornou a calar coisa de dois minutos.

— Um conhaquinho agora caía bem — observou ele em tom sentencioso. Mas Ivan Fiódorovitch não respondeu.

— A gente chega em casa, e tu também bebes.

Ivan Fiódorovitch continuava calado.

Fiódor Pávlovitch esperou mais uns dois minutos.

— Quanto a Alióctcha, apesar de tudo vou tirá-lo do mosteiro, apesar de você poder achar isso muito desagradável, respeitabilíssimo Karl von Moor.

Ivan Fiódorovitch sacudiu desdenhosamente os ombros e, virando-se para um lado, ficou olhando a estrada. Depois não abriu mais a boca até chegar em casa.

Livro III
OS LASCIVOS

I. OS CRIADOS

A casa de Fiódor Pávlovitch Karamázov ficava longe, não propriamente no centro da cidade nem de todo no subúrbio. Era bem vetusta, mas de aparência agradável: tinha um andar, mezanino, paredes de cor cinzenta e telhado de ferro vermelho. Era ampla e confortável, e ainda poderia aguentar muito tempo. Havia nela diversos quartinhos de despejo, vários esconderijos e escadinhas imprevistas. Apareciam ratazanas, mas Fiódor Pávlovitch não se zangava de todo com elas: "Pelo menos à noite não fica tão chato quando a gente está só". E ele realmente tinha o hábito de liberar os criados para passar a noite no anexo e se trancava sozinho por toda a noite. O anexo ficava no pátio, era amplo e sólido; ali Fiódor Pávlovitch determinou que ficasse igualmente a cozinha, embora em sua casa também houvesse cozinha: não gostava de cheiro de cozinha, e as refeições lhe eram trazidas do pátio no inverno e no verão. Em linhas gerais, a casa fora construída para uma família grande: dava para acomodar cinco vezes mais senhores e criados. No momento em que se passa nossa narrativa, na casa moravam apenas Fiódor Pávlovitch e Ivan Fiódorovitch, e entre os habitantes do anexo havia apenas três criados: o velho Grigori, a velha Marfa, sua esposa, e o criado Smierdiakóv, homem ainda jovem. O relato acerca desses três serviçais precisa ser um pouco mais detalhado. Do velho Grigori Vassílievitch Kutúzov nós, aliás, já falamos bastante. Era um homem firme, constante, que ia direta e obstinadamente ao ponto de seu interesse se este, por algum motivo (amiúde ilógico), colocava-se diante dele como uma verdade inquestionável. Em linhas gerais, era honesto e incorruptível. Marfa Ignátievna, sua mulher, apesar de ter-se curvado incondicionalmente à vontade do marido durante a vida inteira, logo após a libertação dos camponeses, importunara-o terrivelmente para que deixassem Fiódor Pávlovitch e fossem para Moscou iniciar ali um pequeno comércio (tinham um dinheirinho); na ocasião, porém, Grigori resolveu, e de uma vez por todas, que a mulher estava com lorotas, "porque toda mulher é desonesta", e que não deviam deixar o antigo amo, independentemente de como ele fosse, "porque agora esse era o dever deles".

— Tu não entendes o que é o dever? — perguntara a Marfa Ignátievna.

— O dever eu entendo, Grigori Vassílievitch, mas que dever é esse que faz a gente continuar aqui, isso é que eu não entendo — respondera com firmeza Marfa Ignátievna.

— E mesmo que não entendas, é assim que vai ser. E doravante fica de boca calada.

E foi o que aconteceu: eles não saíram, e Fiódor Pávlovitch fixou um ordenado para ele, pequeno, e o pagava. Ademais, Grigori sabia que exercia sobre o senhor uma influência incontestável. Ele o sentia e isso era justo: bufão ladino e teimoso, Fiódor Pávlovitch, de caráter muito firme "em algumas coisas da vida", como ele mesmo se exprimia, para sua própria surpresa era até bem fracote de caráter em algumas outras "coisas da vida". E ele mesmo sabia em quais, sabia e o temia muito. Em algumas coisas da vida precisava estar alerta, e neste caso era difícil passar sem um homem fiel, e Grigori era homem fidelíssimo. Houve casos, e até muitos, em que Fiódor Pávlovitch poderia ter levado uma surra, e surra de doer, durante sua carreira, e Grigori sempre o socorreu, embora depois disso sempre lhe pregasse um sermão. No entanto, só a surra não assustaria Fiódor Pávlovitch: havia casos extremos, e até muito delicados e complexos, em que o próprio Fiódor Pávlovitch não estaria, talvez, em condições de definir a necessidade extraordinária — e às vezes ele começava a senti-la de modo súbito e incompreensível — de ter por perto alguém fiel e próximo. Eram casos quase doentios: depravadíssimo e frequentemente cruel em sua lascívia como um inseto perverso, nos momentos de embriaguez Fiódor Pávlovitch vez por outra experimentava um repentino medo espiritual e uma comoção moral que, por assim dizer, quase se refletiam até fisicamente em sua alma. "Nessas ocasiões, é como se minha alma estremecesse na garganta" — dizia às vezes. Pois era nesses momentos que ele gostava de ter a seu lado, por perto, ainda que não fosse no mesmo recinto mas no anexo, um homem dedicado, firme, em tudo diferente dele, não depravado, que, mesmo presenciando toda essa devassidão e conhecendo todos os seus segredos, ainda assim admitisse tudo isso por fidelidade, não o contrariasse e, o principal — não censurasse e não fizesse nenhuma ameaça, nem nesse momento, nem no futuro; e em caso de necessidade acabasse por defendê-lo — de quem? De alguém desconhecido, mas medonho e perigoso. Tratava-se precisamente de ter sem falta a seu lado um *outro* homem, velho e amigo, para chamá-lo, quando se sentisse frágil, com o único fim de olhar para o seu rosto, talvez trocar com ele uma palavrinha, mesmo que totalmente despropositada; e se ele não fosse irritadiço, já seria algum alívio para o coração, mas se fosse irritadiço, bem, aí já seria mais triste. Vez por outra (se bem que muito raramente) Fiódor Pávlovitch ia até no meio da noite ao anexo acordar Grigori para que este viesse passar um minuto com ele. Ele vinha, e Fiódor Pávlovitch começava a falar das mais absolutas ninharias, mas logo o liberava, às vezes até com um gracejo e uma brincadeira, e ele mesmo dava de ombros, deitava-se e logo dormia seu sono de justo. Algo desse gênero acontecera a Fiódor Pávlovitch também com a chegada de Aliócha. Aliócha lhe "traspassara o coração" pelo fato de que "vivia, tudo via e nada condenava". Além disso, trouxera consigo uma coisa sem precedentes: a absoluta ausência de desprezo por ele, pelo velho; ao contrário, estava sempre cheio de carinho e de uma amizade franca por ele, totalmente natural, que ele tão pouco merecia. Para o velho devasso e solitário tudo isso era uma surpresa total, inteiramente inesperada para ele, que até então gostara apenas de "imundície". Quando Aliócha saiu, ele reconheceu para si mesmo que compreendera algo que até então não quisera compreender.

No início de minha narrativa já mencionei como Grigori odiava Adelaída Ivánovna, primeira mulher de Fiódor Pávlovitch e mãe de seu primeiro filho, Dmitri Fiódorovitch, e como, ao contrário, defendeu sua segunda mulher, a *klikucha* Sófia Ivánovna, contra seu próprio senhor e todos aqueles a quem passara pela cabeça deixar escapar uma palavra má ou leviana sobre ela. A simpatia que nutria por essa infeliz transformou-se em algo sagrado, de tal forma que vinte anos depois ele não suportaria que quem quer que fosse lhe fizesse sequer uma alusão má e replicava no ato ao ofensor. Grigori aparentava ser um homem frio e altivo, não tagarela, dizia palavras ponderadas, não levianas. De igual maneira, à primeira vista era impossível descobrir se amava ou não sua mulher calada e submissa, entretanto ele realmente a amava, e ela, é claro, compreendia isso. Essa Marfa Ignátievna não era nada tola e talvez fosse até mais inteligente que o marido, pelo menos era mais sensata do que ele nos assuntos do dia a dia, embora se sujeitasse a ele calada e incondicionalmente desde o início da vida conjugal e o respeitasse incontestavelmente por sua superioridade espiritual. É digno de nota que, durante toda a vida, os dois só conversavam muito raramente, apenas sobre as coisas indispensáveis e corriqueiras. O altivo e majestoso Grigori arquitetava todos os seus afazeres e preocupações sempre sozinho, de forma que, desde havia muito tempo, Marfa Ignátievna compreendera de uma vez por todas que ele dispensava totalmente suas sugestões. Ela percebia que o marido apreciava seu silêncio, pelo que reconhecia que havia inteligência nela. Bater nela ele nunca bateu, a não ser uma única vez, e assim mesmo de leve. Certa vez, no primeiro ano do casamento de Adelaída Ivánovna com Fiódor Pávlovitch, as moças e mulheres da aldeia, ainda servas, foram reunidas na casa senhorial para cantar e dançar. Começaram a cantar "Nos prados",[91] e súbito Marfa Ignátievna, na ocasião mulher ainda jovem, projetou-se diante do coro e começou a dançar a "russa" de uma maneira especial, diferente da maneira da aldeia, das camponesas, mas do jeito que ela dançava na casa rica dos Miússov, em cujo teatro doméstico ensinava-se aos atores as danças trazidas de Moscou pelo mestre de dança. Grigori viu como sua mulher dançou e, em casa, em sua isbá, uma hora depois, deu-lhe uma lição, puxando-a levemente pelos cabelos. Mas nisso terminaram de uma vez por todas as surras, estas nunca mais se repetiram nenhuma vez na vida, e no entanto Marfa Ignátievna desistiu de dançar desde aquele momento.

Deus não lhes dera filhos, tiveram apenas uma criancinha e mesmo esta morrera. Grigori gostava visivelmente de crianças, e isso ele não escondia, ou seja, não se envergonhava de manifestá-lo. Recebeu Dmitri Fiódorovitch em seus braços quando o menino tinha três anos, depois da fuga de Adelaída Ivánovna, e passou quase um ano cuidando dele, ele mesmo o penteando, ele mesmo até lhe dando banho na tina. Depois cuidou também de Ivan Fiódorovitch e de Aliócha, pelo que acabou recebendo uma bofetada no rosto; mas já narrei tudo isso. Seu próprio filhinho só lhe deu alegria com a esperança que lhe proporcionou enquanto Marfa Ignátievna ainda estava grávida. Quando ele nasceu, golpeou-lhe o coração com a dor e o horror. Acontece que o menino nasceu com seis dedos em cada mão. Ao ver isto, Grigori ficou tão arrasado que não só permaneceu calado até o dia do batismo como saía deliberadamente de casa para manter seu mutismo no jardim. Era primavera, e fazia três dias que ele cavava canteiros na horta e no jardim. No terceiro dia, vieram batizar a criança; a essa altura Grigori já percebera alguma coisa. Ao entrar na isbá, onde se reuniam os convidados e, por fim, o próprio Fiódor Pávlovitch, que aparecera pessoalmente na qualidade de padrinho, ele declarou de repente que "era totalmente desnecessário batizar" a criança — declarou isso em voz alta, sem se estender nas palavras, pronunciando uma a uma a muito custo e limitando-se a fixar no padre um olhar obtuso durante o ato.

— Por que isso? — quis saber o padre alegremente surpreso.

— Porque... é um dragão...[92] — murmurou Grigori.

[91] Canção popular para dança. (N. da E.)

[92] Segundo afirma A. Afanássiev (1826-1871) em *As concepções poéticas da nature-*

— Como dragão... que dragão?

Grigori fez silêncio por algum tempo.

— Houve uma mistura da natureza... — murmurou ele, de um modo muito firme embora extremamente vago, pelo visto sem querer se estender mais.

Riram e, é claro, batizaram a pobre criança. Grigori rezou com empenho junto à pia batismal, mas não mudou de opinião sobre o recém-nascido. Aliás, não foi estorvo para nada, só que durante as duas semanas inteiras de vida do menino doente quase não olhou para ele, sequer quis notá-lo, e o mais das vezes permaneceu fora da isbá. Mas quando, duas semanas depois, o menino morreu de aftas, ele mesmo o pôs no caixãozinho, ficou a contemplá-lo com uma tristeza profunda e, quando cobriram de terra sua covinha pequena e rasa, ele se prosternou diante dela tocando a testa no chão. Desde então muitos anos se passaram, e ele nunca mencionou seu filho; Marfa Ignátievna também nunca o mencionou na presença dele, mas, quando tinha oportunidade de conversar com alguém a respeito de seu "filhinho", ela falava aos sussurros, ainda que Grigori Vassílievitch não estivesse por perto. Segundo observação de Marfa Ignátievna, desde aquele enterro ele passara a cuidar predominantemente do "divino", lia as *Tcheti-Minei*, o mais das vezes calado e sozinho, sempre pondo seus óculos prateados grandes e redondos. Raramente lia em voz alta, a não ser na quaresma. Gostava do livro de Jó, tirara de lá uma lista de palavras e sermões do nosso padre "teóforo[93] Isaac, o Sírio", que leu com afinco durante muitos anos, quase sem entender absolutamente nada, mas, em compensação, talvez por isso apreciando e gostando mais desse livro. Bem nos últimos anos, devido a um incidente ocorrido na vizinhança, passara a prestar atenção e pensar a fundo na seita dos *khlistí*, visivelmente impressionado, mas não houvera por bem aderir à nova fé. A sobrecarga de leitura do "divino" imprimiu-lhe, é claro, ainda mais gravidade à fisionomia.

É possível que ele tivesse inclinação para o misticismo. E aí, como que de propósito, veio ao mundo seu recém-nascido de seis dedos, e sua morte coincidiu justamente com outro caso muito estranho, inesperado e original,

---

za entre os eslavos, para a gente supersticiosa toda criança que nascia com algum defeito físico ou mental trazia na alma o espírito do mal. (N. da E.)

[93] Do grego *theophóros* (*bogonosítiel*, em russo), que significa "aquele que carrega um deus". O termo aparece mais de uma vez na obra de Dostoiévski (ver as reflexões do personagem Chátov em *Os demônios*) com o sentido de "aquele que carrega um Deus dentro de si". (N. do T.)

que lhe deixou uma "marca" na alma, como ele mesmo reconheceu posteriormente. Aconteceu que, no mesmo dia em que sepultaram o bebê de seis dedos, Marfa Ignátievna, tendo acordado no meio da noite, ouviu como que o choro do recém-nascido. Assustou-se e acordou o marido. Este escutou e observou que era mais provável que alguém estivesse gemendo, "como se fosse uma mulher". Ele se levantou, vestiu-se; era uma noite de maio bastante morna. Saindo ao alpendre, ouviu com clareza que os gemidos vinham do jardim. Mas à noite trancava-se com cadeado o portão do jardim pelo lado do pátio, e sem passar por essa entrada era impossível chegar a ele, porque todo o jardim era rodeado por um muro alto e forte. Voltando para casa, Grigori acendeu o lampião, pegou a chave da cancela do jardim e, sem dar atenção ao grito histérico de sua mulher, que continuava insistindo em que tinha escutado um choro de criança e que quem estava chorando era certamente o menino, e que este a chamava, saiu calado para o jardim. Aí, escutou com clareza que os gemidos vinham do quarto de banho deles, que ficava no jardim, perto da cancela, e que quem estava gemendo era na verdade uma mulher. Ao abrir o quarto de banho, viu um espetáculo que o deixou estupefato: a *iuródiv* da cidade, que vivia perambulando pelas ruas e toda a cidade conhecia pelo apelido de Lizavieta Smierdiáschaia,[94] escalara o gradil do quarto de banho e ali acabara de parir um bebê. O bebê estava a seu lado, e ela morrendo ao lado dele. Ela não dizia nada, pelo simples fato de que não sabia falar. Mas tudo isso precisa de um esclarecimento particular.

II. LIZAVIETA SMIERDIÁSCHAIA

Havia aí uma circunstância peculiar que deixou Grigori profundamente impressionado e reforçou definitivamente nele uma suspeita antiga e desagradável. Essa Lizavieta Smierdiáschaia era uma moça de estatura muito baixa, de "pouco mais de dois archins",[95] como a recordavam enternecidas depois de sua morte muitas das velhas beatas de nossa cidade. Seu rosto de vinte anos, saudável, largo e corado, era totalmente idiota; tinha o olhar fixo e desagradável, embora manso. Durante toda a vida, fosse verão ou inverno, andara descalça e vestida apenas com um camisolão de fio de cânhamo. Seus cabelos quase negros, extremamente bastos, eram encrespados como

[94] Lizavieta: diminutivo de Ielizavieta; Smierdiáschaia: a que cheira mal, a fedorenta. (N. do T.)

[95] Um *archin* corresponde a pouco mais de 71 cm. (N. do T.)

pelos de carneiro, formando na cabeça uma espécie de barrete enorme. Além disso, estavam sempre sujos de terra, de lama, com folhas miúdas, cavacos e serragem grudados neles, porque ela sempre dormia no chão e na sujeira. Seu pai era o pequeno-burguês Iliá, sem domicílio e arruinado, grande beberrão que, havia muitos anos, morava como uma espécie de operário em casa de uns patrões abastados, também pequeno-burgueses de nossa cidade. A mãe de Lizavieta morrera fazia tempo. Sempre doente e enraivecido, Iliá espancava cruelmente Lizavieta quando esta voltava para casa. Mas ela raramente ia lá, porque morava em todas as partes da cidade como uma *iuródiv* de Deus. E tanto a senhoria de Iliá quanto o próprio Iliá, e até muitas das pessoas compassivas da cidade, predominantemente homens e mulheres comerciantes, tentaram mais de uma vez vestir Lizavieta com mais decência do que naquele simples camisolão, e no inverno sempre punham nela um sobretudo de pele e a calçavam com botas; mas ela, deixando-se vestir obedientemente, sempre saía para algum lugar, preferivelmente para o adro da igreja matriz, sempre tirava tudo que lhe haviam dado — xale, saia, sobretudo de pele, botas —, largava-o no lugar e saía descalça, só com o camisolão de sempre. Aconteceu, certa vez, que o novo governador de nossa província, ao percorrer de passagem a cidadezinha, sentiu-se agredido em seus melhores sentimentos ao ver Lizavieta e, embora tivesse compreendido que se tratava de uma "mentecapta", como lhe foi comunicado, ainda assim fez ver que aquela mulher jovem, que vivia perambulando apenas de camisolão, violava o decoro e por isso aquilo não devia continuar. Mas o governador se foi, e deixaram Lizavieta como antes. Por fim, seu pai morreu e, com isso, ela, como órfã, tornou-se ainda mais querida de todas as pessoas piedosas da cidade. De fato, era como se todos gostassem dela; nem os meninos a provocavam ou ofendiam, e os nossos meninos, especialmente os da escola, são uma gente acintosa. Ela entrava em casas de desconhecidos e ninguém a escorraçava, ao contrário, qualquer um a acarinhava e lhe dava um *groch*.[96] Davam-lhe um *groch*, ela o recebia, e no mesmo instante o levava e depositava em algum mealheiro de igreja ou prisão. Se lhe davam em alguma barraca uma rosca ou pãozinho, ela pegava essa rosca ou pãozinho e dava infalivelmente à primeira criancinha que encontrasse, ou então parava alguma de nossas fidalgas mais ricas e o entregava a ela; e a fidalga o recebia até com alegria. A própria Lizavieta não se alimentava senão de pão de centeio e água. Por vezes entrava em uma loja rica, sentava-se; ao lado havia mercadoria cara, havia também dinheiro, mas o dono nunca se precavia contra ela porque

---

[96] Antiga moeda russa, mais ou menos equivalente ao nosso vintém. (N. do T.)

sabia que em sua presença podia largar milhares em dinheiro e esquecê-los, que ela não tirava um copeque. Raramente entrava na igreja; dormia no adro ou pulava alguma cerca (entre nós ainda há muitas cercas em vez de muros, até hoje) da horta de alguém. Em casa, isto é, na casa daqueles senhorios em que morara seu falecido pai, ela aparecia mais ou menos uma vez por semana, mas no inverno ia todos os dias, apenas à noite, e pernoitava no vestíbulo ou no estábulo. As pessoas se admiravam de como suportava semelhante vida, mas ela já estava muito acostumada; embora fosse de baixa estatura, era, não obstante, de constituição extraordinariamente forte. Alguns senhores de nossa cidade afirmavam que ela fazia tudo isso apenas por orgulho, mas essa afirmação carecia um pouco de fundamento; ela era incapaz de falar uma palavra e só de quando em quando farfalhava alguma coisa com a língua e mugia — de que orgulho se poderia falar?! Pois aconteceu que certa vez (fazia bastante tempo), numa clara e morna noite de setembro, de lua cheia, já bem tarde para os nossos costumes, uma turma de farristas embriagados, formada pelos nossos senhores, uns cinco ou seis rapagões, voltava do clube pelos "fundos" das casas. Por ambos os lados do beco havia uma cerca, atrás da qual se estendiam as hortas das casas adjacentes; o beco dava para uma pontezinha sobre uma poça comprida e fedorenta que costumávamos chamar de riacho. Ao pé da cerca, entre urtigas e bardanas, nossa turma divisou Lizavieta adormecida. Os tocados senhores pararam junto dela às gargalhadas e começaram a gracejar com todo o desbocamento possível. A um senhorzinho ocorreu de repente uma pergunta absolutamente excêntrica sobre um tema intolerável: "Será que alguém, seja lá quem for, pode considerar esse bicho uma mulher, e agora, neste estado?". Todos, tomados de um asco orgulhoso, resolveram que não. Mas nessa turma estava Fiódor Pávlovitch, e ele interveio e resolveu num piscar de olhos que se podia, e até muito, considerá-la uma mulher, e que ali havia inclusive qualquer coisa de particularmente picante, etc., etc. É verdade que naquela época ele se esmerava até demais em fazer por merecer seu papel de palhaço, gostava de aparecer entre os senhores e diverti-los, fazendo-se parecer igual a eles, é claro, mas sendo de fato um grosseirão rematado diante deles. Isso aconteceu justo naquele tempo em que ele havia recebido de Petersburgo a notícia da morte de sua mulher Adelaída Ivánovna, período em que andava com uma tira de crepe no chapéu, bebendo e armando tais escândalos que só de olhar para ele até os mais devassos de nossa cidade ficavam chocados. A turma, é claro, desatou em gargalhadas diante de uma opinião tão inesperada; um deles até começou a instigar Fiódor Pávlovitch, mas os outros fizeram uma expressão de nojo ainda maior, mesmo que com uma alegria desmedida, e por fim seguiram seu caminho. Mais tarde, Fiódor Pávlovitch assegurou, em tom de juramento, que na ocasião havia ido embora com todos os outros; é possível que tenha sido assim mesmo, ninguém sabe e nunca o soube ao certo, mas uns cinco ou seis meses depois todos na cidade começaram a falar com uma indignação sincera e extraordinária que Lizavieta estava grávida, saíram perguntando e assuntando: de quem era o pecado, quem era o ofensor? E eis que de repente se espalhou por toda a cidade o estranho boato de que o ofensor era o próprio Fiódor Pávlovitch. De onde surgiu esse boato? Justo naquele momento restara daquele bando de senhores farristas em nossa cidade apenas um participante, e ainda por cima este era um conselheiro de Estado idoso e respeitado, pai de família e de duas filhas adultas, que de maneira alguma iria espalhar qualquer coisa, mesmo que isso tivesse acontecido; os outros participantes, uns cinco, a essa altura já andavam por diferentes lugares. Mas o boato apontara e continuava apontando direitinho para Fiódor Pávlovitch. É claro que ele não ligava para isso: não ia ficar respondendo a qualquer comerciantezinho ou pequeno-burguês. Naquele tempo, ele era orgulhoso e não conversava senão em seu meio de burocratas e nobres, que ele tanto divertia. Pois foi nessa época que Grigori passou a defender energicamente e com todas as suas forças o seu senhor, e não só o defendia contra todas essas maledicências como nessa defesa recorria a desaforos e altercações, e fez muitos mudarem de opinião. "Ela mesma é vil, é culpada" — dizia de modo afirmativo, e o ofensor não era senão "Karp do Parafuso" (assim se chamava um terrível detento conhecido na cidade naquela época, que havia fugido da cadeia da província e morava escondido em nossa cidade). Essa suposição pareceu verossímil, Karp foi lembrado, e lembrado justo porque, naquelas mesmas noites de outono, circulara pela cidade e assaltara três pessoas. Mas todo esse caso e todas essas histórias não só não privaram a pobre *iuródiv* da simpatia geral, como todos passaram a defendê-la e protegê-la ainda mais. A comerciante Kondrátievna, uma viúva abastada, decidiu inclusive levar Lizavieta para sua casa ainda no final de abril e não deixá-la sair antes do parto. Vigiaram-na incansavelmente, mas, apesar de toda a vigilância, na noite da véspera Lizavieta fugiu de súbito e às escondidas da casa de Kondrátievna e apareceu no jardim de Fiódor Pávlovitch. Que jeito ela deu para transpor o muro alto e grosso do jardim naquele seu estado continuou sendo uma espécie de enigma. Uns asseguravam que "alguém a ajudara a escalá-lo", outros, que "algo a fizera escalar". O mais provável é que tudo tenha acontecido de modo natural, ainda que muito complicado, e que Lizavieta, que sabia trepar em cercas para chegar às hortas alheias e ali pernoitar, escalara de algum jeito o muro de Fiódor Pávlovitch e, apesar de seu es-

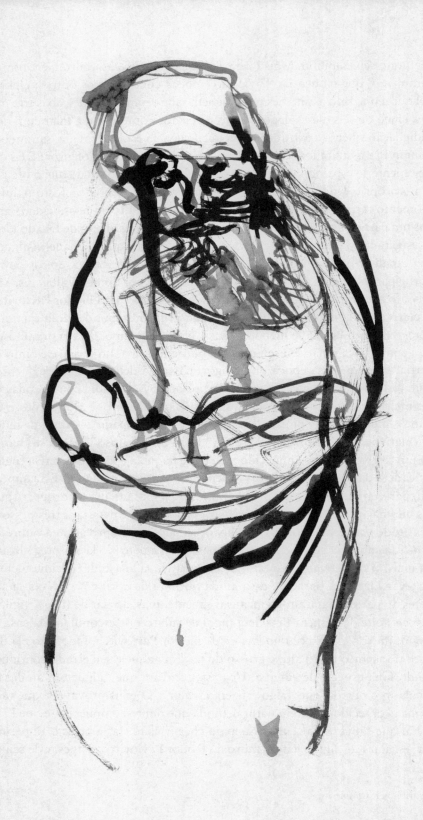

tado, pulara para o jardim mesmo sob risco de sofrer danos. Grigori correu para Marfa Ignátievna e a enviou para ajudar Lizavieta enquanto ele mesmo corria em busca de uma velha parteira que, aliás, morava perto. Ela salvou a criança, mas ao raiar do dia Lizavieta morreu. Grigori pegou a criança, levou-a para casa, fez a mulher sentar-se e a colocou sobre seus joelhos, colada ao peito: "O órfão é uma criatura de Deus — é parente de todos e mais ainda de nós dois. Foi nosso falecidozinho que nos enviou, e ele nasceu de um filho do demônio com uma criatura justa. Alimenta-o e doravante não chores mais". Foi assim que Marfa Ignátievna educou a criancinha. Batizaram-na, deram-lhe o nome de Pável, e eles mesmos, sem autorização, passaram a chamá-la pelo patronímico Fiódorovitch. Fiódor Pávlovitch não fez nenhuma objeção e até achou tudo divertido, embora continuasse rejeitando tudo aquilo por todos os meios. Na cidade, gostaram de vê-lo assumindo o enjeitado. Depois, Fiódor Pávlovitch inventou para o enjeitado um sobrenome: chamou-o de Smierdiakóv, por causa do apelido da mãe, Lizavieta Smierdiáschaia. Pois foi esse Smierdiakóv que veio a ser o segundo criado de Fiódor Pávlovitch e, no início de nossa história, morava no anexo com o velho Grigori e a velha Marfa. Usavam-no como cozinheiro. Seria preciso dizer alguma coisa especialmente a seu respeito, mas me constrange desviar por tanto tempo a atenção do meu leitor com criados tão comuns, e por isso passo à minha narração na esperança de que o assunto Smierdiakóv apareça por si mesmo de uma forma ou de outra no curso desta narrativa.

III. CONFISSÃO DE UM CORAÇÃO ARDENTE,
EM VERSOS

Tendo ouvido a ordem que o pai lhe gritara da caleche ao partir do mosteiro, Aliócha permaneceu algum tempo no mesmo lugar, presa de grande perplexidade. Não é que ele tenha ficado ali como um poste, não era do seu feitio. Ao contrário, apesar de toda a intranquilidade, teve tempo de ir imediatamente à cozinha do igúmeno inteirar-se do que o pai havia aprontado lá em cima. Todavia, pôs-se em seguida a caminho da cidade, esperando que até lá chegasse a alguma solução para o problema que o afligia. Antecipo: ele não temia nem um pouco os gritos do pai e a ordem para que ele se mudasse para casa "com travesseiros e colchão". Compreendia bem demais que a ordem de mudança proferida em voz alta e com aquela ostentação fora dada, por assim dizer, num momento de "arrebatamento", para fazer bonito — como recentemente acontecera com um pequeno-burguês da cidadezinha, que, num excesso de farra no dia de seu santo[97] e na presença de convidados, zangou-se porque se negaram a lhe servir mais vodca; de repente ele começou a quebrar a própria louça, a rasgar sua roupa e a da mulher, a quebrar os móveis e, por último, os vidros da casa, e tudo isso, aqui também, para fazer bonito; a mesma coisa, é claro, acontecera agora com seu pai. No dia seguinte, o pequeno-burguês da farra, já sóbrio, lamentou, é claro, as xícaras e os pratos quebrados. Alióchà sabia que no dia seguinte o velho certamente o deixaria voltar para o mosteiro, ou talvez naquele mesmo dia. Ademais, estava plenamente seguro de que o pai poderia ofender qualquer outro, menos ele. Alióchà estava convicto de que ninguém neste mundo jamais desejaria ofendê-lo, não só não desejaria como tampouco poderia. Para ele isto era um axioma dado de uma vez por todas, indiscutível, e nesse sentido ele seguia adiante sem jamais vacilar.

Mas nesse instante formigava-lhe na alma um outro temor, de natureza inteiramente diversa, e ainda mais angustiante porque ele mesmo não conseguiria defini-lo; era justo um temor a uma mulher, e mais precisamente a Catierina Ivánovna, que, por meio de um bilhete que havia pouco a senhora Khokhlakova lhe entregara, implorava com insistência que fosse à sua casa não se sabe para quê. Essa exigência e a necessidade de sua ida forçosa àquela casa instalaram de imediato um sentimento de angústia em seu coração, e quanto mais a manhã avançava, tanto mais doloroso ia-se tornando esse sentimento, apesar de todas as cenas e incidentes que se seguiram no mosteiro e agora em casa do igúmeno, e assim por diante. O que ele temia não era o que ignorava, o assunto que ela viria a tratar com ele, nem o que ele lhe responderia. Tampouco era a mulher que ele temia nela: as mulheres ele conhecia, claro que pouco, não obstante ter vivido ao lado delas a vida inteira, desde seu nascimento até o mosteiro. O que ele temia era essa mulher, isto é, a própria Catierina Ivánovna. Temia-a desde o momento em que a vira pela primeira vez. E só a vira uma ou duas vezes, quiçá três, e numa destas chegara até a articular algumas palavras com ela. A imagem que tinha na lembrança era a de uma moça bonita, altiva e imperiosa. No entanto, não era a beleza dela mas outra coisa que o martirizava. Pois era justamente essa inexplicabilidade de seu temor que agora intensificava o seu medo. Os objetivos da moça eram nobilíssimos, ele o sabia; ela procurava salvar seu irmão Dmitri, já culpado perante ela, e procurava fazê-lo unicamente por magnanimidade.

---

[97] O russo ortodoxo comemora seu aniversário em duas ocasiões: no dia de seu próprio nascimento e no dia em que a Igreja celebra o nascimento do santo que tem o seu nome. (N. do T.)

E eis que, embora não pudesse deixar de considerar justos esses sentimentos belos e magnânimos, um frio lhe corria pela espinha quanto mais ele se aproximava daquela casa.

Aliócha julgou que ali não iria encontrar o irmão Ivan Fiódorovitch, tão íntimo dela: certamente o irmão Ivan estaria agora com o pai. Mais certo ainda é que não encontraria Dmitri, e pressentia o porquê. Portanto, a conversa entre os dois seria a sós. Gostaria muito de correr para a casa de Dmitri e avistar-se com ele antes dessa conversa fatídica. Poderia trocar algumas palavras com ele sem mostrar o bilhete. Mas o irmão morava longe e certamente não estaria em casa nesse momento. Depois de permanecer coisa de um minuto no mesmo lugar, acabou tomando a decisão definitiva. Benzeu-se com um sinal da cruz comum e apressado, sorriu por algum motivo e caminhou com firmeza para a casa de sua terrível dama.

Ele conhecia a casa. Mas se tivesse de ir pela rua Bolcháia, depois atravessar a praça, etc., ficaria bastante longe. Nossa cidadezinha é bem dispersa e nela as distâncias costumam ser bastante grandes. Ademais, era esperado pelo pai, que talvez ainda não tivesse conseguido esquecer a ordem dada, fizesse birra, e por isso precisava apressar o passo para que desse tempo de ir lá e cá. Foi em decorrência de todas essas considerações que resolveu encurtar o caminho seguindo pelos fundos das casas, pois conhecia essas passagens da cidade como a palma da mão. Ir pelos fundos das casas era quase andar sem caminho, passando por quintais desertos, às vezes até pulando cercas alheias, evitando quintais alheios onde, aliás, qualquer um o conhecia e todos o cumprimentavam. Por aí, podia encurtar em duas vezes o caminho até a rua Bolcháia. Por aí, teria de passar até muito perto da casa do pai, ou seja, ao lado do jardim vizinho pertencente a uma casa pequena, vetusta e torta, de quatro janelas. Como era do conhecimento de Aliócha, essa casinha pertencia a uma pequeno-burguesa da cidade, uma velha sem pernas que morava com a filha, a qual trabalhara como uma arrumadeira distinta na capital, até recentemente vivera sempre em casas de altos burocratas e agora, havia coisa de um ano, voltara para casa devido à doença da velha e ostentava vestidos chiques. Entretanto, essa velha e sua filhinha caíram numa terrível pobreza e inclusive, por serem vizinhas, iam diariamente à cozinha de Fiódor Pávlovitch em busca de sopa e pão. Marfa Ignátievna lhes servia de bom grado. Mas a filha, mesmo indo em busca da sopa, não vendeu nenhum de seus vestidos, e um deles tinha até uma cauda longuíssima. Aliócha tomou conhecimento dessa última circunstância por total acaso, é claro, através de seu amigo Rakítin, que tinha conhecimento absoluto de tudo o que se passava na cidadezinha e, uma vez a par, é lógico que o esquecia no mesmo ins-

Os irmãos Karamázov

tante. Contudo, ao emparelhar agora com o jardim da vizinha, Aliócha lembrou-se precisamente daquela cauda, num gesto rápido levantou a cabeça que trazia baixa e pensativa e... teve de supetão o mais inesperado encontro.

Do outro lado da cerca do jardim vizinho aparecia em pé, do peito para cima e trepado em alguma coisa, seu irmão Dmitri, que por todos os meios lhe acenava com as mãos, chamava-o e procurava atraí-lo, pelo visto temendo não só gritar, mas até dizer algo em voz alta, para que não fossem ouvidos. Aliócha correu imediatamente para a cerca.

— Foi bom teres olhado, porque por pouco eu não te gritei — murmurou-lhe Dmitri Fiódorovitch com alegria e pressa. — Pula para cá! Depressa! Ah, que maravilha que vieste. Acabei de pensar em ti... — O próprio Aliócha estava alegre e só não entendia como passar por cima da cerca. Mas Mítia o agarrou pelo cotovelo com sua mão de gigante e o ajudou a pular. Ajeitando a batina, Aliócha saltou com a destreza de um menino descalço da cidade.

— Agora ao passeio, vamos! — deixou escapar Mítia com um murmúrio entusiasmado.

— Para onde? — cochichou também Aliócha, olhando para todos os lados e vendo-se em um jardim totalmente deserto, no qual não havia ninguém a não ser os dois. O jardim era pequeno, mas a casinha da proprietária estava a pelo menos quinze passos deles. — Ora, não há ninguém aqui, por que estás cochichando?

— Por que estou cochichando? Ah, com os diabos — bradou Dmitri Fiódorovitch com voz cheia —, por que estou cochichando? Bem, tu mesmo estás vendo como de repente a natureza pode bagunçar as coisas. Estou aqui em segredo e espreitando um segredo. A explicação fica para depois, mas, compreendendo que é segredo, comecei de súbito a falar também em segredo e estou cochichando como um imbecil quando não é preciso. Vamos. Para aquele lugar ali. Enquanto isso, cala-te. Estou com vontade de te dar um beijo!

> *Glória ao Altíssimo no mundo,*
> *Glória ao Altíssimo em mim!...*

Acabei de repetir isso, sentado aqui antes de tua chegada...

O jardim media uma *dessiátina*[98] ou um pouco mais, mas só era arborizado ao redor, ao longo das quatro cercas — de macieiras, bordos, tílias, bétulas. O meio do jardim estava deserto, no pequeno prado em que duran-

---

[98] Medida agrária russa equivalente a 1,09 ha. (N. do T.)

te o verão ceifavam-se alguns *pudes*[99] de feno. A proprietária alugava o jardim por alguns rublos a partir da primavera. Havia canteiros de framboeseiras, groselheiras, tudo também junto às cercas, e bem perto da casa, canteiros de verduras, aliás de plantação recente. Dmitri Fiódorovitch levou o convidado para o canto do jardim mais distante da casa. Ali, entre moitas densas de tílias e velhos arbustos de groselheiras, sabugueiros, viburnos e lilases, apareceu de repente algo semelhante às ruínas de um antiquíssimo caramanchão verde, escurecido e torto, com paredes gradeadas, mas coberto e onde ainda era possível abrigar-se da chuva. O caramanchão havia sido construído sabe Deus quando, uns cinquenta anos antes, segundo a lenda, por um tal de Alieksandr Karlóvitch von Schmidt, então dono da casinha e tenente-coronel reformado. Mas já estava tudo decomposto, o chão podre, todas as tábuas soltas e a madeira cheirando a umidade. Havia no caramanchão uma mesa de madeira verde, fincada no chão, cercada de bancos, também verdes, nos quais ainda se podia sentar. Aliócha logo percebeu o estado de êxtase do irmão, mas, ao entrar no caramanchão, viu sobre uma mesinha uma pequena garrafa de conhaque e uma taça.

— É conhaque! — gargalhou Mítia —. E tu aí com esse ar: "enchendo a cara outra vez"! Não acredites em *fantom*.[100]

> *Não creias na multidão vazia e falsa,*
> *Esquece as dúvidas tuas...*[101]

Não estou enchendo a cara, mas tão somente "guloseimando", como diz o porco do teu amigo Rakítin, que será conselheiro de Estado e sempre dirá "guloseimando".[102] Senta-te, Aliócha, eu te agarraria e te apertaria ao meu peito, assim para te esmagar, porque no mundo inteiro... na verdade... na verda-de... (observa, observa!) gosto unicamente de ti!

Pronunciou a última sílaba num quase desvario.

— Só de ti, e de mais uma criatura "vil" por quem me apaixonei, e com

---

[99] Um *pude* corresponde a 16,3 kg. (N. do T.)

[100] Do francês *fantôme*, "fantasma". Na citação acima: "não acredites nas aparências". (N. da E.)

[101] Versos do poema de N. A. Niekrássov, "Quando das trevas do equívoco...". (N. da E.)

[102] Mítia debocha de Rakítin, que em vez de *lakómitsia* (petiscar, gulosar) diz *lakómstvovat*, verbo inexistente que ele deriva de *lakómstvo*, isto é, petisco, guloseima, etc. (N. do T.)

quem me perdi. Mas apaixonar-se não significa amar. A pessoa pode apaixonar-se também odiando. Lembra-te! Agora, enquanto estou alegre, falo! Senta-te aqui, à mesa, e eu me sento ao lado e vou ficar olhando para ti, e sempre falando. Ficarás o tempo todo calado e eu falando, porque chegou a minha hora. Aliás, fica sabendo, decidi que preciso falar realmente baixo, porque aqui... aqui... podem aparecer os mais inesperados ouvidos. Vou explicar tudo o que foi dito: a continuação vem depois. Por que eu ansiava por ti? Por que estava sequioso por ti agora, estive todos esses dias e estava agora? (Faz cinco dias que lancei aqui minha âncora.) Por que todos esses dias? Porque é unicamente a ti que vou dizer tudo, porque é necessário, porque preciso de ti, porque amanhã vou cair das nuvens, porque amanhã a vida termina e começa. Terás experimentado, terás visto em sonho como se cai de uma montanha dentro de um buraco? Pois bem, agora estou despencando, e não é um sonho. E não tenho medo, e tu não tenhas medo. Quer dizer, tenho medo, mas para mim é doce. Quer dizer, não é doce, mas é um êxtase... Ora, com os diabos, é indiferente o que venha a acontecer, um espírito forte, um espírito fraco, um espírito de mulher — haja o que houver! Exaltemos a natureza: vê quanto sol, que céu limpo, as folhas todas verdes, ainda pleno verão, quatro da tarde, silêncio! Para onde ias?

— Ter com papai, mas primeiro queria ir à casa de Catierina Ivánovna.

— À dela e à de papai! Oh, coincidência! Ora, foi para isso que mandei te chamar, para isso eu te queria, era disto que eu estava faminto e sequioso com todos os meandros da alma e até com as costelas. Para enviar-te justamente a nosso pai em meu nome, e depois a ela, Catierina Ivánova, e assim terminar com ela e com o pai. Enviar um anjo. Eu poderia enviar qualquer um, mas precisava enviar um anjo. E eis que tu mesmo estás indo à casa dela e à de papai.

— Querias mesmo me enviar para lá? — deixou escapar Aliócha com uma expressão dorida no rosto.

— Espera, tu sabias, tu o sabias. Estou vendo que compreendeste tudo imediatamente. Mas fica calado, por ora fica calado. Não lamentes nem chores!

Dmitri Fiódorovitch levantou-se, ficou pensativo e pôs o dedo na testa:

— Ela mesma te chamou, te escreveu um bilhete ou algo assim, por isso ias à casa dela, ou será que não ias?

— Aqui está o bilhete — Aliócha o tirou do bolso. — Mítia correu rapidamente os olhos por ele.

— Tu também vieste pelos fundos! Oh, Deus, eu te agradeço porque o enviaste pelos fundos e ele me apareceu aqui como o peixe dourado apareceu àquele pescador velho e pateta da lenda. Escuta, Aliócha, escuta, meu irmão. Agora minha intenção é te dizer tudo. Porque preciso dizer a alguém. A um anjo do céu eu já disse, mas preciso dizer também a um anjo na terra. Tu és um anjo na terra. Tu irás me ouvir, irás julgar e me perdoarás... E é disso que preciso, que alguém superior me perdoe. Escuta: se duas criaturas de repente se desligam de tudo o que é terrestre e voam para o inusitado, ou pelo menos uma delas, e antes disso, voando ou morrendo, vai à outra e diz: "faz-me isto e aquilo", algo que ninguém jamais pediu, mas que se pode pedir apenas no leito de morte — será que o outro não faria... sendo amigo, sendo irmão?

— Eu farei, mas diz o quê, e diz depressa — falou Aliócha.

— Depressa... Hum, não tenhas pressa, Aliócha: tu te apressas e te preocupas. Nada de pressa nesse momento. Neste momento, o mundo está mudando de rumo. Eh, Aliócha, é uma pena que não tenhas chegado ao êxtase! Aliás, o que estou dizendo? Não pensaste nisso! Que raio de criancice estou dizendo:

Sê nobre, homem![103]

De quem é esse verso?

Aliócha resolveu esperar. Compreendeu que, agora, todos os seus afazeres talvez estivessem realmente só ali. Mítia ficara por um minuto meditativo, com os cotovelos apoiados na mesa e a cabeça baixa apoiada nas mãos. Os dois calavam.

— Liócha[104] — disse Mítia —, és o único que não deve rir! Gostaria de começar... minha confissão... com o hino à alegria de Schiller. *An die Freude*![105] Mas não sei alemão, sei apenas que é *An die Freude*! Também não penses que estou tagarelando por estar bêbado. Não estou nada bêbado. Conhaque é conhaque, mas preciso de duas garrafas para me embebedar —

*E um sileno de cara rubra
Em seu trôpego jumento*[106] —

[103] Versos do poema "O divino" ("Das Göttliche"), de Goethe. (N. da E.)

[104] Diminutivo de Aliócha. (N. do T.)

[105] "À alegria!", em alemão. (N. da E.)

[106] Verso final do poema "Baixo-relevo", de A. Máikov. (N. da E.)

Mas eu não bebi nem um quarto da garrafa e nem sou sileno. Não sou um sileno, mas sou um *silën*,[107] porque tomei a decisão para todo o sempre. Desculpa-me o trocadilho, hoje deves me perdoar muita coisa, não só o trocadilho. Não te preocupes, não estou delongando, estou falando de uma coisa concreta, e já vou chegar ao ponto: nada de delongas. Espera, como é aquilo...

Levantou a cabeça, meditou e de repente começou cheio de enlevo:

Nu, tímido e selvagem o troglodita[108]
De rochedo em cavernas se escondia,
Pelos campos, nômade, errava
E esses campos devastava
Caçador empunhando flecha e lança,
Pelas matas temível corria...
Ai de quem as ondas lançassem
A tão inóspitas margens.

Das Olímpicas alturas
De Prosérpina raptada,
Mãe Ceres desce à procura:
À frente se estende o mundo
Selvagem. Nenhum canto, ou oferendas
A deusa encontra por lá;
E não se vê em templo algum
O culto da divindade.

Frutos do campo e doces uvas
Não embelezam os jantares;
Só restos de corpos fumaçam
Sobre sangrentos altares
E onde quer que o triste olhar
De Ceres por ali fite —
Profundamente humilhado
Sempre o homem ele divisa!

[107] Trocadilho com as palavras *silen*, "sileno", e *silën* (silión), "forçudo". (N. do T.)

[108] Mítia começa sua confissão citando um trecho do poema de Schiller "Das Eleusische Fest", na tradução de V. A. Jukovski. (N. da E.) — A presente tradução foi realizada a partir desta versão em russo. (N. do T.)

De repente o pranto rebentou no peito de Mítia. Ele agarrou a mão de Alióchka.

— Amigo, amigo, agora estou humilhado, estou humilhado. O homem suporta muita coisa terrível na face da terra, uma enormidade de infortúnios! Não penses que sou apenas um casca-grossa com patente de oficial, que bebe conhaque e se entrega à libertinagem. Meu irmão, é só quase nisso que penso, nesse homem humilhado, se é que não estou mentindo. Não me permita Deus mentir para mim mesmo nem me louvar. Se penso nesse homem, é porque eu mesmo sou esse homem.

> *Para erguer-se da baixeza*
> *Pela alma o homem deve*
> *Fazer com a antiga mãe terra*
> *Uma aliança eterna.*

Mas vê só como é a coisa: de que jeito vou fazer com a terra uma aliança eterna? Não beijo a terra, não lhe abro o seio; terei de me tornar um mujique ou um pastor? Caminho sem saber se caí na podridão e na desonra ou na luz e na alegria. Eis aí onde está o mal, pois tudo na terra é enigma! E quando me acontecia afundar na mais profunda desonra da devassidão (e era só o que me acontecia), sempre declamava esse poema sobre Ceres e o homem. Ele me corrigia? Nunca! Porque sou um Karamázov. Porque, se despenco no abismo, então é direto, de cabeça para baixo e calcanhares para cima, e fico até satisfeito porque é justamente nessa posição humilhante que caio e considero isto uma beleza para mim. Pois é nessa mesma desonra que de repente começo o hino. Vá que eu seja maldito, vá que eu seja vil e torpe, mas que eu também possa beijar as bordas das vestes[109] que cobrem o meu Deus; vá que eu siga o diabo ao mesmo tempo, mas apesar de tudo sou teu filho, Senhor, e te amo, e experimento a alegria sem a qual o mundo não se sustenta.

> *A alegria eterna anima,*[110]
> *Da criação divina a alma*
> *Chameja o cálice da vida*
> *Fermentando em força oculta,*
> *Para a luz atrai a erva*

[109] Imagem tomada de empréstimo ao poema de Goethe, "Grenzen der Menschheit" (Os limites da humanidade), traduzido por A. A. Fet. (N. da E.)

[110] Trecho do hino "À alegria", de Schiller, traduzido por F. I. Tiúttchev. (N. da E.)

E gera do caos os astros rutilantes.
Tudo que respira, tudo que palpita,
Encontra alegria
No meio da natureza.
Ela nos deu amigos na desgraça,
O suco às uvas, o sorriso às flores,
Lascívia aos insetos,
E colocou o anjo perante Deus.

Mas basta de poesia! Derramei lágrimas, mas tu também me deixa chorar. Oxalá isso seja uma bobagem da qual todos hão de rir, mas não tu. Eis que teus olhinhos também estão ardendo. Basta de poesia. Agora quero te falar dos "insetos", daqueles mesmos a quem Deus deu a lascívia.

Aos insetos, a lascívia!

Meu irmão, eu sou esse mesmo inseto, isso foi dito especialmente a meu respeito. E todos nós, Karamázov, somos assim; até em ti, anjo, esse inseto vive e em teu sangue gera tempestades. São tempestades, porque a lascívia é uma tempestade, é mais que uma tempestade! A beleza é uma coisa terrível e horrível! Terrível porque indefinível, e impossível de definir porque Deus só nos propôs enigmas. Aí os extremos se tocam, aí todas as contradições convivem. Eu, meu irmão, sou muito ignorante, mas tenho pensado muito nisso. Existe um número formidável de mistérios! Um número excessivo de enigmas oprime o homem na Terra. Decifra-os como és capaz e sai enxuto da chuva. A beleza! Não posso, ademais, suportar que algum homem, até de coração superior e de inteligência elevada, comece pelo ideal de Madona mas termine no ideal de Sodoma. Ainda mais terrível é aquele que, já tendo o ideal de Sodoma na alma, não nega o ideal de Madona, e seu coração arde de fato por ele, arde de fato como nos seus puros anos juvenis. Não, o homem é vasto, vasto até demais; eu o faria mais estreito. Até o diabo sabe o que é isso, veja só! O que à mente parece desonra é tudo beleza para o coração. A beleza estará em Sodoma? Podes crer que é em Sodoma que ela está para a imensa maioria dos homens — conhecias ou não esse segredo? É horrível que a beleza seja uma coisa não só terrível, mas também misteriosa. Aí lutam o diabo e Deus, e o campo de batalha é o coração dos homens. Aliás, é a dor que ensina a gemer. Bem, agora vamos aos fatos.

IV. Confissão de um coração ardente, em anedotas

— Lá eu vivia na farra. Ainda há pouco nosso pai disse que eu havia pagado alguns milhares pela sedução de moças. Trata-se de uma miragem porca, isso nunca aconteceu, e o que aconteceu precisamente dispensou dinheiro "para tal". Dinheiro para mim é um acessório, é febre da alma, é cenário. Hoje estou com uma dama, amanhã uma mocinha da vida a substitui. E eu dou alegria tanto a uma quanto à outra, espalho dinheiro aos punhados, gasto com música, algazarra, ciganas. Se for necessário, dou a estas também, porque elas aceitam dinheiro, aceitam com arroubo, é preciso confessar isso, e ficam satisfeitas, e agradecidas. As fidalguinhas gostavam de mim, não todas, mas acontecia de gostarem, acontecia; no entanto eu sempre gostei de becos, de recantos desertos e escuros, atrás da praça — lá estão as aventuras, as surpresas, lá estão as pepitas no lodo. Eu, meu irmão, estou falando por alegorias. Aqui em nossa cidadezinha nunca houve esses becos concretos, mas houve becos morais. Se, porém, tu fosses o que eu sou, compreenderias o que isso quer dizer. Eu gostava da devassidão, gostava da desonra da devassidão. Gostava da crueldade: por acaso eu não sou um percevejo, não sou um inseto perverso? Está dito — um Karamázov! Certa vez houve um piquenique de toda a cidade, fomos para lá em sete troicas; num trenó, no escuro, era inverno, comecei a apertar a mão de uma moça vizinha, filha de um funcionário, e forcei uns beijos nessa mocinha, pobre, amável, dócil, resignada. Ela deixou, deixou muita coisa no escuro. A coitada pensava que no dia seguinte eu apareceria em sua casa e pediria sua mão. (É que me apreciavam sobretudo como noivo.) Mas depois disso não troquei nenhuma palavra com ela, cinco meses se passaram e nenhuma palavra. Notava como seus olhinhos me seguiam de um canto da sala quando se dançava (e entre nós volta e meia se dançava), notava como os olhinhos brilhavam como um foguinho — o foguinho da dócil indignação. Esse jogo só fazia divertir minha lascívia de inseto, que eu alimentava dentro de mim. Cinco meses depois, ela se casou com um funcionário público e foi embora... Zangada e talvez ainda até amando. Hoje vivem felizes. Repare que não contei nada a ninguém, não a denegri, porque eu, embora seja baixo em meus desejos e goste da baixeza, todavia não sou desonesto. Estás corando, teus olhos acabam de brilhar. Para ti chega dessa sujeira. Isso tudo ainda não é nada, são apenas umas florzinhas à Paul de Kock,[111] embora o cruel inseto já tivesse crescido, já tivesse

---

[111] Escritor francês (1793-1871), muito popular à época. (N. do T.)

encorpado em minha alma. Aí, meu irmão, há todo um álbum de lembranças. Que Deus mande saúde para elas, minha queridinhas. Eu, quando rompia, não gostava de briga. E nunca comprometi, nunca difamei nenhuma delas. Mas basta. Será que pensaste que eu te chamei aqui só para ouvires essas baixezas? Não, vou te contar a coisa mais curiosa; mas não te surpreendas se não tenho vergonha de ti, é como se eu estivesse até contente.

— Dizes isto porque corei — observou súbito Aliócha. — Não corei por causa de tuas histórias nem de tuas coisas, mas porque sou o mesmo que tu.

— Tu? Ora, foste um pouco longe.

— Não, não fui longe — pronunciou Aliócha com ardor. (Pelo visto já estava com essa ideia fazia tempo.) — Trata-se dos mesmos degraus da escada. Estou no mais baixo e tu em cima, aí pelo décimo terceiro. Tenho cá minha visão desse assunto, mas tudo isso é a mesma coisa, absolutamente similar. Aquele que pisar o primeiro degrau chegará forçosamente ao último.

— Logo, é não pisar absolutamente?

— Quem puder, não pisar absolutamente.

— E tu, podes?

— Parece que não.

— Cala-te, Aliócha, cala-te, meu querido, estou com vontade de beijar a tua mão, assim, por enternecimento. A velhaca da Grúchenka conhece o gênero humano, e uma vez me disse que um dia vai te devorar. Eu me calo, me calo! Da torpeza, do campo emporcalhado pelas moscas, passaremos à minha tragédia, também ao campo emporcalhado por moscas, ou seja, por todo o tipo de baixeza. Embora o velhote tenha mentido sobre a sedução de inocentes, no fundo, porém, isso de fato aconteceu em minha tragédia, ainda que só uma vez, e mesmo assim sem se consumar. O velhote, que me censura com invencionices, não conhece esse fato; nunca o contei a ninguém, tu és o primeiro a quem estou contando agora, é claro que excetuando Ivan, Ivan sabe de tudo. Sabe há muito tempo antes de ti. Mas Ivan é um túmulo.

— Ivan, um túmulo?

— Sim.

Aliócha ouvia com excepcional atenção.

— Naquele batalhão de linha,[112] embora eu fosse sargento-mor, mesmo assim vivia como que sob vigilância, como uma espécie de exilado. Mas a cidadezinha me dava uma acolhida ótima. Eu esbanjava muito dinheiro, acreditavam que eu era rico, e eu também acreditava. Aliás, eu devia agradar àquela gente por outras coisas. Ainda que me cumprimentassem só com

---

[112] Isto é, batalhão de fronteira. (N. do T.)

um aceno de cabeça, palavra, gostavam de mim. Meu tenente-coronel, já velho, tomou-se de súbita antipatia por mim. Implicava comigo; eu tinha costas largas, e ainda por cima toda a cidade estava do meu lado, não dava para implicar muito comigo. Eu mesmo era culpado, eu mesmo não me dava propositadamente ao respeito. Era orgulhoso. Aquele velho teimoso, homem nada mau e muito hospitaleiro, casara-se duas vezes, mas as mulheres haviam morrido. Uma, a primeira, era gente simples e lhe deixara uma filha, também simples. Quando eu estava por lá, era uma moça já de uns vinte e quatro anos e morava com o pai e uma tia, irmã de sua falecida mãe. A tia era de uma simplicidade muda, e a sobrinha, a filha mais velha do tenente-coronel, de uma simplicidade esperta. Gosto de falar bem das pessoas ao lembrar delas; meu caro, nunca vi um gênio feminino mais encantador do que o daquela moça, chamava-se Agáfia, imagina tu, Agáfia Ivánovna. Ademais não era nada feia, estava dentro do gosto russo — alta, nutrida, cheia de corpo, olhos belos, rosto, admitamos, meio grosseiro. Não havia casado, e embora tivessem aparecido dois pretendentes, ela os recusara mas não perdera a alegria. Fiquei íntimo dela — mas não naquele sentido, não, ali era coisa pura, simples, amizade mesmo. Ora, tive frequentes intimidades com mulheres sem nenhum pecado, por amizade. Com ela eu conversava francamente cada coisa que, ui! — e ela se limitava a rir. Muitas mulheres gostam de franqueza, repare, e ela, além disso, era moça, o que muito me alegrava. E vê mais uma coisa: de forma alguma se poderia chamá-la de senhorinha. Morava com o pai e uma tia, e as duas viviam numa espécie de humilhação voluntária, sem se igualarem com o resto da sociedade. Todos gostavam e precisavam dela, porque era uma costureira notável: era um talento, não cobrava pelos serviços, fazia-os por cortesia, mas quando lhe davam presentes ela não os recusava. Já o tenente-coronel era outra coisa! Era uma das pessoas mais influentes naquele lugar. Vivia à larga, recebia em casa o ano inteiro, com jantares, bailes. Quando lá cheguei e ingressei no batalhão, começaram a falar em toda a cidadezinha que brevemente chegaria por lá da capital a segunda filha do tenente-coronel, a beldade das beldades, que acabara de concluir os estudos em um instituto da capital para moças aristocratas. A tal filha era a própria Catierina Ivánovna, filha da segunda mulher do tenente-coronel. Essa segunda mulher, já falecida, era de família nobre, filha de um grande general, embora, por outro lado, segundo sei de fonte fidedigna, também não tivesse deixado nenhum dinheiro para o tenente-coronel. Quer dizer, tinha linhagem, e só, e se havia certas esperanças, estas não deram em nada de concreto. E, não obstante, quando a moça do instituto chegou (em visita e não para sempre), foi como se toda a cidadezinha se renovasse; nossas senhoras mais ilustres — duas mulheres de general, uma de coronel e todas as demais — todas se apossaram imediatamente dela, começaram a distraí-la, ela era rainha dos bailes, dos piqueniques, chegaram a forjicar uns quadros vivos em benefício de umas preceptoras. Eu calava, farreava, e justo naquele momento aprontei uma daquelas que deixou toda a cidade em polvorosa. Notei certa vez que ela me mediu de cima a baixo com o olhar, isso aconteceu em casa do comandante do batalhão, mas na ocasião não me aproximei: desprezava, pois, travar conhecimento. Cheguei-me a ela já um pouco depois, também durante a festinha, comecei a conversar, e ela mal me olhou, deu um muxoxo de desdém, e eu pensei com meus botões: espera que vou dar o troco! Naquele tempo eu me comportava como o mais terrível casca-grossa na maioria das oportunidades, e eu mesmo o percebia. E o principal é que eu sentia que "Cátienka"[113] não era nenhuma colegial ingênua, mas uma pessoa de caráter, altiva e de fato virtuosa, e ainda mais dotada de inteligência e instrução, ao passo que eu não era nem uma coisa nem outra. Pensas que eu queria propor casamento? Absolutamente; queria apenas me vingar, porque eu era aquele rapagão e ela me ignorava. Enquanto isso, ia vivendo de farras e desordens. Finalmente o tenente-coronel me aplicou uma detenção de três dias. Pois foi justo nessa ocasião que meu pai me enviou seis mil rublos depois que eu lhe mandei a renúncia formal a todos e quaisquer bens, ou seja, "como quitação", e dizendo que não exigiria mais nada. Naquela época eu não entendia nada: meu irmão, até a vinda para cá, inclusive até os últimos dias e talvez até hoje mesmo, não entendia nada dessas altercações com meu pai por dinheiro. Mas com os diabos, isso fica para depois. Naquela ocasião, depois de receber aqueles seis mil, de uma hora para outra fiquei sabendo e de antemão, por um bilhete recebido de um amigo, uma coisa curiosíssima para mim mesmo, ou seja, precisamente que nosso tenente-coronel era objeto de descontentamento, e que desconfiavam de que sua administração não estava em ordem; em suma, que os inimigos dele lhe preparavam a cama. E realmente o chefe da divisão apareceu e o cobriu de desaforos. Pouco tempo depois recebeu ordem para pedir baixa. Não vou detalhar como tudo isso aconteceu; ele tinha inimigos reais, só que na cidade houve um esfriamento súbito e exagerado em relação a ele e a toda sua família, era como se de repente todos tivessem lhe dado as costas. E foi aí que fiz a primeira das minhas: encontro Agáfia Ivánovna, com quem sempre mantivera amizade, e lhe digo: "Bem, estão faltando quatro mil e quinhentos rublos de dinheiro público nas contas de teu paizinho" — "Por que você me vem com

---

[113] Diminutivo de Catierina. (N. do T.)

essa, por que está dizendo isso? Há pouco tempo o general esteve aqui, tudo estava no lugar..." — "Na ocasião estava, mas agora não". Ela ficou terrivelmente assustada: "Não me assuste, por favor, quem você ouviu dizer isso?" — "Não se preocupe, digo eu, não vou contar a ninguém, e você sabe que nesse tipo de assunto eu sou um túmulo, mas eis o que eu queria lhe falar também sobre esse assunto, por assim dizer, queria acrescentar 'para alguma eventualidade': quando exigirem de seu paizinho os quatro mil e quinhentos e ele não os tiver, então, em vez de deixá-lo ser levado ao tribunal e depois servir como soldado na velhice, é melhor que me enviem secretamente sua egressa do instituto, pois justo agora recebi dinheiro, e a ela até posso dar generosamente quatro mil; mantenho o segredo como sagrado". — "Ah, diz ela, que patife é você (foi assim que ela disse)! Que patife perverso é você! Como se atreve?!". Foi-se tomada de terrível indignação, e ainda lhe gritei às costas que o segredo seria guardado de forma sagrada e inviolável. Essas duas mulheres, ou seja, Agáfia e sua tia, digo de antemão, foram em toda essa história anjos puros, adoravam de verdade a irmã, a orgulhosa Cátia, rebaixavam-se diante dela, serviam-lhe de criadas... Só que Agáfia transmitiu a ela na ocasião aquela coisa, ou seja, nossa conversa. Depois fiquei conhecendo tudo isso como a palma da mão. Ela não escondeu e, é claro, era disso que eu precisava.

Súbito chega o novo major para assumir o batalhão, e o assume. O velho tenente-coronel adoece da noite para o dia, não consegue se mover, fica dois dias em casa, não entrega a quantia do Estado. Krávtchenko, nosso médico, assegurava que ele estava de fato doente. Só que eu sabia em detalhes, secretamente e havia tempo, o seguinte: depois que um superior conferia a quantia, esta sempre desaparecia temporariamente, e já fazia quatro anos seguidos que isso vinha acontecendo. O tenente-coronel a emprestava a um homem de sua absoluta confiança, o velho viúvo Trífonov, comerciante de nossa cidade, que usava barba e óculos dourados. Este ia a uma feira, aplicava a quantia como lhe convinha e devolvia o dinheiro imediata e integralmente ao tenente-coronel, juntando à devolução um presente que trazia da feira e, ao presente, os juros. Desta feita, porém (fiquei sabendo de tudo isso totalmente por acaso através de um adolescente, o filhinho babão de Trífonov, filho e herdeiro, o rapazola mais depravado que a terra já produziu), desta feita Trífonov voltou da feira e não devolveu nada. O tenente-coronel se precipitou para a casa dele: "Nunca recebi nada do senhor e, aliás, não poderia receber" — eis a resposta. Pois bem, aí está o nosso tenente-coronel em casa, com a cabeça envolta por uma toalha, todas as três lhe aplicam gelo às têmporas; de repente chega o ordenança com o livro e a ordem: "Entregar a quantia do Estado agora mesmo, imediatamente, dentro de duas horas". Ele assinou, mais tarde eu vi essa assinatura no livro, levantou-se, disse que ia vestir a farda, correu para o dormitório, pegou sua espingarda de caça de dois canos, carregou-a, tirou a bota de um pé, encostou a espingarda no peito e começou a procurar o gatilho com o pé. Mas Agáfia, que já estava desconfiada, lembrou-se de minhas palavras, chegou-se pé ante pé e às furtadelas observou tudo em boa hora; irrompeu, lançou-se sobre ele por trás, abraçou-o, a espingarda disparou contra o teto; não feriu ninguém; as outras acorreram, agarraram-no, tomaram-lhe a espingarda, seguraram-no pelos braços... Mais tarde fiquei sabendo de tudo isso, detalhe por detalhe. Na ocasião estava em casa, era lusco-fusco, e aprontava-me para sair; vestira-me, penteara o cabelo, pusera perfume no lenço e pegara o quepe, quando de repente a porta se abriu e — à minha frente, em minha casa, estava Catierina Iványovna.

Existem coisas estranhas: naquela ocasião, ninguém notou de que jeito ela passou no rumo de minha casa e desapareceu da cidade. Eu alugava um apartamento de duas funcionárias, velhíssimas, que também me prestavam serviços, mulheres respeitabilíssimas, obedeciam-me em tudo e por ordem minha ficavam em silêncio como um túmulo de ferro. É claro que eu compreendi tudo imediatamente. Ela entra e se põe a me encarar, com um ar de decisão e até de acinte nos olhos negros, mas percebo hesitação nos lábios.

"Minha irmã me disse que o senhor me daria quatro mil e quinhentos rublos se eu viesse buscá-los... e vim em pessoa à sua casa. Aqui estou... dê-me o dinheiro!..." Não se conteve, arquejava, estava assustada, com a voz embargada, com as comissuras nos lábios e as linhas ao redor tremendo. — Aliócha, estás ouvindo ou dormindo?

— Mítia, sei que me contarás toda a verdade — pronunciou Aliócha comovido.

— É a própria que vou contar. Se é para contar toda a verdade, então veja como aconteceu, não vou me poupar. A primeira ideia que tive foi uma ideia karamazoviana. Uma vez, meu irmão, uma lacraia me picou, e isso me fez passar duas semanas acamado e com febre; mas dessa vez sinto de repente a lacraia, esse inseto perverso, me picar no coração, estás entendendo? Eu a medi com o olho. Tu a viste? É bela. É, mas não era desse jeito que ela estava bela naquele momento. Estava bela naquele instante porque era nobre, enquanto eu era um patife, porque ela estava na grandeza de sua generosidade e do sacrifício pelo pai, ao passo que eu era um percevejo. E eis que de mim, um percevejo e um patife, ela dependia toda, toda, inteirinha, de corpo e alma. Em todos os detalhes. Eu te digo francamente: essa ideia, a ideia

Os irmãos Karamázov

169

da lacraia, apossou-se de tal forma de meu coração que ele por pouco não se esvaiu só de angústia. Pareceria que não havia mais lugar para nenhuma luta: era agir precisamente como um percevejo, como uma tarântula perversa, sem nenhum dó... Fiquei até sem fôlego. Ouve: eu, é claro, no dia seguinte iria lá pedir sua mão para que aquilo terminasse da forma mais nobre, por assim dizer, e que, portanto, ninguém pudesse ficar sabendo disso. Porque eu, mesmo sendo um homem de desejos baixos, sou honesto. E eis que de repente, em um segundo, uma voz me cochicha ao ouvido: "Sim, mas amanhã, quando apareceres por lá com a proposta de casamento, ela nem vai te receber, mas ordenar que o cocheiro te ponha para fora do pátio. Podes sair me difamando pela cidade inteira, não tenho medo de ti!". Lancei um olhar à moça, a voz não havia mentido: assim, é claro, é assim que vai acontecer. Vai me pôr no olho da rua, já posso ver agora pela cara dela. A raiva ferveu dentro de mim, deu-me vontade de fazer uma coisa muito torpe, de porco, de comerciante: olhar para ela com ar de zombaria e ali mesmo, enquanto estava à minha frente, aturdi-la com aquela entonação com que só um filho de comerciante consegue falar:

"São quatro mil rublos! Eu estava brincando, o que há com a senhorita? A senhorita foi excessivamente crédula. Duas centenazinhas pode ser que eu lhe arranje, até de bom grado e com prazer, mas quatro mil — isso, senhorita, não é dinheiro que se fique espalhando por aí com tanta leviandade. A senhorita se permitiu preocupar-se à toa."

Vê só, eu perderia tudo, claro, ela fugiria correndo, mas em compensação sairia uma coisa dos infernos, vingativa, valeria por todo o resto. Eu passaria o resto da vida uivando de arrependimento só para aprontar uma daquelas naquele momento. Podes crer, nunca me acontecera olhar com ódio para nenhuma mulher, para uma única mulher num momento como aquele — juro pela cruz: na ocasião fiquei uns três ou cinco segundos fitando-a com um ódio terrível —, com aquele mesmo ódio que está a apenas um fiozinho do amor, do amor louco! Cheguei-me à janela, encostei a testa no vidro gelado, e lembro-me de que o gelo me queimou a testa como fogo. Não me contive por muito tempo, não te preocupes, voltei-me, fui à mesa, abri a gaveta e tirei uma letra de câmbio de cinco mil rublos ao portador a cinco por cento (estava dentro do dicionário de francês). Em seguida mostrei-lha em silêncio, dobrei-a, entreguei a ela, abri-lhe eu mesmo a porta do vestíbulo e, recuando, fiz-lhe uma reverência até a cintura da forma mais respeitosa e cordial, podes crer! Ela estremeceu toda, olhou-me fixamente por um segundo, ficou terrivelmente pálida, assim como uma toalha, e súbito, também sem dizer palavra, inclinou-se toda, lentamente, sem arrebatamento e com suavidade bem a meus pés — tocando o chão com a testa, do jeito russo, não como egressa do instituto! Levantou-se de um salto e saiu correndo. Quando ela correu, eu estava ao lado da espada. Desembainhei a espada e quis ali mesmo me matar, para quê não sei. Foi uma terrível bobagem, é claro, mas deve ter sido de êxtase. Não sei se compreendes que por causa de um êxtase diferente a gente pode se matar; mas eu não me golpeei, apenas beijei a espada e a recoloquei na bainha — o que, aliás, poderia nem ter mencionado. Até parece que, neste momento, ao te narrar todas aquelas lutas, eu carreguei um pouco nas tintas para me vangloriar. Vá lá, vá lá que seja assim, e o diabo que carregue todos os espiões do coração humano! Eis todo o meu "passado incidente" com Catierina Ivánovna. Então, agora o irmão Ivan conhece essa história e tu também — e só!

Dmitri Fiódorovitch levantou-se, deu dois passos movido pela comoção, tirou o lenço, enxugou o suor da testa e tornou a sentar-se, só que não no lugar de antes mas em outro, num banco defronte junto à outra parede, de sorte que Aliócha teve de voltar-se inteiramente para ele.

V. CONFISSÃO DE UM CORAÇÃO ARDENTE, "DE PERNAS PARA O AR"

— Agora — disse Aliócha —, já conheço a primeira metade dessa história.

— A primeira metade tu entendes: é o drama e aconteceu lá. Já a segunda metade é a tragédia, e está acontecendo aqui.

— Da segunda metade, até hoje não compreendo nada — disse Aliócha.

— E eu? Por acaso eu compreendo?

— Espera, Dmitri, aqui há uma palavra que é a principal. Diz-me uma coisa: és noivo, continuas noivo até agora?

— Não fiquei noivo dela imediatamente, só três meses depois daquele episódio. Já no dia seguinte ao acontecido, eu disse a mim mesmo que o caso estava encerrado e sepultado, que não haveria continuidade. Ir lá para pedir a mão dela me parecia uma baixeza. De sua parte, ela também não deu mais nenhum sinal de si durante todas as seis semanas que permaneceu em nossa cidade. A não ser, na verdade, um incidente: no dia seguinte à visita dela, passou rapidamente por minha casa sua criada de quarto e, sem dizer palavra, entregou um pacote. Sobre o pacote o endereço: fulano de tal. Abro o pacote — o troco dos cinco mil da letra de câmbio. Ela precisava de apenas quatro mil e quinhentos, mas na venda da letra de cinco mil houve a perda

de duzentos e poucos rublos. Ela me enviava ao todo, parece, duzentos e sessenta rublinhos, não me lembro bem, e apenas o dinheiro — nenhum bilhete, nenhuma palavrinha, nenhuma explicação. Procurei no pacote o sinal de algum lápis — n-nada! Bem, enquanto isso, fiz uma farra com os meus rublos restantes, de sorte que o novo major finalmente foi forçado a me fazer uma admoestação. Bem, o tenente-coronel devolveu a quantia do Estado integralmente e para a surpresa geral, porque ninguém mais supunha que ele tivesse o dinheiro todo. Devolveu e adoeceu, caiu de cama, passou umas três semanas acamado e depois teve um repentino amolecimento cerebral e em cinco dias morreu. Recebeu um sepultamento com honras militares, ainda sem ter conseguido a reforma. Catierina Ivánovna, a irmã e a tia, mal enterraram o pai, tomaram o caminho de Moscou uns dez dias depois. E eis que no próprio dia antes da partida (não me encontrei com elas nem as acompanhei) recebo um minúsculo envelope, azulzinho, em papel rendado, no qual havia apenas uma linhazinha escrita a lápis: "Eu lhe escreverei, espere. C.". Eis tudo.

Agora vou te explicar em duas palavras. Em Moscou elas resolveram as coisas com uma rapidez de raio e o imprevisto dos contos árabes. A generala, principal parenta dela, súbito perde suas duas herdeiras imediatas, suas duas sobrinhas mais próximas — na mesma semana as duas morreram de catapora. Abalada, a velha alegrou-se com Cátia como se fosse uma filha legítima, como a estrela de sua salvação; agarrou-se a ela, mudou imediatamente seu testamento em favor dela, mas isso para o futuro, porque por enquanto lhe pôs diretamente nas mãos oitenta mil rublos, como quem diz: aí está teu dote, faz dele o que quiseres. Era uma mulher histérica, depois a observei em Moscou. E eis que, naquele momento, recebo de súbito pelo correio quatro mil e quinhentos rublos; é claro que fiquei perplexo e surpreso como um mudo. Três dias depois chega a prometida carta. Está comigo neste momento, ela está sempre comigo e vou morrer com ela — queres que eu te mostre? Lê sem falta: ela se oferece como noiva, oferece a si mesma: "Amo-o loucamente, diz ela, pouco importa que você não me ame — não me importa, seja apenas meu marido. Não se assuste — não vou lhe trazer nenhum constrangimento, serei o móvel, serei o tapete por onde você andará... Quero amá-lo eternamente, quero salvá-lo de si mesmo...". Alióicha, não sou digno nem de repetir essas linhazinhas com minhas palavras torpes e meu tom torpe, meu tom torpe de sempre, do qual nunca conseguirei me livrar! Essa carta me traspassa o coração até hoje; por acaso me está sendo fácil agora, por acaso hoje me está sendo fácil? Na ocasião respondi imediatamente (não tive nenhuma condição de ir pessoalmente a Moscou). Escrevi a resposta às lágrimas; de uma coisa me envergonho eternamente: mencionei que agora ela era rica e com dote e eu não passava de um casca-grossa — mencionei o dinheiro! Eu deveria ter resistido a isso, mas me escapou da pena. Na mesma ocasião escrevi imediatamente a Ivan em Moscou e lhe expliquei tudo na carta, na medida do possível, uma carta de seis folhas, e levei Ivan à casa dela. Que olhar é esse, por que me olhas assim? Bem, Ivan se apaixonou por ela, continua apaixonado até hoje, eu sei disso. Cometi uma bobagem segundo as normas mundanas de vocês, mas é possível que essa mesma bobagem é que esteja salvando a todos nós agora! Oh! Por acaso não notas o quanto ela prefere Ivan, como o estima? Por acaso ela poderia, depois de comparar nós dois, poderia amar um tipo como eu, e ainda mais depois de tudo o que aconteceu?

— Mas eu estou certo de que ela ama um tipo assim como tu, e não um tipo como ele.

— Ela ama sua própria virtude, e não a mim. — Súbito Dmitri Fiódorovitch deixou escapar involuntariamente, mas quase com raiva. Ele riu, mas um segundo depois seus olhos brilharam, ele corou todo e deu um forte murro na mesa.

— Aliócha, eu juro — exclamou com uma raiva terrível e sincera contra si mesmo —, acredites ou não, assim como Deus é Santo e Cristo é o Senhor, juro que, embora eu tenha acabado de rir de seus sentimentos superiores, sei, no entanto, que sou por índole um milhão de vezes mais insignificante que ela, e que estes seus sentimentos mais elevados são sinceros como os de um anjo do céu! A tragédia está justamente em que tenho certeza disso. Que há de mau em que o homem declame um pouquinho? Por acaso não estou declamando? Só que eu sou sincero, sou sincero. Quanto a Ivan, compreendo o quanto ele deve hoje amaldiçoar a natureza e ainda mais com uma inteligência como a dele! A quem, a quem foi dada a preferência? Foi dada ao monstro que, já estando aqui, já sendo noivo e quando todos o observavam, não conseguiu refrear suas desordens — e isso na presença da noiva, na presença da noiva! Pois veja que um tipo como eu é o preferido, ao passo que ele é o rejeitado. Mas por quê? Porque a moça quer violentar sua vida e seu destino por gratidão! Absurdo! Neste sentido, nunca disse nada a Ivan, e ele, é claro, nunca me disse a esse respeito meia palavra sequer, nem fez a mínima alusão; mas o destino se realizará e o digno se colocará em seu lugar, enquanto o indigno se esconderá para sempre no beco — em seu beco sujo, em seu beco amado, peculiar — lá, na lama e na fedentina, acabará morrendo voluntariamente e com prazer. Embrulhei-me com minhas patranhas, minhas palavras estão todas gastas, como se eu as empregasse ao acaso, mas,

Os irmãos Karamázov

175

como eu defini, assim deverá acontecer. Afundarei no beco, ao passo que ela se casará com Ivan.

— Espera, espera, meu irmão! — Alióncha tornou a interrompê-lo com uma intranquilidade excepcional. — Apesar de tudo, aqui há uma coisa que até agora não me explicaste: ora, és o noivo, apesar de tudo não és tu o noivo? Como queres romper o noivado se ela, a noiva, não quer?

— Sou noivo formal e abençoado, tudo aconteceu em Moscou com a minha chegada, com galas, com ícones e da melhor forma. A generala abençoou e — não sei se acreditas — até deu os parabéns a Cátia: tu, diz ela, escolheste bem, eu o percebo por inteiro. E, acredita, ela não gostou de Ivan e nem lhe deu parabéns. Em Moscou conversei muito com Cátia, descrevi-me todo para ela, com nobreza, com precisão, com sinceridade. Ela ouviu tudo:

> *Houve um embaraço encantador,*
> *E palavras de ternura.*

Bem, houve também palavras altivas. Na ocasião, ela me forçou a fazer a grande promessa. E lhe fiz a promessa. E então...

— O quê?

— E então te chamei e te arrastei para cá hoje, no dia de hoje — lembra-te disto! — com o fim de te enviar, e mais uma vez hoje mesmo, à casa de Catierina Ivánovna e...

— O quê?

— Dizer a ela que nunca mais voltarei à sua casa, e que te mandei lá para lhe apresentar meus cumprimentos.

— Por acaso isso é possível?

— Sim, estou te enviando em meu lugar porque para mim isso é impossível, pois como é que eu mesmo iria lhe dizer isso?

— Sim, mas para onde vais?

— Para o beco.

— Quer dizer, para Grúchenka? — exclamou amargamente Alióncha agitando os braços. — Será que Rakítin realmente disse a verdade? E eu pensava que tu apenas a tinhas visitado e encerrado o caso.

— Eu visitá-la como noivo? Por acaso isso é possível, ainda mais com uma noiva assim e aos olhos de todos? Ora, eu tenho honra, acho. Tão logo comecei a visitar Grúchenka, no mesmo instante deixei de ser noivo e um homem honrado — porque é assim que entendo a questão. Por que me olhas assim? Vê, primeiro fui lá para dar uma surra nela. Fiquei sabendo, e agora sei de fonte fidedigna, que Grúchenka recebera a visita daquele capitão-tenente, o encarregado de nosso pai, que lhe entregou uma promissória assinada por mim para que ela a cobrasse, eu deixasse de aparecer e rompesse com ela. Quiseram me intimidar. Por isso fui bater em Grúchenka. Antes eu já a vira de passagem. Ela não é do tipo que impressiona. Eu sabia a respeito do velhote comerciante, que ainda por cima está agora doente, debilitado, acamado, mas apesar de tudo vai lhe deixar uma bolada considerável. Fiquei sabendo ainda que ela gosta de ganhar dinheiro aos poucos, que junta e empresta a juros escorchantes, é uma velhaca, uma espertalhona sem dó. Fui lá para lhe dar uma sova, mas acabei ficando com ela. A tempestade ribombou, a peste assolou, fui contaminado e contaminado continuo até hoje, e sei que está tudo terminado, que nunca mais haverá nada semelhante. O ciclo dos tempos está consumado. Eis o meu problema. Pois naquele momento apareceram de propósito em meu bolso, no bolso do miserável, três mil rublos. Fui com ela daqui para Mókroie, a vinte e cinco verstas daqui, lá arranjei umas ciganas, umas ciganinhas, champanhe, embebedei de champanhe todos os mujiques de lá, todas as mulheres e moças, esbanjei milhares. Três dias depois, estava pobre como Jó. Tu achas que o pobre conseguiu alguma coisa? Longe dela dar alguma mostra. Eu te digo uma coisa: foi aquela curva. A espertalhona da Grúchenka tem um tipo de curva no corpo, e ela aparece em seu pezinho e até no mindinho do pezinho esquerdo. Vi e beijei a curva, e só — juro! Diz ela: "Queres, me caso contigo, pois és um miserável. Diz-me que não vais me bater e me permitirás fazer tudo o que eu quiser, e então talvez me case contigo" — e ria. E continua rindo até agora!

Dmitri Fiódorovitch levantou-se quase em fúria, mas de repente pareceu bêbado. Num átimo seus olhos ficaram congestionados.

— E tu queres realmente casar com ela?

— Se ela quiser, caso no ato, se não quiser, fico como estou; serei o varredor de seu pátio. Tu... tu, Aliócha... — parou súbito diante dele e, segurando-o pelos ombros, passou em seguida a sacudi-lo com força —, sabes, meu menino inocente, que tudo isso é um delírio, um delírio inconcebível, porque aí existe uma tragédia! Sabe, Alieksiêi, que posso ser um homem baixo, com paixões baixas e perdidas, mas um ladrão, um batedor de carteira, um ladrãozinho de esquina, Dmitri Fiódorovitch nunca poderá ser. Pois agora fica sabendo que sou esse gatuninho, que sou um ladrão de bolsos e bolsas! Justo naquele momento, justo antes de eu ir à casa de Grúchenka bater nela, naquela mesma manhã Catierina Ivánovna me chama e me pede em tremendo segredo que por enquanto ninguém fique sabendo (não sei por quê, pelo visto ela precisava disso), pede que eu vá à capital da província e de lá envie pelo correio três mil rublos a Moscou, para Agáfia Ivánovna; queria que eu fosse à capital para que aqui ninguém ficasse sabendo. Pois foi com esses três mil rublos no bolso que naquele momento apareci em casa de Grúchenka e com eles fomos para Mókroie. Depois fingi que tinha ido à capital, mas não entreguei a ela o recibo do correio, disse-lhe que havia enviado o dinheiro e lhe traria o recibo, mas até hoje não o trouxe, esqueci. Vê agora o que achas, vai agora à casa dela e dize: "Ele me mandou apresentar seus cumprimentos", e ela: "E o dinheiro?". Tu ainda poderias lhe dizer: "É um lascivo baixo, uma criatura torpe com sentimentos irrefreáveis. Ele não enviou seu dinheiro mas o esbanjou, porque, como um animal, não conseguiu se conter". — E ainda assim tu poderias acrescentar: "No entanto ele não é um ladrão, aqui estão os seus três mil, ele os devolve, a senhora que os envie pessoalmente para Agáfia Ivánovna, e ele próprio me mandou apresentar seus cumprimentos". Mas se de repente ela perguntar: "E onde está o dinheiro?".

— Mítia, és infeliz, sim! Mas mesmo assim não tanto quanto pensas. Não te mates de desespero, não te mates!

— E tu achas que vou meter uma bala na cabeça se não conseguir os três mil para devolver? O problema é que não vou me matar, agora não tenho forças, depois talvez, mas agora vou para a casa de Grúchenka... Que eu me dane todo!

— E que farás em casa dela?

— Serei seu marido, farei por merecê-lo, e se aparecer um amante passo para o outro quarto. Para os amigos dela limparei as galochas sujas de lama, acenderei o samovar, correrei para fazer compras...

— Catierina Ivánovna compreenderá tudo — pronunciou solenemente Alióchia —, compreenderá toda a profundidade de toda essa desgraça e se conformará. Ela é dotada de uma inteligência superior, ela mesma verá que é impossível ser mais infeliz do que tu.

— Ela não se conformará com tudo — Mítia deu um sorriso largo. — Aí, meu irmão, existe uma coisa com que nenhuma mulher poderá se conformar. Sabes qual é a melhor coisa a fazer?

— O quê?

— Devolver-lhe os três mil.

— Mas onde consegui-los? Ouve, eu tenho dois mil, Ivan dará mil, aí teremos três; pega e devolve-os.

— E quando vão aparecer esses teus três mil? Ainda por cima és menor de idade; mas é preciso, é forçoso que vás à casa dela hoje e lhe apresentes as minhas despedidas, com dinheiro ou sem dinheiro, porque não posso mais ficar arrastando isso, a coisa chegou a esse ponto. Amanhã já será tarde, tarde. Vou te enviar a nosso pai.

— Ao pai?

— Sim, ao nosso pai antes de ires à casa dela. Então pede a ele os três mil.

— Só que ele não vai dar, Mítia.

— Pudera, eu mesmo sei que ele não vai dar. Aliócha, tu sabes o que significa desespero?

— Sei.

— Escuta: do ponto de vista jurídico, ele não me deve nada. Arranquei tudo dele, tudo, eu sei disso. Mas acontece que moralmente ele me deve, é ou não é? Porque ele começou com os vinte e oito mil rublos do dote de minha mãe e com eles chegou aos cem mil. Então, que ele me dê apenas três mil daqueles vinte e oito, apenas três, e assim estará arrancando minha alma do inferno e isso compensará muitos pecados dele! Com esses três mil, te dou minha palavra de honra, encerro tudo e ele não vai ouvir mais nada a meu respeito. Eu lhe dou, pela última vez, a chance de ser pai. Dize a ele que o próprio Deus está lhe enviando essa chance.

— Mítia, ele não vai dar esse dinheiro de jeito nenhum.

— Sei que não vai dar, sei perfeitamente. Ainda mais agora. Além disso, vê o que mais estou sabendo: agora, só por esses dias, só ontem à tarde, talvez, ele soube pela primeira vez *a sério* (nota bem: a sério) que Grúchenka talvez não esteja realmente brincando e queira casar comigo. Ele conhece seu caráter, conhece aquela gata. Pois bem, será que ainda por cima me dará o dinheiro para favorecer tudo isso, quando ele mesmo está louco por ela? Mas isso é pouco, eu ainda posso te dizer mais: sei que já faz uns cinco dias que ele tirou do cofre três mil rublos em notas de cem e arrumou tudo em um grande pacote com cinco lacres e amarrado em cruz com uma fitinha vermelha. Vê como estou a par dos detalhes! No pacote está escrito: "Para meu anjo Grúchenka, se ela quiser aparecer"; ele mesmo garatujou isso em silêncio e às escondidas, e ninguém sabe que está com esse dinheiro, a não ser o criado Smierdiakóv, em cuja honestidade ele confia como em si mesmo. Pois bem, já faz uns dois ou três dias que espera que Grúchenka venha buscar o pacote, fez isto chegar ao conhecimento dela, e ela também o fez saber que "talvez até apareça". Pois bem, se ela aparecer em casa do velhote, poderei por acaso me casar com ela? Agora entendes por que estou aqui sentado em segredo e a quem precisamente espreito?

— A ela?

— A ela. Essas putas, as senhorias daqui, alugam um cubículo para Fomá. Fomá é do nosso lugar, nosso ex-soldado. Ele presta serviço a elas, vigia à noite e de dia caça tetrazes, e assim vai vivendo. Foi aqui na casa dele que me entrincheirei; nem ele, nem as senhorias conhecem o segredo, ou seja, que estou aqui espreitando.

— Só Smierdiakóv sabe.

— Só ele. Ele me fará saber se ela aparecer na casa do velho.

— Foi ele que te falou do pacote?

— Ele. É o maior segredo. Nem Ivan sabe do dinheiro, de nada. O velho está enviando Ivan a Tchermachniá para dar umas voltas por lá: apareceu um interessado em comprar a mata de lá por oito mil rublos para derrubá-la, por isso o velho está implorando a Ivan: "Ajuda-me, diz ele, vai tu mesmo lá" por uns dois diazinhos, uns três. Ele está é querendo que Grúchenka apareça durante a ausência de Ivan.

— Quer dizer que hoje mesmo ele espera por Grúchenka?

— Não, hoje ela não vai aparecer, há indícios. Certamente não vai aparecer! — bradou subitamente Mítia. — Smierdiakóv também o supõe. Nosso pai neste momento está enchendo a cara à mesa com nosso irmão Ivan. Vai lá, Alieksiêi, e pede a ele esses três mil...

— Mítia, meu querido, o que está havendo contigo! — exclamou Aliócha, levantando-se do lugar e olhando fixo para o exaltado Dmitri Fiódorovitch. Por um instante, pensou que ele tivesse enlouquecido.

— O que é isso? Não fiquei maluco — pronunciou Dmitri Fiódorovitch, olhando-o fixo e até com ar meio triunfal. — Ora, estou te enviando ao nosso pai e sei o que estou dizendo; eu acredito em milagre.

— Em milagre?

— No milagre da Divina Providência. Deus conhece meu coração, está vendo todo o meu desespero. Está vendo todo esse quadro. Será que vai permitir que o horror se realize? Aliócha, eu acredito em milagre, vai!

— Vou. E tu, vais esperar aqui?

— Vou, e compreendo que isso vai demorar, que não vai ser possível chegar lá e pimba!, tudo resolvido. Neste momento ele está bêbado. Vou esperar três horas, e quatro, e cinco, e seis, e sete, mas fica sabendo só que hoje, ainda que seja à meia-noite, aparecerás na casa de Catierina Ivánovna *com dinheiro ou sem dinheiro*, e dirás: "Ele mandou apresentar seus cumprimentos". Quero que tu digas exatamente esse verso: "Mandou apresentar seus cumprimentos".

— Mítia! E se de repente Grúchenka aparecer hoje... não hoje, mas amanhã ou depois de amanhã?

— Grúchenka? Vou ficar de olho, irrompo lá e impeço.

— Mas se...

— Em caso de "se", eu mato. Assim não vou suportar.

— Matas quem?

— O velho. A ela não mato.

— Meu irmão, o que estás dizendo!

— Bem, não sei, não sei, pode ser que não mate, mas pode ser que mate. Temo que de repente ele se torne odioso para mim, pela cara que fizer na hora agá. Odeio a papada dele, o nariz dele, os olhos dele, aquela sua zombaria desavergonhada. Sinto um asco pessoal. Eis o que eu temo: que não consiga me conter...

— Vou indo, Mítia. Creio que Deus arranjará as coisas da melhor maneira possível para que o horror não aconteça.

— Enquanto isso, vou ficar aqui sentado, aguardando o milagre. Mas se não acontecer, então...

Aliócha, pensativo, tomou o caminho da casa do pai.

VI. Smierdiakóv

Ele realmente encontrou o pai ainda à mesa. Segundo um velho costume, a mesa estava posta no salão, embora a verdadeira sala de jantar ficasse no interior da casa. O salão era o maior cômodo da casa, mobiliado com certa pretensão antiga: móveis velhíssimos, brancos, forrados com uma vetusta seda mista vermelha. Nos espaços entre as janelas havia espelhos com molduras alambicadas de entalhe antigo, também brancas com mesclas douradas. Nas paredes, forradas de um papel branco já rasgado em muitos lugares, destacavam-se dois grandes retratos — um de um príncipe qualquer, que uns trinta anos antes fora governador-geral da região, e outro de não sei que bispo, também já falecido havia muito tempo. No canto havia alguns ícones, diante dos quais se acendia uma lamparina à noite... não tanto por veneração como para manter o cômodo iluminado. Fiódor Pávlovitch se deitava muito tarde, aí pelas três, quatro da madrugada, e até então costumava andar pelo cômodo ou ficar sentado nas poltronas, meditando. Contraíra esse hábito. Não raro dormia totalmente sozinho em casa, depois de mandar os criados para o anexo, no entanto o mais das vezes passava a noite na companhia do criado Smierdiakóv, que dormia na antessala em cima de um caixão comprido que fazia as vezes de banco. Quando Aliócha entrou, todo o almoço já havia terminado, mas estavam servindo geleia e café. Fiódor Pávlovitch gostava de doces e conhaque depois do almoço. Na ocasião, Ivan

Fiódorovitch encontrava-se também à mesa e tomava café. Postados junto à mesa estavam os criados Grigori e Smierdiakóv. Tanto os senhores quanto os criados estavam num estado de ânimo visível e extraordinariamente alegre. Fiódor Pávlovitch ria e dava sonoras gargalhadas; ainda do vestíbulo, Aliócha ouviu sua risada esganiçada, que já lhe era familiar e, pelos sons da risada, concluiu no ato que o pai ainda não estava nem de longe bêbado, mas tão somente curtindo o ócio.

— Eis quem estava faltando, eis quem estava faltando! — começou a berrar Fiódor Pávlovitch de súbito e contentíssimo com a chegada de Aliócha. — Junta-te a nós, senta-te, toma um cafezinho — é magro, é magro mas está quente, e excelente! Para um conhaquinho não te convido, és um abstinente, mas queres, queres? Não, é melhor te dar um licorzinho, excelente! — Smierdiakóv, vai ao armário, na segunda prateleira à direita, pega a chave, mais ânimo.

Aliócha fez menção de recusar o licor.

— Seja como for, vão servi-lo, se não for para ti, será para nós — Fiódor Pávlovitch estava radiante. — Mas espera, já almoçaste?

— Almocei — disse Aliócha sentando-se, mas na verdade havia comido apenas uma fatia de pão e bebido um copo de *kvas* na cozinha do igúmeno. — Já um café quente bebo com gosto.

— Meu querido! Bravo! Ele vai tomar um cafezinho. Não será o caso de requentá-lo? Ah, não, ainda está fervendo. O café é magnífico, foi feito por Smierdiakóv. Em matéria de café e *kuliebiaka*[114] Smierdiakóv é um artista, é verdade que de sopa de peixe também. Qualquer dia vem tomar uma sopa de peixe, avisa com antecedência... Espera, espera, ainda há pouco eu não te ordenei que mudasses hoje mesmo para cá trazendo colchão e travesseiros? Trouxeste o colchão? Eh-eh-eh!...

— Não, não trouxe — Aliócha deu um risinho.

— Ah, levaste um susto, acabaste de levar um susto, não? Ah, meu pombinho, eu lá posso te ofender? Ouve, Ivan, não resisto quando ele me olha nos olhos e sorri, não resisto. Todas as minhas entranhas começam a rir dele, eu o amo! Aliócha, deixa-me te dar a bênção paterna.

Aliócha se levantou, mas Fiódor Pávlovitch já havia mudado de ideia.

— Não, não, vou apenas te benzer, assim, senta-te. Vais ficar satisfeito, precisamente porque a conversa será sobre o teu tema preferido. Hás de rir. Por aqui a jumenta de Balaão deu de falar, e como fala, como fala!

A jumenta de Balaão vinha a ser o criado Smierdiakóv. Jovem, de ape-

---

[114] Pastelão de carne, repolho e peixe. (N. do T.)

nas uns vinte e quatro anos, era um homem terrivelmente insociável e calado. Não que fosse um selvagem ou algo o deixasse acanhado, não. Era, ao contrário, de índole arrogante e como que desprezava todo mundo. Pois bem, é impossível não dizer ao menos duas palavras sobre ele, e precisamente agora. Fora educado por Marfa Ignátievna e Grigori Vassílievitch, mas o menino crescera desprovido "de qualquer gratidão", como dizia dele Grigori, como um menino selvagem vendo o mundo de seu canto. Na infância, gostava muito de enforcar gatos e depois enterrá-los com cerimônia. Para isso vestia um lençol como uma espécie de casula, e cantava e agitava sobre o gato morto algum objeto como se fosse um turíbulo. Tudo isso às escondidas, no maior segredo. Certa vez Grigori o surpreendeu nesse exercício e o castigou dolorosamente com uma vara. Ele se recolheu ao seu canto e de lá ficou por volta de uma semana olhando os outros de esguelha. "Esse monstro não gosta de nós dois — dizia Grigori a Marfa Ignátievna —, aliás, não gosta de ninguém. Por acaso és gente? — falou súbito e direto para Smierdiakóv. — Tu não és gente, brotaste da umidade do banheiro, é isso que és..." Smierdiakóv, como se verificou posteriormente, nunca pôde lhe perdoar essas palavras. Grigori o ensinou a ler e escrever, e quando ele completou doze anos passou a lhe ensinar História Sagrada. Mas isso terminou de imediato e deu em nada. Certa vez, na segunda ou terceira aula, o menino de repente sorriu.

— O que é isso? — perguntou Grigori, olhando-o ameaçadoramente por cima dos óculos.

— Não é nada. O Senhor Deus criou a luz no primeiro dia, e o sol, a lua e as estrelas no quarto dia. De onde foi que a luz brilhou no primeiro dia?

Grigori ficou boquiaberto. O menino olhava para o mestre com ar zombeteiro. Havia até um quê de altivez em seu olhar. Grigori não se conteve. "Olha aqui de onde foi!" — gritou tomado de fúria e deu um tabefe no rosto do discípulo. O menino suportou o tabefe, não disse uma palavra em objeção, mas tornou a encafuar-se em seu canto por vários dias. E justo nesse momento, uma semana depois, a epilepsia manifestou-se nele pela primeira vez na vida e não o deixaria por todo o resto de seus dias. Ao tomar conhecimento desse fato, Fiódor Pávlovitch mudou como que de repente seu modo de tratar o menino. Antes o olhava com certa indiferença, embora nunca o destratasse e, quando o encontrava, sempre lhe dava um copeque. Às vezes, quando estava benevolente, mandava-lhe da mesa alguma coisa doce. Mas neste caso, ao tomar conhecimento da doença, passou a preocupar-se seriamente com ele, chamou o médico, passou a tratar dele, mas verificou-se que era impossível curá-lo. Os ataques aconteciam em média uma vez por mês em intervalos variados. Os ataques também variavam de intensidade — uns leves, outros muito violentos. Fiódor Pávlovitch proibiu com a máxima severidade que Grigori castigasse fisicamente o menino e passou a permitir-lhe o acesso à sua casa. Provisoriamente proibiu também que lhe ensinasse o que quer que fosse. Uma vez, porém, quando o menino estava com uns quinze anos, Fiódor Pávlovitch notou que ele andava rondando o armário de livros e que pelo vidro lia os títulos. Fiódor Pávlovitch tinha bastantes livros, uns cento e poucos, mas nunca ninguém o vira com um livro na mão. No mesmo instante ele entregou a chave do armário a Smierdiakóv: "Podes ler, serás meu bibliotecário, é melhor ler do que ficar vagando pelo pátio. Lê este aqui" — e Fiódor Pávlovitch tirou para ele *Serões numa granja perto de Dikanka*.[115]

O menino o leu, mas não ficou satisfeito, não riu uma única vez; ao contrário, terminou de cenho franzido.

— Então, não é engraçado? — perguntou Fiódor Pávlovitch.

Smierdiakóv calava.

— Responde, imbecil.

— É tudo mentira — resmungou Smierdiakóv com uma risota.

— Então vai para o inferno, alma lacaia. Espera, pega esta *História universal* de Smarágdov,[116] aqui tudo é verdade, lê.

No entanto, Smierdiakóv não leu nem dez páginas de Smarágdov, achou chato. Assim o armário de livros voltou a ser trancado. Pouco depois, Marfa e Grigori informaram Fiódor Pávlovitch de que pouco a pouco ia-se manifestando em Smierdiakóv um nojo terrível: sentado diante do prato de sopa, pegava a colher e ficava procurando e procurando algo na sopa, inclinava-se, examinava, mergulhava a colher e a levantava para a luz.

— Será barata? — chegava a perguntar Grigori.

— Talvez uma mosca — observou Marfa.

O asseado rapazinho não respondia, mas fazia a mesma coisa com o pão, a carne e todas as outras comidas: às vezes, levantava no garfo uma fatia contra a luz, examinava com precisão microscópica, demoradamente, cozinhava a decisão e finalmente se decidia a encaminhá-la à boca. "Vejam só, apareceu aqui um senhorzinho" — resmungava Grigori, olhando para ele. Ao ouvir falar nessa nova qualidade de Smierdiakóv, Fiódor Pávlovitch resolveu no ato que ele devia ser cozinheiro e o enviou para uma escola de Moscou. Ele passou alguns anos estudando e voltou muitíssimo modificado de rosto. Súbito envelhecera de forma um tanto incomum, ficara enrugado

---

[115] Obra fundamental do ciclo folclórico de Gógol. (N. do T.)

[116] Trata-se do manual de S. N. Smarágdov, *Breve esboço de história universal para escolas primárias*, editado em Petersburgo em 1845. (N. da E.)

de modo até totalmente desproporcional à sua idade, amarelo, parecendo um eunuco. Em termos morais, voltara quase o mesmo que era antes de partir para Moscou: continuava igualmente insociável, sem sentir a mínima necessidade de qualquer companhia. Como se soube depois, em Moscou ele vivera sempre calado; de certo modo, a própria Moscou o interessara pouquíssimo, de sorte que, se conhecera na cidade alguma coisa, não dera atenção a todo o restante. Estivera até uma vez no teatro, mas voltara calado e insatisfeito. Em compensação, chegara de Moscou à nossa cidade bem-vestido, de sobrecasaca e camisa branca limpa; escovava ele mesmo com muita minúcia sua roupa invariavelmente duas vezes ao dia, e gostava muitíssimo de engraxar suas elegantes botas de couro de bezerro com uma graxa preta inglesa especial, para que elas ficassem brilhando como um espelho. Revelou-se um cozinheiro magnífico. Fiódor Pávlovitch estipulou um salário para ele, e esse salário Smierdiakóv empregava quase integralmente em roupas, pomadas, perfumes, etc. Mas parece que desprezava o sexo feminino tanto quanto o masculino, comportava-se diante dele de forma grave, quase inacessível. Fiódor Pávlovitch passou a considerá-lo até de um ponto de vista um tanto diferente. Acontece que seus ataques de epilepsia se intensificavam, e nesses dias quem preparava a comida era Marfa Ignátievna, o que muito desagradava Fiódor Pávlovitch.

— Por que teus ataques se tornaram mais frequentes? — olhava às vezes de esguelha para o novo cozinheiro, examinando-lhe o rosto. — Devias ao menos casar-te com alguém, queres que eu te case?...

Ao ouvir essas palavras, Smierdiakóv apenas empalidecia de desgosto, mas nada respondia. Fiódor Pávlovitch se afastava, dava de ombros. O principal é que estava seguro, e de vez, da honestidade dele, e tinha certeza de que ele não pegaria nem roubaria nada. Certa vez aconteceu que Fiódor Pávlovitch, bêbado, deixou cair na lama do próprio pátio três notinhas irisadas que acabara de receber, e só deu por falta delas no dia seguinte: mal se pôs a procurá-las nos bolsos, e todas as três notinhas já apareceram subitamente em cima de sua mesa. De onde vieram? Smierdiakóv as apanhara e as trouxera ainda na véspera. "Não, meu caro, nunca vi ninguém como tu" — disse Fiódor Pávlovitch e deu dez rublos a Smierdiakóv. Cabe acrescentar que não só estava seguro de sua honestidade, mas por algum motivo até lhe tinha afeição, embora o rapaz o olhasse de esguelha como olhava para os outros, e sempre estivesse calado. Raramente acontecia de falar. Se alguém tivesse a ideia de perguntar, olhando para ele, por que aquele rapazinho se interessava e o que mais amiúde tinha em mente, então, palavra, seria impossível responder só de olhar para ele. Por outro lado, às vezes em casa, ou até

Os irmãos Karamázov

185

no pátio ou na rua, ele parava, punha-se a meditar e ficava nessa posição até por uma dezena de minutos. Um fisionomista que o observasse diria que ali não havia nem reflexão, nem pensamento, mas alguma contemplação. O pintor Kramskói[117] tem um quadro magnífico chamado *O contemplador*. Representa um bosque no inverno e, numa trilha do bosque, um mujiquezinho embrenhado, metido num *caftan* esfarrapado e calçando *lapti*:[118] está parado sozinho na mais profunda solidão, postado e como que mergulhado em meditação, só que não está pensando e sim "contemplando" algo. Se alguém o tocasse, ele estremeceria e o olharia como se tivesse despertado, mas sem compreender nada. É verdade que voltaria a si no mesmo instante, mas se alguém lhe perguntasse em que estava pensando ali postado, ele com certeza não se lembraria de nada, mas seguramente conservaria em si a impressão sob a qual se encontrava durante sua contemplação. Essas impressões lhe são caras e é provável que ele as venha acumulando, sem se dar conta e até sem tomar consciência — e também sem saber, é claro, por que e para quê. Súbito, depois de haver acumulado impressões durante muitos anos, pode largar tudo e ir para Jerusalém em peregrinação e tentando salvar a alma, como também pode, num átimo, atear fogo à aldeia natal e pode igualmente fazer as duas coisas ao mesmo tempo. Há bastante contempladores no meio do povo. Pois Smierdiakóv era com certeza um desses contempladores, e provavelmente também acumulara suas impressões com avidez, quase sem saber para quê.

VII. A CONTROVÉRSIA

No entanto, a jumenta de Balaão deu de falar subitamente. O tema era estranho: pela manhã, ao fazer compras na venda do comerciante Lukiánov, Grigori o ouvira contar o caso de um soldado russo que, tendo caído prisioneiro de asiáticos em algum lugar distante da fronteira e sido forçado, sob ameaça de morte cruel e imediata, a renunciar ao Cristianismo e aderir ao Islã, negou-se a mudar de fé e aceitou as torturas, deixando-se esfolar, e morreu louvando e glorificando Cristo — essa façanha tinha sido publicada justamente no jornal recebido naquele dia.[119] Foi sobre isso que Grigori co-

---

[117] Esse quadro de Ivan N. Kramskói (1837-1887) foi exposto em Petersburgo no dia 9 de março de 1878. (N. da E.)

[118] Calçado de cascas de tília. (N. do T.)

[119] Trata-se de um fato real. O sargento russo Fomá Davídov, que servia no 2º Bata-

meçou sua conversa à mesa. Sempre que acabava de almoçar, Fiódor Pávlovitch gostava de conversar e rir durante a sobremesa, ainda que fosse com Grigori. Desta vez estava em um leve, agradável e descontraído estado de espírito. Ao tomar um conhaquinho e ouvir essa notícia, observou que esse soldado devia ser imediatamente proclamado santo e ter sua pele arrancada e levada para algum mosteiro: "Vai aparecer um monte de gente e dinheiro". Grigori franziu o cenho ao ver que Fiódor Pávlovitch não ficara minimamente enternecido e, segundo seu velho hábito, começava a blasfemar. E súbito Smierdiakóv, que estava postado junto à porta, deu um risinho. Já antes Smierdiakóv se permitia com bastante frequência postar-se à mesa, ou seja, no final do almoço. Mas desde a chegada de Ivan passara a aparecer quase sempre para o almoço.

— O que é que há contigo? — perguntou Fiódor Pávlovitch, percebendo num abrir e fechar de olhos a risota de Smierdiakóv e compreendendo, é claro, que dizia respeito a Grigori.

— Estou dizendo — falou Smierdiakóv de modo repentino e inesperadamente alto — que se a façanha desse soldado, digna de elogio, aconteceu e foi muito grande, torno a achar que não haveria pecado se, nesse incidente, ele até renegasse, por exemplo, o nome de Cristo e também seu próprio batismo, para assim salvar sua vida com o fim de praticar boas ações e através destas redimir sua pusilanimidade com o passar dos anos.

— Como não existe pecado? Estás enganado, e por isso irás direto para o inferno e lá serás assado como um carneiro — secundou Fiódor Pávlovitch.

Foi nesse exato momento que Aliócha entrou. Como vimos, Fiódor Pávlovitch ficou contentíssimo com a chegada dele.

— Estamos falando sobre o teu tema, sobre o teu tema! — ele dava risadinhas de alegria fazendo Aliócha sentar-se para escutar.

— Quanto ao carneiro, a coisa não é assim, e além do mais lá não haverá nada disso e nem deve mesmo haver, se for feita plena justiça — observou Smierdiakóv em tom grave.

---

lhão do Turquestão, na Ásia Central, caiu prisioneiro da tribo vizinha dos kiptchak e morreu em Marguelan no dia 21 de novembro de 1875. Em artigo que publicou em seu *Diário de um escritor* de 1877 com o título "Fomá Davídov, um herói russo supliciado", Dostoiévski escreveu que Davídov, que sofrera pela fé e revelara uma força moral inusitada, é "um emblema de toda a Rússia, de toda a nossa Rússia popular, sua imagem autêntica". E prossegue: "para julgar a força moral do povo e aquilo do que ele será capaz no futuro, deve-se levar em conta não o nível de hediondez a que ele pode rebaixar-se momentaneamente, e até na maioria dos casos, mas aquela elevação de espírito que ele poderá atingir quando chegar o momento". (N. da E.)

— Como se for feita plena justiça? — bradou Fiódor Pávlovitch ainda mais alegre e cutucando a perna de Aliócha.

— Ele é um patife, eis o que ele é! — deixou escapar subitamente Grigori. Ele encarou furiosamente Smierdiakóv.

— Quanto ao patife, alto lá, Grigori Vassílievitch — respondeu Smierdiakóv de modo tranquilo e contido —, é melhor que o senhor mesmo decida: uma vez que caí prisioneiro de verdugos da raça cristã e eles exigem que eu amaldiçoe o nome de Deus e renegue meu santo batismo, estou plenamente autorizado a fazê-lo pela própria razão, pois nisso não há nenhum pecado.

— Bem, já disseste isso, para de enfeitar e prova! — gritou Fiódor Pávlovitch.

— Ele é um borra-panelas! — murmurou Grigori com ar de desdém.

— Alto lá também quanto ao borra-panelas, Grigori Vassílievitch, e procure decidir sem me insultar. Porque é só eu dizer aos verdugos: "Não, eu não sou cristão e amaldiçoo o meu verdadeiro Deus", que imediatamente serei anatemizado pelo supremo tribunal divino e totalmente excomungado pela santa Igreja como se fosse um pagão, e isso no mesmo instante — não assim que eu acabar de pronunciar, mas assim que eu pensar em pronunciar —, de maneira que não se passará um quarto de segundo e eu já estarei excomungado. É assim ou não é, Grigori Vassílievitch?

Ele se dirigia a Grigori com visível satisfação, embora na verdade estivesse respondendo às perguntas de Fiódor Pávlovitch; compreendia isso perfeitamente, mas fingia de propósito que era Grigori quem fazia essas perguntas.

— Ivan! — bradou de supetão Fiódor Pávlovitch — inclina-te aqui ao pé do meu ouvido. Ele montou tudo isso para ti. Está querendo que o elogies. Elogia.

Ivan Fiódorovitch ouviu com total seriedade a entusiástica informação do pai.

— Espera, Smierdiakóv, cala por enquanto — tornou a gritar Fiódor Pávlovitch. — Ivan, inclina-te mais uma vez ao pé do meu ouvido.

Ivan Fiódorovitch tornou a inclinar-se com um ar dos mais sérios.

— Eu te amo assim como a Aliócha. Não penses que não te amo. Vai um conhaquinho?

— Pode servir. "Mas tu mesmo estás um bocado bêbado" — pensou Ivan Fiódorovitch, olhando fixo para o pai. Já Smierdiakóv ele observava com uma curiosidade excepcional.

— Mesmo agora já és um maldito anátema — explodiu de súbito Grigori —, e como depois disso te atreves a discutir, canalha, se...

Os irmãos Karamázov

— Sem insultos, Grigori, sem insultos! — cortou Fiódor Pávlovitch.

— Espere um pouquinho só, Grigori Vassílievitch, e continue ouvindo, porque eu ainda não disse tudo. Porque no mesmo instante em que eu for amaldiçoado por Deus, nesse mesmo instante, instante supremo, eu já terei me tornado mesmo uma espécie de pagão, serei privado do batismo e este não será substituído por nada — é ou não é assim?

— Conclui depressa, meu caro, conclui — apressava Fiódor Pávlovitch sorvendo com prazer uma taça.

— E se não sou mesmo cristão, quer dizer que não menti para os verdugos quando me perguntaram se eu era ou não era cristão, porque eu já havia sido afastado de meu Cristianismo pelo próprio Deus simplesmente por causa da intenção e inclusive antes que eu conseguisse dizer minha palavra aos verdugos. E se eu já estava degradado, então de que maneira e com base em que justiça haveriam de cobrar de mim no outro mundo, como se cobra de um cristão, por eu ter renegado Cristo, quando eu, só pela intenção, ainda antes da excomunhão, já havia sido privado de meu batismo? Portanto, se já não sou cristão, não posso tampouco renegar Cristo, porque neste caso não terei o que renegar. Quem vai cobrar do ímpio tártaro, Grigori Vassílievitch, até mesmo nos céus, por ele não ter nascido cristão, e quem há de castigá-lo por isso, considerando que não se tiram dois couros de um só boi? E, ademais, se o próprio Deus todo-poderoso vier a cobrar algo desse tártaro, quando este morrer, então suponho que venha a ser através de algum castiguinho à toa (uma vez que não é possível deixar totalmente de castigá-lo), por julgar que este não tem culpa de ter nascido ímpio de pais ímpios. Poderia o senhor Deus pegar o tártaro à força e dizer a seu respeito que ele também foi cristão? Ora, isso significaria que o Senhor todo-poderoso estaria dizendo uma pura mentira. E por acaso o Senhor todo-poderoso do Céu e da Terra poderia dizer uma mentira, ainda que fosse numa única palavra?

Grigori estava boquiaberto e fitava o orador de olhos esbugalhados. Embora não entendesse bem o que estavam dizendo, mesmo assim compreendeu de repente alguma coisa de todo aquele farelório e parou com ar de quem acabara de dar uma testada na parede. Fiódor Pávlovitch esvaziou o cálice e desatou uma risada esganiçada.

— Alióchka, Alióchka,[120] qual! Sim senhor, seu casuísta! Ele aprendeu isso em algum lugar com jesuítas, Ivan. Tu, hem, seu jesuíta fedorento, quem foi que te ensinou isso? Só que tu estás dizendo lorotas, casuísta, lorotas, lorotas, lorotas. Não chores, Grigori, agora mesmo vamos fazê-lo morder o

---

[120] Diminutivo de Aliócha. (N. do T.)

pó. Diz-me uma coisa, jumenta: vá que tenhas razão diante dos teus verdugos, mas acontece que, mesmo assim, em teu íntimo tu próprio renegaste tua fé e dizes pela própria boca que no mesmo instante foste amaldiçoado e, se já foste amaldiçoado, não te afagarão no inferno. O que achas disto, meu belo jesuíta?

— Não há dúvida de que em meu íntimo eu a reneguei, e ainda assim não houve aí nenhum pecado especial, e se houve um pecadinho ele foi o mais comum.

— Como o mais comum?!

— Lorotas, ma-mal-dito — chiou Grigori.

— Julgue o senhor mesmo, Grigori Vassílievitch — continuou Smierdiakóv com voz regular e cadenciada, consciente da vitória, mas como que revelando generosidade com o inimigo derrotado —, julgue o senhor mesmo, Grigori Vassílievitch: nas escrituras está escrito que, se tens fé, ainda que seja o mais ínfimo grão, e dizes a uma montanha que ela vá ao mar, ela irá sem a mínima demora, atendendo à sua primeira ordem. Então, Grigori Vassílievitch, se eu não creio e o senhor crê tanto que até me insulta sem cessar, então o senhor mesmo experimente dizer a essa montanha que ela vá, não propriamente ao mar (porque o mar fica longe daqui), mas que vá ao menos ao nosso riacho fedorento, aquele mesmo que corre do outro lado do jardim: no mesmo instante o senhor verá com seus próprios olhos que nada se moveu, e que continua integralmente na mesma ordem por mais que o senhor tenha gritado. E isto quer dizer que o senhor também não crê da devida maneira, Grigori Vassílievitch, e por isso apenas xinga os outros de todos os modos. Mais uma vez se verifica que ninguém em nossa época, nem o senhor, nem decididamente mais ninguém, começando pelas pessoas da mais alta projeção e terminando no último dos mujiques, pode mover uma montanha para o mar, à exceção apenas de um único homem em toda a terra, quando muito de dois, e ainda assim é possível que estes estejam procurando secretamente salvar a alma em algum lugar no deserto do Egito, de sorte que não os encontrarás absolutamente — e sendo assim, se todos os outros são incréus, será possível que Deus amaldiçoe todos esses outros, ou seja, a população de toda a Terra, com exceção daqueles dois do deserto, sem perdoar a nenhum deles, apesar de toda a sua tão conhecida misericórdia? É por isso que tenho a esperança de que, se duvidei, serei perdoado quando derramar lágrimas de arrependimento.

— Para! — ganiu Fiódor Pávlovitch na apoteose do êxtase. — Esses dois aí, que podem mover montanhas, tu mesmo assim supões que existem? Ivan, grava esse traço, escreve: o homem russo aqui se revelou por inteiro.

— O senhor observou de modo absolutamente verdadeiro que isso é o traço popular na fé — concordou Ivan Fiódorovitch com um sorriso de aprovação.

— Estás concordando! Quer dizer então que tu concordas! Aliócha, não é verdade? Essa não é a fé absolutamente russa?

— Não, a fé de Smierdiakóv não tem nada de russo — proferiu Aliócha com seriedade e firmeza.

— Não é da sua fé que eu estou falando, mas desse traço, dessas duas criaturas no deserto, apenas desse traçozinho: porque isso é a maneira russa, a maneira russa!

— Sim, é um traço totalmente russo — sorriu Aliócha.

— Tua palavra vale uma moeda de ouro, jumenta, e hoje mesmo eu a envio para ti, mas no restante, apesar de tudo, tu dizes lorotas, lorotas e lorotas; fica sabendo, imbecil, que nós aqui só não cremos por leviandade, porque nos falta tempo: em primeiro lugar, os afazeres nos absorvem, em segundo, Deus nos deu pouco tempo, apenas vinte e quatro horas por dia, de sorte que não temos tempo nem para dormir direito, quanto mais para arrependimento. E tu mesmo renegaste tua fé diante de teus verdugos, quando não tinhas mais nada em que pensar a não ser na fé e quando precisavas mostrar justamente a tua fé! Portanto, meu irmão, é nisso que consiste a questão, não é?

— Consistir, consiste, mas julgue o senhor mesmo, Grigori Vassílievitch, que ela mitiga ainda mais porque é nisso que consiste. Porque, se naquele momento eu cresse de verdade na própria fé como se deve crer, então teria realmente sido pecado se não aceitasse os tormentos em nome de minha fé e houvesse aderido à sórdida fé de Maomé. Mas veja que naquela ocasião a coisa não chegaria aos tormentos, porque bastava que eu dissesse naquele instante àquela montanha: move-te e esmaga o verdugo, ela se moveria e no mesmo instante o esmagaria como uma barata, e eu iria embora como se nada tivesse acontecido, cantando e glorificando a Deus. Mas se naquele mesmo instante eu experimentasse tudo isso e já gritasse de propósito para a montanha: esmaga estes verdugos, e ela não os esmagasse, então, diga-me o senhor, como eu poderia ao mesmo tempo não duvidar, e ainda mais numa hora de grande medo da morte? De mais a mais, eu já sei que não vou alcançar o Reino dos Céus na plenitude (porque a montanha não se moveria obedecendo à minha palavra, logo, na ocasião não acreditariam muito em minha fé e no outro mundo não me esperaria uma grande recompensa), então para que eu, ainda por cima sem qualquer proveito, vou deixar que me tirem a pele? Porque se minha pele já foi tirada até a metade das costas, en-

Os irmãos Karamázov

193

tão a montanha não se moveria obedecendo à minha palavra ou ao meu grito. É, nesse instante não só se cai em dúvida como se pode até perder o próprio juízo de medo, de sorte que até raciocinar será totalmente impossível. Portanto, como é que posso sair daí particularmente culpado se nem lá, nem aqui vejo nenhuma vantagem para mim, nem recompensa, e procuro ao menos salvar minha pele? É por isso que, confiando muito na misericórdia do Senhor, nutro a esperança de que serei totalmente perdoado...

VIII. Tomando conhaque

A discussão terminou, mas, coisa estranha, Fiódor Pávlovitch, que estivera tão alegre, acabou ficando subitamente sombrio. Ficou sombrio e sorveu mais uma taça de conhaque, e essa já era uma taça totalmente supérflua.

— Quanto a vocês, jesuítas, deem o fora daqui — gritou ele de sua cadeira. — Fora, Smierdiakóv. Hoje mesmo te mando a moeda de ouro que te prometi, mas fora. Não chores, Grigori, vai para junto de Marfa, ela te consolará, te porá na cama. Os canalhas não me deixam ficar em paz depois do almoço — cortou de repente em tom aborrecido, quando os criados se retiraram imediatamente obedecendo a sua ordem. — Smierdiakóv agora deu para se meter sempre aqui na hora do almoço; tu te tornaste uma grande curiosidade para ele: o que fizeste para animá-lo tanto? — acrescentou, virando-se para Ivan Fiódorovitch.

— Absolutamente nada — respondeu este —, resolveu me estimar; é um lacaio e um grosseirão. É carne de vanguarda, aliás, para quando chegar a hora.

— De vanguarda?

— Haverá outros melhores, mas haverá também iguais a ele. Primeiro haverá os iguais a ele, depois virão os melhores.

— E quando é que vai chegar a hora?

— A acha vai pegar fogo, mas talvez nem chegue a consumir-se. Por enquanto o povo não gosta lá muito desses borra-panelas.

— O problema, meu irmão, é que essa jumenta de Balaão pensa, pensa, e o diabo sabe em que vai dar esse pensamento.

— Está acumulando ideias — Ivan deu um risinho.

— Vê, eu sei que ele não consegue me suportar, assim como a todos nós, e igualmente a ti, embora te pareça que ele "resolveu te estimar". Já Alióchka, faz muito tempo que ele despreza Alióchka. No entanto não rouba, vê só, não bisbilhota, é calado, não lava a roupa suja de casa na rua, prepara magnificamente *kuliebiaka*, e quanto ao resto o diabo que o carregue. Mas, para dizer a verdade, vale a pena falar sobre ele?

— É claro que não vale.

— E quanto ao que ele venha a inventar lá com seus botões, o mujique russo precisa mesmo ser açoitado. Eu sempre afirmei isso. Nosso mujique é um vigarista, não vale a pena ter dó dele, e ainda é bom que até hoje o esfolem de vez em quando. A terra russa é forte por suas bétulas. Se exterminarem as florestas a terra russa estará perdida. Eu estou com os homens inteligentes. Deixamos de esfolar os mujiques por causa da nossa grande inteligência, mas eles mesmos continuam a se açoitar. E fazem bem. Medem-se com a mesma medida, e com esta mesma acabarão sendo recompensados, ou como se diz... Numa palavra, vão acabar recompensados.[121] Mas a Rússia é uma porcaria. Meu amigo, se tu soubesses como odeio a Rússia... Quer dizer, não a Rússia, mas todos esses vícios... Mas vamos que a Rússia também. *Tout cela c'est de la cochonnerie.*[122] Sabes de que eu gosto? Gosto da espirituosidade.

— O senhor acabou de tomar outro cálice. Seria bom parar.

— Espera, ainda vou tomar mais um, e mais um, e aí paro. Não, espera, tu me interrompeste. De passagem por Mókroie, faço uma pergunta a um velhote e ele me responde: "Nós aqui, do que mais gostamos é de açoitar as moças no cumprimento de uma sentença, e deixamos que todos os rapazes as açoitem. Depois, essa mesma que ele açoitou, amanhã ele a tomará como noiva, de sorte que, aqui entre nós, as próprias moças gostam disso". Que Marqueses de Sade, hein? Mas, seja lá o que aches, é espirituoso. Seria o caso de irmos lá dar uma olhada, que tal? Coraste, Alióchka? Não fiques envergonhado, meu menino. Lamento que ainda agora não tenha falado das moças de Mókroie com os monges durante o almoço. Alióchka, não fiques zangado por eu ter ofendido teu igúmeno ainda há pouco. Me dá muita raiva, meu caro. Porque se há Deus, se Ele existe, bem, é claro que neste caso sou culpado e hei de responder, mas se Ele não existe absolutamente, então para que servem os teus padres? Pois neste caso seria pouco cortar a cabeça deles, porque freiam o desenvolvimento. Acreditas, Ivan, que isto me atormenta em meus sentimentos? Não, não acreditas, pois estou vendo pelo teu olhar.

---

[121] "Não julgueis, e não sereis julgados; não condeneis, e não sereis condenados; perdoai, e sereis perdoados; dai, e dar-se-vos-á; boa medida, recalcada, sacudida, transbordante, generosamente vos darão; porque com a medida com que tiverdes medido vos medirão também". Lucas, 6, 37-8. Ver também Mateus, 7, 1-2, e Marcos, 4, 24. (N. da E.)

[122] "Tudo isso é uma porcaria", em francês no original. (N. da E.)

Tu acreditas no que as pessoas dizem, que eu sou apenas um palhaço. Alió-chka, acreditas que sou apenas um palhaço?

— Acredito que não és apenas um palhaço.

— E eu acredito que acreditas e que estás sendo sincero. Vês as coisas com sinceridade e com sinceridade falas. Mas Ivan, não. Ivan é altivo... Mesmo assim eu acabaria com teu mosteirozinho. Pegaria toda essa mística e a eliminaria de uma vez em toda a terra russa para tornar todos os imbecis definitivamente racionais. E quanta prata e ouro iria para a Casa da Moeda!

— Sim, mas por que eliminar? — disse Ivan.

— Para que a verdade resplandecesse mais depressa, eis por quê.

— Mas se essa verdade resplandecer, o senhor será o primeiro a ser roubado e depois... eliminado.

— Bah! Pensando bem, talvez estejas certo. Ah, sou uma jumenta — arremeteu de súbito Fiódor Pávlovitch, batendo de leve na testa. — Bem, se é assim, deixemos que permaneça teu mosteirozinho, Alióchka. Já nós, pessoas inteligentes, ficaremos no nosso cantinho quente bebericando um conhaquinho. Sabes, Ivan, que o próprio Deus deve ter organizado a coisa assim forçosamente de propósito? Ivan, dize: Deus existe ou não? Espera: fala a verdade, fala a sério! Do que estás rindo de novo?

— Estou rindo porque ainda há pouco o senhor mesmo fez uma observação espirituosa sobre a fé de Smierdiakóv na existência de dois *startzí* capazes de mover montanhas.

— Ora, por acaso tem alguma semelhança com o que eu disse?

— Muita.

— Bem, sendo assim, quer dizer que eu sou um russo, e que tenho um traço russo, e que a ti também, filósofo, posso te apanhar nesse mesmo traço. Se quiseres eu te apanho. Podemos apostar que amanhã mesmo te apanho. Mas, mesmo assim, dize: Deus existe ou não? Só que fala a sério! Agora precisas me dizer a sério.

— Não, Deus não existe.

— Alióchka, Deus existe?

— Deus existe.

— Ivan, a imortalidade existe? Vamos, alguma que seja, mesmo uma pequena, a mais ínfima?

— Também não existe imortalidade.

— Nenhuma?

— Nenhuma.

— Ou seja, o zero mais absoluto ou algo? Será que existe algo, alguma coisa? Apesar de tudo, não é o nada!

— Zero absoluto.

— Alióchka, existe a imortalidade?

— Existe.

— E Deus, e a imortalidade?

— Tanto Deus como a imortalidade. É em Deus que está a imortalidade.

— Hum. O mais provável é que Ivan esteja certo. Deus! só de pensar o quanto sacrificou o homem de fé, quantos esforços de toda espécie dispendeu gratuitamente por essa fantasia, e isso durante tantos milênios! Quem é esse que zomba tanto do homem? Ivan! Pela última vez te pergunto e de modo terminante: Deus existe ou não? Estou perguntando pela última vez!

— E pela última vez não.

— Quem é que zomba dos homens?

— Vai ver que é o diabo — Ivan Fiódorovitch deu um risinho.

— E o diabo existe?

— Não, o diabo também não existe.

— É uma pena. Com os diabos, o que eu faria depois disso com aquele que primeiro inventou Deus! Enforcá-lo num álamo amargo[123] seria pouco.

— Não existiria absolutamente civilização se não tivessem inventado Deus.

— Não existiria? Sem Deus?

— Sim, e nem o conhaque existiria. Mas, apesar de tudo, vou ter de lhe tirar o conhaque.

— Espera, espera, espera, meu querido, vou beber mais uma tacinha. Ofendi Alióchka. Não estás zangado, Alieksiêi? Alieksiêitchik,[124] meu querido Alieksiêitchik!

— Não, não estou zangado. Já conheço suas ideias. Seu coração é melhor do que a cabeça.

— Meu coração é melhor do que a cabeça? Deus, e quem está dizendo isso! Ivan, tu amas Alióchka?

— Amo.

— Procura amá-lo (Fiódor Pávlovitch estava muito bêbado.) Ouve, Aliócha, há pouco fiz uma grosseria com o teu *stárietz*. É que eu estava exaltado. Mas naquele *stárietz* existe espirituosidade, o que achas, Ivan?

[123] Fiódor Pávlovitch usa uma expressão tirada de uma canção popular, onde o álamo aparece como árvore amarga e maldita: "Álamo, árvore maldita, nela Judas se enforcou, e desde então suas folhas tremem". Cf. Vladímir Dall, *Tolkóviy slovar jovago vielikorússkogo yaziká* (Dicionário da língua russa viva), t. 2, p. 696. (N. do T.)

[124] Mais uma variante do diminutivo de Alieksiêi. (N. do T.)

— Vai ver que existe.

— Existe, existe, *il y a du Piron là-dedans*.[125] É um jesuíta, um jesuíta russo, para ser mais exato. Sendo um homem decente, ferve aquela indignação recôndita por precisar fingir... e assumir o fardo da santidade.

— Sim, mas ele crê em Deus.

— Não crê patavina. E tu não sabias? Ora, ele mesmo diz isso a todo mundo, quer dizer, não a todos, mas às pessoas inteligentes que aparecem por lá. Disse sem rodeios ao governador Schultz: "*Credo*,[126] mas não sei em quê".

— Foi mesmo?

— Exatamente assim. Mas eu o respeito. Há nele qualquer coisa de Mefistófeles, ou melhor, de *O herói do nosso tempo*... De Arbiênin[127] ou seja lá qual for o nome... quer dizer, um lascivo; ele é tão lascivo que hoje eu temeria por minha filha ou minha mulher se ela fosse se confessar com ele. Sabes, quando ele começa a contar... No ano retrasado ele nos convidou para um chazinho, com licor e tudo (as fidalgas lhe enviam licor), e se pôs a descrever de tal modo os tempos antigos que rebentamos de rir... Sobretudo como curou uma mulher fraca. "Se não estivesse com dor nas pernas, diz ele, eu mostraria uma dança para os senhores." Então, o que achas? "Já me distraí[128] um bocado nessa minha vida." Ele embolsou sessenta mil rublos do comerciante Diemídov.

— Como, roubou?

— O outro os entregou a ele como a um homem de bem: "Guarda-o, meu caro, amanhã haverá uma revista em minha casa". E ele o guardou. "Tu, diz ele, o doaste à Igreja!" E eu lhe digo: és um canalha. Não, diz ele, não sou um canalha, sou um homem de largueza... Mas, pensando bem, não foi ele... Foi outro. Me confundi com outro... e não me dei conta. Bem, mais uma tacinha e chega; tira a garrafa daqui, Ivan. Eu estava mentindo, por que não me fizeste parar, Ivan... e não disseste que eu estava mentindo?

— Eu sabia que o senhor mesmo ia parar.

---

[125] "Aí se percebe um Piron", em francês. Referência ao poeta e dramaturgo francês Alexys Piron (1689-1773). (N. do T.)

[126] Assim está no original russo, *credo* — creio, em latim. (N. do T.)

[127] Fiódor Pávlovitch se refere a dois personagens de Liérmontov: Pietchórin, personagem central de *O herói do nosso tempo*, que tem muitos traços de Mefistófeles, e Arbiênin, personagem do drama *Baile de máscaras*. (N. do T.)

[128] Na realidade, o *stárietz* referido por Fiódor Pávlovitch usa o neologismo *naafónit*, derivado de Afon, isto é, Atos, em russo, sugerindo que os monges do mosteiro de monte Atos levavam uma vida não tão rigorosa quanto a dos outros mosteiros. (N. do T.)

— Mentes, tu o fizeste por raiva de mim, unicamente por raiva. Tu me desprezas. Vieste para minha casa e em minha casa me desprezas.

— Vou embora; o conhaque lhe subiu à cabeça.

— Eu te pedi por Cristo para ir a Tchermachniá... Por um dia, por dois, mas tu não vais.

— Vou amanhã, já que o senhor insiste tanto.

— Não irás. Queres ficar aqui me vigiando, é isso que queres, alma perversa, e é por isso que não vais, não é?

O velho não se continha. Chegara àquele ponto da embriaguez em que alguns beberrões, até então mansos, têm uma súbita vontade de se tomar de raiva e se mostrar.

— Por que me olhas assim? Que olhos são esses? Teus olhos me olham e me dizem: "És uma besta bêbada". Teus olhos são desconfiados, teus olhos são desconfiados... Vieste para cá de caso pensado. Vê, Alióchka, ele está olhando, mas os olhos não brilham. Aliócha não me despreza. Alieksiêi, não ame Ivan...

— Não se zangue com meu irmão! Pare de ofendê-lo — disse subitamente Aliócha em tom firme.

— Sendo assim, paro. Ah, estou com dor de cabeça. Tira o conhaque daqui, Ivan, estou te falando pela terceira vez. — Ficou pensativo e deu um sorriso longo e finório: — Não te zangues com este velho fuinha, Ivan. Sei que não gostas de mim, mas mesmo assim não te zangues. Não há por que gostar de mim. Tu irás a Tchermachniá e eu mesmo vou te visitar lá, levo um presentinho. Lá eu te indico uma mocinha, há muito tempo estou de olho nela. Por enquanto ainda anda descalça. Não te assustes com as descalças, não as desprezes — são umas pérolas!...

Deu um beijo estalado na própria mão.

— Para mim — tomou-se de súbita animação como se a embriaguez tivesse passado num piscar de olhos mal ele começou a falar do tema predileto —, para mim... Ah, meninos! Meus filhinhos, meus pequenos leitõezinhos, para mim... em toda a minha vida nunca houve mulher feia; eis a minha regra! Vocês podem entender isso? Ora, como é que vocês haveriam de entender: em suas veias ainda corre leite em vez de sangue, vocês ainda não saíram da casca. Pela minha regra, em toda mulher pode-se encontrar algo extremamente interessante, arre, diabo, algo que não se encontra em nenhuma outra — só é preciso saber descobri-lo, eis onde está a coisa! Isso é um talento! Para mim não havia *movesha*:[129] o simples fato de ser mulher

---

[129] Russificação do francês *mauvaise*, com sentido de "mulher feia". (N. do T.)

Os irmãos Karamázov

já era meio caminho andado... Ah, onde é que vocês vão entender isso! Até as *vielfifilki*,[130] até nestas às vezes se descobre tal coisa que a gente se admira de como os outros imbecis deixaram que elas envelhecessem sem até hoje se darem conta do que fizeram! É preciso antes e acima de tudo surpreender a descalça e a *movieshka* — é assim que se deve assediá-las. Tu não sabias? É preciso surpreendê-la a ponto de deixá-la encantada, cheia de arroubos, envergonhada por um fidalgo ter se apaixonado por um tipo ralé como ela. O que é verdadeiramente magnífico é que sempre há e haverá no mundo grosseirões e fidalgos, sempre haverá uma borralheira, e ela sempre terá seu senhor, e é só isso que lhe basta para ser feliz na vida! Espera... escuta, Alióchka, eu sempre surpreendi tua falecida mãe, só que em outro sentido. Outrora eu nunca lhe fazia carinho, mas de repente, conforme chegava o momento, de repente eu me desmanchava na frente dela, me arrastava de joelhos, beijava seus pezinhos e a levava sempre, sempre — eu me lembro como se fosse neste momento — a um risinho miúdo, solto, sonoro, baixo, nervoso, particular. Que só havia nela. Eu sabia que a doença dela sempre começava daquele jeito, que no dia seguinte ela daria de gritar com uma *klikucha*, e que aquele risinho miúdo não significava nenhum êxtase; puxa, que fosse um embuste, mas com êxtase. Eis o que significa saber encontrar em tudo aquele tracinho! Uma vez Bieliávski — um ricaço e bonitão que havia por aqui, começou a cortejá-la e deu de frequentar minha casa; de repente, em minha própria casa, pega e me dá uma bofetada na cara, e na presença dela. Pois ela, aquela cordeira, pensei que fosse me espancar por causa daquela bofetada, porque investiu assim contra mim: "Tu, diz ela, agora és um homem surrado, surrado, recebeste dele uma bofetada na cara! Tu, diz ela, tentaste me vender a ele... E como foi que ele se atreveu a te bater em minha presença! E não te atrevas a me procurar nunca, nunca! Corre agora mesmo e desafia-o a um duelo...". Foi então que eu a levei ao mosteiro para que a domassem, e os santos padres passaram-lhe um sermão. Pois, Aliócha, Deus sabe que nunca ofendi minha *klikuchetchka*![131] Só uma vez, uma única vez, ainda no primeiro ano de casamento: naquela época ela rezava muito, observava particularmente as festas da Virgem e na ocasião me expulsava do quarto para o gabinete. Pensei cá comigo: vamos lá, vou arrancar da cabeça dela esse misticismo! "Vê, digo, eis a tua imagem, vê, vou tirá-la de ti. Vê, tu achas que é milagrosa, mas agora mesmo, na tua presença, vou cuspir nela e não vai me acontecer nada por isso!..." Foi só ela ver

---

[130] Russificação do francês *vieille fille*, com sentido de "solteironas". (N. do T.)

[131] Diminutivo de *klikucha*. (N. do T.)

Fiódor Dostoiévski

aquilo, pensei: Deus, vai me matar agora mesmo, mas ela apenas se levantou de um salto, ergueu os braços, em seguida cobriu de repente o rosto com as mãos, pôs-se a tremer toda e caiu no chão... deixou-se cair... Aliócha, Aliócha! O que é que tu tens!

O velho deu um salto assustado. A expressão do rosto de Aliócha foi mudando pouco a pouco desde o momento em que o pai começara a falar de sua mãe. Ele corou, os olhos brilharam, os lábios tremeram... O velhote bêbado borrifava saliva e nada notara até o instante em que de repente aconteceu algo muito terrível com Aliócha, ou seja, repetiu-se com ele exatamente a mesma coisa que o velho acabara de contar sobre a *"klikucha"*. Aliócha levantou-se da mesa de chofre tal qual sua mãe, segundo o relato do pai, sacudiu as mãos, depois cobriu com elas o rosto, caiu extenuado na cadeira e pôs-se de repente a sacudir-se todo, tomado de um ataque histérico acompanhado de lágrimas repentinas, convulsivas e mudas. A extraordinária semelhança com a mãe deixou o velho particularmente pasmado.

— Ivan, Ivan! Traze água depressa. Isso é exatamente o que acontecia com ela, como acontecia naquela época com a mãe dele. Borrifa-o com água da boca, era assim que eu fazia com ela. Isto lhe acontece por causa da mãe, da mãe dele... — resmungava ele para Ivan.

— Sim, mas a mãe dele também era minha mãe, acho eu, ou não era? — estourou subitamente Ivan com um desprezo irado e incontido. O velho estremeceu diante do olhar cintilante de Ivan. Mas de repente aconteceu algo muito estranho, verdade que por um segundo: da memória do velho parecia ter realmente escapado a capacidade de atinar que a mãe de Aliócha era também a mãe de Ivan...

— Como tua mãe? — murmurou ele sem entender. — Por que me vens com essa? De que mãe estás falando?... será que ela... Arre diabos! É mesmo, ela era também tua mãe! Arre diabos! Bem, meu caro, isso foi um turvamento da memória como nunca houve, desculpa, Ivan, e eu pensando... Eh-eh-eh! — parou. Um risinho longo, de bêbado, meio absurdo, estampou-se em seu rosto. Pois foi justo nesse instante que soaram no vestíbulo um ruído terrível e um estrondo, ouviram-se gritos exaltados, a porta escancarou-se e Dmitri Fiódorovitch entrou voando no salão. O velho precipitou-se assustado para Ivan:

— Ele vai me matar, vai me matar! Não deixes que me mate, não deixes! — gritava, agarrando-se à aba da sobrecasaca de Ivan Fiódorovitch.

IX. Os lascivos

Logo atrás de Dmitri Fiódorovitch entraram correndo no salão Grigori e Smierdiakóv. Já no vestíbulo os dois haviam lutado com Dmitri, queriam barrar-lhe a entrada (seguindo instruções recebidas do próprio Fiódor Pávlovitch alguns dias antes). Aproveitando que Dmitri Fiódorovitch, depois de irromper na sala, parara por um instante para observar o ambiente, Grigori contornou a mesa correndo, trancou as duas folhas da porta de entrada do salão, que ficava defronte, abrindo ambos os braços em forma de cruz e disposto a proteger a entrada até, por assim dizer, a última gota de sangue. Ao ver isto Dmitri não gritou, mas deu uma espécie de ganido e investiu contra Grigori.

— Então ela está aí! Vocês a esconderam aí! Fora, patifes! — ia afastar Grigori, mas este lhe deu um empurrão. Transtornado de fúria, Dmitri ergueu o braço e deu um soco em Grigori com toda a força. O velho desabou como nocauteado, Dmitri pulou por cima dele e investiu porta adentro. Smierdiakóv permaneceu na sala, no canto oposto, pálido e trêmulo, estreitando Fiódor Pávlovitch.

— Ela está aqui — gritou Dmitri Fiódorovitch —, eu mesmo acabei de vê-la guinando para esta casa, só que não consegui alcançá-la. Onde está ela? Onde está ela?

Esse grito: "Ela está aqui!", causou em Fiódor Pávlovitch uma impressão enigmática. Todo seu medo desapareceu.

— Segurem-no, segurem-no! — soltou um berro e precipitou-se atrás de Dmitri Fiódorovitch. Enquanto isso, Grigori levantou-se do chão, mas ainda estava como que fora de si. Ivan Fiódorovitch e Aliócha correram atrás do pai. No terceiro cômodo ouviu-se de repente o ruído de algo caindo no chão, quebrando-se e tilintando: era um grande vaso de vidro (de tipo barato) que ficava em um pedestal de mármore e no qual Dmitri esbarrara ao passar.

— Atrás dele! — berrou o velho. — Guarda!

Ivan Fiódorovitch e Aliócha conseguiram alcançar o velho e o fizeram voltar à força para o salão.

— Por que está correndo atrás dele? Lá ele vai realmente matá-lo! — gritou Ivan Fiódorovitch enfurecido com o pai.

— Vánietcha, Liechetchka,[132] então ela está aqui, Grúchenka está aqui, ele mesmo disse que a viu correndo para cá...

---

[132] Diminutivos de Ivan e Aliócha, respectivamente. (N. do T.)

Arfava. Não esperava por Grúchenka naquele momento, e a repentina notícia de que ela estava ali o fez perder de vez o juízo. Tremia todo, como se estivesse louco.

— Ora, o senhor mesmo viu que ela não veio! — gritou Ivan.

— Quem sabe se não entrou pela outra entrada?

— Mas essa outra está trancada, e o senhor tem a chave...

De repente Dmitri reapareceu na sala. É claro que tinha encontrado a outra entrada trancada, e a chave estava realmente no bolso de Fiódor Pávlovitch. Todas as janelas de todos os quartos também estavam fechadas; logo, Grúchenka não podia ter entrado por nenhum lugar e por nenhum lugar poderia ter escapado.

— Segurem-no! — Fiódor Pávlovitch deu um grito esganiçado mal tornou a avistar Dmitri —, ele roubou dinheiro do meu quarto! — E, livrando-se de Ivan, tornou a lançar-se contra Dmitri. Mas este levantou as duas mãos e num átimo agarrou o velho pelas duas melenas que lhe restavam nas têmporas, deu-lhe uma sacudida e o atirou com estrondo no chão. Ainda conseguiu bater umas duas ou três vezes com o salto do sapato no rosto do velho estirado. O velho deu um gemido estridente. Ivan Fiódorovitch, mesmo sem ser tão forte quanto o irmão Dmitri, agarrou-o com as mãos e com toda a força o apartou do pai. Aliócha, valendo-se de toda a sua pouca força, também o ajudou, agarrando o irmão pela frente.

— Estás louco, tu o mataste! — gritou Ivan.

— É isso que ele merece! — exclamou Dmitri, arfando. — Não o matei, então ainda voltarei para matá-lo. Você não vai conseguir evitar.

— Dmitri! Vem aqui, agora! — gritou Aliócha em tom imperioso.

— Alieksiêi! Diz-me, só acredito em ti: ela esteve aqui agora ou não? Eu mesmo a vi passar ao lado da cerca vindo do beco e deslizar nesta direção. Gritei, e ela fugiu correndo...

— Eu te juro que ela não esteve aqui, ninguém esperava por ela!

— Mas eu a vi... Quer dizer então que ela... Vou saber agora mesmo para onde ela... Adeus, Alieksiêi! Neste momento não digas nenhuma palavra a Esopo sobre o dinheiro, mas vai agora mesmo à casa de Catierina Ivánovna e dize-lhe impreterivelmente: "Ele me mandou apresentar seus cumprimentos, mandou apresentar seus cumprimentos!". Isso mesmo, "apresentar seus cumprimentos e dizer adeus!". Descreve para ela a cena ocorrida aqui.

Enquanto isso, Ivan Fiódorovitch e Grigori haviam levantado o velho e feito com que se sentasse na poltrona. Ele tinha o rosto ensanguentado, mas se lembrava de tudo e prestava uma ávida atenção aos gritos de Dmitri.

Continuava achando que Grúchenka estava realmente em algum ponto da casa. Dmitri Fiódorovitch o olhou com ódio ao se retirar.

— Não me arrependo por teu sangue! — exclamou ele. — Toma cuidado, velho, cuida do teu sonho, porque eu também tenho o meu! Eu te amaldiçoo e te renego por completo...

Saiu correndo da sala.

— Ela está aqui, ela está mesmo aqui! Smierdiakóv, Smierdiakóv! — o velho emitia um ronco que mal se ouvia, chamando Smierdiakóv com o dedinho.

— Ela não está aqui, não está, o senhor é um velho maluco — gritou-lhe Ivan com raiva. — Ele desmaiou! Água, uma toalha! Mexe-te, Smierdiakóv!

Smierdiakóv correu para buscar água. Por fim despiram o velho, levaram-no para o quarto e o puseram na cama. Envolveram-lhe a cabeça com uma toalha molhada. Enfraquecido pelo conhaque, pelas impressões fortes e pela surra, mal o velho tocou o travesseiro, seus olhos se fecharam e ele adormeceu. Ivan Fiódorovitch e Aliócha voltaram para a sala. Smierdiakóv levou para fora os cacos do vaso quebrado, enquanto Grigori postava-se junto à mesa de cabeça baixa e ar sombrio.

— Não será o caso de pores na cabeça uma compressa de água fria e de tu também te deitares? — disse Aliócha a Grigori. — Nós ficaremos aqui tomando conta dele; meu irmão te deu um soco muito dolorido... na cabeça.

— Ele se atreveu contra mim! — pronunciou Grigori em tom sombrio e pausadamente.

— Ele também "se atreveu" contra o pai, não só contra ti! — observou Ivan Fiódorovitch, torcendo a boca.

— Eu lhe dei banho na tina... e ele se atreveu contra mim! — repetia Grigori.

— Com os diabos, se eu não o tivesse apartado, ele o teria matado. Aliás, seria difícil dar cabo de Esopo? — murmurou Ivan Fiódorovitch para Aliócha.

— Deus o proteja! — exclamou Aliócha.

— E por que esse "proteja"? — continuou Ivan ainda sussurrando e com o rosto contorcido de raiva. — Um réptil devorando outro réptil, esse é o caminho dos dois!

Aliócha estremeceu.

— Eu, é claro, não vou permitir a consumação de um assassinato, assim como não o permiti agora. Fica aqui, Aliócha, que eu vou sair e caminhar pelo parque; minha cabeça começou a doer.

Aliócha foi para o dormitório do pai e ali passou cerca de uma hora sentado à cabeceira da cama, atrás dos biombos. De repente o velho abriu os olhos e ficou longo tempo olhando calado para Aliócha, pelo visto lembrando-se e compreendendo o que acontecera. Súbito uma perturbação incomum estampou-se em seu rosto.

— Aliócha — cochichou com temor —, onde está Ivan?

— No pátio, está com dor de cabeça. Ele nos defenderá.

— Dá-me o espelhinho, aquele ali!

Aliócha lhe deu um espelhinho redondo e dobrável que estava em cima da cômoda. O velho se olhou no espelho: tinha um inchaço bastante grande no nariz e, acima da sobrancelha esquerda, uma considerável equimose rubra na testa.

— O que diz Ivan? Aliócha, meu querido, és meu único filho, tenho mais medo de Ivan do que do outro, tu és o único de quem não tenho medo...

— Não tenhas medo também de Ivan, Ivan está zangado, mas o defenderá.

— Aliócha, e o outro? Correu para a casa de Grúchenka! Meu anjo querido, dize-me a verdade: Grúchenka esteve há pouco aqui ou não?

— Ninguém a viu. Foi um engano, não esteve!

— Acontece que Mitka quer casar com ela, casar!

— Ela não vai se casar com ele.

— Não vai, não vai, não vai, não vai, não vai de jeito nenhum!... — O velho estremeceu todo de alegria, como se nesse instante não se lhe pudesse dizer nada de mais consolador. Tomado de êxtase, ele agarrou a mão de Aliócha e a apertou com força contra seu coração. Até lágrimas lhe brilharam nos olhos. — A pequena imagem da mãe de Deus, aquela sobre a qual acabei de falar, pega-a para ti, leva-a contigo. Eu te permito voltar para o mosteiro... Há pouco eu estava brincando, não te zangues. A cabeça me dói, Aliócha... Liócha, sacia meu coração, sê um anjo, diz-me a verdade!

— O senhor sempre batendo na mesma tecla: ela esteve aqui ou não? — pronunciou amargamente Aliócha.

— Não, não, não, eu acredito em ti, mas escuta: vai à casa de Grúchenka, faze-lhe tu mesmo uma visita; pergunta-lhe depressa, o mais depressa possível, tenta adivinhar com teus próprios olhos: com quem ela quer ficar, comigo ou com ele? Hein! O quê? Podes ou não podes?

— Se eu a encontrar, perguntarei — tentou murmurar Aliócha, acanhado.

— Não, ela não te dirá — interrompeu o velho —, ela é uma sirigaita.

Vai começar a te beijar e te dirá que quer casar contigo. É uma embusteira, uma sem-vergonha, não, tu não podes ir à casa dela, não podes!

— E não fica bem, *bátiuchka*, não ficará nada bem.

— Para onde ele te mandou ainda há pouco quando gritou: "Vai", quando estava saindo?

— Me mandou procurar Catierina Ivánovna.

— Atrás de dinheiro? Pedir dinheiro?

— Não, não foi atrás de dinheiro.

— Ele não tem dinheiro, nem um centavo. Ouve, Aliócha, vou passar a noite deitado e pensando; enquanto isso, vai. Pode ser que a encontres... Só que amanhã vem me ver sem falta pela manhã; sem falta. Amanhã te direi uma palavrinha; virás?

— Virei.

— Se vieres, finge que vieste por ti mesmo me fazer uma visita. Não digas a ninguém que eu te chamei. Não digas nenhuma palavra a Ivan.

— Está bem.

— Adeus, meu anjo, há pouco tu me defendeste, nunca hei de esquecer. Amanhã te direi uma palavrinha... Ainda preciso pensar...

— E como o senhor está se sentindo agora?

— Amanhã mesmo, amanhã me levanto e saio, completamente saudável, completamente saudável, completamente saudável!...

Ao passar pelo pátio, Aliócha encontrou o irmão sentado em um banco junto ao portão: anotava alguma coisa a lápis em seu diário. Aliócha lhe disse que o velho havia acordado e estava se lembrando das coisas, e que lhe permitira pernoitar no mosteiro.

— Aliócha, eu teria um grande prazer em te ver amanhã pela manhã — pronunciou em tom amistoso Ivan, soerguendo-se, um tom completamente inesperado para Aliócha.

— Amanhã estarei na casa das Khokhlakova — respondeu Aliócha. — Talvez vá também à casa de Catierina Ivánovna amanhã, se não a encontrar agora...

— Mesmo assim, vais agora à casa de Catierina Ivánovna! Vais "apresentar seus cumprimentos, apresentar seus cumprimentos"? — sorriu subitamente Ivan. Aliócha ficou desconcertado.

— Acho que compreendi tudo naquelas exclamações que acabei de ouvir e de algo que ouvi antes. Dmitri certamente te pediu para procurá-la e dizer que ele... bem... bem, numa palavra, "manda lhe dizer adeus"?

— Meu irmão! No que vai dar esse horror entre nosso pai e Dmitri? — exclamou Aliócha.

Os irmãos Karamázov

— Não dá para adivinhar com certeza. Talvez em nada: a questão se diluirá. Aquela mulher é um animal. Seja como for, precisamos segurar o velho em casa e não deixar que Dmitri entre.

— Meu irmão, permita-me mais uma pergunta: será que qualquer pessoa tem o direito de decidir, olhando para as demais, quem entre elas merece viver e quem merece menos?

— Por que envolver essa decisão com merecimento? Essa questão se resolve muito mais amiúde no coração das pessoas, sem qualquer fundamentação no merecimento, mas por outros motivos bem mais naturais. E quanto ao direito, quem não tem direito de desejar?

— Mas não a morte do outro!

— E por que não até a morte? Por que mentir para si mesmo quando todas as pessoas vivem assim e, talvez, nem possam mesmo viver de modo diferente? Tu estás te referindo às minhas palavras de ainda agora, quando eu disse "dois répteis vão devorar um ao outro"? Permite-me que também te faça uma pergunta a esse respeito: tu achas que eu também, como Dmitri, sou capaz de derramar o sangue de Esopo, bem, de matá-lo, hein?

— Que é isso, Ivan?! Nunca cheguei nem a pensar nisso! E também não considero Dmitri...

— Obrigado ao menos por isso — sorriu Ivan. — Sabe que sempre o defenderei. Mas, neste caso, reservo-me ampla liberdade. Até amanhã. Não me condenes nem me olhes como um criminoso — acrescentou sorrindo.

Apertaram-se as mãos com força como nunca o haviam feito antes. Aliócha sentiu que o irmão fora o primeiro a dar um passo em sua direção e que o fizera com algum fim, forçosamente com alguma intenção.

X. AS DUAS MULHERES JUNTAS

Aliócha saiu da casa do pai ainda mais abatido e deprimido do que ao entrar lá, pouco antes. Sua mente também estava como que fragmentada e dispersa, enquanto, por outro lado, ele mesmo se sentia temeroso de unir o disperso e tirar uma ideia geral de todas as angustiantes contradições vivenciadas em um só dia. Algo nele quase tocava as raias do desespero, coisa que seu coração nunca havia experimentado antes. Pairava sobre tudo, como uma montanha, uma questão central, fatídica e insolúvel: como terminaria o caso do pai e de Dmitri perante essa mulher terrível? Agora ele mesmo era testemunha. Ele mesmo presenciara e vira os dois frente a frente. Pensando bem, o infeliz, o plena e terrivelmente infeliz só podia vir a ser o irmão Dmitri: rondava-o uma evidente desgraça. Também havia outras pessoas a quem tudo isso dizia respeito, e talvez até bem mais do que antes pudera parecer a Alióchá. Ocorria algo até enigmático. O irmão Ivan dera um passo em sua direção, o que Alióchá vinha desejando havia tanto tempo, e eis que agora algo o fazia sentir que esse passo de aproximação o assustava. E aquelas mulheres? Coisa estranha: ainda há pouco se dirigia à casa de Catierina Ivánovna tomado de uma perturbação excepcional; mas agora não experimentava nenhuma; ao contrário, apressava-se para vê-la como se esperasse encontrar nela uma orientação. E, não obstante, pelo visto agora era mais difícil que antes transmitir a ela o que acabava de lhe ser confiado; a questão dos três mil rublos fora resolvida definitivamente, e o irmão Dmitri, sentindo-se desonrado e já sem qualquer esperança, é claro, não mais se deteria nem diante de nenhuma degradação. Além do mais, ele mandara transmitir a Catierina Ivánovna até a cena que acabara de ocorrer em casa do pai.

Já eram sete horas e anoitecia quando Alióchá tomou a direção da residência de Catierina Ivánovna, que ocupava uma casa muito ampla e confortável na rua Bolsháia. Alióchá sabia que ela morava com duas tias. Uma delas, aliás, só era tia da irmã Agáfia Ivánovna; era aquela criatura calada que cuidava dela em casa do pai, junto com a irmã, quando ela vinha do instituto visitá-las. A outra tia era uma fidalga moscovita, de requintes mundanos e enfatuada, ainda que de origem pobre. Ouvia-se dizer que as duas se sujeitavam em tudo a Catierina Ivánovna e moravam com ela unicamente por uma questão de etiqueta. Já Catierina Ivánovna só obedecia à sua benfeitora, a generala, que por motivo de doença ficara em Moscou e à qual ela era obrigada a enviar duas cartas por semana com as notícias detalhadas.

Quando Alióchá entrou na antessala e pediu à criada de quarto que lhe abrira a porta para ser anunciado, na sala já pareciam saber de sua chegada (é possível que o tivessem notado da janela); ele mal escutou um súbito ruído e já lhe chegavam aos ouvidos uns passos de mulher correndo, o frufrulhar de vestidos: é possível que fosse a correria de umas duas ou três mulheres em retirada. Alióchá achou estranho que com sua presença pudesse provocar tamanha agitação. Entretanto, foi imediatamente conduzido a uma sala. Era um cômodo grande, cheio de móveis elegantes e abundantes, o oposto do estilo provinciano: muitos divãs, canapés, sofazinhos, muitas mesas grandes e pequenas; havia quadros nas paredes, vasos e lâmpadas nas mesas, muitas flores, até um aquário junto a uma janela. Por causa do lusco-fusco, a sala estava meio escurecida. Alióchá observou o sofá em que, pelo visto, havia gente sentada antes de sua entrada: uma mantilha de seda largada e, sobre a mesa diante do sofá, duas xícaras de chocolate não inteiramente bebidas,

Os irmãos Karamázov

209

biscoitos, um prato de cristal com passas azuis e outro com bombons. Estavam servindo alguém. Aliócha percebeu que chegara quando havia visitas e franziu o cenho. Mas no mesmo instante ergueu-se o reposteiro e Catierina Ivánovna entrou a passos rápidos e apressados, estendendo ambas as mãos a Aliócha com um sorriso alegre e encantado. No mesmo instante, uma criada trouxe duas velas acesas e as pôs sobre a mesa.

— Graças a Deus o senhor finalmente também apareceu! Passei o dia inteiro rezando a Deus só pelo senhor! Sente-se.

A beleza de Catierina Ivánovna deixara Aliócha impressionado já antes, quando duas ou três semanas atrás o irmão Dmitri o levara à casa dela pela primeira vez para apresentá-lo, atendendo à vontade excepcional da própria Catierina Ivánovna. Naquele encontro, aliás, a conversa entre os dois não chegara a engrenar. Supondo que Aliócha ficara muito desconcertado, Catierina Ivánovna como que o poupara e na ocasião conversara o tempo todo com Dmitri Fiódorovitch. Aliócha calara, mas observara muita coisa e muito bem. Ficara impressionado com o tom imperioso, o desembaraço altivo e a autoconfiança daquela moça presunçosa. Tudo isso era evidente. Aliócha sentia que não exagerava. Achou que aqueles olhos graúdos, negros e ardentes eram belos e combinavam particularmente bem com o rosto alongado, pálido e até levemente matizado de um amarelo esmaecido. Contudo, naqueles olhos, assim como no desenho dos lábios encantadores, havia algo por que, é claro, o irmão podia se apaixonar perdidamente mas que talvez não fosse possível amar por muito tempo. Ele externou quase francamente essa sua ideia a Dmitri quando este, depois daquela visita, passou a importuná-lo, implorando que não escondesse dele a impressão que lhe ficara de sua noiva.

— Tu serás feliz com ela, mas talvez... intranquilamente feliz.

— Aí é que está, meu irmão, essas mulheres continuam as mesmas, não se submetem ao destino. Então, achas que não poderei amá-la eternamente?

— Não, é possível que venhas a amá-la eternamente, mas é possível que não venhas a ser sempre feliz com ela...

Aliócha externou sua opinião corando e agastado por ter emitido ideias tão "tolas", deixando-se levar pelos pedidos do irmão. Porque achou sua opinião muitíssimo tola mal acabou de externá-la. Ademais, sentiu vergonha por ter externado de forma tão imperiosa sua opinião sobre uma mulher. Por isso, foi com uma surpresa ainda maior que agora, ao primeiro olhar para Catierina Ivánovna, que se precipitava em sua direção, sentiu que podia ter cometido um grande erro naquela ocasião. Desta vez o rosto dela irradiava uma bondade autêntica e simples, uma sinceridade franca e ardente. De todo aquele "orgulho e presunção" que tanto haviam impressionado Alióchca na-quela ocasião, agora se notavam apenas uma energia ousada e nobre e uma fé clara e poderosa em si mesma. À primeira olhada que lhe deu, às primeiras palavras trocadas com ela, Alióchca compreendeu que todo o trágico de sua situação em relação ao homem que ela tanto amava não era nenhum segre-do para ela, e que ela talvez até já soubesse de tudo, absolutamente de tudo. E, não obstante, apesar disso havia tanta luz em seu rosto, tanta fé no futuro! Súbito Alióchca se sentiu séria e intencionalmente culpado diante dela. Esta-va vencido e atraído de uma só vez. Além de tudo isso, pelas primeiras pa-lavras que ouviu percebeu que ela era presa de uma forte excitação, nela tal-vez muito incomum — excitação parecida até com algum enlevo.

— Eu o estava aguardando tanto porque agora só posso ouvir toda a verdade do senhor — de mais ninguém!

— Estou aqui... — murmurou Alióchca, atrapalhando-se — eu... Ele me mandou aqui...

— Ah, ele o mandou aqui, eu bem que o pressenti. Agora estou saben-do de tudo, de tudo! — exclamou Catierina Ivánovna, e seus olhos cintila-ram de repente. — Espere, Alieksiêi Fiódorovitch, vou lhe adiantar por que o aguardava tanto. Veja, é possível que eu saiba até bem mais do que o se-nhor mesmo; não é das notícias que o senhor me traz que estou precisando. Eis o que preciso do senhor: preciso saber sua impressão própria, pessoal e última sobre ele, preciso que o senhor me diga da forma mais direta, nua e crua, até grosseira (oh, grosseira até onde o senhor quiser!), qual é, neste momento, sua opinião sobre ele, e também como vê a situação dele depois do encontro que teve hoje com ele. Talvez isto seja até melhor do que se eu mesma, que ele não quer mais visitar, me explicar pessoalmente com ele. Es-tá entendendo o que quero do senhor? Agora, quanto ao que ele o mandou fazer aqui (eu sabia mesmo que ele o mandaria!) — fale com simplicidade, diga até a última palavra!...

— Ele me mandou lhe apresentar... seus cumprimentos e dizer que nun-ca mais virá aqui... mas lhe apresentar seus cumprimentos.

— Apresentar seus cumprimentos? Ele disse isso, se exprimiu assim?

— Sim.

— Terá dito de passagem, sem querer, terá se enganado com a palavra, usado uma palavra errada?

— Não, ele mandou que eu transmitisse exatamente essa expressão: "apresentar seus cumprimentos". Pediu umas três vezes para que eu não me esquecesse de transmitir.

Catierina Ivánovna inflamou-se.

Os irmãos Karamázov

211

— Ajude-me agora, Alieksiêi Fiódorovitch, agora sou eu que preciso de sua ajuda: vou lhe dizer qual é minha ideia, e o senhor apenas me responda se estou pensando certo ou não. Ouça-me: se ele o tivesse mandado me apresentar de passagem seus cumprimentos, sem insistir na expressão, sem frisá-la, isto seria tudo... Isto seria o fim! Mas se ele insistiu especialmente nessa expressão, se o incumbiu especialmente de não esquecer de me transmitir esse cumprimento, então quer dizer que ele estava excitado, fora de si, é possível? Decidiu-se e assustou-se com a própria decisão. Não me abandonou com passo firme, mas despencou montanha abaixo. O destaque dessa palavra pode significar alguma bravata...

— Pois é, pois é! — confirmou calorosamente Aliócha. — Agora eu mesmo estou achando que é isso.

— Se é isso, então ele ainda não está liquidado! Está apenas desesperado, mas ainda posso salvá-lo. Espere: ele não lhe falou alguma coisa sobre dinheiro, sobre os três mil?

— Não só falou, como talvez seja isso que o está matando com mais intensidade. Disse que agora está desonrado e que doravante tudo será indiferente — respondeu Aliócha com ardor, sentindo de todo o coração como a esperança desaguava em seu coração e que realmente era possível haver uma saída e salvação para seu irmão. — Mas a senhora por acaso... está sabendo desse dinheiro? — acrescentou e calou de repente.

— Há muito tempo, e sabendo ao certo. Perguntei por telegrama ao pessoal de Moscou e há muito tempo estou sabendo que o dinheiro não foi recebido. Ele não enviou o dinheiro, mas eu calei. Na última semana fiquei sabendo que ele tinha dinheiro e ainda precisava de mais... Em tudo isso eu me propus um único fim: que ele saiba para quem voltar e quem é sua amiga mais fiel. Não, ele não quer acreditar que eu sou sua amiga mais fiel, não quis me conhecer, me vê apenas como mulher. Durante toda a semana fui torturada por uma terrível preocupação: como fazer para que ele não se envergonhe diante de mim por esse esbanjamento dos três mil? Ou seja, vá que sinta vergonha diante de todos e de si mesmo, mas que não sinta vergonha diante de mim. Ora, a Deus ele diz tudo sem se envergonhar. Por que até hoje não soube o quanto sou capaz de suportar por ele? Por que, por que não me conhece? Como se atreve a não me conhecer depois de tudo o que aconteceu? Quero salvá-lo para sempre. Vá que me esqueça como sua noiva! E eis que sente vergonha de mim por sua honra! Ora, para o senhor ele não temeu se abrir, não foi, Alieksiêi Fiódorovitch? Por que até hoje eu não mereci isso?

As últimas palavras ela pronunciou entre lágrimas; as lágrimas lhe saltaram dos olhos.

— Devo lhe informar — pronunciou Aliócha com voz também trêmula — o que acabou de acontecer entre ele e meu pai. — E narrou toda a cena, contou que havia sido mandado pelo irmão à casa do pai para pedir dinheiro, que ele irrompera na casa, espancara o pai e depois reiterara com ele, Aliócha, de forma especial e insistente, para quê ele viesse "apresentar seus cumprimentos"... — ele foi para a casa daquela mulher... — acrescentou baixinho Aliócha.

— E o senhor acha que não vou suportar aquela mulher? Ele pensa que não vou suportá-la? Mas ele não vai se casar com ela — ela deu uma súbita risada nervosa —, será que um Karamázov pode arder eternamente de tamanha paixão? Isso é paixão, e não amor. Ele não vai se casar, porque ela também não vai se casar com ele... — Catierina Ivánovna tornou a dar um sorriso estranho.

— É possível que ele se case — pronunciou Aliócha com tristeza e olhando para o chão.

— Ele não vai se casar, estou lhe dizendo! Aquela moça é um anjo, o senhor sabe disso? O senhor sabe! — exclamou Catierina Ivánovna com um ardor incomum. — É a mais fantástica das criações fantásticas! Sei como é sedutora, mas sei também como é boa, firme, decente. Por que me olha assim, Alieksiêi Fiódorovitch? Talvez esteja surpreso com minhas palavras, talvez não acredite em mim. Agrafiena Alieksándrovna, meu anjo! — gritou de repente a alguém, olhando para o outro cômodo — vinde aqui. Este é um homem amável, este é Aliócha, sabe tudo sobre os nossos problemas, mostrai--vos a ele!

— Eu só estava esperando atrás das cortinas que me chamásseis — pronunciou uma voz feminina, terna e um tanto adocicada.

Ergueu-se o reposteiro e... a própria Grúchenka aproximou-se da mesa, risonha e alegre. Aliócha pareceu ter um sobressalto. Pregou o olhar nela, sem conseguir desviá-lo. Ali estava ela, a mulher terrível — o "animal", como meia hora antes deixara escapar o mano Ivan. E, não obstante, estava diante dele uma criatura que parecia ser a mais simples e comum — uma mulher bondosa, encantadora, admitamos que bonita, mas tão parecida com todas as outras mulheres bonitas porém "comuns"! É verdade que era muito formosa, muito mesmo — aquela beleza russa que muitos amam tanto que chegam à paixão. Bastante alta, embora um pouco mais baixa que Catierina Ivánovna (esta já era de estatura bastante elevada), era cheia de corpo, de gestos mansos, até como que macios, com um quê de denguice que chegava a uma elaboração especialmente afetada, como acontecia igualmente com a voz. Aproximou-se não como Catierina Ivánovna — de andar cheio de vigor

Os irmãos Karamázov

213

e disposição —, mas, ao contrário, em silêncio. Seus passos no chão não se ouviam absolutamente. Sentou-se com suavidade na poltrona, com suavidade farfalhou seu elegante vestido de seda preta, cobrindo suavemente com um caro xale de lã preta o colo cheio e muito branco e os ombros largos. Tinha vinte e dois anos e seu rosto exprimia exatamente sua idade. Rosto muito alvo, de um corado com um forte matiz rosa-pálido, seu contorno parecia demasiado largo e o maxilar inferior até sobressaía levemente. O lábio superior era muito fino e o inferior um tanto realçado, duas vezes mais grosso, como se estivesse inchado. No entanto, os cabelos castanho-escuros, belíssimos e muito volumosos, as sobrancelhas bastas e escuras e os lindos olhos cinza-azulados e de cílios longos fariam parar de súbito diante desse rosto e recordá-lo por muito tempo o mais indiferente e distraído dos homens, ainda que ele estivesse no meio da multidão, do empurra-empurra ou passeando. O que mais impressionou Aliócha nesse rosto foi sua expressão infantil e ingênua. Tinha um jeito de espiar como uma criança, alegrava-se com qualquer coisa, e foi assim que se achegou à mesa, "cheia de contentamento" e parecendo esperar alguma coisa, com a mais impaciente e crédula curiosidade infantil. Seu olhar alegrava a alma — Aliócha o sentiu. Nela ainda havia algo mais, que ele não podia ou não seria capaz de atinar, mas que talvez até compreendesse inconscientemente — era, mais uma vez, a mansidão, a denguice dos movimentos, a maciez felina desses movimentos do corpo. E, não obstante, era um corpo vigoroso e volumoso. Sob o xale apareciam uns ombros largos e robustos e um busto alto e ainda inteiramente juvenil. Esse corpo prometia, talvez, as formas da Vênus de Milo, embora àquela altura já assumisse, inevitavelmente, proporções um tanto exageradas — isso se pressentia. Olhando para Grúchenka, os conhecedores da beleza feminina russa poderiam predizer, sem erro, que aí pelos trinta anos essa beleza fresca, ainda juvenil, perderia a harmonia, engordaria, o próprio rosto se tornaria balofo, ruguinhas apareceriam com excepcional rapidez perto dos olhos e na fronte, a tez ganharia uma cor abrutalhada, talvez afogueada — em suma, era uma beleza para um instante, uma beleza volátil, encontrada muito amiúde precisamente entre as mulheres russas. Aliócha, naturalmente, não pensava nisso, mas, embora estivesse fascinado, perguntava a si mesmo, com uma sensação desagradável e como que sem querer: por que ela arrasta as palavras dessa maneira e não pode falar com naturalidade? Pelo visto, ela o fazia por achar bonito arrastar as palavras e imprimir um relevo fortemente adocicado às sílabas e sons. Tratava-se, é claro, apenas de um hábito tolo e de mau tom, prova de seu baixo nível de educação e de uma noção de decoro vulgarmente assimilada na infância. Entretanto, essa pronúncia e essa entonação

das palavras se afiguraram a Alióchva uma contradição quase impossível com esse rosto cheio de candura infantil e expressão de alegria, com esse brilho sereno e feliz nos olhos, como nos de uma criança! Num instante Catierina Ivánovna a fez sentar-se na poltrona em frente de Alióchva e deu-lhe vários beijos nos lábios sorridentes. Era como se estivesse apaixonada por ela.

— É a primeira vez que nós duas nos vemos, Alieksiêi Fiódorovitch — pronunciou ela com enlevo —, eu queria conhecê-la, vê-la, quis ir à casa dela, mas ela mesma veio até aqui atendendo à minha primeira vontade. Eu bem que sabia que nós duas resolveríamos tudo, tudo! Pois foi o que meu coração pressentiu... Suplicaram-me para desistir desse passo, mas pressenti a saída e não me enganei. Grúchenka me esclareceu tudo, todas as suas intenções; como um anjo de bondade, veio voando para cá e me trouxe paz e alegria...

— Não desdenhastes de mim, amável e digna senhorita — emendou Grúchenka arrastando as palavras e com o mesmo sorriso amável e alegre.

— Nem vos atrevais a me dizer essas palavras, minha encantadora feiticeira! Desdenhar de vós? Vede, vou beijar outra vez vosso lábio inferior. Ele parece inchado, pois que fique ainda mais inchado, e mais, mais... Veja como ri, Alieksiêi Fiódorivitch, o coração se alegra quando a gente olha para esse anjo... — Alióchva corava e experimentava um pequeno tremor imperceptível.

— Vós me mimais, amável senhorita; e quanto a mim, talvez não mereça absolutamente o vosso carinho.

— Não mereceis! Ela não merece isso! — tornou a exclamar Catierina Ivánovna com o mesmo ardor. — Sabe, Alieksiêi Fiódorovitch, nós duas temos uma cabecinha fantasiosa, somos voluntariosas, mas temos um coraçãozinho sumamente altivo! Somos de espírito nobre, Alieksiêi Fiódorovitch, magnânimas, o senhor sabia? Apenas fomos infelizes, precipitadas demais em fazer qualquer sacrifício por um homem talvez indigno ou leviano. Houve outro, também um oficial, nós nos apaixonamos por ele, lhe demos tudo, faz tempo que isso aconteceu, cinco anos atrás, mas ele nos esqueceu, casou-se. Agora está viúvo, escreveu comunicando que vinha para cá — e saiba que o amamos até hoje, só a ele, e o amamos a vida inteira! Ele virá, e Grúchenka novamente será feliz, pois foi infeliz durante todos esses cinco anos. Mas quem irá censurá-la, quem pode gabar-se de sua benevolência? Só aquele velho sem pernas, o comerciante — mas ele foi antes o nosso pai, nosso amigo, nosso protetor. Naquela ocasião ele nos encontrou no desespero, entre tormentos, abandonadas por quem amávamos tanto... Ela quis até se afogar, mas esse velho a salvou, a salvou!

— Vós me defendeis muito, amável senhorita, e também vos precipitais muito, em tudo — tornou a arrastar Grúchenka.

— Defendo? Seria eu a vos defender, e ainda me atreveria a defendê-la neste caso? Grúchenka, meu anjo, dai-me vossa mãozinha. Olhe para essa mãozinha rechonchudinha, pequena e linda, Alieksiêi Fiódorovitch; está vendo, ela me trouxe a felicidade e me fez ressuscitar, e veja que agora vou beijá-la, por cima e na palma da mão, assim, assim, assim! — E ela, como que tomada de êxtase, beijou três vezes aquela mãozinha realmente encantadora, talvez até rechonchuda demais. Grúchenka, ao estender a mãozinha, observava a "amável senhorita" com um risinho sonoro e encantador, e pelo visto achava agradável que lhe beijassem a mão daquela maneira. "Talvez haja excesso de enlevo nisso aí" — passou de relance pela cabeça de Alióchka. Ele corou. Durante todo esse tempo seu coração experimentou uma intranquilidade algo especial.

— Não me deixeis acanhada, amável senhorita, beijando minha mãozinha desse jeito na presença de Alieksiêi Fiódorovitch.

— Por acaso eu vos quis acanhar com isso? — pronunciou um tanto surpresa Catierina Ivánovna. — Ah, querida, como me compreendeis mal.

— Sim, mas é possível que vós mesma não estejais me compreendendo inteiramente, amável senhorita, eu talvez seja bem pior do que vos pareço. Tenho um coração ruim, sou voluntariosa. Naquele momento, cativei o coitado do Dmitri Fiódorovitch só para zombar dele.

— Mas acontece que agora o estais salvando. Destes a palavra. Vós o fareis compreender, revelareis a ele que amais o outro, há muito tempo, e que ele agora vos oferece a mão...

— Ah, não, eu não vos dei essa palavra. Fostes vós mesma que mo dissestes, mas eu não dei a palavra.

— Quer dizer então que eu não a compreendi direito — pronunciou Catierina Ivánovna com voz baixa e como que empalidecendo levemente. — Vós me prometestes...

— Ah, não, anjo de senhorita, não vos prometi nada — interrompeu Grúchenka com voz baixa e regular, com a mesma expressão alegre e inocente no rosto. — Agora estais vendo, digna senhorita, como sou má e despótica diante de vós. Eu ajo de acordo com a minha vontade. É possível que ainda agora eu vos tenha prometido algo, mas agora torno a pensar: de repente ele, Mítia, ganha de novo minha afeição. Uma vez ele já teve muita afeição de minha parte, por quase uma hora inteira. Pois bem, talvez eu o procure e lhe diga que fique comigo a partir de hoje mesmo... Vede como sou inconstante...

— Ainda há pouco dissestes... inteiramente o contrário... — mal conseguiu pronunciar Catierina Ivánovna.

Os irmãos Karamázov

— Ah, ainda há pouco! Mas acontece que sou de coração mole, tola. Ora, só de pensar o quanto ele suportou por mim! E de repente volto para casa e sinto pena dele — então como vai ser?

— Eu não esperava.

— Ai, senhorita, como sois bondosa comigo, nobre. Bem, agora talvez deixeis de gostar de mim, desta tola, devido ao meu caráter. Dai-me vossa amável mãozinha, anjo de senhorita — ela pediu com ternura e com um quê de veneração pegou a mãozinha de Catierina Ivánovna. — Vede, amável senhorita, vou pegar vossa mãozinha e beijá-la do mesmo jeito que fizestes com a minha. Vós me beijastes a mão três vezes, já eu preciso beijar a vossa trezentas vezes para que fiquemos quites. Que seja assim e depois que seja como Deus quiser; talvez eu venha a ser vossa escrava completa e vos deseje satisfazer servilmente em tudo. Que seja como Deus for servido e sem quaisquer acordos e promessas entre nós. Vossa mãozinha, vossa mãozinha é encantadora, que mãozinha! Minha senhorita amável, belíssima a não mais poder!

Ela levou suavemente essa mãozinha aos lábios, é verdade que com um estranho objetivo: "ficar quite" em beijos. Catierina Ivánovna não retirou a mão: ouvira com uma tímida esperança a última promessa de Grúchenka, embora também muito estranhamente expressa, de satisfazê-la "servilmente"; olhava tensa a outra nos olhos: via nesses olhos a mesma expressão simples, crédula, a mesma alegria clara... "Talvez ela seja por demais ingênua!" — passou de relance essa esperança pelo coração de Catierina Ivánovna. Enquanto isso, com uma espécie de encantamento por aquela "mãozinha amável", Grúchenka a ergueu lentamente em direção aos seus lábios. Mas de repente, quase chegando aos lábios, conteve a mãozinha por dois, três segundos, como se repensasse algo.

— Sabeis de uma coisa, anjo de senhorita? — arrastou de súbito com a vozinha mais terna e adocicada. — Sabei, pego e não beijo vossa mãozinha. — E desatou num risinho curto e dos mais alegres.

— Como quiserdes... o que tendes? — estremeceu de repente Catierina Ivánovna.

— Para que vos fique na lembrança que beijastes minha mãozinha mas eu não beijei a vossa. — Súbito algo brilhou em seus olhos. Ela olhava de modo muito fixo para Catierina Ivánovna.

— Descarada! — pronunciou subitamente Catierina Ivánovna, como se de estalo tivesse entendido algo, inflamou-se toda e levantou-se de um salto. Grúchenka também se levantou, sem pressa.

— Pois é, eu vou contar agora a Mítia como beijastes minha mão, mas eu mesma não beijei absolutamente a vossa. E como ele vai rir!

— Canalha, fora daqui!

— Ah, que vergonha, senhorita, não vos fica nada bem dizer isso, amável senhorita!

— Fora, réptil venal! — berrou Catierina Ivánovna. Tremiam todos os tracinhos de seu rosto totalmente desfigurado.

— Vá lá que eu seja venal. Vós mesma procuráveis cavalheiros no lusco--fusco atrás de dinheiro, levando a beleza para vender, como é do meu conhecimento.

Catierina Ivánovna deu um grito e ia investindo contra ela, mas Aliócha a segurou com toda força:

— Nenhum passo, nenhuma palavra! Não fale, não responda nada, ela vai embora, agora mesmo!

Nesse instante as duas parentas de Catierina Ivánovna entraram correndo, atraídas pelo grito, e a criada também. Todas se lançaram para ela.

— E vou mesmo — pronunciou Grúchenka, apanhando no sofá a mantilha. — Aliócha, querido, acompanha-me!

— Vá embora, vá embora depressa! — implorava Aliócha, juntando alto as mãos diante dela.

— Querido Alióchenka, acompanha-me! A caminho te direi uma palavrinha pra lá de boa! Armei toda essa cena para ti, Alióchenka. Acompanha--me, meu caro, depois irás gostar.

Aliócha lhe deu as costas torcendo a mão. Grúchenka correu para fora, rindo alto.

Catierina Ivánovna teve um ataque. Urrava, os espasmos a sufocavam. Todos se agitavam a seu redor.

— Eu a avisei — dizia-lhe a tia mais velha —, eu tentei impedi-la de dar esse passo... Você é impulsiva demais... Por acaso era possível dar um passo como esse? Você não conhece esses répteis, e sobre essa dizem que é o pior de todos... Não, você é voluntariosa demais!

— É um tigre! — berrou Catierina Ivánovna. — Por que o senhor me conteve, Alieksiêi Fiódorovitch, eu iria arrebentá-la, arrebentá-la!

Ela não estava em condições de se conter diante de Aliócha, talvez até nem quisesse se conter.

— Ela precisa ser enforcada, levada ao patíbulo, ao carrasco, em público!...

Aliócha recuou para a porta.

— Mas Deus! — exclamou de chofre Catierina Ivánovna erguendo os braços —, foi ele, foi ele! Ele conseguiu ser tão desonesto, tão desumano! Porque ele contou àquele réptil o que aconteceu naquele dia fatídico, eternamente maldito, maldito dia! "Vínheis vender a beleza, amável senhorita!" Ela está sabendo! Seu irmão é um patife, Alieksiêi Fiódorovitch!

Aliócha queria dizer alguma coisa, mas não encontrava nenhuma palavra. Sentia um aperto doloroso no coração.

— Vá embora, Alieksiêi Fiódorovitch! Para mim é uma vergonha, um horror! Amanhã... eu imploro de joelhos, venha amanhã. Não me condene, perdoe, não sei o que ainda acabarei fazendo comigo!

Aliócha saiu para a rua parecendo cambalear. Também estava com vontade de chorar como Catierina Ivánovna. Súbito a criada o alcançou.

— A senhorita se esqueceu de lhe entregar esta cartinha da senhora Khokhlakova, está aqui desde o almoço.

Aliócha apanhou maquinalmente um envelopezinho cor-de-rosa e o meteu no bolso quase sem se dar conta.

XI. MAIS UMA REPUTAÇÃO DESTRUÍDA

Da cidade ao mosteiro havia pouco mais de uma versta. Aliócha tomou apressadamente o caminho, deserto àquela hora. Já era quase noite e seria difícil enxergar um objeto a trinta passos de distância. Na metade do caminho havia uma encruzilhada. No cruzamento, debaixo de um salgueiro solitário, lobrigava-se um vulto. Mal Aliócha pôs o pé na encruzilhada, o vulto irrompeu de onde estava e investiu contra ele com um grito de fúria:

— A bolsa ou a vida!

— És tu, Mítia! — admirou-se Aliócha que, entretanto, estremecera intensamente.

— Ah, ah, ah! Por essa não esperavas, hein? Estava pensando: onde te esperar? Junto à casa dela? De lá para cá há três caminhos, e eu podia te perder de vista. Finalmente me ocorreu esperar aqui: porque por aqui ele passará sem falta, não existe outro caminho para o mosteiro. Bem, anuncia a verdade, esmaga-me como uma barata... Ora, o que há contigo?

— Não é nada, meu irmão, foi o susto. Ah, Dmitri! Aquele sangue do nosso pai ainda há pouco... — Aliócha começou a chorar; havia muito estava com vontade de chorar, e era como se agora algo tivesse arrebentado em sua alma. — Por pouco não o mataste... Tu o amaldiçoaste... E agora... agora... me vens com essas brincadeiras... "A bolsa ou a vida"!

— Ah, que mal há nisso? Algo indecente? Não condiz com a situação?

— Nada disso... falei por falar...

— Espera. Olha para a noite: vê que noite trevosa, nuvens, esse vento!

Estava aqui escondido, debaixo do salgueiro, à tua espera, e de repente pensei (aí está Deus!): por que continuar sofrendo, o que esperar? Aqui há um salgueiro, tenho um lenço, camisa, dá para fazer uma corda, pendurá-la e chega de sobrecarregar a terra, de desonrá-la com minha vil presença! E eis que ouço teus passos — meu Deus, foi como se uma luz descesse de chofre sobre mim: sim, porque existe, portanto, uma pessoa que eu amo, aí está ela, aí está essa pessoa, meu irmãozinho querido que eu amo mais do que todos no mundo, o único que eu amo! E assim te amei tanto, te amei tanto nesse instante que pensei: vou saltar agora mesmo no pescoço dele! E aí me veio a ideia tola: "Vou alegrá-lo, pregar-lhe um susto!". Foi aí que gritei como um imbecil: "A bolsa!". Desculpa pela idiotice — foi uma tolice, mas em minha alma... também existe decência... Bem, com os diabos, mas me conta, como foi lá? O que ela disse? Esmaga-me, fere-me sem pena! Ficou furiosa?

— Não, não foi isso... nada disso aconteceu lá, Mítia. Lá... acabei de encontrar as duas juntas.

— Que duas?

— Grúchenka e Catierina Ivánovna.

Dmitri Fiódorovitch pasmou.

— Impossível! — bradou — estás delirando! Grúchenka em casa de Catierina?

Aliócha contou tudo o que lhe acontecera desde o instante em que entrara em casa de Catierina Ivánovna. Passou uns dez minutos narrando. Não se pode dizer que o fizesse com fluência e coerência, mas parece que transmitiu com clareza, pegando as palavras mais importantes, os gestos mais importantes e transmitindo seus próprios sentimentos com nitidez, amiúde em um único aspecto. O irmão Dmitri ouvia calado, olhando-o fixamente com uma terrível imobilidade, mas para Aliócha estava claro que ele já havia compreendido tudo, assimilado todo o fato. Contudo, quanto mais o relato avançava, a expressão de seu rosto ia ficando não se diria sombria, mas como que ameaçadora. Ele franziu o cenho, rangeu os dentes, seu olhar fixo se tornou ainda mais fixo, obstinado, terrível... E foi ainda mais inesperado quando subitamente, com uma rapidez incalculável, mudou de chofre e de uma vez toda a expressão do rosto, até então irada e furiosa, os lábios cerrados se abriram e Dmitri Fiódorovitch desatou na risada mais incontida, mais autêntica. Caiu literalmente na risada e durante muito tempo não conseguiu nem falar de tanto que ria.

— Quer dizer que acabou não beijando a mãozinha! Quer dizer que acabou não beijando e saiu correndo! — bradava num êxtase um tanto doentio, num êxtase descarado, poder-se-ia até dizer, se esse êxtase não fosse tão

Os irmãos Karamázov

natural. — A outra gritou que ela é um tigre! Tigre ela é! Precisa ser levada à forca? Sim, sim, seria preciso, é preciso, eu mesmo sou da opinião de que é preciso, faz muito que é preciso! Vê, meu irmão, vá que precise de forca, mas primeiro ainda precisa recobrar a saúde. Eu compreendo a rainha da desfaçatez, ela está toda nesse episódio, manifestou-se toda naquela mãozinha, criatura dos infernos! É a rainha de todas as criaturas do inferno que se pode imaginar no mundo! Uma espécie de êxtase! Quer dizer que ela correu para casa? Agora mesmo eu... Ah... Vou correr à casa dela! Aliócha, não me culpes, pois eu mesmo concordo que estrangulá-la é pouco...

— E Catierina Ivánovna?! — exclamou com tristeza Aliócha.

— Esta eu também percebo, por inteiro, e a percebo como nunca! Nisso existe uma verdadeira descoberta de todos os quatro pontos cardeais, quer dizer, dos cinco![133] Que passo! É justamente a mesma Cátienka, a estudante que, movida pela ideia solidária de salvar o pai, não temeu apelar para um oficial grosseiro e ridículo, arriscando-se a ser terrivelmente ofendida! Mas é aquele orgulho nosso, é aquela necessidade de risco, é o desafio ao destino, o desafio ao infinito! Tu disseste que aquela tia tentou detê-la? Essa tia, fica sabendo, é aquela mesma déspota, é a irmã carnal daquela generala moscovita que vivia com aquele nariz cada vez mais empinado, mas o marido foi apanhado em crime de peculato, perdeu tudo, a fazenda e tudo o mais, e de repente a orgulhosa esposa baixou o tom e nunca mais se reergueu. Então ela tentou conter Cátia, mas esta não obedeceu. "Posso vencer tudo, diz ela, tudo está em meu poder: se quiser enfeitiço Grúchenka" — e ela mesma acreditou em si, ela mesma foi gabola; então, de quem é a culpa? Tu achas que ela beijou de propósito a mãozinha de Grúchenka primeiro, por um cálculo astucioso? Não, ela verdadeiramente, ela verdadeiramente se apaixonou por Grúchenka, ou seja, não por Grúchenka mas por seu sonho, por seu delírio — porque esse é o *meu* sonho, o *meu* delírio. Aliócha, meu caro, que jeito tu deste para te livrar delas, daquelas duas? Saíste correndo, arrepanhando a batina? Ah, ah, ah!

— Irmão, parece que tu não deste nenhuma atenção ao modo como ofendeste Catierina Ivávnova contando a Grúchenka sobre aquele dia, e Grúchenka acabou de jogar na cara dela: "Vós mesma procuráveis cavalheiros no lusco-fusco para vender a beleza!". Meu irmão, o que pode ser pior do que essa ofensa? — O que mais torturava Aliócha era a ideia de que o irmão

---

[133] Dmitri confunde os pontos cardeais com os continentes do mundo, que, no século XIX, eram cinco: Europa, Ásia, África, América e Austrália. A Antártida, embora descoberta nos anos 1820, não era ainda considerada um continente. (N. da E.)

parecia estar alegre com a humilhação de Catierina Ivánovna, embora, é claro, isso não pudesse ser verdade.

— Arre! — Dmitri Fiódorovitch franziu terrivelmente o cenho e deu uma palmada na testa. Só agora acabava de atentar para isso, embora Aliócha tivesse acabado de contar tudo de uma vez, tanto a ofensa quanto o grito de Catierina Ivánovna: "Seu irmão é um patife!" — É, realmente é possível que eu tenha contado a Grúchenka sobre aquele "dia fatídico", como diz Cátia. É, é verdade, contei, estou lembrado! Foi naquela ocasião em Mókroie, eu estava bêbado, as ciganas cantavam... Mas eu estava em prantos, naquele momento eu mesmo estava em prantos, rezando ajoelhado diante da imagem de Cátia, e Grúchenka compreendeu isso. Ela compreendeu tudo naquele momento, estou lembrado, ela mesma chorava... Já eu, arre diabos! Aliás, poderia ter sido diferente? Naquela ocasião ela chorava, mas agora... Agora tome "um punhal no coração"! Assim acontece com as mulheres.

Ficou cabisbaixo e pensativo.

— Sim, sou um patife! Sem dúvida um patife — pronunciou de repente com uma voz sombria. — Seja como for, tendo chorado ou não, seja como for sou um patife! Diz a ela que aceito a alcunha se isso lhe servir de consolo. Mas basta, adeus, de que adianta jogar conversa fora?! Não é nada divertido. Tu segues o teu caminho, eu, o meu. E não quero mais me encontrar contigo, até um eventual último minuto. Adeus, Alieksiêi! — apertou com força a mão de Aliócha e, ainda cabisbaixo e sem levantar a cabeça, como se tivesse se desprendido, rumou rápido para a cidade. Aliócha o acompanhou com o olhar, sem acreditar que ele estivesse subitamente indo embora de vez.

— Espera, Alieksiêi, mais uma confissão, só para ti! — Dmitri Fiódorovitch voltou. — Olha para mim, olha fixamente, olha aqui, aqui: uma terrível desonra está a caminho. (Ao dizer "olha aqui", Dmitri Fiódorovitch batia com o punho no peito e com uma expressão tão estranha como se a desonra estivesse e se conservasse precisamente ali em seu peito, em algum ponto, talvez em um bolso, ou costurada em algo pendurado no pescoço.) Tu já me conheces: um patife, um patife confesso! Mas fica sabendo que, o que quer que eu tenha feito antes, venha a fazer agora ou no futuro, nada, nada poderá comparar-se em torpeza com a desonra que justamente agora, precisamente neste instante eu tenho aqui no peito, aqui, uma desonra que age e se concretiza e que eu tenho pleno poder de deter, posso detê-la ou realizá-la, observa isto! Pois fica sabendo que vou realizá-la, não vou me deter. Ainda há pouco te contei tudo, mas isto eu não contei porque minha cabeça dura não me deixou! Ainda posso me deter; detendo-me, amanhã mesmo eu posso reaver uma metade inteira da honra perdida, mas não vou me deter, vou realizar o plano torpe, e fica tu sendo a testemunha antecipada de que eu fui o primeiro a prenunciá-lo! Morte e trevas. Não há o que explicar, saberás oportunamente. O beco fétido e a criatura dos infernos! Adeus. Não rezes por mim, não mereço, e aliás não faz nenhuma falta, nenhuma falta... Não preciso absolutamente! Adeus!...

E afastou-se num abrir e fechar de olhos, desta vez já para sempre. Aliócha foi para o mosteiro. "Como assim, como é que nunca mais hei de vê-lo, o que ele estava dizendo? — isso lhe parecia um horror. — Sim, amanhã mesmo vou procurá-lo e achá-lo de qualquer jeito, vou descobrir especialmente que coisa é essa que ele está dizendo!"

Contornou o mosteiro pelo bosque de pinheiros em caminho direto para o eremitério. Abriram-lhe o portão, embora nesse horário já não deixassem mais ninguém entrar. Seu coração tremia quando ele entrou na cela do *stárietz*: "Por que, por que ele saíra, por que o outro o enviara 'para o mundo'? Aqui está o silêncio, aqui o lugar sagrado, mas lá — lá está a confusão, estão as trevas nas quais a gente logo se perde e se desencaminha...".

Na cela se encontravam o noviço Porfíri e o padre Paíssi, que passaram todo aquele dia vindo procurar de hora em hora informações sobre a saúde do *stárietz* Zossima, que, como Aliócha soube cheio de pavor, agravava-se cada vez mais. Desta vez não pôde haver nem a habitual palestra da noitinha com a irmandade. Era comum que à noitinha, depois da missa, a irmandade do mosteiro afluísse diariamente à cela do *stárietz* antes de dormir e todos lhe confessassem, em voz alta, seus pecados do dia, os sonhos pecaminosos, os pensamentos, as tentações, até suas desavenças, se as havia. Uns se confessavam de joelhos. O *stárietz* os absolvia, reconciliava-os, dava conselhos, impunha penitências, benzia-os e os liberava. Pois era contra essas "confissões" em irmandade que se levantavam os adversários do *startziado*, dizendo que isso era uma profanação da confissão como segredo, quase um sacrilégio, embora o que acontecia ali fosse de todo diferente. Queixavam-se até às autoridades da eparquia, argumentando que tais confissões não só não chegavam a um bom termo como induziam de fato e propositadamente ao pecado e às tentações. Alegava-se que para muitos da irmandade era um peso visitar o *stárietz* e que iam lá a contragosto, porque todos iam, para não serem tomados por orgulhosos e rebeldes de intenção. Contava-se que alguns membros da irmandade, ao se dirigirem para a confissão noturna, combinavam de antemão: "Eu vou dizer que de manhã fiquei furioso contigo, e tu confirmas" — isso para arranjar assunto, apenas para safar-se. Aliócha sabia que às vezes isso realmente acontecia. Sabia ainda que, entre os membros da irmandade, havia os que se indignavam muito também com o fato de que, segundo o costume, até as cartas dos familiares recebidas pelos que viviam no eremitério eram levadas inicialmente ao *stárietz* para que este as deslacrasse antes de seus destinatários. Supunha-se, é claro, que tudo isso devia acontecer de forma livre e sincera, partir do fundo da alma, em nome da livre resignação e da edificação salvadora, mas na realidade, como se verificou, acontecia às vezes o contrário, de modo até muito insincero, artificial e falso. Contudo, os mais velhos e mais experientes da irmandade não davam o braço a torcer, julgando que "aqueles que entraram sinceramente nestes muros a fim de salvar-se, para estes toda essa obediência e todos esses feitos viriam a ser, sem dúvida, salvadores e de grande utilidade; quem, ao contrário, se sentia incomodado e se queixava, para este tanto fazia ser monge ou não, e sua vinda para o mosteiro havia sido inútil; lugar de gente assim era no mundo. Do pecado e do diabo ninguém estava a salvo, não só no mundo, mas até mesmo em um templo, portanto, nada de favorecer o pecado".

— Está fraco, sonolento — cochichou a Aliócha o padre Paissi, benzendo-o. — Até acordá-lo está difícil. Mas não devemos acordá-lo. Acordou por uns cinco minutos, pediu que levassem à irmandade sua bênção e que a irmandade fizesse rezas noturnas por ele. Ainda tem a intenção de comungar pela manhã. Lembrou-se de ti, Alieksiêi, perguntou se tinhas ido embora, disseram-lhe que estavas na cidade. "Para isto eu o abençoei; lá é o lugar dele, e não aqui, por enquanto" — foi isso que disse a teu respeito. Lembrou-se de ti com amor, com preocupação; tu fazes ideia do que mereceste? No entanto, por que ele determinou que por enquanto tu deves cumprir um prazo no mundo? Quer dizer que prevê alguma coisa em teu destino! Compreende, Alieksiêi, que se estás voltando para o mundo é como que para cumprir uma obrigação que teu *stárietz* te confiou, e não para a leviandade do ócio nem para as diversões mundanas...

O padre Paissi saiu. De que o *stárietz* estava indo embora não havia dúvida para Aliócha, por mais que ele ainda pudesse viver mais um ou dois dias. Aliócha decidiu com firmeza e ardor que, apesar da promessa que dera de visitar o pai, as Khokhlakova, o irmão e Catierina Ivánovna, no dia seguinte não sairia absolutamente do mosteiro e permaneceria ao lado de seu *stárietz* até o fim. Seu coração ardeu de amor e ele se censurou amargamente pelo fato de, estando na cidade, ter-se esquecido por um instante de quem havia deixado no mosteiro no leito de morte e a quem respeitava acima de todos no mundo. Foi até o pequeno aposento do *stárietz*, ajoelhou-se e prosternou-se até o chão diante dele, que dormia sereno, imóvel, com a respiração precária e quase imperceptível. Tinha o rosto tranquilo.

Os irmãos Karamázov

Voltando ao outro cômodo, o mesmo em que o *stárietz* recebera as visitas pela manhã, Aliócha, quase sem se despir e tirando apenas as botas, deitou-se no sofazinho de couro, duro e estreito, no qual dormia todas as noites havia tempo, trazendo apenas o travesseiro. O colchão, acerca do qual seu pai gritara pouco antes, ele já se esquecera de estender fazia muito tempo. Tirou apenas a batina e cobriu-se com ela em vez do cobertor. Mas antes de adormecer caiu de joelhos e rezou por muito tempo. No fervor da reza não pediu a Deus que lhe explicasse sua confusão, ele ansiava apenas por um enternecimento alegre, por aquele enternecimento anterior que sempre lhe visitava a alma depois que elogiava e glorificava a Deus, no que consistia habitualmente toda a sua reza antes de dormir. Essa alegria que o visitava trazia consigo um sono leve e tranquilo. Rezando também agora, apalpou de repente e por acaso no bolso aquele pequeno envelope cor-de-rosa que lhe entregara a criada de Catierina Ivánovna quando ele se afastava de sua casa. Perturbou-se, mas terminou a reza. Em seguida, depois de alguma vacilação, abriu o envelope. Dentro havia uma cartinha dirigida a ele assinada por Lise — aquela mesma jovenzinha, filha da senhora Khokhlakova, que naquela manhã tanto rira dele na presença do *stárietz*.

"Alieksiêi Fiódorovitch — escrevia ela —, estou lhe escrevendo escondida de todos, até de *mamã*, e sei o quanto isso não fica bem. No entanto, não poderei mais viver se não lhe disser o que brotou em meu coração, e isto ninguém, a não ser nós dois, deve saber por enquanto. Mas como vou lhe dizer o que tanto quero lhe dizer? Dizem que o papel não cora, mas eu lhe asseguro que isto não é verdade e que ele cora do mesmo jeito que eu também estou corando toda neste momento. Querido Aliócha, eu o amo, amo desde menina, desde Moscou, quando nós dois éramos bem diferentes do que somos hoje, e o amo para toda a vida. Eu o escolhi com meu coração para que nós dois nos unamos e terminemos nossa vida juntos na velhice. Claro, com a condição de que você deixe o mosteiro. No tocante à nossa idade, esperaremos o tempo que a lei determinar. Até então estarei curada sem falta, andando e dançando. A esse respeito não se pode emitir nenhuma dúvida.

"Está vendo como pensei em tudo; só não posso imaginar uma coisa: o que você vai pensar sobre mim quando ler isto? Não paro de rir e traquinar. Ainda há pouco eu o deixei zangado, mas lhe asseguro que, antes de pegar da pena, rezei diante da imagem da Virgem, e neste momento também estou rezando e quase chorando.

"Meu segredo está em suas mãos; amanhã, quando você vier, não sei como haverei de fitá-lo. Ah, Alieksiêi Fiódorovitch, o que acontecerá se novamente eu não me contiver, como uma tola, e começar a rir olhando para

Os irmãos Karamázov

você, como hoje de manhã? Porque você vai me tomar por uma detestável galhofeira e não acreditará em minha carta. Por isso eu lhe imploro, querido, que, se você tiver compaixão de mim, quando entrar amanhã não me olhe direto demais nos olhos porque eu, ao cruzar com seu olhar, talvez comece a rir, ainda mais porque você estará com essa roupa comprida... Agora mesmo fico toda gelada ao pensar nisso, e por essa razão, ao entrar, fique algum tempo sem olhar absolutamente para mim e olhando para *mamã* e para a janela... Pois bem, eu lhe escrevi uma carta de amor; meu Deus, o que foi que fiz! Alióscha, não me despreze, e se eu fiz alguma coisa muito tola e lhe causei desgosto, desculpe-me. Agora o segredo de minha reputação, talvez destruída para sempre, está em suas mãos.

"Hoje não passo sem chorar. Até nosso próximo encontro, até o *terrível* encontro. — *Lise*.

"PS: Mas venha sem falta, Alióscha, sem falta, sem falta! — *Lise*."

Alióscha leu surpreso, leu mais umas duas vezes, pensou e súbito começou a rir baixinho, doce. Quase estremeceu, esse riso lhe pareceu pecaminoso. Contudo, um instante depois desatava outra vez a rir de modo igualmente baixo, igualmente feliz. Colocou lentamente a carta no envelope, benzeu-se e deitou-se. A perturbação da alma passou de repente. "Senhor, perdoa a todos com quem estive há pouco, protege esses infelizes e exaltados, aponta-lhes o caminho. Tu tens os caminhos: salva-os por esses mesmos caminhos. Tu és o amor; a todos envias também a alegria!" — murmurou Alióscha, benzendo-se e caindo em um sono sereno.

SEGUNDA PARTE

Livro IV
MORTIFICAÇÕES

I. O PADRE FIERAPONT

Aliócha foi despertado de manhã cedo, ainda antes do amanhecer. O *stárietz* acordara e se sentia muito fraco, e mesmo assim desejava passar da cama para a poltrona. Estava com a consciência perfeita; tinha o rosto sereno, quase radiante, embora muito exausto, e o olhar alegre, afável e amistoso. "Talvez eu não passe deste dia que está começando" — disse a Aliócha; em seguida, desejou confessar-se e comungar imediatamente. Seu confessor sempre fora o padre Paissi. Prestados os dois sacramentos, começou a extrema-unção. Os hieromonges estavam reunidos, a cela foi-se enchendo pouco a pouco com a chegada dos eremitas. Enquanto isso, o dia raiou. Começou a chegar gente também do mosteiro. Quando terminou o serviço religioso, o *stárietz* quis beijar e despedir-se de todos. Devido ao aperto no interior da cela, os que chegavam primeiro cediam lugar aos outros. Aliócha estava em pé ao lado do *stárietz*, agora sentado na poltrona. O *stárietz* falava e instruía o quanto podia, e sua voz, embora fraca, ainda estava bastante firme. "Quantos anos eu vos ensinei, quantos anos falei em voz alta, parece até que peguei o hábito de falar e, ao falar, ensiná-los, e isso a tal ponto que para mim era quase mais difícil calar do que falar, meus amados padres e irmãos, e isso acontece até neste momento, apesar de minha fraqueza" — brincou, contemplando enternecido os que se aglomeravam à sua volta. Mais tarde Aliócha lembrou-se de algo do que ele dissera naquela ocasião. Mas ainda que ele falasse com clareza e estivesse com a voz bastante forte, a fala, porém, saía muito desconexa. Falou de muita coisa; parecia querer dizer tudo, concluir, no instante da morte, tudo o que deixara por dizer em vida, sem visar unicamente ao ensinamento mas como se ansiasse por dividir sua alegria e seu êxtase com todos e com tudo, desafogar o coração mais uma vez na vida...

"Amai-vos uns aos outros, padres — ensinava o *stárietz* (até onde Aliócha conseguiu rememorar depois). — Amai o povo de Deus. Não somos mais santos que os leigos pelo fato de termos vindo para cá e nos enclausurado entre estas paredes mas, ao contrário, cada um que veio para cá, já pelo simples fato de ter vindo, conheceu consigo que é pior do que todos os leigos, do que tudo e todos na Terra... E quanto mais o monge viver depois entre suas paredes, mais sensivelmente deverá tomar consciência disto. Porque em caso contrário não teria nenhum motivo para estar aqui. Só quando toma consciência de que não é só pior do que todos os leigos mas é, ainda, culpado perante todos os homens por todos e por tudo, por todos os pecados dos homens, do mundo e de cada indivíduo, só então atinge o objetivo de nossa união. Porque sabeis, queridos, que cada um de nós é, indubitavelmente, culpado por todos e por tudo na Terra, não só pelo pecado de todos no mundo, como cada um é, pessoalmente, culpado por todos e cada um dos homens nesta Terra. Esta consciência é o coroamento do caminho do monasticismo e também de toda e qualquer pessoa na Terra. Porque os monges não são pessoas diferentes, mas tão só aquilo que todas as demais pessoas da Terra deveriam ser. Só neste caso nosso coração se enterneceria no amor infinito, universal, insaciável. Só então cada um de nós teria condições de ganhar o mundo todo pelo amor e lavar com nossas lágrimas os pecados do mundo... Que cada um cuide de seu coração, que cada um se confesse incansavelmente. Não temais o vosso pecado mesmo tendo consciência dele, basta apenas que haja arrependimento, mas não estabeleçais condições com Deus. Torno a dizer — não vos orgulheis. Não vos orgulheis diante dos pequenos e não vos orgulheis tampouco diante dos grandes. Não odieis tampouco aqueles que vos rejeitam, vos difamam, vos denigrem e levantam falsos testemunhos contra vós. Não odieis os ateus, mestres do mal, os materialistas, os perversos dentre estes e também os bons, pois entre eles há muitos bons, principalmente em nossos dias. Lembrai-vos deles em vossas orações, falando assim: salva, senhor, a todos por quem não há quem reze, salva também aqueles que não desejam orar a ti. E acrescentai neste ato: não oro a ti por um orgulho meu, senhor, porque eu mesmo sou mais abominável que tudo e todos... Amai o povo de Deus, não permitais que os forasteiros vos tomem o rebanho, pois se dormirdes na preguiça e no vosso orgulho repulsivo, e ainda mais na cobiça, então eles virão de todos os países e vos tomarão o rebanho. Explicai o Evangelho incansavelmente para o povo... Não pratiqueis a usura... Não ameis o ouro e a prata, não os guardeis... Tende fé e mantende o estandarte. Erguei-o bem alto..."

O *stárietz*, aliás, falava de modo mais descontínuo do que está exposto e do que Aliócha registrou mais tarde. Às vezes cessava inteiramente de falar como se reunisse forças, arfava, mas estava numa espécie de enlevo. Ouviam-no com enternecimento, embora muitos se admirassem de suas palavras e percebessem que nelas havia obscuridade... Mais tarde todas essas palavras foram lembradas. Quando Aliócha deixou a cela por um minuto, ficou pasmo com a emoção geral e a expectativa da irmandade que se aglomerava na cela e em torno dela. Entre seus integrantes essa expectativa era quase inquieta; em outros, solene. Todos aguardavam algo imediato e grandioso logo após o falecimento do *stárietz*. De certo ponto de vista, essa expectativa era quase leviana, mas até os *startzí* mais severos eram levados por ela. O rosto mais severo era o do hieromonge *stárietz* Paissi. Aliócha só se afastara da cela porque um monge lhe transmitira um misterioso chamado de Rakítin, que chegara da cidade trazendo-lhe uma estranha carta da senhora Khokhlakova. Ela lhe comunicava uma notícia curiosa que lhe chegara, aliás, de modo extraordinário. Acontece que, na véspera, entre as religiosas do povo que vieram cumprimentar o *stárietz* e lhe pedir a bênção, estava uma velha da cidade, Prókhorovna, viúva de um sargento. Ela perguntara ao *stárietz*: podia rezar por seu filho Vássienka,[1] que partira em serviço para Irkutsk, na longínqua Sibéria, e de quem não recebia nenhuma notícia fazia já um ano, em vez de orar pela alma de um morto? A isto o *stárietz* lhe deu uma resposta severa, proibindo-a e classificando esse tipo de homenagem como semelhante à feitiçaria. Não obstante, depois de perdoá-la por sua ignorância, acrescentara, "como se lesse no livro do futuro" (assim se expressava na carta a senhora Khokhlakova), também o consolo de que "o filho Vássia estava seguramente vivo e que em breve viria visitá-la em pessoa ou mandaria uma carta, e que ela fosse embora e ficasse aguardando em casa. E o que aconteceu? — acrescentava enlevada Khokhlakova. — A profecia se realizou completamente e até foi além". Mal a velha chegou em casa, entregaram-lhe uma carta da Sibéria, que já estava à sua espera. Mas isso ainda era pouco: nessa carta, que Vássia escrevera de passagem por Ekaterinburg, ele levava ao conhecimento de sua mãe que estava vindo para a Rússia, retornando com um funcionário, e que umas três semanas após a chegada da carta "ele mesmo esperava abraçar sua mãe". A senhora Khokhlakova implorava com insistência e ardor que Aliócha transmitisse imediatamente ao igúmeno e a toda a irmandade esse novo "milagre da predição" que havia se realizado: "Isso deve ser do conhecimento de todos, de todos!" — exclamava a senhora concluindo a carta. Esta fora escrita às pressas, precipitadamente, e a emoção se manifestava em cada uma de suas linhas. Mas Aliócha já não tinha nada a transmitir à irmandade, porque todos já sabiam de tudo: Rakítin, que mandara o monge chamá-lo, pedira-lhe, além disso, que comu-

---

[1] Diminutivo de Vassili. (N. do T.)

Os irmãos Karamázov

nicasse "da maneira mais respeitosa também à sua reverendíssima, o padre Paissi, que ele, Rakítin, tinha um assunto de tal importância que não se atrevia a adiar por um minuto a comunicação, e pedia que o enviado se desculpasse numa reverência profunda junto ao padre por seu atrevimento". Como o mongezinho comunicou ao padre Paissi o pedido de Rakítin antes de comunicar o fato a Aliócha, este, depois de voltar ao seu lugar e ler o bilhete, não teve outra alternativa senão levá-lo imediatamente ao conhecimento do padre Paissi como simples testemunho escrito. E eis que até esse homem severo e desconfiado, ao ler de cenho franzido a notícia do "milagre", não conseguiu conter de todo certo sentimento em seu íntimo. Seus olhos brilharam, os lábios súbito sorriram de um modo imponente e penetrante.

— Será que veremos isso? — como que lhe escapou subitamente.

— Ainda veremos mais, ainda veremos mais! — repetiram ao redor os monges, mas o padre Paissi, novamente de cenho franzido, pediu a todos que, ao menos por enquanto, não comunicassem isso em voz alta a ninguém, "enquanto ainda não houver melhor confirmação, porque entre os leigos há muita leviandade e, além disso, esse caso poderia acontecer naturalmente" — acrescentou com cautela, como que para ficar de consciência limpa, mas quase sem acreditar em sua ressalva, o que os ouvintes perceberam muito bem. No mesmo instante, é claro, o "milagre" tornou-se conhecido de todo o mosteiro e inclusive de muitos leigos que ali se encontravam para a liturgia. Quem, parece, estava mais impressionado com o milagre acontecido era o mongezinho do São Silvestr, do pequeno eremitério de Obdorsk, no extremo norte, que chegara na véspera ao mosteiro. No dia anterior reverenciara o *stárietz* em pé ao lado da senhora Khokhlakova e, apontando-lhe a filha "curada" dessa senhora, perguntara-lhe em tom emocionado: "Como o senhor se atreve a fazer essas coisas?".

Acontece que agora ele estava tomado de certa perplexidade e quase não sabia em que acreditar. Ainda na tarde da véspera visitara no mosteiro o padre Fierapont em sua cela especial, atrás da colmeia, e ficou perplexo com esse encontro, que produzira nele uma impressão extraordinária e aterradora. Esse padre Fierapont era aquele mesmo monge velhíssimo, grande jejuador e silenciário, a quem já nos referimos como adversário do *stárietz* Zossima e principalmente do *startziado*, que ele considerava uma novidade prejudicial e leviana. Esse adversário era perigosíssimo, ainda que, como silenciário, quase não pronunciasse uma palavra com ninguém. Era perigoso, principalmente, porque contava com a plena solidariedade de muitos membros da irmandade, e entre os leigos que ali chegavam muitos o consideravam um grande justo e asceta, apesar de verem nele um indiscutível

234 Fiódor Dostoiévski

iuródiv. Mas era sua condição de *iuródiv* que cativava. Esse padre Fierapont nunca visitara o *stárietz* Zossima. Embora morasse no eremitério, não o incomodavam muito com as regras eremitérias porque, mais uma vez, ele se comportava francamente como um *iuródiv*. Tinha uns setenta e cinco anos, senão mais, e morava atrás da colmeia do eremitério, em um canto de uma cela de madeira velha e quase em ruínas ali construída em tempos antiquíssimos, ainda no século passado, para o padre Ioan, também grande jejuador e silenciário, que vivera até os cento e cinco anos e sobre cujos feitos contavam-se até hoje muitas histórias curiosíssimas no mosteiro e em suas redondezas. O padre Fierapont conseguira finalmente ser instalado uns sete anos antes nessa mesma celinha isolada, ou seja, numa simples isbá mas muito parecida com uma capela, porquanto continha um número extraordinário de imagens com lamparinas doadas que lançavam eternamente uma luz frouxa diante delas, e o padre Fierapont parecia ter sido instalado ali para zelar por elas e acendê-las. Segundo se dizia (e isso era verdade), ele comia apenas duas libras de pão a cada três dias, e não mais; a cada três dias o pão lhe era entregue ali mesmo na colmeia pelo colmeeiro, mas até com ele, o colmeeiro, o padre Fierapont só raramente trocava uma palavra. Essas quatro libras de pão, somadas ao pão eucarístico[2] do domingo que o igúmeno enviava pontualmente depois da última missa, era o que constituía toda a sua alimentação semanal. Já a água de seu jarro era trocada a cada dia. Raramente ia à missa. Os adeptos que o visitavam testemunhavam como ele passava o dia inteiro rezando ajoelhado, sem despregar os joelhos do chão nem olhar para os lados. Se na ocasião entabulava conversa com eles, esta era breve, descontínua, estranha e quase sempre grosseira. Havia, não obstante, casos muito raros em que ele dava de conversar com os visitantes, porém o mais das vezes pronunciava apenas alguma palavra estranha, que sempre sugeria ao visitante um grande enigma, e em seguida não pronunciava nada como explicação, a despeito de quaisquer pedidos. Não tinha o título de sacerdote, era apenas um simples monge. Corria um boato muito estranho, se bem que entre as pessoas mais ignorantes, segundo o qual o padre Fierapont se comunicava com espíritos celestes e só com eles conversava, e era por isso que se calava diante das pessoas. O mongezinho de Obdorsk, que chegara à colmeia por indicação do colmeeiro, um monge também muito calado e taciturno, foi ao canto em que ficava a celinha do padre Fierapont. "Pode ser que fale com um forasteiro, mas pode ser que não consiga nada dele" — preveniu-o o colmeeiro. O mongezinho foi-se chegando, co-

---

[2] Pãozinho branco, usado nos rituais ortodoxos. (N. do T.)

mo contara depois, com o maior dos medos. Já era bastante tarde. Desta feita, o padre Fierapont estava sentado à porta da celinha num banquinho baixo. Sobre sua cabeça um olmo enorme e velho rugia. O friozinho da noite estava chegando. O mongezinho de Obdorsk prosternou-se diante do beato e pediu a bênção.

— Queres que eu também me prosterne diante de ti, monge? — pronunciou o padre Fierapont. — Levanta-te!

O mongezinho levantou-se.

— Abençoando, depois de ter sido abençoado; senta-te aqui ao lado. De onde és?

O que mais impressionou o pobre mongezinho foi o fato de que o padre Fierapont, a despeito de seu jejum sem dúvida rigoroso e de sua idade já tão avançada, ainda aparentava ser um velho forte: era alto, ereto, não arqueado, de rosto fresco, que mesmo sendo magro era saudável. Sem dúvida também conservava ainda uma força considerável. Era de compleição atlética. Apesar de tão entrado em anos, ainda não estava inteiramente grisalho, tinha cabelos ainda muito bastos, com antigos fios completamente negros na cabeça e na barba. Os olhos de tonalidade cinza, graúdos, brilhantes, mas extraordinariamente arregalados, chegavam a impressionar. Falava carregando intensamente no "ó". Vestia uma espécie de *caftan* pardacento longo, de tecido grosseiro como o usado nas prisões, com uma corda grossa fazendo as vezes de cinto. O pescoço e o peito estavam descobertos. A camisa, de um tecido muito grosso e quase enegrecida por meses a fio de uso, aparecia por baixo do *caftan*. Diziam que por baixo do *caftan* ele carregava uma corrente de ferro para mortificação do corpo; calçava uns sapatos velhos quase rotos e sem meia.

— Sou do pequeno mosteiro de Obdorsk, de São Selivestr[3] — respondeu obedientemente o mongezinho com seus olhinhos ágeis e curiosos, embora um tanto assustados, observando o asceta.

— Estive com teu Selivestr. Morei lá. Selivestr está bem de saúde?

O mongezinho ficou desnorteado.

— Sois uns ineptos! Como observam o jejum?

— Nossas refeições obedecem aos antigos regulamentos do eremitério. Durante a Quaresma não se serve nenhum alimento às segundas, quartas e sextas-feiras. Às terças e quintas a irmandade recebe pão branco, sopa com mel, amoras silvestres ou repolho salgado e farinha de aveia. Aos sábados, sopa de repolho, talharim com ervilhas, depois mingau de centeio. Uma vez

---

[3] No original, ora aparece Silvestr, ora Selivestr. (N. do T.)

por semana acrescentam-se à sopa algum peixe seco e mingau. Durante a Semana Santa, da segunda-feira à noite de sábado, uns seis dias, só pão e água e verduras cruas em porções moderadas; ainda se pode comer, mas não todos os dias, e isso já é determinado na primeira semana da Quaresma. Na Sexta-feira Santa não se come nada, assim como no Sábado de Aleluia até as três da tarde, quando ingerimos um pouco de pão com água e uma taça de vinho. Na Quinta-feira Santa comemos alimentos cozidos sem manteiga e tomamos vinho e às vezes alimento seco. Porque o Concílio de Laodiceia estabeleceu para a Quinta-feira Santa o seguinte: "não se deve quebrar o jejum na quinta-feira da última semana da Quaresma e assim desonrar toda a Quaresma". É assim que nós observamos. Mas o que é isto em comparação com o jejum que o senhor, grande padre, observa? — acrescentou o mongezinho após cobrar ânimo —, pois durante o ano inteiro, até na Santa Páscoa, alimenta-se de pão e água, e o pão que nós comemos em dois dias lhe basta para toda a semana. Tão grande abstinência é verdadeiramente admirável.

— E os cogumelos? — perguntou de chofre o padre Fierapont.

— Os cogumelos? — perguntou surpreso o mongezinho.

— Aí é que está. Eu recuso o pão deles porque não preciso absolutamente dele, posso ir até para a mata que lá viverei de cogumelos ou de amoras, mas eles aqui não abrem mão de seu pão, logo, têm parte com o diabo. Hoje em dia os ímpios dizem que não há por que jejuar tanto. É um juízo soberbo e sórdido.

— Oh, é verdade — suspirou o mongezinho.

— E o senhor viu diabos quando esteve com eles? — perguntou o padre Fierapont.

— Com eles quem? — quis saber o mongezinho.

— Estive com o igúmeno no Pentecostes do ano passado e desde então não mais o visitei. Vi o diabo escondido no peito de um monge por baixo da batina, apenas com os chifres aparecendo; do bolso de outro monge saía um diabinho de olhos ágeis, ele teve medo de mim; outro monge o carrega sobre o ventre, sobre seu mais impuro ventre, e um outro o leva até pendurado no pescoço, agarrado, e assim o conduz, mas sem que ninguém o veja.

— O senhor... vê? — quis saber o mongezinho.

— Estou dizendo que vejo, e que o vejo de todo. Estava saindo da casa do igúmeno, e o que vejo? — um atrás da porta escondendo-se de mim, grandalhão, de um *archin* e meio de altura, rabo grosso, pardo, comprido; ele deixa a ponta do rabo presa na fenda entre porta e o caixilho, mas eu não sou bobo, de repente bato a porta e prenso-lhe o rabo. Ele gane, começa a

debater-se, mas eu pego o estandarte da cruz e faço o sinal da cruz três vezes sobre ele. Ele morre como uma aranha esmagada. Agora deve estar podre num canto, fedendo, mas eles lá não veem, não sentem. Faz um ano que não apareço por lá. Só revelei isto a ti porque és estrangeiro.

— Suas palavras são terríveis! Então, grande e bem-aventurado pai — o mongezinho ia criando mais e mais coragem —, é verdade o que vem ganhando imensa fama e se espalhando até em lugares distantes, que o senhor mantém comunicação permanente com o Espírito Santo?

— Ele pousa sobre mim. Acontece.

— Pousa como, de que jeito?

— Como um pássaro.

— O Espírito Santo em forma de pomba?

— Ora é o Espírito Santo, ora o Santispírito.[4] Santispírito é outra coisa, pode baixar como outro pássaro: uma andorinha, um pintassilgo e às vezes uma mejengra.

— Como o senhor o distingue de uma mejengra comum?

— Ele fala.

— Fala como, em que língua?

— Língua de gente.

— E o que ele lhe diz?

— Hoje mesmo ele me anunciou que um imbecil viria me visitar e fazer perguntas impróprias. Tu, monge, estás querendo saber muito.

— São terríveis suas palavras, bem-aventurado e santíssimo pai — o mongezinho balançava a cabeça. Em seus olhinhos assustados, não obstante, percebia-se desconfiança.

— Estás vendo esta árvore? — perguntou o padre Fierapont depois de um breve silêncio.

— Estou vendo, bem-aventuradíssimo pai.

— Para ti é um olmo, mas para mim é coisa diferente.

— Que coisa? — silenciou o mongezinho em vã expectativa.

— Acontece à noite. Estás vendo estes dois galhos? À noite são os braços de Cristo que se estendem para mim e as mãos que me procuram, vejo tudo com clareza e tremo. É terrível, oh, terrível!

— O que há de terrível se é o próprio Cristo?

— Vai me agarrar e me levar.

— Vivo?

[4] Trata-se de uma aglutinação de *Svyátii dukh* (Espírito Santo) para *Svyatodukh* ou Santispírito. (N. do T.)

— E no espírito e na glória de Elias — nunca ouviste falar?[5] — me abraçará e me levará...

Embora, depois dessa conversa, o mongezinho de Obdorsk voltasse com fortíssima indignação para a celinha que lhe fora indicada em uma das irmandades, ainda assim ele gostava mais do padre Fierapont do que do padre Zossima. O mongezinho de Obdorsk era, antes de tudo, a favor do jejum, e não se admirava de que um jejuador tão grande como o padre Fierapont "visse maravilhas". Suas palavras, é claro, também eram meio absurdas, mas Deus sabe o que se encerra nessas palavras, e todos os *iuródiv* de Cristo falam e agem de modo ainda pior. Estava disposto a acreditar, sinceramente e com prazer, na história do rabo prensado do diabo tanto no sentido alegórico quanto no literal. Além disso, antes de vir ao mosteiro, já alimentava grande prevenção contra o *startziado*, que até então só conhecia de ouvir falar e, como muitos outros, depois o tomou terminantemente por novidade perigosa. Depois de andar assuntando pelo mosteiro, conseguiu notar também um descontentamento latente de algumas irmandades levianas, que discordavam do *startziado*. Além disso, era por natureza um monge xereta e ágil, dotado de uma curiosidade enorme por tudo. Eis por que a grande novidade sobre o novo "milagre" do *stárietz* Zossima o deixou numa extraordinária indignação. Mais tarde, lembrou-se Aliócha de que, entre os monges que se aglomeravam em torno do *stárietz* e de sua cela, aparecia de relance à sua frente a pequena figura curiosa do visitante de Obdorsk xeretando em toda a parte, escutando tudo e enchendo todo mundo de perguntas. Mas naquela ocasião dera pouca atenção a esse monge, e só depois rememorou tudo... Aliás, não estava para isso: o *stárietz* Zossima, que mais uma vez se sentira cansado e tornara a deitar-se, súbito, ao abrir os olhos, lembrou-se dele e mandou chamá-lo imediatamente à sua presença. Aliócha acorreu sem demora. Na ocasião estavam ao lado do *stárietz* apenas o padre Paissi, o monge sacerdote Ióssif e o noviço Porfiri. Abrindo os olhos exauridos e olhando atentamente para Aliócha, o *stárietz* fez-lhe uma repentina pergunta:

— Os teus não estarão à tua espera, meu filho?

Aliócha atrapalhou-se.

— Não estarão precisando de ti? Ontem não prometeste visitar alguém hoje?

— Prometi... a meu pai... a meus irmãos... e a outros também...

— Vês? Vai sem falta. Não fiques triste. Saiba que não vou morrer sem

---

[5] Paráfrase do Evangelho segundo Lucas, 1, 17: "E irá adiante dele no espírito e poder de Elias". (N. do T.)

dizer na tua presença minha última palavra na Terra. A ti direi essa palavra, meu filho, e é a ti que a deixarei como legado. A ti, meu filho querido, porque me amas. Mas agora vai visitar aqueles a quem prometeste.

Aliócha obedeceu incontinenti, embora lhe fosse difícil afastar-se. Contudo, a promessa de ouvir sua última palavra na Terra e, o mais importante, legada como que a ele, Aliócha, comoveu-lhe a alma, enlevando-a. Apressou-se para terminar tudo na cidade e voltar o mais depressa. Foi então que o padre Paissi lhe dirigiu algumas palavras de despedida, que produziram nele uma impressão muito forte e inesperada. Isto aconteceu quando os dois já haviam deixado a cela do *stárietz*.

— Lembra-te, jovem, incansavelmente — começou assim direto e sem qualquer preâmbulo o padre Paissi —, que a ciência leiga, depois de firmar-se como uma grande força, esmiuçou, particularmente no último século, tudo o que nos foi legado nos livros sagrados e, depois de uma análise cruel, não restou na cabeça dos cientistas deste mundo terminantemente nada de toda a antiga santidade. Contudo, fizeram uma análise por partes, mas deixaram escapar o todo, e é até de admirar o quanto foram cegos. Entretanto, o todo se apresenta a seus olhos inabalável como antes, e nem as portas do inferno prevalecerão sobre ele.[6] Por acaso ele não viveu dezenove séculos, por acaso não vive até hoje nos movimentos das almas individuais e nos movimentos das massas populares? E não vive até hoje, como antes, inabalável nos movimentos das almas daqueles mesmos ateus que tudo destruíram?! Porque aqueles que renegaram o Cristianismo e se rebelam contra ele também foram, em sua essência, feitos da mesma imagem de Cristo, e mantiveram-se os mesmos porque até hoje nem sua sabedoria nem o calor de seus corações tiveram condições de criar outra imagem superior para o homem e sua dignidade como a imagem que Cristo nos indicou na Antiguidade. E o que era uma tentativa resultou em simples monstruosidade. Lembra-te particularmente disto, jovem, porque estás sendo enviado para o mundo pelo teu *stárietz*, que dele se retira. Talvez, lembrando-te deste grande dia, não esqueças tampouco minhas palavras, que te dou como conselho caloroso, porque és jovem e as tentações do mundo são sérias e não tens força para resistir a elas. Bem, agora vai, órfão.

Com essas palavras o padre Paissi o abençoou. Ao deixar o mosteiro e meditar sobre essas palavras ditas inesperadamente, Aliócha compreendeu de súbito que, nesse monge severo e até então taciturno, encontrava agora um

---

[6] Veja-se Mateus, 16, 18: "Também eu te digo que tu és Pedro, e sobre esta pedra edificarei a minha igreja, e as portas do inferno não prevalecerão contra ela". (N. do T.)

amigo novo e inesperado, um novo guia que o amava calorosamente — como se o *stárietz* Zossima, ao morrer, o houvesse confiado a ele. "É possível que isso tenha de fato acontecido entre eles" — pensou Aliócha. A inesperada e sábia reflexão que ele acabava de ouvir — ela mesma e nenhuma outra — só testemunhava a afetividade do coração do padre Paissi: este já procurava, com a maior rapidez possível, armar a mente do jovem para a luta contra as tentações e proteger a jovem alma que lhe fora confiada com uma muralha que ele mesmo não poderia imaginar mais forte.

II. Com o pai

Aliócha foi primeiro à casa do pai. Ao se aproximar, lembrou-se de que, na véspera, o pai insistira muito para que ele entrasse às escondidas do irmão Ivan. "Por quê? — pensou de repente Aliócha. — Se meu pai quer me dizer alguma coisa às escondidas, só a mim, então por que tenho de entrar às ocultas? Na certa ontem, em sua perturbação, quis me dizer alguma outra coisa, mas não teve tempo" — resolveu ele. Mesmo assim ficou muito alegre quando Marfa Ignátievna, ao lhe abrir a cancela (como se soube, Grigori adoecera e estava acamado no anexo), disse-lhe em resposta à sua pergunta que Ivan Fiódorovitch havia saído fazia já duas horas.

— E meu *bátiuchka*?

— Levantou-se e está tomando café — respondeu Marfa Ignátievna em um tom meio seco.

Aliócha entrou. O velho estava sozinho à mesa, calçado, metido num casaquinho velho e correndo os olhos sobre algumas contas para se distrair, sem prestar maiores atenções. Estava totalmente só na casa (Smierdiakóv também havia saído para comprar provisões para o almoço). Mas não eram as contas que o ocupavam. Embora houvesse se levantado cedo e estivesse animado, tinha, todavia, um aspecto cansado e fraco. A testa, na qual se espalharam durante a noite enormes equimoses rubras, estava enfaixada por um lenço vermelho. O nariz também inchara muito durante a noite e nele também se haviam formado várias equimoses que, mesmo um tanto insignificantes, davam a todo o rosto um aspecto particular de fúria e irritação. O próprio velho o sabia e, com cara de poucos amigos, olhou para Aliócha que entrava.

— O café está frio — gritou com rispidez —, não ofereço. Hoje, meu caro, estou passando só a sopa de peixe magra e não convido ninguém. O que vieste fazer?

— Saber como vai de saúde — pronunciou Aliócha.

— É. Além disso, ontem eu mesmo te ordenei que viesses. Tudo isso é um absurdo. Preocupou-se em vão. Aliás, eu bem que sabia que aparecerias por aqui imediatamente.

Ele pronunciou essas palavras com o sentimento mais hostil. Enquanto isso, levantou-se e examinou o nariz no espelho (talvez pela quadragésima vez naquela manhã) com ar preocupado. Começou a arrumar o lenço vermelho na testa para que ficasse mais bonito.

— O vermelho fica melhor, porque o branco lembra hospital — observou em tom sentencioso. — Bem, como vão as coisas por lá? Como vai o teu *stárietz*?

— Ele está muito mal, talvez morra hoje — respondeu Aliócha, mas o pai nem chegou a ouvir e imediatamente esqueceu o que perguntara.

— Ivan saiu — disse de repente. — Está fazendo todos os esforços para tomar a noiva de Mítia, é para isso que está morando aqui — acrescentou com raiva e, torcendo a boca, olhou para Aliócha.

— Será que ele mesmo lhe disse isso? — perguntou Aliócha.

— Sim, e já faz tempo que disse. Vê só: faz umas três semanas que disse. Não terá vindo para cá com o fim de me degolar às escondidas? Veio com algum motivo, não?

— O que é isso?! Por que o senhor está falando assim? — Aliócha ficou muito perturbado.

— Não está pedindo dinheiro, mas seja como for não vai receber um tostão de mim. Eu, meu querido Alieksiêi Fiódorovitch, tenho a intenção de viver o máximo que puder no mundo, saibam vocês disto, e por isso preciso de cada copeque, e quanto mais eu viver tanto mais esse copeque me será necessário — continuava ele, caminhando de um canto a outro da sala, com as mãos nos bolsos de seu sobretudo de *kolomyanka*[7] sebento e folgado, próprio para o verão. — Por enquanto ainda sou um homem, apesar de tudo, tenho apenas cinquenta e cinco anos, mas ainda quero permanecer uns vinte no rol dos homens, porque vou envelhecer, ficar um trapo e elas não vão querer vir à minha casa de boa vontade, e é por isso que vou precisar de um dinheirinho. É por isso que venho juntando cada vez mais e mais só para mim, meu amável filho Alieksiêi Fiódorovitch, que fiquem vocês sabendo, porque quero viver até o fim em minha sujeira, fiquem vocês sabendo. Na imundice é que é mais doce: todos falam mal dela, mas nela todos vivem, só que às escondidas, enquanto que eu sou transparente. Pois foi por essa mi-

[7] Lã listrada e estampada, de produção artesanal. (N. do T.)

nha simplicidade que todos os sujos investiram contra mim. Já para o teu paraíso, Alieksiêi Fiódorovitch, não quero ir, fica tu sabendo, e para um homem direito é até indecente ir para o teu paraíso, se é que ele existe mesmo. A meu ver, a pessoa dorme e não acorda mais, descobre que não existe nada; lembrem-se de mim se quiserem, e se não quiserem o diabo que os carregue. Eis minha filosofia. Ontem aqui Ivan falou bem, embora todos nós estivéssemos bêbados. Ivan é um falastrão e não tem nada de grande sabedoria... e também não tem nenhuma ilustração extraordinária, cala e fica rindo pra gente sem dizer palavra — eis o único objetivo de sua vinda.

Aliócha o ouvia em silêncio.

— Por que ele não conversa comigo? E, quando conversa, se faz de rogado; é um patife esse teu Ivan! Caso-me agora mesmo com Gruchka,[8] é só eu querer. Porque quando a gente tem dinheiro é só querer, Alieksiêi Fiódorovitch, que tudo acontece. Veja Ivan, é isso mesmo que ele teme e me vigia para que eu não me case e com esse fim empurra Mitka para que este se case com Gruchka: com isso quer me proteger de Gruchka (como se eu fosse lhe deixar dinheiro se não me casasse com Gruchka!), e por outro lado, se Mitka se casar com Gruchka ele ficará com a noiva rica dele, é esse o seu cálculo! É um patife esse teu Ivan!

— Como o senhor é irascível. Isso ainda é por causa de ontem; o senhor devia se deitar — disse Aliócha.

— Tu estás me dizendo isso — observou de supetão o velho, como se isto lhe tivesse entrado pela primeira vez na cabeça —, me dizendo e eu não me zango contigo, mas com Ivan, se ele me dissesse isso eu me zangaria. Só contigo eu tenho alguns minutinhos de bondade, porque eu sou mesmo um homem mau.

— O senhor não é um homem mau, mas deformado — sorriu Aliócha.

— Ouve, hoje eu quis meter o bandido do Mitka na cadeia, e aliás ainda não estou sabendo como vou resolver isso agora. É claro que hoje está na moda achar os pais e as mães preconceituosos, mas parece que pela lei nem em nossos dias é permitido arrastar os pais velhos pelos cabelos, bater-lhes nas fuças com o salto do sapato em sua própria casa. E ainda se gabar de voltar e matá-lo de vez — tudo isso diante de testemunhas. Eu, se quisesse, poderia dobrá-lo e metê-lo agora mesmo na cadeia pelo que fez ontem.

— Mas o senhor não está querendo apresentar queixa, está?

— Ivan me demoveu da ideia. Eu mandaria Ivan às favas, mas eu mesmo estou sabendo de uma coisa...

---

[8] Diminutivo de Grúchenka. (N. do T.)

E, inclinando-se para Aliócha, continuou com um murmúrio confidencial:

— Eu meto aquele patife na cadeia, ela ouve dizer que eu o meti em cana e imediatamente corre para ele. E se hoje ela ouvir dizer que ele me deixou meio morto de pancada, a mim, um velho fraco, talvez o largue e venha me fazer uma visita... Vê só de que índoles nós somos dotados — só para fazer as coisas ao contrário. Eu a conheço de cabo a rabo. Então, não tomas um conhaquinho? Pega o cafezinho frio, eu te sirvo junto um quarto de taça, isso é bom, meu caro, para sentir o gosto.

— Não, não precisa, agradeço. Já esse pãozinho vou levar comigo se o senhor me der — disse Aliócha e, pegando um pão francês branco de três copeques, colocou-o no bolso da batina. — Quanto ao conhaque, nem o senhor devia beber — aconselhou com cautela e olhando para o rosto do velho.

— Tens razão, ele irrita, e não acalma. Bem, mas só uma tacinha... Vou tirá-lo do armarinho...

Abriu com a chave o "armarinho", encheu uma pequena taça, sorveu-a, depois trancou o armário à chave e a colocou de volta no bolso.

— E basta, não vou esticar as canelas com uma taça.

— Agora o senhor ficou mais bondoso — sorriu Aliócha.

— Hum! Eu te amo mesmo sem conhaque, mas na companhia dos patifes eu também sou um patife. Vanka[9] não vai a Tchermachniá — por quê? Precisa ficar espionando: vou ou não vou dar dinheiro a Grúchenka se ela vier? São todos uns patifes! Aliás, eu não reconheço absolutamente Ivan. De onde apareceu esse tipo? É uma alma totalmente estranha à nossa. Como se eu fosse lhe deixar alguma coisa! Aliás, não vou nem deixar testamento, fiquem vocês sabendo. Quanto a Mitka, vou esmagá-lo como uma barata. De noite esmago as baratas pretas com o sapato: estalam assim que a gente pisa. Teu Mitka também vai estalar. *Teu* Mitka, porque tu gostas dele. Vê, gostas dele, mas não temo que gostes dele. Mas se Ivan gostasse dele eu temeria por mim pelo fato de ele gostar. Mas Ivan não gosta de ninguém, Ivan não é gente nossa, e essa gente como Ivan, meu caro, essa gente não é nossa, é uma poeira que se levantou... Venta e a poeira passa.[10] Ontem me ocorreu uma bobagem quando te mandei vir aqui hoje: queria, por teu intermédio, saber a respeito de Mitka; se ele queria mil, ou mais, eu ajustaria as contas com ele. Se ele, na miséria e canalha, concordasse em sumir definitivamente da-

[9] Um dos vários diminutivos de Ivan. (N. do T.)

[10] "Os ímpios não são assim; são, porém, como a palha que o vento dispersa". Salmos, 1, 4. (N. da E.)

qui, por uns cinco anos, melhor ainda por uns trinta e cinco, e sem Grúchenka e já renunciando inteiramente a ela, que tal?

— Eu... eu vou perguntar a ele — murmurou Alíócha. — Se fossem três mil, é possível que ele...

— Estás mentindo! Agora não precisas perguntar nada, fazer nada! Mudei de ideia. Essa ideia se meteu em minha cuca ontem por bobagem, não vou dar nada, nadinha de nada, preciso de meu dinheirinho para mim mesmo — deu de ombros o velho. — Independentemente disso, vou esmagá-lo como uma barata. Não lhe diga nada, senão ele pode esperar alguma coisa. E tu não tens nada a fazer aqui, vai embora. A noiva, Catierina Ivánovna, que ele escondeu cuidadosamente de mim o tempo todo, vai ou não se casar com ele? Parece que ontem foste à casa dela, não?

— Ela não quer deixá-lo por nada.

— Pois essas senhoritas delicadas gostam mesmo é desses tipos, desses farristas e canalhas! Essas senhoritas pálidas, vou te dizer, são um lixo; a todo instante... Bem! Tivesse eu a mocidade dele, o rosto daqueles tempos (porque vinte e oito anos atrás eu era mais bonito do que ele), eu sairia ganhando exatamente como ele. Que canalha é ele! E, apesar de tudo, Grúchenka ele não vai ganhar, não vai ganhar... Eu o transformo em lama!

Tornou a enfurecer-se depois destas palavras.

— Vai tu também embora, hoje nada tens a fazer aqui — cortou rispidamente.

Alíócha aproximou-se para se despedir e deu-lhe um beijo no ombro.

— Por que fizeste isso? — o velho ficou meio surpreso. — Ora, ainda nos veremos. Ou achas que não nos veremos?

— De jeito nenhum; fiz isso por fazer, sem querer.

— Também não foi nada, falei por falar... — o velho o fitava. — Ouve, ouve — gritava às costas dele —, vem um dia desses, e logo, te convido para uma sopa de peixe, vou fazer uma especial, não como a de hoje, vem sem falta! Até amanhã, ouve, vem amanhã!

E mal Alíócha saiu, ele voltou ao armário e sorveu mais meia taça.

— Não vou beber mais! — murmurou, deu um grasnido, tornou a fechar o armarinho, repôs a chave no bolso, depois foi para o quarto, deitou-se sem forças e num piscar de olhos adormeceu.

Os irmãos Karamázov

III. Os colegiais

"Graças a Deus não me perguntou por Grúchenka — pensou por sua vez Aliócha ao deixar a casa do pai e tomar a direção da casa da senhora Khokhlakóva —, senão eu teria, talvez, de contar sobre o encontro de ontem com Grúchenka." Aliócha percebeu dolorosamente que durante a noite os combatentes haviam reunido novas forças e, com a chegada do novo dia, seus corações estavam outra vez empedernidos: "Meu pai está irritado e com raiva, meteu alguma coisa na cabeça e encasquetou com isso; e Dmitri? Também ganhou mais firmeza durante a noite, é de crer que está irritado e com raiva e, é claro, tomou alguma decisão... Oh! tenho de conseguir encontrá-lo hoje sem falta, a qualquer custo...".

Mas Aliócha não conseguiu refletir por muito tempo: a caminho da casa da senhora Khokhlakóva aconteceu-lhe um súbito incidente, que, mesmo sem aparentar grande importância, ainda assim o deixou estupefato. Mal atravessou a praça e guinou para um beco com o fim de chegar à rua Mikhailóvskaia, paralela à Bolcháia e desta separada apenas por um canal (toda nossa cidade é cortada por canais), avistou embaixo, diante de uma pontezinha, um grupo de alunos de uma escola, todos crianças entre os nove e os doze anos, não mais. Elas se dispersavam a caminho de suas casas com suas bolsinhas nos ombros, outras com mochilas de couro presas aos ombros por correias, umas de casaquinhos, outras de sobretudo e algumas de botas sanfonadas de canos longos, que algumas crianças pequenas, mimadas por pais abastados, gostam de ostentar. Todo o grupo discutia animadamente alguma coisa, pelo visto conferenciava. Aliócha nunca conseguia passar indiferente ao lado de meninos, em Moscou isso também lhe acontecia, e embora gostasse mais de crianças de três anos ou de idade aproximada, também gostava muito de estudantes entre os dez e os onze anos de idade. Daí que, por mais preocupado que estivesse agora, deu-lhe uma súbita vontade de guinar para as crianças e entabular conversa com elas. Ao passar, observou seus rostinhos corados, vivos, e notou subitamente que todos os meninos tinham uma pedra na mão, uns até duas. Do outro lado do canal, a mais ou menos uns trinta passos do grupo, havia mais um menino em pé rente ao gradil, também colegial, de no máximo uns dez anos ou talvez menos, pálido, de aspecto doentio e olhinhos negros chamejantes, e igualmente com uma mochila no ombro. Ele observava com ar curioso e perscrutador o grupo de seis escolares, pelo visto colegas seus, que acabavam de sair com ele da escola, mas com quem estava em hostilidade, ao que tudo indicava. Aliócha se aproximou e, dirigindo-se a um menino louro, de cabelos encaracolados, faces coradas e metido num casaquinho preto, observou, depois de medi-lo com os olhos:

— Quando eu andava com uma sacolinha como a sua, a gente a levava no ombro esquerdo para poder tirar as coisas dela com a mão direita; mas a sua mochila está no ombro direito, não vai ser fácil tirar as coisas daí.

Aliócha começou por essa observação prática sem nenhum artifício premeditado nem rodeios, mas, por outro lado, um adulto não poderia começar de outra maneira se quisesse ganhar de saída a confiança de uma criança e particularmente de todo um grupo de crianças. Precisava mesmo começar de maneira séria e prática e de tal modo que se colocasse em pé de absoluta igualdade com elas; Aliócha compreendeu isto por instinto.[11]

— Sim, mas ele é canhoto — respondeu imediatamente outro menino, garboso e saudável, de uns onze anos. Todos os outros cinco fixaram os olhos em Aliócha.

— Ele também atira pedras com a canhota — observou um terceiro menino. Justo neste momento uma pedra voou no meio do grupo, roçou o canhoto mas errou o alvo, embora tivesse sido lançada com habilidade e energia. Fora lançada pelo menino do lado oposto do canal.

— Dá uma saraivada nele, mete uma nele, Smurov! — gritaram todos. Mas Smurov (o canhoto) nem se fez esperar e no mesmo instante deu o troco: lançou uma pedra contra o menino do outro lado do canal, mas errou: a pedra bateu no chão. O menino do canal lançou no mesmo instante outra pedra contra o grupo, mas desta vez direto em Aliócha, atingindo-o de modo bastante doloroso no ombro. O menino do canal tinha os bolsos abarrotados de pedras que armazenara. Isso dava para perceber a trinta metros pelos bolsos estufados de seu casaquinho.

— Ele a lançou contra o senhor, contra o senhor, mirou de propósito no senhor. Porque o senhor é um Karamázov, não é um Karamázov? — gritaram os meninos às gargalhadas. — Vamos acertá-lo, todos de uma vez, fogo!

E seis pedras voaram de uma vez do grupo. Uma acertou o menino na cabeça, ele caiu, mas se levantou num abrir e fechar de olhos e, tomado de fúria, começou a dar o troco jogando pedras no grupo. Um bombardeio contínuo começou de ambas as partes, muitas pedras prontas apareceram nos bolsos de muitos meninos do grupo.

[11] Segundo Anna Grigórievna Dostoiévskaia, era assim que Dostoiévski agia. Quando passeava pelas ruas, ele conversava frequentemente com crianças desconhecidas, e estas também corriam para ele com suas perguntas, tamanha era a confiança que o escritor despertava nelas. (N. da E.)

— O que estão fazendo? Não se envergonham, senhores? Seis contra um, assim vão matá-lo! — gritou Aliócha.

Ele deu um salto e colocou-se contra a saraivada de pedras com a finalidade de proteger com seu corpo o menino do canal. Por um instante uns três ou quatro pararam.

— Foi ele que começou primeiro — gritou um menino de camisa vermelha com uma vozinha irritada de criança —, ele é um canalha, ainda há pouco deu uma canivetada em Krassótkin, escorreu sangue. Só que Krassótkin não quis denunciá-lo, mas ele precisa levar uma surra...

— Mas por quê? Não são vocês mesmos que o estão provocando?

— Veja, ele jogou outra pedra nas suas costas. Ele conhece o senhor — gritaram as crianças. — Agora ele está jogando pedras no senhor e não em nós. Vamos lá, gente, mais pedras nele, não erre, Smurov!

E o bombardeio recomeçou, desta vez com muita fúria. Uma pedra acertou o peito do menino do canal; ele deu um grito, começou a chorar e correu subindo um monte em direção à rua Mikhailóvskaia. Houve uma algazarra no grupo: "Ah, ah, acovardou-se, correu, esfregão!".

— O senhor, Karamázov, ainda não sabe como ele é torpe, matá-lo é pouco — repetiu o menino do casaquinho com os olhinhos chamejantes, pelo visto o mais velho.

— E quem é ele? — perguntou Aliócha. — Será um delator?

Os meninos se entreolharam como se rissem.

— E o senhor não está indo para lá, para a Mikhailóvskaia? — continuou o mesmo menino. — Então o alcance... Veja lá, ele parou de novo, está esperando e olhando para o senhor.

— Está olhando para o senhor, para o senhor! — secundaram os meninos.

— Pois pergunte a ele se ele gosta de esfregão de banheiro, esfarrapado. É assim que deve perguntar.

Ouviu-se uma gargalhada geral. Aliócha olhava para todos e todos para ele.

— Não vá, ele vai machucá-lo — bradou Smurov prevenindo-o.

— Senhores, não vou perguntar a ele sobre esfregão, porque é certamente com isso que os senhores o estão provocando de algum modo, mas vou me informar com ele por que vocês o odeiam tanto...

— Informe-se, informe-se — desataram a rir os meninos.

Aliócha atravessou a pontezinha e subiu um montículo rente ao gradil, indo direto ao menino que caíra em desgraça.

— Veja lá — gritaram às suas costas para preveni-lo —, ele não vai ter

Os irmãos Karamázov

medo do senhor, de repente lhe dará uma canivetada à traição... como fez com Krassótkin.

O menino o esperava sem se mover. Ao chegar bem perto, Aliócha viu à sua frente uma criança que não tinha mais do que nove anos, daquelas crianças fracas e pequenas, rostinho oblongo pálido e magro, olhos graúdos e escuros que o olhavam com raiva. Vestia um casaquinho bastante velho, do qual brotava de uma forma horrenda. Seus braços nus sobravam das mangas. No joelho direito as pantalonas tinham um remendo grande, e no bico da bota direita, onde fica o dedão, aparecia um buraco grande e muito disfarçado com tinta de escrever. Os dois bolsos inflados de seu casaco estavam abarrotados de pedras. Aliócha parou a dois passos dele, olhando-o interrogativo. O menino, percebendo de imediato pelos olhos de Aliócha que este não queria lhe bater, também deu asas à coragem e até começou ele mesmo a falar.

— Sou um só, e eles seis... Vou surrá-los todos — disse de supetão com os olhos faiscando.

— Parece que você recebeu uma pedrada muito dolorida — observou Aliócha.

— Mas eu acertei a cabeça de Smurov! — gritou o menino.

— Eles lá me disseram que você me conhece, então por que me atira pedras? — perguntou Aliócha.

O garoto olhou para ele com ar sombrio.

— Eu não o conheço. Por acaso você me conhece? — interrogava Aliócha.

— Não chateie! — gritou subitamente o menino em tom irritado sem, entretanto, se mexer no lugar, como se continuasse esperando por alguma coisa e com os olhos voltando a chamejar.

— Está bem, eu me vou — disse Aliócha —, só que eu não o conheço e não o provoco. Eles me contaram como o provocam, mas eu não quero provocá-lo, adeus!

— Monge de calças de *grodetur*![12] — gritou o menino, seguindo Aliócha com o mesmo olhar raivoso e desafiador e colocando-se oportunamente de prontidão, calculando que agora Aliócha forçosamente investiria contra ele, mas Aliócha deu meia-volta, olhou para ele e foi embora. Mas antes que desse três passos recebeu nas costas um golpe da maior pedra que o menino tinha no bolso.

— Então você ataca pelas costas? Quer dizer que eles disseram a ver-

[12] Tecido de seda leve. (N. do T.)

dade, que você ataca à traição? — Aliócha tornou a voltar-se para ele, porém o menino lançou com fúria outra pedra contra ele, e desta vez no rosto, mas Aliócha conseguiu proteger-se a tempo e a pedra lhe acertou o cotovelo.

— Como é que não se envergonha?! O que foi que eu lhe fiz? — gritou ele.

Calado e com ar de desafio, o menino só esperava que agora Aliócha investisse forçosamente contra ele; vendo, porém, que nem agora ele investia, o menino ficou totalmente furioso, como um animalzinho: precipitou-se de onde estava e lançou-se contra Aliócha, e antes que este tivesse tempo de se mexer o menino mau já baixava a cabeça e lhe agarrava a mão esquerda com as duas mãos, mordendo-lhe dolorosamente o dedo médio. Cravou os dentes nele e não o largou durante uns dez segundos. Aliócha gritou de dor, puxando o dedo com toda a força. O menino finalmente o largou e recuou de um salto para a posição anterior. A mordida no dedo havia sido dolorida, profunda, chegando ao osso e à unha; o sangue jorrou. Aliócha tirou um lenço e, com ele, enfaixou com força a mão ferida. Levou quase um minuto enfaixando-a. O menino ficara o tempo todo aguardando em pé. Por fim Aliócha ergueu para ele seu olhar sereno.

— Está bem — disse —, está vendo como me mordeu de forma dolorida, mas basta, não é? Agora me diga, o que foi que eu lhe fiz?

O menino o olhou surpreso.

— Embora eu não o conheça absolutamente e o esteja vendo pela primeira vez — continuou Aliócha com a mesma calma —, não é possível que eu não tenha lhe feito nada, senão você não estaria me torturando à toa.

Em vez de responder, o menino começou subitamente a chorar alto e correu de Aliócha. Aliócha o seguiu devagarinho em direção à rua Mikhailóvskaia e por muito tempo observou o menino correndo para longe, sem diminuir os passos, sem olhar para trás e certamente ainda chorando alto.

Ele decidiu que tão logo arranjasse tempo sairia sem falta para procurá-lo e esclarecer esse enigma que o deixara tão perplexo. Mas agora estava sem tempo.

IV. EM CASA DAS KHOKHLAKOVA

Logo chegou à casa da senhora Khokhlakova, uma casa de pedra, própria, de dois andares, bonita e uma das melhores de nossa cidadezinha. Embora a senhora Khokhlakova passasse a maior parte do tempo em outra província, onde era proprietária de uma fazenda, ou em Moscou, onde possuía uma casa, a casa que mantinha em nossa cidade era sua casa e fora herdada dos pais e avós. Aliás, a fazenda que tinha em nosso distrito era a maior de todas as fazendas locais, e entretanto ela vinha à nossa província muito raramente. Correu para Al   ainda na antessala.

— Recebeu, recebeu minha carta sobre o milagre? — começou ela a falar rápido, em tom nervoso.

— Sim, recebi.

— Divulgou-a, mostrou a todo mundo? Ele devolveu o filho à mãe!

— Ele vai morrer hoje — disse Alióchá.

— Ouvi dizer, estou sabendo, oh, como estou com vontade de conversar com você! Com você ou com outra pessoa, sobre tudo isso. Não, com você, com você! E que pena que não tenha nenhuma possibilidade de ver o *stárietz*! A cidade toda está excitada, todo mundo está na expectativa. Mas neste momento... sabe que neste momento Catierina Ivánovna está aqui em casa?

— Ah, que sorte! — exclamou Alióchá. — Assim nos veremos aqui em sua casa, ontem ela me ordenou que a visitasse hoje sem falta.

— Estou sabendo de tudo, de tudo. Ouvi tudo, detalhe por detalhe, do que aconteceu ontem na casa dela... De todos esses horrores com aquele... réptil. *C'est tragique*, e se eu estivesse no lugar dela — eu não sei o que faria se estivesse no lugar dela! Mas também esse seu irmão Dmitri Fiódorovitch, que peça — oh, Deus! Alieksiêi Fiódorovitch, estou desnorteada: imagine que neste momento seu irmão, quer dizer, não aquele, não aquele horrendo de ontem mas o outro, Ivan Fiódorovitch, está lá conversando com ela: a conversa entre eles é solene... Se você acreditasse no que está acontecendo com eles dois neste momento! É um horror o que eu vou lhe dizer, é uma mortificação essa história horrível, na qual não se pode acreditar de maneira nenhuma: os dois estão se destruindo, não se sabe com que fim, eles mesmos sabem disso e eles mesmos se deliciam com isso. Eu estava à sua espera! Sequiosa à sua espera! O grave é que não consigo suportar isso. Vou lhe contar tudo agora, mas neste momento há outra coisa e o mais importante — ah, eu até esqueci que era o mais importante. Diga-me: por que Lise tem esses ataques de histeria? Foi só ouvir dizer que você estava se aproximando que imediatamente começou seu ataque de histeria!

— Mamã, a senhora é quem está com ataque de histeria, e não eu — pipilou Lise de chofre por uma brecha da porta do quarto lateral. A brecha era mínima, a vozinha estridente, exatamente daquelas que nos dão uma tremenda vontade de rir, mas a gente faz todos os esforços para conter o riso. Alióchá notou no mesmo instante essa brechinha, e certamente Lise o espiava de sua poltrona, mas isto ele já não conseguia ver.

— Não é de estranhar, Lise, não é de estranhar... que por causa de teus caprichos eu também tenha um ataque de histeria; aliás, Alieksiêi Fiódorovitch, ela está tão doente, passou a noite inteira doente, com febre, gemendo! A muito custo esperei o amanhecer e o doutor Herzenstube. Ele diz que não consegue entender nada e que é preciso esperar. Esse Herzenstube sempre vem e diz que não consegue entender nada. Mal você se aproximou de nossa casa, ela deu um grito e caiu no ataque histérico, mandou que a trouxessem para cá, para o seu antigo quarto...

— Mamã, eu não tinha nenhum conhecimento de que ele estivesse chegando e minha vontade de passar para este quarto não teve nada a ver com ele.

— Isso já não é verdade, Lise, Yúlia correu para te avisar que Alieksiêi Fiódorovitch estava chegando, ela estava vigiando para ti.

— Minha querida mamã, de sua parte isso não tem a menor graça. E se quiser se corrigir e dizer neste momento alguma coisa inteligente, então, querida mamã, diga ao caro senhor Alieksiêi Fiódorovitch, que acaba de chegar, que só com sua vinda ele já demonstrou que não é espirituoso, pois veio nos visitar hoje depois do que aconteceu ontem e apesar de todo mundo estar rindo dele.

— Lise, tu estás te permitindo demais, e te asseguro que vou acabar apelando para medidas severas. Quem está rindo dele? estou tão contente com a chegada dele, ele me é tão necessário, absolutamente indispensável. Oh, Alieksiêi Fiódorovitch, estou extremamente infeliz!

— Ora, o que está acontecendo com a senhora, minha cara mamã?

— Ah, Lise, estes teus caprichos, essa tua inconstância, tua doença, essa terrível noite em febre, esse horrível e eterno Herzenstube, e o pior é que é eterno, eterno e eterno. E por fim, tudo, tudo... E no fim das contas mais esse milagre! Oh, como esse milagre me impressionou, como me comoveu, meu amável Alieksiêi Fiódorovitch! E agora essa tragédia que está acontecendo no salão, que não consigo suportar, não consigo, aviso-lhe de antemão que não consigo. Talvez seja uma comédia e não uma tragédia. Diga-me, o *stárietz* Zossima ainda vai viver até amanhã, vai? Oh, meu Deus! O que está acontecendo comigo, por um instante abro os olhos e vejo que tudo é absurdo, tudo é absurdo.

— Eu lhe pediria — interrompeu subitamente Aliócha — que a senhora me desse algum paninho limpo para enfaixar meu dedo. Eu o feri seriamente e agora estou sentindo uma dor pungente.

Aliócha desenrolou o lenço de seu dedo mordido. O lenço estava embebido de sangue. A senhora Khokhlakova deu um grito e semicerrou os olhos.

— Meu Deus, que ferimento, é um horror!

Mas Lise, tão logo viu pela brecha o dedo de Aliócha, escancarou a porta.

— Entre, entre aqui em meu quarto — gritou em tom firme e imperioso —, e agora sem fazer tolices! Oh, Deus, por que ficou esse tempo todo aí em pé e calado? Ele podia se esvair em sangue, mamã! Onde foi isso, onde fez isso? Em primeiro lugar água, água! É preciso lavar o ferimento, simplesmente mergulhar o dedo na água fria para passar a dor e mantê-lo, mantê-lo sempre lá... Depressa, depressa com a água, mamã, tragam num vaso de enxaguar. E depressa — concluiu ela em tom nervoso. Estava totalmente assustada; o ferimento de Aliócha deixou-a muitíssimo impressionada.

— Não seria o caso de chamar o doutor Herzenstube? — ia exclamando a senhora Khokhlakova.

— Mamã, a senhora me mata. Seu Herzenstube vai aparecer e dizer que não consegue entender nada! Água, água! Mamã, pelo amor de Deus vá a senhora mesma lá, apresse Yúlia, que encalhou por aí e nada de chegar logo! Mas depressa, mamã, senão eu vou morrer!...

— Ora, é uma bobagem! — exclamou Aliócha assustado com o susto delas.

Yúlia chegou correndo com a água. Aliócha mergulhou o dedo na água.

— Mamã, pelo amor de Deus traga gaze, a gaze e aquela água cáustica turva para cortes, sei lá como se chama! Nós temos aqui em casa, temos, temos... Mamã, a senhora mesma sabe onde está o frasco, está no seu quarto, no armarinho da direita, lá tem um frasco grande e gaze...

— Agora mesmo vou trazer tudo, Lise, só que não grites e nem te preocupes. Vê com que firmeza Alieksiêi Fiódorovitch está suportando o seu infortúnio. E onde foi que você conseguiu esse ferimento tão horrível, Alieksiêi Fiódorovitch?

A senhora Khokhlakova saiu apressadamente. Era só o que Lise esperava.

— Antes de mais nada responda à minha pergunta — ela começou rapidamente a falar para Aliócha. — Onde foi que você conseguiu se ferir assim? Depois vou conversar com você sobre coisas bem diferentes. Então?!

Aliócha sentiu instintivamente que era precioso para ela o tempo que transcorreria até o retorno da mãe, e, apressadamente, omitindo e resumindo muita coisa mas, não obstante, falando com precisão e clareza, contou-lhe sobre o enigmático encontro com os alunos da escola. Ao ouvir isso Lise levantou as mãos:

— Ora, pode, pode você se meter com uns menininhos, e ainda mais

Os irmãos Karamázov

257

vestido nesse hábito! — bradou irada, como se tivesse até algum direito sobre ele. — Aliás, depois de tudo isso você mesmo é uma criança, a menor das crianças que pode existir! No entanto, tem de dar um jeito de descobrir sem falta para mim quem é esse menino detestável e me contar tudo, porque aí existe algum segredo. Agora o segundo ponto, mas antes uma pergunta: pode você, Aleksiêi Fiódorovitch, apesar do sofrimento causado pela dor, chamar isso de ninharias, e fazê-lo com sensatez?

— Sem dúvida, e agora já não sinto lá essas dores.

— É porque seu dedo está na água. Preciso trocá-la agora mesmo porque num instante vai esquentar. Yúlia, traz num piscar de olhos um pedaço de gelo da adega e um novo vaso com água. Bem, agora que ela saiu vamos ao que interessa: meu querido Alieksiêi Fiódorovitch, me devolva neste instante a minha carta que lhe enviei ontem — num piscar de olhos, porque mamãe pode chegar agora mesmo e eu não quero...

— A carta não está comigo.

— Não é verdade, está com você. Eu bem que sabia que você ia me dar essa resposta. Ela está com você, nesse bolso. Passei a noite inteira me arrependendo muito daquela brincadeira. Devolva-me agora a carta, devolva-me!

— Ela ficou lá.

— Mas você não pode me considerar uma menina, uma menininha depois de minha carta com aquela brincadeira tão tola! Eu lhe peço desculpas por aquela brincadeira tola, mas me traga sem falta a carta se ela realmente não está com você — e me traga hoje mesmo sem falta, sem falta!

— Hoje é totalmente impossível, pois vou ao mosteiro e não aparecerei por aqui nos próximos dois, três, talvez quatro dias, porque o *stárietz* Zossima...

— Quatro dias, que absurdo! Escute, você tem rido muito de mim?

— Não ri nem um tiquinho!

— Por que não?

— Porque acreditei absolutamente em tudo.

— Você está me ofendendo!

— Nem um pouco. Assim que li a carta pensei que tudo iria acontecer assim mesmo, porque eu, tão logo morra o *stárietz* Zossima, devo deixar imediatamente o mosteiro. Depois vou continuar o curso e prestar os exames, e quando chegar o prazo legal nós nos casaremos. Hei de amá-la. Embora antes não tivesse tempo de pensar nisso, agora refleti que não vou encontrar uma esposa melhor do que você, e o *stárietz* ordena que me case...

— Só que eu sou uma deformidade, sou carregada em minha poltrona — desatou a rir Liza e ficou com as faces coradas.

— Eu mesmo vou carregá-la na poltrona, mas estou certo de que até então você estará curada.

— Mas você é um louco — pronunciou nervosamente Liza —, de uma brincadeira como aquela deduzir de repente tamanho absurdo!... Ah, aí vem mamãe, talvez muito a propósito. Mamã, como a senhora está sempre atrasada, como pode demorar tanto! Bem, aí vem Yúlia com o gelo!

— Ah, Lise, não grites, o principal é que não grites. Esses gritos me deixam... Que fazer se tu mesma encafuaste a gaze em outro lugar... Procurei, procurei... Desconfio de que fizeste isto de propósito.

— Ora essa, eu não podia saber que ele iria aparecer com o dedo mordido, senão talvez tivesse feito isso verdadeiramente de propósito. Meu anjo de mamã, a senhora está começando a dizer coisas extremamente espirituosas.

— Vá lá que sejam espirituosas, mas que sentimentos, Lise, a respeito do dedo de Alieksiêi Fiódorovitch e de tudo isso! Oh, meu amável Alieksiêi Fiódorovitch, o que me mata não são os pormenores nem um Herzenstube qualquer, mas tudo junto, tudo em conjunto, eis o que não consigo suportar.

— Basta, mamã, basta de Herzenstube — Liza[13] ria alegre —, dê-me depressa a gaze, mamã, e a água. Isso é simplesmente água vegetomineral, Alieksiêi Fiódorovitch, agora me lembrei de como se chama, mas é uma magnífica solução medicamentosa. Mamã, imagine que, quando vinha para cá, ele brigou com uns menininhos na rua e um menininho mordeu o dedo dele; por acaso ele também não é pequenininho, uma criatura pequenininha, e, depois disso, pode ele se casar? Porque, imagine a senhora, ele quer casar, mamã. Imagine-o casado, não é de rir, não é terrível?

E Liza não parava de rir com seu risinho miúdo e nervoso, olhando maliciosamente para Aliócha.

— Ora, casar-se como, Lise, e a título de quê? isto está totalmente fora de propósito... E quanto ao menino, pode estar com raiva.

— Ah, mamã! Por acaso existem meninos raivosos?

— Por que não haveria de existir, Lise? até parece que eu disse uma tolice. Se o menino foi mordido por um cachorro com hidrofobia, tornou-se um menino hidrofóbico, e por sua vez vai pegar alguém que estiver a seu lado e morder. Como Lise enfaixou bem seu dedo, Alieksiêi Fiódorovitch, eu nunca conseguiria fazê-lo assim. Está doendo agora?

— Um pouquinho só.

— E você não está com medo de água? — perguntou Lise.

— Bem, Lise, chega, é possível que eu tenha me precipitado muito ao

---

[13] O narrador usa tanto Lise quanto Liza. (N. do T.)

Os irmãos Karamázov

falar sobre o menino louco, e aí tu tiraste esta conclusão. Mal Catierina Ivánovna soube que você está aqui, lançou-se para mim, está ansiosa por vê-lo, ansiosa.

— Ah, mamã! Vá a senhora para lá, mas ele não pode ir agora, está sofrendo demais.

— Não estou sofrendo nada, posso muito bem ir... — disse Aliócha.

— Como! Vai sair? Assim? Assim?

— Por quê? Ora, terminando lá tornarei a vir para cá e de novo poderemos conversar o tempo que você quiser. Eu gostaria muito de ver o mais depressa Catierina Ivánovna porque, em todo caso, quero muito voltar hoje para o mosteiro e o mais rápido possível.

— Mamã, pegue-o e leve-o daqui depressa. Alieksiêi Fiódorovitch, não se dê ao trabalho de voltar aqui depois de Catierina Ivánovna e vá direto para o seu mosteiro, é para lá que deve ir! Quanto a mim, quero dormir, não preguei olho a noite inteira.

— Ah, Lise, isso são apenas brincadeiras de tua parte, mas que tal se realmente dormisses um pouco! — exclamou a senhora Khokhlakova.

— Não sei como eu... Fico mais uns três minutos se você quiser, até cinco — murmurou Aliócha.

— Até cinco! Mamã, leve-o daqui depressa, ele é um monstro!

— Lise, enlouqueceste. Vamos, Alieksiêi Fiódorovitch, ela está caprichosa demais hoje. Temo irritá-la. Oh, que infortúnio lidar com mulher nervosa, Alieksiêi Fiódorovitch! Pensando bem, talvez ela queira mesmo dormir enquanto você está aqui. Que jeito você deu para fazê-la sentir sono? E que felicidade!

— Ah, mamã, como a senhora está sendo amável ao falar, um beijo por isso, mamãezinha.

— Um beijo para ti também, Lise. Ouça, Alieksiêi Fiódorovitch — a senhora Khokhlakova cochichou rápido, com ar de mistério e importância e saindo com Aliócha —, não quero lhe incutir nada nem levantar essa cortina, mas você mesmo vai entrar lá e ver tudo o que está acontecendo; é um horror, é a comédia mais fantástica: ela ama seu irmão Ivan Fiódorovitch e assegura para si mesma, com todas as forças, que ama seu irmão Dmitri Fiódorovitch. Isso é um horror! Vou entrar com você e, se não me escorraçarem, ficarei até o fim.

V. Mortificação no salão

No salão a conversa já chegava ao fim; Catierina Ivánovna estava muito excitada, embora seu aspecto fosse decidido. No instante em que Aliócha e a senhora Khokhlakova entraram, Ivan Fiódorovitch se levantava para sair. Tinha o rosto meio pálido e Aliócha olhou para ele com inquietação. Acontece que ali se desfazia para Aliócha uma de suas dúvidas, um enigma aflitivo que o vinha torturando havia algum tempo. Ainda um mês antes já lhe haviam incutido reiteradas vezes e sob diferentes aspectos que o irmão Ivan amava Catierina Ivánovna e, o mais importante, tinha efetivamente a intenção de "tomá-la" de Mítia. Até os últimos tempos isso parecia monstruoso a Aliócha, embora o deixasse muito preocupado. Amava ambos os irmãos e ficava apavorado com a rivalidade entre os dois. Por outro lado, na véspera o próprio Dmitri Fiódorovitch lhe revelara de chofre e com franqueza que estava até contente com a concorrência do irmão Ivan e que isso até ajudaria muito a ele, Dmitri. Ajudaria em quê? A casar-se com Grúchenka? Mas para Aliócha essa questão era desesperada e extrema. Além disso, até a véspera Aliócha acreditara piamente que a própria Catierina Ivánovna amava de paixão e obstinadamente o seu irmão Dmitri — mas só acreditara até a véspera. Ademais, algo sempre lhe dava a impressão de que ela não podia amar uma pessoa como Ivan, mas amava seu irmão Dmitri, e precisamente como ele era, apesar de toda a monstruosidade desse amor. Mas durante o próprio episódio da véspera com Grúchenka, de repente sua impressão pareceu ter sido outra. A palavra "mortificação", que a senhora Khokhlakova acabara de pronunciar, quase o fizera estremecer, porque justo na madrugada daquela noite, semiacordado, ele tinha proferido de chofre, em provável resposta ao seu sonho: "mortificação, mortificação!". Sonhara a noite inteira com a cena do dia em casa de Catierina Ivánovna. E agora a senhora Khokhlakova — ao asseverar de modo franco e obstinado que Catierina Ivánovna amava seu irmão Ivan e que ela mesma, de propósito e levada por algum jogo, por uma "mortificação", só se enganava e se torturava com seu falso amor por Dmitri, movida por algo parecido com agradecimento — deixava Aliócha atônito: "É, talvez a plena verdade esteja realmente nessas palavras!". Mas, neste caso, qual é a situação do irmão Ivan? Por algum instinto Aliócha sentia que uma índole como a de Catierina Ivánovna precisava dominar, mas ela só poderia dominar uma pessoa como Dmitri, nunca alguém como Ivan. Porque só Dmitri poderia finalmente submeter-se a ela (é de supor que até por muito tempo), "para sua própria felicidade" (o que Aliócha até desejava), mas Ivan, não, Ivan não poderia submeter-se a ela, e aliás essa submis-

Os irmãos Karamázov

são não lhe traria felicidade. Não se sabe por que Aliócha formulou para si esse conceito de Ivan. E eis que todas essas dúvidas e considerações lhe passaram de relance pela mente no mesmo instante em que ele entrava no salão. Ainda lhe passou de relance uma outra ideia, súbita e irresistível: "E se ela não amar ninguém, nem um, nem outro?". Observo que era como se Aliócha se envergonhasse de tais pensamentos e estivesse se recriminando por eles desde que lhe vieram à mente no último mês. "Ora, que é que eu entendo de amor e de mulheres, e como posso chegar a semelhantes sentenças?" — pensava ele, censurando-se depois de cada pensamento ou conjetura semelhante. Mas, por outro lado, era impossível deixar de pensar. Compreendia instintivamente que agora, por exemplo, essa rivalidade era uma questão demasiado importante no destino dos dois irmãos e que dela dependia uma enormidade de coisas. "Um réptil devorando outro réptil" — pronunciara o irmão na véspera, falando com irritação sobre o pai e o irmão Dmitri. Então aos olhos dele o irmão Dmitri é um réptil, e é possível que seja um réptil há muito tempo? Não terá sido depois que o irmão Ivan conhecera Catierina Ivánovna? Essas palavras, é claro, Ivan deixou escapar involuntariamente ontem, e o mais importante é que foi involuntariamente. Se é assim, então que paz poderá haver aí? Ao contrário, não haverá aí novos motivos para o ódio e a hostilidade em sua família? E, o mais importante, de quem Aliócha terá compaixão? Então terá de sentir compaixão por cada um? Ele ama os dois, então como ter compaixão por cada um entre tão terríveis contradições? Numa confusão como essa era possível ficar totalmente perdido, e o coração de Aliócha não podia suportar o desconhecido porque a índole de seu amor sempre fora ativa. Amar passivamente ele não conseguia; se começava a amar, imediatamente começava também a ajudar. E para isso era preciso propor-se um objetivo, era preciso saber com certeza o que era bom e necessário para cada um deles e, uma vez convencido de que o objetivo é justo, ajudar naturalmente a cada um deles. Mas em vez de objetivo firme havia em tudo apenas obscuridade e confusão. Agora haviam pronunciado a palavra "mortificação"! Mas o que ele poderia entender ao menos dessa mortificação? Não compreendia nem como toda essa confusão havia começado!

Ao ver Aliócha, Catierina Ivánovna disse rápida e alegremente para Ivan Fiódorovitch, que se levantara para sair:

— Um minuto! Fique mais um minuto. Quero ouvir a opinião deste homem em quem acredito com todo o meu ser. Catierina Óssipovna, fique a senhora também — acrescentou, dirigindo-se à senhora Khokhlakova. Fez Aliócha sentar-se a seu lado e Khokhlakova de frente, ao lado de Ivan Fiódorovitch.

— Aqui estão todos os meus amigos, todos os que tenho no mundo, meus amigos queridos — começou Catierina calorosamente, com uma voz em que tremiam lágrimas sinceras de sofrimento, e o coração de Aliócha mais uma vez se inclinou para ela. — Ontem, Alieksiêi Fiódorovitch, o senhor foi testemunha daquele... horror e viu como me comportei. O senhor não viu isso, Ivan Fiódorovitch, ele viu. O que ele pensou de mim ontem não sei, sei apenas que, se aquilo se repetisse hoje, agora, eu extravasaria os mesmos sentimentos de ontem — os mesmos sentimentos, as mesmas palavras e os mesmos gestos. O senhor está lembrado de meus gestos, Alieksiêi Fiódorovitch, o senhor mesmo me conteve em um deles... (Ao dizer isto ela corou e seus olhos cintilaram.) Comunico-lhe, Alieksiêi Fiódorovitch, que não consigo me conformar com coisa nenhuma. Escute, Alieksiêi Fiódorovitch, nem mesmo sei se ainda o amo. Ele se tornou *objeto de pena* para mim, e isso é uma má prova de amor. Se eu o amasse, se continuasse a amá-lo, talvez agora não sentisse pena dele mas, ao contrário, ódio...

A voz dela tremeu e umas lágrimas miúdas brilharam em seus cílios. Aliócha tremeu em seu íntimo: "Essa moça é verdadeira e sincera — pensou ele — e... não ama mais Dmitri!".

— É isso mesmo! Isso mesmo! — quase exclamou a senhora Khokhlakova.

— Espere, amável Catierina Óssipovna, eu não disse o principal, não falei da decisão definitiva que tomei esta noite. Sinto que minha decisão pode ser terrível... para mim, mas pressinto que já não a mudarei por nada, por nada, pelo resto de minha vida, e assim será. Meu querido, meu bondoso, meu conselheiro de sempre, e conhecedor generoso e profundo do coração humano, Ivan Fiódorovitch, único amigo que eu tenho no mundo, me apoia em tudo e elogia minha decisão... Ele a conhece.

— Sim, eu a aprovo — pronunciou Ivan Fiódorovitch com voz baixa e firme.

— Mas eu desejo também que Aliócha (ah, Alieksiêi Fiódorovitch, desculpe-me por chamá-lo simplesmente de Aliócha), desejo que Alieksiêi Fiódorovitch me diga agora, diante de ambos os meus amigos: estou certa ou não? Tenho um pressentimento instintivo de que o senhor, Aliócha, meu irmão querido (porque o senhor é meu irmão querido) — ela tornou a falar em tom solene, agarrando a mão fria dele com sua mão quente —, eu pressinto que sua decisão, que sua aprovação, apesar de todos os meus tormentos, me dará tranquilidade, porque depois de suas palavras vou serenar e me conformar; eu pressinto isso!

— Não sei o que a senhorita está me perguntando — pronunciou Alió-

Os irmãos Karamázov

263

cha com o rosto corando —, sei apenas que gosto da senhorita e neste instante lhe desejo mais felicidade do que a mim mesmo!... Só que desses assuntos eu não sei nada... — súbito algo o apressou a acrescentar.

— Nesses assuntos, Alieksiêi Fiódorovitch, nesses assuntos reside agora o principal — a honra e o dever e não sei o que mais, porém é algo até superior, talvez superior ao próprio dever. Meu coração me fala desse sentimento irresistível, e este me arrasta de modo irresistível. Aliás, tudo se resume em duas palavras e eu já me decidi: se ele até vier a casar-se com aquele... réptil — começou ela em tom solene —, a quem eu nunca, nunca poderei perdoar, *ainda assim não o abandonarei*! Oh, daí em diante nunca mais o abandonarei, nunca o abandonarei! — pronunciou como que arrebatada por uma espécie de enlevo precariamente forjado. — Quer dizer, não é que eu vá ficar me arrastando atrás dele, aparecendo a cada minuto diante dele, torturando-o — oh, não, vou embora para outra cidade, para qualquer lugar, mas durante toda a minha vida, toda a minha vida hei de vigiá-lo infatigavelmente. Quando ele se tornar infeliz com a outra, e isso vai acontecer sem falta e logo, então que me procure, pois encontrará uma amiga, uma irmã... Só irmã, é claro, e isto para sempre, mas ele acabará se convencendo de que esta irmã é realmente sua irmã, que o ama e se sacrificou por ele a vida inteira. Eu conseguirei isto, conseguirei que ele saiba finalmente quem eu sou e me diga tudo sem se envergonhar! — exclamou como se estivesse delirando. — Serei o Deus a quem ele haverá de rezar — ao menos isso ele me deve por sua traição e pelo que suportei ontem por sua causa. Que ele veja pelo resto de sua vida que por toda a minha vida serei fiel a ele e à palavra que uma vez lhe dei, apesar de ele ter sido infiel e me haver traído. Hei de... Eu me transformarei num simples meio de sua felicidade (ou, como dizer?), num instrumento, na máquina de sua felicidade, e isto para toda a vida, para toda a vida, e que ele veja isso doravante pelo resto de sua vida! Eis toda minha decisão! Ivan Fiódorovitch me aprova no mais pleno sentido da palavra.

Ela arquejava. Talvez quisesse ter externado seu pensamento de modo bem mais digno, hábil e natural, mas ele saiu excessivamente apressado e demasiadamente explícito. Houve muito de descontrole juvenil e muito do simples reflexo da irritação sofrida na véspera, da necessidade de externar seu orgulho, e isso ela mesma sentiu. Súbito seu rosto ficou meio sombrio, com uma expressão ruim no olhar. Aliócha percebeu tudo no mesmo instante e a compaixão agitou-se em seu coração. E justo nesse instante o irmão Ivan ajuntou:

— Eu apenas externei meu pensamento — disse ele. — Em qualquer outra pessoa tudo isso soaria como forçado, artificial, mas na senhora, não.

Outra seria falsa, mas a senhora é verdadeira. Não sei como explicar isso, mas vejo que a senhora está usando de toda sinceridade, e por isso tem razão...

— Mas só neste instante... E o que significa este instante? Não mais que a ofensa sofrida ontem, eis o que significa este instante... — de repente não se conteve a senhora Khokhlakova, que pelo visto não desejava imiscuir-se mas não se conteve e externou de chofre um pensamento muito verdadeiro.

— É, é — interrompeu Ivan num arroubo meio repentino e pelo visto zangado por ter sido interrompido —, é, mas em outra pessoa esse instante seria apenas a impressão de ontem e só um instante, mas com o caráter de Catierina Ivánovna esse instante se estenderá por toda a sua vida. O que para outras é mera promessa, para ela é um dever eterno, pesado, sombrio talvez, mas constante. E ela vai acalentar o sentimento desse dever cumprido! Doravante, Catierina Ivánovna, sua vida passará numa contemplação sofrida dos próprios sentimentos, da própria façanha e da própria mágoa, mas com o passar do tempo esse sofrimento se abrandará e sua vida se transformará numa contemplação já doce de seu desígnio firme e altivo, realizado em definitivo, de certo ponto de vista realmente altaneiro, arrojado em qualquer circunstância porém vencido pela senhora, e essa consciência lhe trará finalmente a mais completa satisfação e a conciliará com todo o resto...

Ele pronunciou tudo isso em tom resoluto e com certa maldade, aparentemente de propósito e talvez até sem desejar esconder sua intenção, ou seja, que estava falando de modo deliberado e zombando.

— Oh, Deus, como tudo é diferente! — tornou a exclamar a senhora Khokhlakova.

— Alieksiêi Fiódorovitch, fale o senhor! Tenho uma angustiante necessidade de saber o que o senhor vai me dizer! — exclamou Catierina Ivánovna e ficou subitamente banhada em lágrimas. Aliócha levantou-se do sofá.

— Não foi nada, não foi nada! — continuou ela chorando —, foi por causa do transtorno da noite passada, mas ao lado de dois amigos como o senhor e seu irmão eu me sinto forte... porque sei... que os senhores nunca me abandonarão...

— Infelizmente amanhã mesmo eu talvez tenha de viajar a Moscou e deixá-la por muito tempo... e, infelizmente, não dá para mudar isso... — pronunciou Ivan Fiódorovitch.

— Amanhã, a Moscou! — súbito todo o rosto de Catierina Ivánovna contraiu-se. — Mas... mas meu Deus, que felicidade! — bradou ela de repente com a voz totalmente mudada e livrando-se das lágrimas num piscar de olhos, de tal modo que delas não sobrou nem vestígio. Foi a mudança surpreendente que nela se processou nesse piscar de olhos que deixou Aliócha extraordinariamente pasmado: em vez da pobre moça ofendida que acabara de chorar, mortificada em seu sentimento, de uma hora para outra aparecia uma mulher dona absoluta de si mesma e até extremamente satisfeita com alguma coisa, como se de repente algo a tivesse alegrado.

— Oh, não é felicidade por abandoná-lo, é claro — ela como que se corrigiu imediatamente com um encantador sorriso mundano —, um amigo como o senhor não pode pensar isso; ao contrário, estou infeliz demais porque vou me privar do senhor (súbito ela se lançou com ímpeto para Ivan Fiódorovitch e, agarrando-lhe ambas as mãos, apertou-as com um sentimento ardente); eu estou feliz é porque o senhor mesmo, pessoalmente, estará em condições de expor agora em Moscou à minha tia e a Agacha[14] toda a minha situação, todo o horror pelo qual estou passando neste momento, usando de toda franqueza com Agacha e poupando minha amável titia como o senhor sabe fazer. O senhor não pode imaginar como estive infeliz ontem e hoje pela manhã, sem saber como escrever a elas essa terrível carta... porque em carta não dá para transmitir isso de maneira nenhuma... Agora me será mais fácil escrever porque o senhor estará em pessoa com elas e explicará tudo. Oh, como estou contente! Mas é só com isso que estou contente, acredite-me mais uma vez. O senhor mesmo, é claro, me é insubstituível... Agora mesmo vou correr e escrever — concluiu ela de repente e já ia até dando um passo para deixar o recinto.

— E Aliócha? E a opinião de Alieksiêi Fiódorovitch que a senhora achava tão indispensável ouvir? — bradou a senhora Khokhlakova. Em suas palavras soava uma nota mordaz e irada.

— Não me esqueci disso — parou Catierina Ivánovna —, e por que neste momento a senhora está tão hostil comigo, Catierina Óssipovna? — pronunciou com uma censura amarga e ardente. — O que eu disse eu confirmo. A opinião dele me é indispensável, e ainda mais: preciso da decisão dele! O que disser, assim será — eis como, ao contrário, anseio por suas palavras, Alieksiêi Fiódorovitch... Mas o que é que o senhor tem?

— Nunca pensei, não posso imaginar isso! — exclamou de repente Aliócha com amargura.

— O quê, o quê?

— Ele está indo para Moscou e a senhora exclamou que está contente — a senhora o exclamou de propósito! E depois foi logo tratando de explicar que não está contente com isso, mas, ao contrário, lamenta por... perder

---

[14] Diminutivo de Agáfia. (N. do T.)

um amigo — e isso a senhora também representou de propósito... como em uma comédia no teatro!...

— No teatro? Como? O que é isso? — exclamou Catierina Ivánovna profundamente atônita, toda vermelha e franzindo o cenho.

— Sim, por mais que a senhora lhe assegure que lamenta ficar sem o amigo que tem nele, mesmo assim insiste em lhe dizer na cara que fica feliz com sua partida... — pronunciou Aliócha já completamente arfando. Estava em pé ao lado da mesa.

— Não estou entendendo do que está falando...

— E eu mesmo não sei... De repente foi como se tivesse me dado um estalo... Sei que não faço bem dizendo isso, mas mesmo assim vou dizer tudo — continuou Aliócha com a mesma voz trêmula e entrecortada. — Meu estalo consiste em que a senhora talvez não sinta nenhum amor por meu irmão Dmitri... desde o começo... Aliás, é possível que Dmitri também não sinta nenhum amor pela senhora... desde o início... e apenas a considere... Palavra que não sei como estou me atrevendo a tudo isso agora, mas alguém precisa dizer a verdade... porque aqui ninguém está querendo dizer a verdade...

— Que verdade? — bradou Catierina Ivánovna, e um quê de histeria soou em sua voz.

— Eis aqui a verdade — balbuciou Aliócha como se despencasse de um telhado —; mande chamar Dmitri agora, eu o encontrarei, e deixemos que ele venha até aqui, pegue a senhora pelo braço, depois pegue meu irmão Ivan pelo braço e una as mãos dos dois. Pois a senhora atormenta Ivan só porque o ama... e o atormenta porque ama Dmitri mortificando-se... ama falsamente... porque encasquetou com isso...

Aliócha parou e calou-se.

— O senhor... o senhor... o senhor é um pequeno *iuródiv*, é isso que o senhor é! — cortou de repente Catierina Ivánovna com o rosto empalidecido e os lábios contraídos de raiva. Súbito Ivan Fiódorovitch deu uma risada e levantou-se, estava com o chapéu na mão.

— Estás enganado, meu bom Aliócha — pronunciou com uma expressão no rosto que Aliócha nunca vira antes, uma expressão de sinceridade juvenil e de um sentimento intenso, incontidamente franco —, Catierina Ivánovna nunca me amou! Ela sempre soube que eu a amo, embora eu nunca tenha lhe dito nenhuma palavra sobre meu amor — ela sabia, mas não me amava. Seu amigo também não fui uma única vez, um só dia: essa mulher orgulhosa não precisava de minha amizade. Mantinha-me a seu lado para perpetrar uma vingança constante. Vingava de mim e em mim se vingava de todas as ofensas que constantemente e a cada instante recebia de Dmitri durante todo esse tempo, ofensas recebidas desde o primeiro encontro dos dois... Porque o primeiro encontro entre os dois ficou em seu coração como uma ofensa. Eis como é o seu coração! Durante todo esse tempo não fiz senão ouvir sobre seu amor por ele. Agora eu me vou, mas fique sabendo, Catierina Ivánovna, que a senhora realmente só ama a ele. E o ama tanto mais quanto mais ele a ofende. Eis a sua mortificação. A senhora o ama precisamente tal qual ele é, ama-o sendo ofendida por ele. Se ele se emendasse, a senhora o largaria imediatamente e deixaria de amá-lo de vez. Mas a senhora precisa dele para contemplar constantemente sua façanha de fidelidade e censurá-lo por infidelidade. E tudo isso movida por seu orgulho. Oh, há muito de rebaixamento e humilhação aí, mas tudo isso vem do orgulho... Sou jovem demais e a amei com intensidade demais. Sei que não deveria lhe dizer isso, que de minha parte seria mais digno simplesmente afastar-me da senhora; não seria também tão ofensivo para a senhora. Mas acontece que estou indo para longe e nunca mais voltarei. Isto é para sempre... Não quero ficar ao lado de uma mortificação... Aliás, já nem sei mais falar, disse tudo... Adeus, Catierina Ivánovna, a senhora não pode zangar-se comigo porque fui cem vezes mais castigado do que a senhora: castigado já pelo simples fato de que nunca mais a verei. Adeus. Não precisa me dar a mão, a senhora me torturou de modo demasiado consciente para que neste momento eu possa perdoá-la. Depois perdoarei, mas neste momento dispenso sua mão.

Den Dank, Dame, begehr ich nicht[15] —

acrescentou ele com um sorriso torto, mostrando, aliás de modo totalmente inesperado, que também era capaz de declamar Schiller de cor, o que Aliócha não acreditaria antes. Ele deixou o recinto sem sequer se despedir da senhora Khokhlakova, a anfitriã. Aliócha juntou as mãos.

— Ivan — gritou-lhe transtornado atrás dele —, volta, Ivan! Não, não, agora nada o fará voltar! — tornou a exclamar, apercebendo-se amargamente disso. — Mas fui eu, fui eu o culpado, fui eu que comecei! Ivan falou com maldade, não fez bem. Foi injusto e maldoso... — Aliócha exclamava meio louco.

Súbito Catierina Ivánovna passou para outro cômodo.

— Você não fez nada, você realmente agiu de forma magnífica, como

---

[15] "Não preciso de recompensa, senhora", em alemão. Verso do poema de Friedrich Schiller, "Der Handschuh". (N. do T.)

um anjo — cochichou rápido e entusiasticamente a senhora Khokhlakova a um Alióscha amargurado. — Vou envidar todos os esforços para que Ivan Fiódorovitch não parta...

O rosto dela irradiava alegria, para grande amargura de Alióscha; mas Catierina Ivánovna voltou de repente. Trazia nas mãos duas notas irisadas.

— Quero lhe pedir um grande favor, Alieksiêi Fiódorovitch — começou com um apelo direto a Alióscha, com a voz aparentemente tranquila e regular, como se nada tivesse acabado de acontecer. — Há uma semana, é, parece que foi na semana passada, Dmitri Fiódorovitch cometeu um ato ensandecido e injusto, muito feio. Em nossa cidade existe um lugar abjeto, uma taverna. Lá ele encontrou aquele oficial reformado, aquele capitão que seu *bátiuchka* usou em certas atividades. Enfurecido com esse capitão não se sabe por quê, Dmitri Fiódorovitch o agarrou pela barba e diante de todos os presentes o arrastou humilhantemente para a rua, e na rua o puxou por mais tempo ainda, e dizem que um menino, filho desse capitão, uma criança, que estuda na escola daqui, ao presenciar aquilo ficou correndo o tempo todo ao lado, chorando alto, correndo para todos os presentes e pedindo que defendessem seu pai, mas todos riam. Desculpe, Alieksiêi Fiódorovitch, não posso recordar sem indignação esse vergonhoso ato *dele*... um desses atos a que só um Dmitri Fiódorovitch é capaz de atrever-se em sua ira... em suas paixões! Não posso narrar semelhante coisa, não estou em condição... Eu me perco nas palavras. Andei indagando sobre o ofendido e fiquei sabendo que é um homem muito pobre. Seu sobrenome é Snieguirióv. Cometeu alguma falta quando servia e foi reformado, não sei como lhe contar isso, e agora está numa terrível miséria com sua família, uma família infeliz de filhos doentes e uma mulher louca, parece. Já está morando há muito tempo aqui na cidade, faz alguma coisa, foi escrevente em algum lugar, mas de repente passaram a não lhe pagar mais nada. Tive em vista o senhor... isto é, pensei — não sei, estou meio confusa — veja, eu queria lhe pedir, Alieksiêi Fiódorovitch, meu boníssimo Alieksiêi Fiódorovitch, para ir procurá-lo, arranjar um pretexto para ter acesso a ele, isto é, a esse capitão — oh, Deus! como estou desnorteada! — e delicadamente, com cautela — justamente como só o senhor sabe fazer (Alióscha corou de chofre) — lhe entregar este auxílio, estes duzentos rublos. Na certa ele os aceitará... ou seja, convença-o a aceitá-los... Ou não, como se deve proceder? Veja, isso não é bem um pagamento para apaziguá-lo, para que ele não apresente queixa (porque parece que ele estava pensando em apresentar queixa), mas simplesmente um ato solidário, um desejo de ajudar de minha parte, de minha parte, da noiva de Dmitri Fiódorovitch, e não do próprio... Numa palavra, o senhor saberá... Eu mesma iria, mas o

270   Fiódor Dostoiévski

senhor conseguirá fazê-lo bem melhor do que eu. Ele mora na rua Oziórnaia, no prédio da senhora Kalmikova... Por Deus, Alieksiêi Fiódorovitch, faça isto para mim, mas agora... agora eu estou um pouco... cansada. Até logo...

Ela deu uma meia-volta tão rápida e repentina que Aliócha não teve tempo de dizer uma só palavra, e estava com vontade de dizê-la. Queria pedir desculpas, acusar-se — bem, dizer alguma coisa, porque seu coração transbordava. E terminantemente não queria deixar o recinto sem dizê-lo. Mas a senhora Khokhlakova o segurou pelo braço e o conduziu. Na antessala tornou a pará-lo como ainda agora.

— Ela é altiva, luta contra si mesma, mas é bondosa, encantadora, magnânima! — exclamava a meio sussurro a senhora Khokhlakova. — Oh, como gosto dela, sobretudo às vezes, e como agora estou novamente feliz com tudo, com tudo! Meu querido Alieksiêi Fiódorovitch, você não sabia disso: fique sabendo que todas nós, todas — eu, ambas as tias —, todas, todas, até Lise, já faz um mês inteiro que só rezamos e desejamos que ela rompa com seu preferido Dmitri Fiódorovitch, que não quer nem saber se ela existe nem tem um pingo de amor por ela, e que se case com Ivan Fiódorovitch, jovem instruído e magnífico, que a ama mais do que qualquer coisa no mundo. Nós aqui montamos um verdadeiro complô e só por isso é até possível que eu nem viaje...

— Mas ela mesma chorou, está de novo ofendida! — bradou Aliócha.

— Não acredite em lágrimas de mulher, Alieksiêi Fiódorovitch — nesses casos, sou sempre contra as mulheres e a favor dos homens.

— Mamã, a senhora o estraga e prejudica — ouviu-se a vozinha fina de Lise do outro lado da porta.

— Não, eu sou a causa de tudo, sou terrivelmente culpado! — repetia Aliócha inconsolável, num arroubo de vergonha angustiante por seu desatino e por isso cobrindo o rosto com as mãos.

— Ao contrário, você agiu como um anjo, como um anjo, eu estou disposta a repetir isso milhares e milhares de vezes.

— Mamã, por que ele agiu como um anjo? — tornou-se a ouvir a vozinha de Lise.

— Observando tudo isso, não sei por que tive a súbita impressão — continuava Aliócha como se não tivesse ouvido Liza — de que ela ama Ivan, foi por isso que disse aquelas bobagens... e o que vai acontecer agora?!

— De quem vocês estão falando, de quem? — exclamou Lise — mamã, a senhora certamente está querendo me matar. Eu pergunto e a senhora não responde.

Nesse mesmo instante a criada chegou correndo.

— Catierina Ivánovna está passando mal... ela chora... está com um ataque de histeria, debatendo-se.

— Ora essa — bradou Lise com uma voz já inquieta. — Mamã, quem vai ter um ataque histérico sou eu, e não ela!

— Lise, pelo amor de Deus não grites, não me mates. Ainda estás naquela idade em que não podes saber tudo que os adultos sabem; corro aí e te conto tudo o que posso te contar. Oh, meu Deus! Vou correr, correr... A histeria é um bom sinal, Alieksiêi Fiódorovitch, é magnífico que ela esteja com ataque histérico. É justamente disso que se precisa. Nesses casos eu sou sempre contra as mulheres, contra todos esses ataques histéricos e essas lágrimas femininas. Yúlia, vai lá correndo e diz que estou saindo voando. Ela mesma é culpada pelo fato de que Ivan Fiódorovitch saiu daquela maneira. Mas ele não viajará. Lise, pelo amor de Deus, não grites! Ah, sim, não és tu que estás gritando, mas eu, desculpa tua mãe, mas é que estou em êxtase, em êxtase, em êxtase! Você notou, Alieksiêi Fiódorovitch, que tipo de jovem era Ivan Fiódorovitch ao sair ainda agora daqui, depois de dizer aquilo tudo? Eu achava que ele fosse um sábio, um acadêmico, mas subitamente ele falou com muito, muito ardor, de modo franco e juvenil, ingênuo e juvenil, e como tudo isso é belo, belo, como se você... E citou aquele versinho em alemão, bem, era como se fosse você! Mas estou indo, indo. Alieksiêi Fiódorovitch, procure apressar-se para cumprir a missão e volte depressa. Lise, não estarás precisando de alguma coisa? Por Deus, não retenhas Alieksiêi Fiódorovitch nem por um minuto, ele voltará imediatamente para ti...

Enfim a senhora Khokhlakova saiu às pressas. Aliócha quis abrir a porta do quarto de Lise antes de sair.

— De jeito nenhum! — bradou Lise — agora já não quero de jeito nenhum! Fale assim, através da porta. Por que se fez de anjo? É só isso que quero saber.

— Por uma tremenda tolice, Lise! Adeus.

— Não se atreva a sair assim! — ia bradando Lise.

— Lise, eu estou com um sério desgosto! Eu volto num instante, mas agora estou com um grande desgosto, grande!

E saiu correndo do cômodo.

VI. Mortificação na isbá

Ele estava de fato com um sério desgosto, que raramente experimentara até então. Tivera um rompante e "fizera uma tolice" — e em que matéria: na dos sentimentos amorosos! "Ora, o que é que eu entendo disso, o que é que posso entender nessa questão? — repetiu centenas de vezes para si mesmo, corando — oh, a vergonha ainda não seria nada, a vergonha seria apenas o meu devido castigo; o mal é que agora serei evidentemente a causa de novas desgraças... E o *stárietz* me enviou para que eu reconciliasse e unisse. Isso lá é jeito de unir?" Súbito lembrou-se de como "unira as mãos deles" e tornou a sentir uma terrível vergonha. "Mesmo que eu tenha feito tudo aquilo com sinceridade, ainda assim vou precisar ser mais inteligente daqui para a frente" — concluiu de chofre e sequer sorriu com sua conclusão.

A missão que Catierina Ivánovna lhe havia confiado o conduzia para a rua Oziórnaia, e o irmão Dmitri morava justamente por onde ele ia passar, num beco perto da Oziórnaia. Aliócha resolveu passar na casa dele antes de ir à do capitão, embora pressentisse que não encontraria o irmão. Suspeitava de que naquele momento ele pudesse estar se escondendo dele intencionalmente, mas precisava encontrá-lo a qualquer custo. O tempo já estava passando: o pensamento no *stárietz*, que estava partindo, não o deixava por um minuto, um segundo, desde o momento em que ele saíra do mosteiro.

Na missão de Catierina Ivánovna esboçara-se uma circunstância que também o deixou sumamente interessado: quando Catierina Ivánovna mencionou o menininho, colegial, filho daquele capitão, que ficara correndo e chorando em voz alta em torno do pai, ocorreu no mesmo instante a Aliócha que o menino era certamente aquele colegial que um pouco antes lhe mordera o dedo quando ele o interrogara querendo saber como o havia ofendido. Agora Aliócha estava quase certo disso, mas ainda não sabia por quê. Assim, arrebatado por considerações secundárias, distraiu-se e resolveu não "pensar" na "desgraça" que acabara de cometer, não se torturar com arrependimento, mas cumprir a missão, e que acontecesse o que tivesse de acontecer. Essa ideia o deixou definitivamente animado. Aliás, guinando para o beco rumo à casa do irmão Dmitri e sentindo fome, tirou do bolso o pãozinho que pegara na mesa do pai e o comeu a caminho. Isso revigorou suas forças.

Dmitri não estava em casa. Os donos da casinha — um velho carpinteiro, seu filho e uma velha, mulher dele, chegaram a olhar até com suspeita para Aliócha. "Desde anteontem que não pernoita em casa, pode ser que tenha ido embora" — respondeu o velho às insistentes perguntas de Aliócha. Aliócha compreendeu que ele respondia segundo instrução recebida. À pergunta de Aliócha: "Não estaria em casa de Grúchenka ou se escondendo novamente em casa de Fomá?" (Aliócha recorreu de propósito a essas revelações), todos os anfitriões olharam até assustados para ele. "Quer dizer que gostam dele, estão lhe dando a mão — pensou Aliócha —, isso é bom."

Enfim encontrou na rua Oziórnaia a casa de Kalmikova, uma casinha vetusta, que espiava torta com apenas três janelas para a rua e um pátio sujo no meio do qual havia uma vaca solitária. Entrava-se pelo pátio no vestíbulo: à esquerda do vestíbulo morava a senhoria velha com uma filha velha e, parece, ambas surdas. À pergunta sobre o capitão, várias vezes repetida, uma delas, depois de finalmente compreender que ele estava perguntando pelos inquilinos, apontou com o dedo a porta de uma isbá limpa do outro lado do vestíbulo. A casa do capitão era realmente apenas uma simples isbá. Aliócha ia pondo a mão na maçaneta de ferro para abrir a porta quando de repente um silêncio incomum do outro lado da porta o surpreendeu. Entretanto, pelas palavras de Catierina Ivánovna, ele sabia que o capitão reformado era homem de família: "Ou estão todos dormindo, ou talvez tenham me ouvido chegar e esperam que eu abra a porta; o melhor é tornar a bater" — e bateu. Ouviu a resposta, mas não de imediato, talvez uns dez segundos depois.

— Quem é? — gritou alguém com uma voz alta e muito zangada.

Aliócha abriu a porta e atravessou o umbral. Viu-se dentro de uma isbá que, embora bastante ampla, estava excessivamente atravancada de gente e toda sorte de tralha doméstica. À esquerda havia um grande fogão russo. Uma corda se estendia do fogão à janela da esquerda, atravessando todo o cômodo, e nela aparecia uma variedade de trapos estendidos. Havia uma cama junto a cada parede, à direita e à esquerda, cada uma forrada por um cobertor de crochê. Numa delas, à esquerda, amontoavam-se quatro travesseiros de chita, cada um menor que o outro. Na outra cama, à direita, via-se apenas um travesseiro muito pequeno. Adiante, no canto anterior, havia um pequeno espaço separado por uma cortina ou lençol, também lançado sobre a corda estendida de través naquele canto. Por trás dessa cortina, de um lado, também se notava uma cama improvisada sobre um banco e uma cadeira encostada nele. Uma tosca mesa quadrada de madeira tinha sido afastada desse canto para perto da janela do meio. Todas as três janelas, cada uma com quatro vidraças verdes, pequenas e bolorentas, estavam muito embaçadas e hermeticamente fechadas, de sorte que o quarto estava bastante abafado e não lá muito claro. Havia na mesa uma frigideira com restos de ovos estrelados, uma fatia de pão mordida e, além disso, meia garrafa de uma preciosidade terrena com um restinho no fundo. Ao lado da cama da esquerda estava uma mulher sentada numa cadeira, com aparência de senhora, metida num vestido de chita. Era amarela, de rosto muito magro; as faces extremamente encovadas testemunhavam à primeira vista seu estado doentio. Contudo, o que mais impressionou Aliócha foi o olhar da pobre senhora: um olhar sumamente interrogativo e ao mesmo tempo terrivelmente arrogante.

Os irmãos Karamázov

E enquanto a própria senhora não começou a falar e Aliócha se explicava com o anfitrião, ela esteve o tempo todo deslocando seus olhos castanhos graúdos de um falante para o outro com o mesmo ar interrogativo e arrogante. Ao lado dessa senhora, à esquerda da janelinha, postava-se uma moça de rosto bastante feio, ralos cabelos ruivos e vestida num traje pobre embora muito limpo. Ela examinava Aliócha com aversão. À direita, também junto da cama, estava sentada outra criatura do sexo feminino. Era uma criatura muito triste, também moça jovem de uns vinte anos, mas corcunda e sem os pés, com as pernas atrofiadas, como Aliócha soube depois. Suas muletas estavam ao lado, em um canto entre a cama e a parede. Os olhos magnificamente belos e bondosos da pobre moça olharam para Aliócha com uma docilidade tranquila. À mesa, acabando de comer os ovos estrelados, estava um homem de uns quarenta e cinco anos, não alto, magricela, de compleição fraca, arruivado, com uma rala barbicha ruiva muito parecida com um esfregão esfarrapado (essa comparação e particularmente a palavra "esfregão" vieram não se sabe por quê à mente de Aliócha logo à primeira vista, o que ele recordou mais tarde). Pelo visto fora esse mesmo senhor que gritara do outro lado da porta aquele "quem é?", uma vez que no cômodo não havia outro homem. Mas, quando Aliócha entrou, ele pareceu arrancar-se do banco em que estava à mesa e precipitou-se para Aliócha limpando-se às pressas com um guardanapo furado.

— Um monge pedindo doações para o mosteiro; sabe a quem procurar! — pronunciou entrementes e em voz alta a moça postada no canto esquerdo. Mas o senhor, que se precipitara para Aliócha, voltou-se para ela e com uma voz nervosa e rouca respondeu:

— Não, Varvara Nikolavna, não é isso, tu não acertaste! Permita-me perguntar, por minha vez — tornou a virar-se para Aliócha: — o que o motivou a visitar... este subsolo?[16]

Aliócha olhava atentamente para ele, era a primeira vez que via aquele homem. Havia nele qualquer coisa de desajeitado, de apressado e irritante. Embora tudo indicasse que acabara de beber, não estava bêbado. Seu rosto exprimia um extremo descaramento e ao mesmo tempo — isso era estranho — uma covardia aparente. Parecia uma pessoa que passara muito tempo subordinada e sofrendo, mas que de uma hora para outra se levantaria de um salto e procuraria mostrar quem era. Ou, ainda melhor, parecia uma pessoa

---

[16] O termo empregado pelo capitão Snieguirióv é *niedra*, que significa o subsolo, profundezas da terra, entranhas, o que imprime uma ironia amarga às suas palavras. Subsolo de edifício é *podpólie*. (N. do T.)

Fiódor Dostoiévski

com uma tremenda vontade de dar um soco em alguém, mas que sentia um terrível medo de que esse alguém lhe desse esse soco. Em sua fala e na entonação de sua voz bastante estridente fazia-se ouvir uma espécie de humor de *iuródiv*, ora perverso, ora tímido, que não se controlava e escapava. A pergunta sobre o "subsolo" ele a fizera como que todo trêmulo, arregalando os olhos e precipitando-se para tão perto de Aliócha que este chegou a dar um passo atrás. Este senhor vestia um sobretudo bastante ruim, de um tecido de algodão rústico amarelado, cerzido e cheio de manchas. As pantalonas eram de uma cor extremamente clara, de um tipo que ninguém usava havia muito tempo, de um tecido xadrez e muito fino, amarrotadas embaixo e tão curtas que ele parecia brotar de dentro dela como um menino pequeno.

— Eu... sou Alieksiêi Karamázov... — articulou Aliócha.

— Posso compreender perfeitamente — cortou no ato o senhor, fazendo-o saber que já estava a par de quem era ele. — Capitão Snieguirióv, de minha parte; contudo, desejaria saber o que precisamente o motivou...

— Bem, eu entrei só por entrar. Em essência, gostaria de lhe dizer uma palavra de minha parte... se é que o senhor permite...

— Neste caso eis a cadeira, e queira ocupar o lugar. Era assim que se dizia nas comédias antigas: "queira ocupar o lugar"...[17] — E o capitão, com um gesto rápido, agarrou uma cadeira livre (uma simples cadeira camponesa, toda de madeira e sem nenhum forro) e a colocou quase no centro do cômodo; em seguida agarrou outra cadeira igual e sentou-se diante de Aliócha, como antes, tão perto dele que seus joelhos quase se tocavam.

— Nikolai Ilitch Snieguirióv, ex-capitão da infantaria russa que, mesmo infamado por seus vícios, ainda assim é capitão. Seria antes o caso de pronunciar capitão Sibilov[18] e não Snieguirióv, porque só depois da metade de minha vida comecei a falar pondo o "s" no fim das palavras. É na humilhação que a gente adquire essa sibilação.

— É isso mesmo — Aliócha deu um risinho —, mas isso se consegue involuntariamente ou de propósito?

— Deus está vendo, involuntariamente. Eu nunca tinha falado assim, tinha passado a vida inteira sem pôr "s" no fim das palavras, mas de repen-

---

[17] Trata-se do galicismo *prenez place*, muito em voga no século XVIII e início do XIX. (N. da E.)

[18] Adaptação do russo *Slovoersov*, que, literalmente, significa aquele que põe a letra "s" no final das palavras. Derivado de *slovoers* (pôr o "s" no final das palavras) mais o sufixo formador de nomes próprios "ov". Essa forma traduz um respeito especial pelo interlocutor, especialmente por parte da gente mais simples. (N. do T.)

te caí e me levantei sibilando. É uma força superior que nos leva a isso. Estou vendo que o senhor se interessa por questões atuais. No entanto, como consegui despertar tamanha curiosidade, pois vivo numa situação que não me permite praticar a hospitalidade?

— Vim... tratar daquela mesma questão...

— Daquela mesma questão? — cortou com impaciência o capitão.

— A respeito daquele seu encontro com meu irmão Dmitri Fiódorovitch — interrompeu sem jeito Aliócha.

— Que encontro? Não estará falando daquele tal? Quer dizer, a respeito do esfregão, do esfregão de banheiro? — e subitamente avançou de tal modo que desta vez seus joelhos esbarraram em Aliócha. Seus lábios se contraíram de um jeito especial, reduzindo-se a um fio.

— Que esfregão? — murmurou Aliócha.

— Ele veio aqui se queixar de mim para ti, papai! — gritou do canto atrás da cortina a vozinha do menino recém-conhecido de Aliócha. — Fui eu que ainda agora mordi o dedo dele!

A cortina se abriu e Aliócha viu seu inimigo de ainda há pouco no canto, debaixo dos ícones, na caminha improvisada sobre um banco e uma cadeira. O menino estava deitado e coberto com o seu casaquinho e mais um cobertorzinho de algodão bem velho. Pelo visto estava doente e, a julgar pelos olhos chamejantes, com febre. Agora olhava para Aliócha sem medo, diferente do que ocorrera antes, como se dissesse: "Agora eu estou em casa, não vais me pegar".

— Que dedo foi esse que ele mordeu? — o capitão soergueu-se. — Foi seu dedo que ele mordeu?

— Sim, o meu. Ainda há pouco ele estava trocando pedradas na rua com outros meninos; eram seis jogando pedras nele, e ele estava sozinho. Cheguei-me a ele, mas ele me jogou uma pedra, depois outra em minha cabeça. Perguntei: o que te fiz? De repente ele investiu contra mim e me mordeu um dedo, não sei por quê.

— Vou açoitá-lo agora mesmo. Vou açoitá-lo agora mesmo — o capitão se levantou de um salto.

— Só que não estou fazendo nenhuma queixa, apenas contei... Não quero absolutamente que o senhor o açoite. E agora ele parece doente...

— E o senhor pensou que eu fosse açoitá-lo? Que eu ia pegar Iliúchetchka[19] e açoitá-lo agora mesmo, em sua presença, para sua plena satis-

---

[19] Diminutivo de Iliúchka, que por sua vez é diminutivo de Iliá. (N. do T.)

Os irmãos Karamázov

fação? Por que essa pressa toda? — pronunciou o capitão, voltando-se repentinamente para Aliócha com tal gesto que dava a impressão de querer lançar-se sobre ele. — Lamento por seu dedo, senhor, mas não quer que eu, antes de açoitar Iliúchetchka, arranque quatro dedos meus com esta faca aqui, agora mesmo, diante de seus olhos, para a sua justa satisfação? Acho que quatro dedos bastam para o senhor saciar sua sede de vingança, será que não vai querer o quinto?... — parou de repente como se estivesse sufocado. Cada linha de seu rosto se distendia e contraía, seu olhar lançava um extraordinário desafio. Estava como que tomado de fúria.

— Parece que agora compreendi tudo — respondeu Aliócha em tom baixo e triste e continuou sentado. — Quer dizer que seu menino é um bom menino, ama o pai e investiu contra mim por ser irmão do seu ofensor. Agora eu compreendo — repetiu ele, refletindo. — Mas meu irmão Dmitri Fiódorovitch está arrependido de seu ato, isso eu sei, e se lhe for possível vir à sua casa ou, melhor ainda, reencontrar-se com o senhor no mesmo lugar, ele lhe pedirá perdão publicamente... se o senhor o desejar.

— Quer dizer que ele me arrasta pela barbicha e depois pede desculpas... Põe, dir-se-ia, um ponto final em toda a questão e me deixa satisfeito, não é?

— Oh, não, ao contrário, ele fará tudo que o senhor quiser e como o senhor quiser!

— Quer dizer que se eu pedisse ao príncipe que se pusesse de joelhos à minha frente naquela taverna — "A Capital" — ou na praça, ele o faria?

— Sim, ele ficaria de joelhos.

— Comovente. O senhor me fez derramar lágrimas e me comoveu. Sou excessivamente sentimental. Permita-me apresentar-me plenamente: minha família, minhas duas filhas e meu filho — minha ninhada. Morro, então quem irá amá-los? E enquanto estou vivo, quem, senão eles, vai gostar de mim, deste tipo abominável, senão eles? Grande coisa essa que Deus arranjou para cada pessoa de meu tipo. Porque é preciso que pelo menos alguém goste de um homem do meu tipo...

— Ah, isso é a pura verdade! — exclamou Aliócha.

— Ora, chega finalmente de palhaçada; aparece um imbecil qualquer aqui e o senhor nos envergonha — bradou inesperadamente a moça da janela, dirigindo-se ao pai com uma careta de nojo e desprezo.

— Espere um pouco, Varvara Nikolavna,[20] permita-me manter o rumo da conversa — gritou-lhe o pai num tom imperioso, mas, não obstante,

---

[20] Variação do patronímico Nikoláievna. (N. do T.)

Fiódor Dostoiévski

olhando para ela com ar de muita aprovação. — É essa a sua índole — tornou a voltar-se para Alió#cha.

> *E ele em toda a natureza*
> *Nada quis abençoar.*[21]

Quer dizer, isso devia ser dito no feminino: ela não quis abençoar. Permita-me, porém, apresentá-lo também à minha esposa: esta é Arina Pietrovna, uma senhora privada do uso das pernas, de uns quarenta e três anos; as pernas se movem, mas um pouquinho. É de origem simples. Arina Pietrovna, atenue os traços de seu rosto: este é Alieksiêi Fiódorovitch Karamázov. Levante-se, Alieksiêi Fiódorovitch — segurou-o pelo braço com uma força que nem se podia esperar dele e o soergueu de repente. — O senhor está sendo apresentado a uma dama, precisa levantar-se. Mãezinha, este não é aquele Karamázov que... hum, e assim por diante, mas o irmão dele, que prima por virtudes humildes. Permita-me, Arina Pietrovna, permita-me, mãezinha, permita-me primeiro beijar-lhe a mãozinha.

E beijou a mão da esposa respeitosamente, até com ternura. A moça da janela deu as costas à cena, indignada; o rosto arrogantemente interrogativo da esposa exprimiu uma ternura súbita e incomum.

— Bom dia, sente-se, senhor Tchernomázov[22] — pronunciou ela.

— Karamázov, mãezinha (somos gente simples) — tornou a murmurar ele.

— Bem, Karamázov ou seja lá como for, mas eu sempre digo Tchernomázov — disse ela. — Sente-se, por que ele o fez levantar-se? Uma dama sem pernas, diz ele; pernas eu tenho, mas estão inchadas como um balde e eu mesma estou atrofiada. Antes eu era gorda a mais não poder, mas agora é como se tivesse engolido uma agulha...

— Nós somos gente humilde, gente simples — tornou a dizer o capitão.

— Papai, ah, papai! — pronunciou de repente a moça corcunda, que até então permanecera calada em sua cadeira, e cobriu subitamente os olhos com um lenço.

[21] Citação do poema "O demônio", de Púchkin. (N. do T.)

[22] Cara preta, em russo. O "lapso" da personagem traduz a forma interior do sobrenome Karamázov, derivado do substantivo tártaro-turco *kara*, que significa preto, negro. (N. da E.) Trata-se de uma das hipóteses do sobrenome Karamázov, porque ele também pode derivar do russo *kara*, que significa castigo, e *maz*, radical do verbo *mazat*, que significa sujar, emporcalhar, lambuzar, pintar mal, borrar, errar o alvo no tiro, dando a ideia de castigo lambuzado. (N. do T.)

— Palhaço! — rosnou a moça da janela.

— O senhor está vendo como as coisas acontecem por aqui — a mamã abriu os braços, apontando para as filhas —, é como nuvens passando: as nuvens passam e volta a nossa música. Antes, quando éramos militares, recebíamos muitas visitas assim. Eu, *bátiuchka*, não nivelo as coisas. Quem gosta de alguém que goste desse alguém. A mulher do diácono me aparece e diz: "Alieksandr Alieksándrovitch é a mais maravilhosa das almas, mas Nastássia Pietrovna, diz, é um fruto do inferno". — "Bem, respondo, isso é o mesmo que alguém adorar alguém, mas tu és melequenta, e fedorenta." — "Já tu, diz ela, precisas ser mantida na obediência." — "Ah, sua espada preta, digo eu, a quem vieste dar lição?" — "Eu, diz ela, solto um ar puro, mas tu, um ar impuro." — "Então pergunta, respondo, a todos os senhores oficiais se eu solto ar impuro ou outro qualquer?" E assim, desde aquele dia, aquilo me ficou cravado na alma; um dia desses eu estava aqui sentada, como agora, e vi entrar aquele mesmo general que aparecia por aqui na Semana Santa: "Então, digo eu, excelência, uma senhora nobre pode soltar um ar livre?" — "Sim, responde, aqui em sua casa é preciso abrir o postigo ou a porta pelo simples fato de que o ar aqui não é puro". Bem, e a conversa foi toda assim! Mas por que eles só falam do meu ar? Os mortos fedem muito mais. "Eu, digo, não estrago o seu ar, mas peço os sapatos e saio." Meus caros, meus pombinhos, não censurem a sua mãe! Nikolai Ilitch, meu caro, eu não te sirvo para nada, mas tenho Iliúchetchka que chega da escola e me ama. Ontem trouxe uma maçã. Desculpe, gente, desculpem sua mãe, minhas pombinhas, sou totalmente só, por que meu ar ficou nojento?

E de repente a coitada desatou em prantos, as lágrimas jorraram. O capitão precipitou-se para ela.

— Mãezinha, mãezinha, minha cara, chega, chega! Tu não estás sozinha. Todos aqui te amam, todos te adoram! — e ele voltou a beijar ambas as mãos dela e a afagá-la carinhosamente no rosto com a palma das mãos; pegou um guardanapo e começou imediatamente a enxugar-lhe as lágrimas do rosto. A Alióvha até pareceu que lágrimas brilharam em seus olhos e nos olhos do capitão — Então, viu? Ouviu? — voltou-se para ele meio de repente com fúria, mostrando com a mão a pobre louca.

— Estou vendo e ouvindo — murmurou Alióvha.

— Papai, papai! Será que estás com ele... Larga-o, papai! — gritou o menino, soerguendo-se em sua caminha e lançando ao pai um olhar ardente.

— É, chega finalmente de palhaçada, de mostrar suas tolas esquisitices que nunca dão em nada! — gritou já totalmente enfurecida do mesmo canto Varvara Nikoláievna, chegando até a bater com os pés.

Fiódor Dostoiévski

— Desta vez você tem toda razão de ficar fora de si, Varvara Nikolavna,[23] e vou atendê-la com empenho. Ponha seu chapéu, Alieksiêi Fiódorovitch, eu vou pegar meu quepe e nós vamos sair. Preciso lhe dizer uma palavrinha séria, só que fora destas paredes. Aquela moça que está sentada ali é minha filha Nina Nikoláievna, esqueci de apresentá-la ao senhor, é um anjo de Deus em carne e osso... que desceu aos mortais... se é que pode entender isso...

— Ele está tremendo todo, como se estivesse com cãibras — continuou Varvara Nikoláievna com indignação.

— Aquela ali, que está batendo os pés e acabou de me chamar de palhaço, também é um anjo de Deus em carne e osso e me xingou com justiça. Vamos, Alieksiêi Fiódorovitch, precisamos acabar...

E, agarrando Aliócha pelo braço, ele o conduziu do cômodo direto para a rua.

VII. AO AR PURO TAMBÉM

— Ar puro, mas na minha casa de madeira não está mesmo fresco, em todos os sentidos, inclusive. Vamos, senhor, devagarinho. Gostaria muito de despertar o seu interesse.

— Eu mesmo tenho um assunto extraordinário a tratar com o senhor... — observou Aliócha —, só que não sei como começar.

— Como eu não saberia que o senhor tem um assunto a tratar comigo? Sem assunto o senhor nunca apareceria em minha casa. Ou veio realmente apenas para se queixar do menino? Ora, isso é incrível. A propósito, sobre o menino: lá não pude lhe explicar tudo, mas agora vou lhe descrever aquela cena. Veja, há apenas uma semana o esfregão era mais denso — estou falando de minha barbicha; porque foi minha barbicha que chamaram de esfregão, principalmente os meninos da escola. Pois bem, na ocasião seu irmãozinho Dmitri Fiódorovitch me arrastou pela barbicha da taverna para a praça e justo naquele momento os meninos tinham saído da escola e, com eles, Iliúcha. Quando ele me viu naquela situação, precipitou-se para mim: "Papai, papai!". Agarra-se a mim, abraça-me, quer me arrancar, grita para o meu ofensor: "Largue-o, largue-o, ele é meu pai, meu pai, perdoe-o" — era assim que gritava: "Perdoe-o"; com as suas mãozinhas também o agarrou

---

[23] No original, o patronímico de Varvara aparece ora como Nikolavna, ora como Nikoláievna. (N. do T.)

pela mão, por aquela mesma mão, e a beijou... Lembro-me do rostinho dele naquele momento, não esqueci e nem esquecerei!...

— Juro — exclamou Aliócha — que meu irmão lhe mostrará seu arrependimento da forma mais sincera, mais completa, ainda que seja de joelhos naquela mesma praça... Vou obrigá-lo a isso, ou não será mais meu irmão!

— Sim, mas isso ainda é só um projeto. Não vem diretamente dele, mas apenas do seu coração ardente. Era isso que o senhor devia ter dito. Não, neste caso permita-me também completar o que falta a respeito da elevadíssima nobreza de cavalheiro e oficial do seu irmãozinho, porque ele a revelou na ocasião. Acabou de me puxar pelo esfregão, soltou-me e disse: "Tu, diz ele, és um oficial e eu também sou um oficial, se puderes encontrar uma pessoa digna para ser teu padrinho, então podes enviá-la a mim: darei satisfação ainda que sejas um canalha!". Eis o que ele disse. Um espírito verdadeiramente cavalheiresco. Então eu me afastei com Iliúcha, mas o quadro genealógico da família ficou gravado para sempre na memória da alma de Iliúcha. Não, como vamos continuar sendo nobres? Aliás o senhor mesmo pode julgar: acabou de sair de minha casa de madeira — o que viu por lá? Três mulheres sentadas, uma débil mental sem pernas, a outra corcunda e sem pernas, uma terceira com pernas mas inteligente demais, estudante de curso superior, querendo a qualquer custo voltar para Petersburgo e lá, nas margens do rio Nievá, procurar e encontrar os direitos da mulher russa. Nem falo de Iliúcha, tem apenas nove anos, é completamente só, porque, se eu morrer, o que será de todo esse subsolo? É só isso que pergunto. Pois bem, eu pego e o desafio para um duelo, ele me mata de saída, e então o que resta? O que será feito de todos eles? Será pior ainda se ele não me matar mas apenas me aleijar: não poderei trabalhar e, seja como for, me restará a boca, e então quem há de alimentar minha boca, e quem vai alimentar as bocas de todos eles? E quanto a Iliúcha, mandá-lo todos os dias pedir esmola em vez de ir à escola? É isso o que significa para mim desafiá-lo a um duelo, um gesto tolo e nada mais.

— Ele vai lhe pedir perdão, vai prosternar-se aos seus pés — tornou a bradar Aliócha com o olhar faiscante.

— Eu quis entrar na justiça contra ele — continuou o capitão —, mas abra o nosso código e veja se eu receberia grande satisfação de meu ofensor pela ofensa pessoal que me infligiu. Mas de repente Agrafiena Alieksándrovna me chama e grita: "Não se atreva a pensar nisso! Se entrar na justiça contra ele, vou dar um jeito de que toda a sociedade fique sabendo publicamente que ele te espancou por causa de tua vigarice, e então tu mesmo serás levado a julgamento". Mas só Deus vê de onde veio essa vigarice e por ordem de quem esse zé-ninguém aqui agiu — não terá sido por ordem dela e do próprio Fiódor Pávlovitch? "Além disso, acrescenta ela, vou te expulsar para sempre e doravante não vais ganhar nada. Também vou falar com o meu comerciante (é assim que ela chama o velho: meu comerciante) e ele também te expulsará". Aí eu pensei: se o comerciante também me expulsar, então para quem vou trabalhar? Porque só eles dois me restaram, uma vez que seu *bátiuchka* Fiódor Pávlovitch não só deixou de confiar em mim, por um motivo alheio a esse caso, como ainda se valeu de meus recibos e está querendo me arrastar para os tribunais. O resultado de tudo isso foi que eu me encolhi naquele subsolo que o senhor viu. Agora me permita uma pergunta: essa mordida que Iliúchka lhe deu há pouco no dedo doeu? Em casa, na presença dele, eu não ousei entrar nesses detalhes.

— Sim, doeu muito, e ele estava muito irritado. Ele se vingou de mim, porque sou um Karamázov, por causa do senhor, agora isto está claro. Se o senhor tivesse visto como ele e os colegas da escola trocavam pedradas! Isso é muito perigoso, eles podem matá-lo, são crianças, tolas, as pedras voam e podem quebrar a cabeça dele.

— Sim, e já o acertaram, hoje, não na cabeça mas no peito, acima do coração, com uma pedrada; formou-se uma equimose, ele chegou em casa chorando, gemendo e adoeceu.

— Pois saiba que ele foi o primeiro a atacar todos os outros, ficou furioso por causa do senhor, e os meninos me contaram que ele feriu um flanco do menino Krassótkin, ainda há pouco, com um canivete...

— Também ouvi falar disso, é perigoso: Krassótkin é filho de um funcionário daqui, isso talvez ainda possa trazer dores de cabeça...

— Eu o aconselharia — continuou Alióchá com ardor — a ficar algum tempo sem mandá-lo à escola, até que a coisa se abrande e essa ira dele passe...

— É ira! — secundou o capitão —, ira mesmo. Numa criaturinha pequena, mas uma grande ira. O senhor não está a par de tudo. Permita-me esclarecer especialmente essa história. Ocorre que depois daquele acontecimento todos os meninos na escola começaram a chamá-lo de esfregão. Na escola as crianças são cruéis: separadas, parecem anjos de Deus, mas juntas, sobretudo na escola, são constantemente muito cruéis. Começaram a provocá-lo, e o espírito nobre despertou em Iliúcha. É um menino comum, um filho fraco — outro se resignaria, se envergonharia do pai, mas ele se levantou sozinho pelo pai contra todos. Pelo pai e pela verdade, pela verdade. Pois só Deus pode saber o que ele suportou naquela ocasião, beijando a mão do seu irmãozinho e gritando-lhe: "Perdoe meu paizinho, perdoe meu paizi-

Os irmãos Karamázov

nho". Veja como são os nossos filhinhos — isto é, não os seus mas os nossos, os filhos dos miseráveis desprezados, porém nobres — aos nove anos de idade já conhecem a verdade na Terra. Já os ricos não atingem essa profundeza durante a vida inteira, mas meu Iliúchka, naquele mesmo instante em que beijou a mão dele na praça, naquele mesmo instante fez nascer toda a verdade. Essa verdade penetrou nele e o esmagou para todo o sempre — pronunciou com ardor e novamente como que em fúria o capitão, e nisso deu um soco com a mão direita na mão esquerda, como se desejasse expressar às claras como a "verdade" esmagara o seu Iliúcha. — No mesmo dia ele teve febre, passou a noite delirando. Durante o dia todo pouco conversou comigo, ficou totalmente calado e pude apenas observará-lo: olhava, olhava para mim do seu canto, e cada vez mais e mais para a janela, e fingia estudar a lição, mas eu via que o que tinha em mente não era a lição. No dia seguinte bebi e não me lembro de muita coisa, sou um pecador, bebi de tristeza. Nisso a mãezinha começou também a chorar — eu gosto muito da mãezinha — e eu, levado pela tristeza, tomei uma bicada com o último dinheiro que tinha. Senhor, não me despreze: aqui na Rússia os bêbados são as pessoas mais bondosas. Mais bondosas e mais beberronas. Eu estava lá deitado, mas não me lembro muito de Iliúcha nesse dia, pois foi justamente na manhã desse dia que os meninos deram para rir dele na escola: "Esfregão — arrastaram teu pai da taverna para a rua pelo esfregão e tu ficaste correndo ao redor pedindo perdão". Dois dias depois ele volta da escola e o que vejo: está desfigurado, pálido. O que tens? — pergunto. Silêncio. Mas lá em casa não dava para falar disso, senão a mãezinha e as moças tomariam parte — além disso, as moças já sabiam de tudo, desde o primeiro dia, inclusive. Varvara Nikolavna já estava resmungando: "Palhaço, bufão, por acaso o senhor pode dizer alguma coisa sensata?" — "Isso mesmo, Varvara Nikolavna, digo eu, por acaso aqui em casa pode haver alguma coisa sensata?" E assim me safei daquela vez. Foi então que, à tardinha, tirei o menino de casa para dar uma caminhada. E nós dois, para que o senhor saiba, até hoje saímos todas as tardinhas para dar uma caminhada, exatamente pelo mesmo lugar por onde nós dois estamos caminhando agora, do nosso portão até aquela pedra enorme ali, que está solitária no caminho ao pé do cercado e onde começa a pastagem nos arredores da cidade: um lugar deserto e belo. Caminhamos eu e Iliúcha, com a mão dele na minha como de costume; é pequenininha a mãozinha dele, os dedinhos finos, frios — ele sofre do peito. "Papai, diz ele, papai!" — "O quê?", digo-lhe. Vejo que seus olhinhos cintilam. "Papai, como ele te bateu, papai, naquele momento!" — "Que fazer, Iliúcha?" — digo eu. "Não faça as pazes com ele, papai, não faça as pazes. Os cole-

gas da escola estão dizendo que ele lhe deu dez rublos por isso." — "Não, Iliúcha, digo eu, agora não vou aceitar dinheiro dele por nada." Então ele tremeu todo, agarrou minha mão com ambas as mãozinhas e tornou a beijá-la. "Papai, diz ele, papai, desafie aquele homem para um duelo, na escola ficam me provocando e dizendo que o senhor é um covarde e não o desafia para um duelo, mas vai receber dez rublos dele." — "Para o duelo, Iliúcha, não posso desafiá-lo" — respondo e lhe exponho brevemente tudo o que acabei de expor para o senhor. Ele ouviu. "Papai, diz ele, papai, mesmo assim não faça as pazes com ele — vou crescer, desafiá-lo, e eu mesmo vou matá-lo!" Os olhinhos cintilavam e ardiam. Mas, apesar de tudo, sou o pai e precisava lhe dizer a palavra da verdade. "É pecado — digo eu — matar, mesmo que seja em duelo." — "Papai, diz ele, papai, quando eu crescer vou derrubá-lo, vou tirar o sabre dele com o meu, partir pra cima dele, derrubá-lo, agitar o sabre em cima dele e dizer: eu podia te matar agora, mas te perdoo, é isso!" Está vendo, está vendo, senhor, que processo passou pela cabeça dele nesses últimos dois dias, ele ficou dia e noite pensando nessa vingança com sabre, deve ter delirado com isso durante a noite. Só que passou a chegar da escola muito machucado, fiquei sabendo de tudo isso anteontem e o senhor está certo; não vou mais deixá-lo ir àquela escola. Fiquei sabendo que ele está enfrentando sozinho a turma toda e ele mesmo está desafiando a todos, ficou furioso, com o coração inflamado — e então temi por ele. Depois tornamos a sair, caminhávamos. "Papai, pergunta ele, papai, os ricos são os mais fortes no mundo?" — "Sim, Iliúcha, digo eu, não existe no mundo ninguém mais forte do que um rico." — "Papai, diz ele, vou enriquecer, vou ser oficial e arrebentar com todo mundo, o tsar vai me condecorar, vou vir para cá e então ninguém vai se atrever..." Depois fez silêncio, mas quando falava os lábios tremiam como antes: "Papai, diz ele, que cidade má essa nossa, papai!" — "Sim, sim, Iliúchetchka, não é lá muito boa a nossa cidade." — "Papai, vamos nos mudar para outra cidade, uma cidade boa, diz ele, onde ninguém saiba nada sobre nós." — "Vamos nos mudar, Iliúcha, vamos nos mudar, digo eu. É só juntar dinheiro." Fiquei contente com a oportunidade de distraí-lo dos pensamentos sombrios, e nós dois começamos a sonhar como nos mudaríamos para outra cidade, compraríamos o nosso cavalinho e uma carroça. A gente põe a mãe e as irmãzinhas na carroça, dá um jeito de cobri-las, vai a pé ao lado, de vez em quando eu te ponho na carroça e vou a pé ao lado, porque precisamos poupar o nosso cavalinho, não dá para todos subirem, e assim a gente parte. Ele ficou encantado com isso, e principalmente porque teria o seu próprio cavalinho e ele mesmo iria montado. É sabido que o menino russo nasce mesmo junto com seu cavalinho. Conversamos durante muito tempo, graças a Deus eu o distraí, o consolei. Isso aconteceu anteontem à tardinha, mas na tarde de ontem já aconteceu outra coisa. Tornou a ir de manhã para aquela escola, voltou sombrio, muito sombrio. À tardinha o peguei pela mãozinha, saí com ele para caminhar, estava calado, sem falar. Também começou um ventinho, o sol se escondeu, soprou o vento do outono e além disso já estava escurecendo — estamos caminhando e tristes. "Então, menino, digo eu, como é que nós dois vamos pegar estrada?" — pensei retomar a conversa da véspera. Silêncio. Só seus dedinhos, percebi, estremeceram em minha mão. "É, penso eu, há alguma novidade ruim." Chegamos nós dois, como agora, a essa mesma pedra, sentei-me nessa pedra, e os céus estavam cheios de papagaios empinados, que zuniam e estalavam, uns trinta papagaios. Aliás estamos na temporada dos papagaios. "Vê, Iliúcha, está na hora de nós dois também empinarmos o papagaio do ano passado. Vou consertá-lo, onde o escondeste em teu quarto?" Meu menino está calado, olha para um lado, está de lado para mim, e nisso o vento assobiou sacudindo a areia... Súbito precipitou-se para mim, agarrou-se com ambas as mãozinhas em meu pescoço, apertou-me. Sabe, se as crianças são caladas e altivas e durante muito tempo represam as lágrimas, se acontece uma grande tristeza e essas lágrimas irrompem de repente, a bem dizer já não escorrem mas jorram como se fossem riachos. Pois foram borrifos mornos como esses que subitamente me banharam todo o rosto. Ele cai no pranto como se estivesse em convulsão, põe-se a tremer, aperta-me contra si, estou sentado na pedra. "Papaizinho, brada, papaizinho, meu querido papaizinho, como ele te humilhou!" Nisso eu também caio no pranto, estamos sentados e nos abraçamos sacudidos pelos soluços. "Papaizinho, diz ele, papaizinho!" — "Iliúcha, digo-lhe, Iliúchetchka!", na ocasião ninguém nos via, só Deus nos via, oxalá ponha isso em seu registro. Agradeça ao seu irmãozinho, Alieksiêi Fiódorovitch. Não, não vou açoitar meu menino para sua satisfação!

Terminou de falar repetindo as esquisitices raivosas e de *iúrodiv* de ainda agora. Aliócha sentiu, entretanto, que já contava com a confiança dele e que, estivesse outra pessoa em seu lugar, esse homem não entraria a "conversar" nem lhe comunicaria o que acabava de lhe comunicar. Isto animou Aliócha, cuja alma tremia com as lágrimas.

— Ah, como eu gostaria de fazer as pazes com o seu menino! — exclamou. — Se o senhor arranjasse isso...

— Com toda a certeza — murmurou o capitão.

— Mas agora não se trata disso, de nada disso, ouça-me — continuou Aliócha —, ouça-me. Venho ao senhor com uma missão: aquele meu irmão, aquele Dmitri, também ofendeu sua própria noiva, uma moça decentíssima e de quem o senhor certamente já ouviu falar. Estou no direito de lhe revelar essa ofensa e até no dever de fazê-lo, porque ela, ao tomar conhecimento da ofensa que o senhor sofreu e de tudo o que diz respeito à sua infeliz situação, acabou de me dar a incumbência... ainda há pouco... de lhe trazer este auxílio da parte dela... mas só e unicamente da parte dela, não de Dmitri, de maneira nenhuma, ele também a abandonou, e nem de mim como irmão dele, nem de ninguém mais, só dela, tão somente dela! Ela implora que o senhor aceite sua ajuda... vocês dois foram ofendidos pelo mesmo homem... ela só se lembrou do senhor quando sofreu da parte dele a mesma ofensa (por força da ofensa) que o senhor sofreu dele! Isto significa que a irmã vai ao irmão com uma ajuda... ela me incumbiu justamente de convencê-lo a aceitar estes duzentos rublos da parte dela como de uma irmã. Ninguém ficará sabendo disto, nenhuma bisbilhotice injusta acontecerá... aqui estão estes duzentos rublos, e juro, o senhor deve aceitá-los, senão... senão todos terão de ser inimigos uns dos outros no mundo! Ora, apesar de tudo existem irmãos nesse mundo... O senhor tem uma alma nobre... Deve compreender isto, deve!...

E Aliócha lhe estendeu duas notas irisadas de cem rublos novinhas em folha. Nesse momento ambos estavam de pé precisamente junto à grande pedra, ao pé da cerca, e não havia mais ninguém. As notas, pareceu, produziram no capitão uma impressão formidável: ele estremeceu, mas a princípio como que só pela surpresa: nada semelhante lhe ocorrera nem em sonho e não esperava absolutamente tal desfecho. Nem sequer sonhara com ajuda de quem quer que fosse, e ainda mais uma ajuda tão considerável. Recebeu as notas e por quase um minuto não conseguiu responder, algo totalmente novo estampou-se em seu rosto.

— Isto é para mim, para mim, tanto dinheiro, duzentos rublos?! Meu Deus! Já fazia quatro anos que eu não via tanto dinheiro; meu Deus! E diz que é uma irmã... isso é de verdade, de verdade?

— Eu lhe juro que tudo o que eu lhe disse é verdade! — bradou Aliócha. O capitão corou.

— Escute, meu caro, escute, se eu aceitar não estarei sendo um patife? A seus olhos, Alieksiêi Fiódorovitch, não estarei mesmo, não estarei sendo um patife? Não, Alieksiêi Fiódorovitch, ouça, ouça — agitava-se o capitão, tocando Alióucha a todo instante com ambas as mãos —, o senhor está me persuadindo a aceitar isso porque uma "irmã" me envia, mas em seu íntimo, de si para si, não irá sentir desprezo se eu aceitar, não?

— Não, nada disso! Juro por minha salvação que não! E ninguém jamais vai ficar sabendo, só nós dois: eu, o senhor e ela, e mais uma senhora grande amiga dela...

— Que senhora!? Ouça, Alieksiêi Fiódorovitch, escute, pois este é um daqueles momentos em que é necessário escutar, porque o senhor não consegue nem entender o que esses duzentos rublos podem significar agora para mim — continuou o coitado, entrando gradualmente em um êxtase desordenado, quase extravagante. Estava como que desnorteado, falava apressadamente, com excessiva rapidez, como se temesse que não o deixassem dizer tudo. — Além disso ter sido adquirido honestamente de uma "irmã" tão respeitável e santa, sabe o senhor que agora vou poder tratar da mãezinha e de Nínotchka,[24] minha filha e meu anjo corcunda? O doutor Herzenstube esteve em minha casa movido pela bondade de seu coração, passou uma hora inteira examinando as duas: "Não estou compreendendo nada, diz ele", mas, não obstante, a água mineral que existe na farmácia daqui (ele a receitou) será de indiscutível utilidade para ela, e também receitou um banho de um remédio qualquer para os pés. A água mineral custa trinta copeques e ela talvez tenha de tomar umas quarenta jarras. Pois bem, peguei a receita e a coloquei na prateleira debaixo do ícone e lá ela continua. Receitou para Nina um banho quente de uma solução qualquer, diariamente, de manhã e à noite; então onde haveríamos de inventar esse tratamento em nosso casebre, sem criados, sem ajuda, sem louça e água? Mas Nínotchka está toda tomada de reumatismo, ainda nem lhe falei disso, durante a noite lhe dói todo o lado direito, ela sofre e, acredite, esse anjo de Deus aguenta firme para não nos incomodar, não geme para não nos acordar. Comemos o que aparece, o que conseguimos — pois ela escolhe o pior pedaço, aquele que só se pode dar a um cachorro: "Não mereço, diz ela, essa fatia, estou tirando de vocês, sou um fardo para vocês". Eis o que a sua opinião angelical quer representar. Nós lhe servimos, mas ela acha isso um fardo: "Não mereço isso, não mereço, sou um aleijada indigna e inútil" — pudera ela ser inútil, quando com sua docilidade de anjo conseguiu a graça de Deus para todos nós; sem ela, sem sua palavra serena nossa casa seria um inferno, ela conseguiu abrandar até Vária.[25] E o senhor também não condene Varvara Nikolavna, ela também é um anjo, também é uma criatura ofendida. Ela chegou à nossa casa no verão, e trazia dezesseis rublos ganhos com aulas e reservados para a viagem de volta a Petersburgo em setembro, ou seja, ago-

---

[24] Diminutivo de Nina. (N. do T.)

[25] Diminutivo de Varvara. (N. do T.)

ra. Mas nós pegamos o dinheirinho dela e nos mantivemos com ele, e agora ela não tem com que voltar, eis a questão. Aliás, nem pode voltar porque ela trabalha para nós como uma galé, sim, porque nós a transformamos em burro de carga, ela cuida de todo mundo, faz conserto, lava, varre o chão, põe a mamãe na cama, e a mamãe é uma pessoa caprichosa, a mamãe é dada a lágrimas, a mamãe é louca!... Pois bem, agora, com esses duzentos rublos, posso contratar uma empregada, está entendendo, Alieksiêi Fiódorovitch?, posso começar a tratar de minhas queridas, vou enviar a estudante a Petersburgo, comprar carne de gado, fazer uma nova dieta. Deus, isso é mesmo um sonho!

Aliócha estava muitíssimo contente por ter trazido tanta felicidade e por aquele coitado aceitar que o fizessem feliz.

— Espere, Alieksiêi Fiódorovitch, espere — o capitão agarrou-se mais uma vez a um novo devaneio que se lhe apresentara subitamente e mais uma vez falava pelos cotovelos num matraqueado frenético —, sabe o senhor que agora eu e Iliúchka talvez consigamos mesmo realizar aquele sonho? Comprar um cavalinho e uma carroça coberta, sim, um cavalinho azeviche, ele pediu que fosse forçosamente azeviche, e fazer a viagem como foi descrita anteontem. Na província de K. tenho um conhecido advogado, amigo de infância, e uma pessoa de confiança me disse que se eu chegasse lá ele me arranjaria um emprego de escriturário em seu escritório, de sorte que, quem sabe, ele me arranje mesmo... Então eu poria a mãezinha na carroça, poria Nínotchka, colocaria Iliúchetcka para guiá-la e os acompanharia a pé, e assim levaria todos... Meu Deus, se eu ainda recebesse uma dividazinha perdida por aqui, talvez desse até para isso.

— Há de arranjar, há de arranjar! — exclamou Aliócha. — Catierina Ivánovna lhe mandará mais, quanto o senhor quiser, e sabe, eu também tenho dinheiro, pegue o quanto precisar como de um irmão, como de um amigo, depois me devolve... (o senhor vai enriquecer, vai enriquecer!). Sabe, o senhor nunca poderia estar sequer em condição de pensar coisa melhor que esta mudança para outra província! Aí está a sua salvação e principalmente a do seu menino e, sabe, tem que ser depressa, antes do inverno, do frio, o senhor nos escreveria de lá e nós nos tornaríamos irmãos... Não, isso não é um sonho!

Aliócha teve vontade de abraçá-lo de tão satisfeito que estava. Contudo, depois de fitá-lo, parou de repente: o outro, postado, tinha o pescoço esticado, os lábios espichados, o rosto empalidecido numa expressão de furor e seus lábios murmuravam algo como se ele quisesse dizer alguma coisa; não havia sons, mas seus lábios continuavam murmurando, era meio estranho.

— O que o senhor tem?! — algo fez Aliócha estremecer.

— Alieksiêi Fiódorovitch... eu... o senhor... — o capitão balbuciava e calava olhando fixa e estranhamente para ele, com a expressão de quem resolvera voar montanha abaixo e com uns lábios que pareciam sorrir ao mesmo tempo — eu... o senhor... o senhor não deseja que eu lhe mostre um truque? — murmurou de chofre o capitão, com um murmúrio firme, já sem interromper a fala.

— Que truque?

— Um truque, um truque qualquer — continuava murmurando o capitão; a boca entortou para a esquerda, o olho esquerdo entrefechou-se, ele não desviava o olhar de Aliócha, como se estivesse cravado nele.

— Mas o que é que o senhor tem, que truque é esse? — gritou Aliócha já quase inteiramente assustado.

— Veja o quê, observe! — grunhiu de repente o capitão.

Depois de lhe mostrar ambas as notas irisadas, que durante toda a conversa segurara juntas pelo canto com o polegar e o indicador da mão direita, agarrou-as subitamente com certa fúria, amassou-as e apertou-as com força no punho da mão direita.

— Viu? — ganiu para Aliócha pálido e enfurecido, levantou o punho para o alto e com todo impulso lançou na areia as duas notas amassadas. — Viu? — tornou a ganir, apontando com o dedo para elas — bem, eis a coisa.

E de repente levantou o pé direito e com uma raiva selvagem pôs-se a pisoteá-las com o salto do sapato, fazendo exclamações e arfando a cada golpe do pé.

— Eis o seu dinheiro! Eis o seu dinheiro! Eis o seu dinheiro! Eis o seu dinheiro! — De repente deu um passo para trás e aprumou-se na frente de Aliócha. Todo o seu aspecto exprimia um orgulho indizível.

— Informe a quem o enviou que o esfregão não vende sua honra! — bradou com o braço estendido para o ar. Em seguida deu uma rápida meia-volta e começou a correr; mas não tinha dado cinco passos e voltou-se inteiro para Aliócha, fazendo sinal com a mão. Mais uma vez, porém, antes que desse cinco passos, voltou-se, agora já pela última vez e sem o riso torto no rosto mas, ao contrário, todo ele sacudido pelas lágrimas. Chorando, enfurecido, sufocado pelo matraqueado, bradou:

— O que eu haveria de dizer para o meu menino se aceitasse o seu dinheiro em troca de minha desonra? — e, tendo pronunciado isto, pôs-se a correr, agora já sem se voltar. Oh, ele compreendia que até o último instante o outro não sabia que ia amarfanhar e arremessar as notas. O fugitivo não olhou nenhuma vez para trás, e Aliócha sabia mesmo que não olharia. Não

Os irmãos Karamázov

293

quis segui-lo nem chamá-lo e sabia por quê. Quando o outro desapareceu da vista, Alaiócha apanhou as duas notas. Estavam apenas muito amassadas e pisoteadas na areia, mas intactas e até estalaram como novas quando Aliócha as desenrolou e alisou. Depois de alisá-las ele as enfiou no bolso e tomou o rumo da casa de Catierina Ivánovna para lhe comunicar que sua missão fora bem-sucedida.

Livro V
PRÓ E CONTRA

I. Os esponsais

Foi novamente a senhora Khokhlakova quem primeiro recebeu Alió-cha. Ela estava com pressa, algo importante havia acontecido: a crise histé-rica de Catierina Ivánovna terminara num desmaio, seguido de uma "fra-queza tremenda, terrível, ela está acamada, de olhos fechados e delirando. Agora está com febre, mandaram chamar Herzenstube, mandaram chamar as tias. As tias já estão aqui, mas Herzenstube ainda não. Todos aguardam no leito dela. Algo vai acontecer, e ela está desmaiada. Mas se estiver com perturbação mental?!".

Ao exclamar isso a senhora Khokhlakova estava com um ar seriamen-te assustado: "Isso é mesmo sério, sério!" — acrescentava a cada palavra, como se tudo o que antes acontecera com a moça não fosse sério. Aliócha a ouvia com amargura; começou também a lhe expor as suas aventuras, mas ela o interrompeu mal ele pronunciou as primeiras palavras: não estava com tempo e lhe pediu para ficar no quarto de Lise e aguardá-la ali.

— Lise, caríssimo Alieksiêi Fiódorovitch — murmurou-lhe no ouvido —, Lise acabou de me deixar estranhamente surpresa, mas me comoveu por-que meu coração sempre a perdoa. Imagine só que, mal você saiu daqui, ela confessou sinceramente que teria rido de você ontem e hoje. Só que ela não riu, apenas brincou. E o confessou com tanta seriedade, quase às lágrimas, que me surpreendeu. Antes nunca confessara nada seriamente quando ria de mim, pois sempre o fazia por brincadeira. Você sabe que a todo instante ela ri de mim. Mas agora está séria, agora tudo anda sério. Ela aprecia suma-mente a sua opinião, Alieksiêi Fiódorovitch, e se você puder não se zangue nem fique desgostoso com ela. Eu mesma não faço senão poupá-la porque ela é muito inteligente — você acredita? Ela estava me dizendo agora que você foi o amigo de sua infância — "o amigo mais sério de minha infância" —, imagine isto, o amigo mais sério, mas, e eu? A esse respeito ela tem sentimen-tos seriíssimos e até lembranças, mas o principal são suas frases e palavrinhas, essas palavrinhas são as mais imprevistas, de sorte que a gente nunca espera e de repente elas brotam. Veja, por exemplo, o que me disse recentemente sobre um pinheiro: em sua tenra infância havia um pinheiro em nosso jardim, talvez ele ainda esteja lá, de maneira que não há por que falar usando o verbo no passado. Os pinheiros não são gente, demoram a mudar, Alieksiêi Fiódorovitch. "Mamã, diz ela, eu me lembro daquele pinheiro como se ele surgisse do sonho" — ou seja, *"sosnu kak so sná"*.[26] Sua expressão foi um tanto diferente e eu estou fazendo confusão; *"sosná"* é uma palavra tola, só que ela me disse algo tão original que terminantemente não me atrevo a transmitir. Ademais, esqueci tudo. Bem, até logo, estou muito perplexa e certamente vou enlouquecer. Ah, Alieksiêi Fiódorovitch, enlouqueci duas vezes na vida e fiz tratamento. Vá falar com Lise, anime-a como você sempre sabe fazer magnificamente. Lise — gritou ela chegando-se à sua porta —, eu te trouxe Alieksiêi Fiódorovitch, tão ofendido por ti, e ele não está nem um pouco zangado, posso te assegurar, mas ao contrário, está admirado de como tu pudeste pensar isso!

— *Merci, mama*; entre, Alieksiêi Fiódorovitch.

Aliócha entrou. Lise estava como que desconcertada e subitamente corou toda. Pelo visto sentia vergonha de alguma coisa e, como sempre acontece nesses casos, pôs-se a falar rápido, rápido, de um assunto completamente estranho, como se esse assunto estranho fosse o único que a interessasse nesse momento.

— Mamã acabou de me contar toda a história daqueles duzentos rublos e da missão que você tinha recebido nesse assunto, Alieksiêi Fiódorovitch... junto àquele oficial pobre... e contou toda essa história horrível de como o ofenderam e, saiba, embora mamã narre com muita impropriedade... ela pula tudo... eu ouvi e chorei. Pois bem, é claro que você entregou aquele dinheiro, e agora, o que é que vai ser feito daquele infeliz?...

— O problema é que eu não entreguei, e nisso há toda uma história — respondeu Aliócha, por sua vez parecendo mais preocupado justamente por não ter entregado o dinheiro, e no entanto Lise percebeu perfeitamente que ele também olhava para os lados e também parecia querer falar de outro assunto. Aliócha sentou-se junto à mesa e passou a narrar, mas desde suas primeiras palavras deixou completamente de lado a atrapalhação e, assim, cativou Lise. Ele falava sob o efeito de uma forte sensação e daquela recente impressão extraordinária, e conseguiu narrar tudo bem e pormenorizadamente. Já antes, ainda nos tempos de Moscou, ainda na infância de Lise, ele

---

[26] Trocadilho com as palavras "pinheiro" (*sosná*) e "do sonho" (*so sná*). *Sosná* aparece declinada no acusativo, como *sosnú*, na função de objeto direto. (N. do T.)

gostava de visitá-la e contar ora o que acabara de acontecer com ele, ora o que havia lido, ora narrava as lembranças de sua infância. Às vezes os dois chegavam até a sonhar juntos e compunham a dois histórias inteiras, mas em sua maioria alegres e engraçadas. Agora os dois pareciam se transferir de repente para os antigos tempos de Moscou, para dois anos antes. Lise estava extremamente comovida com a narração dele. Aliócha conseguiu desenhar com um sentimento caloroso a imagem de "Iliúchetcha" perante Lise. Quando concluiu com todos os detalhes a cena em que aquele homem infeliz pisoteara o dinheiro, Lise juntou as mãos e bradou num sentimento incontido:

— Então você não entregou o dinheiro, e acabou deixando que ele fugisse! Meu Deus, você podia ter pelo menos corrido atrás dele e o alcançado...

— Não, Lise, foi melhor eu não ter corrido — Aliócha falou, levantou-se da cadeira e passou a andar pelo quarto preocupado.

— Como melhor, e por que melhor? Agora, sem pão, eles vão morrer!

— Não vão morrer porque, seja como for, não vão evitar esses duzentos rublos. De qualquer modo ele os aceitará amanhã. Amanhã na certa ele os aceitará — disse Aliócha caminhando e refletindo. — Veja, Lise — continuou, parando de súbito diante dela —, eu mesmo cometi um erro nessa história, mas até o erro acabou sendo para melhor.

— Que erro e por que para melhor?

— É que aquele homem é medroso e fraco de caráter. É um homem muito atormentado e bom. Agora ando sempre pensando no que o teria ofendido tão de repente e o levado a pisotear o dinheiro, porque eu lhe asseguro que até o último instante ele não sabia que iria pisoteá-lo. Pois agora me parece que muita coisa o ofendeu... aliás, não podia ser diferente na situação dele... Em primeiro lugar, ele já se sentiu ofendido porque ficou contente demais com o dinheiro em minha presença e não me escondeu isso. Se ficasse contente, mas não muito, não o demonstrasse, fingisse e torcesse o nariz como os outros ao receberem dinheiro, ainda poderia suportar e aceitar, mas seu contentamento foi verdadeiro demais, e foi isso que o ofendeu. Ah, Lise, ele é uma pessoa verdadeira, e é aí que está todo o mal em casos como esse! Durante todo o tempo em que falou sua voz esteve muito fraca, debilitada, e falava rápido, rápido, sempre rindo com aquela risadinha ou chorando... palavra, ele chorou de tão encantado que estava... E falou de suas filhas... e do emprego que lhe dariam em outra cidade... E, mal acabou de me abrir a alma, sentiu uma súbita vergonha por me haver mostrado toda essa alma. Foi aí que se tomou de ódio por mim. E ele é daqueles pobres terrivelmente envergonhados. O grave, porém, é que se ofendeu porque me tomou por amigo com excessiva rapidez e prontamente se revelou a mim; primeiro investiu contra mim, procurou me intimidar, e súbito, mal viu o dinheiro, começou a me abraçar. Porque ele me abraçava, me tocava sem parar. É justamente neste aspecto que deve ter sentido toda aquela humilhação, e foi justo aí que cometi esse erro, um erro muito grave: súbito peguei e lhe disse que se o dinheiro não cobrisse os gastos com a mudança para a outra cidade, ele ainda receberia mais, e disse até que eu também poderia lhe dar de meu próprio dinheiro o quanto ele quisesse. Pois foi isto que de repente o fez pasmar: agora, por que eu também me meti a ajudá-lo? Sabe, Lise, é duro demais para um homem ofendido quando todos passam a olhar para ele como seus benfeitores... eu já tinha ouvido falar disso, o *stárietz* me falou. Não sei como expressar, mas eu mesmo presenciei isso com frequência. Ademais, eu mesmo sinto que é exatamente assim. O mais importante é que ele, embora não soubesse até o último instante que iria pisotear as notas, ainda assim o pressentia, na certa o pressentia. Porque o êxtase nele era tão forte que ele pressentia... pois embora tudo isso seja tão abominável, mesmo assim foi para melhor. Eu até acho que foi para melhor, que não poderia ter sido melhor...

— Por que, por que não poderia ter sido melhor? — bradou Lise, olhando muito admirada para Aliócha.

— Porque, Lise, se ele não tivesse pisoteado, mas aceitado aquele dinheiro, ao chegar em casa uma hora depois teria chorado de humilhação, eis o que haveria forçosamente acontecido. Teria chorado e é até possível que amanhã, mal o dia clareasse, viesse me procurar, me lançasse as notas e as pisoteasse como ainda há pouco. Mas agora ele se foi com uma altivez formidável e em triunfo, embora saiba que "se desgraçou". Quer dizer que agora já não há nada mais fácil do que forçá-lo a aceitar esses duzentos rublos o mais tardar amanhã, porque ele já demonstrou sua honradez, lançou o dinheiro ao chão, o pisoteou... Ao pisoteá-lo, não podia saber que amanhã tornarei a levá-lo. Por outro lado, ele está terrivelmente necessitado desse dinheiro. Embora neste momento ele esteja orgulhoso, mesmo assim pensará hoje mesmo de que auxílio se privou. À noite há de pensar com mais intensidade ainda, há de sonhar com isso, e amanhã pela manhã talvez esteja disposto a correr para mim e pedir perdão. E é aí que eu apareço: "Bem, direi, o senhor é um homem orgulhoso, demonstrou isso, mas agora aceite, e nos perdoe". E aí ele aceitará!

Aliócha pronunciou com certo enlevo: "E aí ele aceitará!". Lise bateu palmas.

— Ah, isso é verdade, ah, num instante eu o compreendi perfeitamente! Ah, Aliócha, como você sabe de tudo isso? Tão jovem e já sabe o que está na alma... Eu nunca conseguiria imaginar uma coisa assim...

— O principal é que agora precisamos convencê-lo de que ele está em pé de igualdade com todos nós, apesar de receber dinheiro de nossa parte — continuou Aliócha em seu enlevo —, e não só em pé de igualdade, como acima...

— "Acima" — é magnífico, Alieksiêi Fiódorovitch, mas fale, fale!

— Quer dizer, eu não me expressei assim... dizendo acima..., mas não faz mal porque...

— Ah, não faz mal, não faz mal, é claro que não faz mal... Desculpe, Aliócha querido... Sabe, até hoje eu quase não tive respeito por você... ou seja, tive, só que num nível de igualdade, mas agora vou respeitá-lo num nível superior. Querido, não se zangue com os meus "gracejos" — emendou com ardor. — Sou ridícula e pequena, mas você, você... Escute, Alieksiêi Fiódorovitch, será que não há em todo esse nosso raciocínio, ou seja, seu raciocínio... não, é melhor nosso... será que não há um desprezo por ele, por aquele infeliz... no fato de estarmos esquadrinhando sua alma de um jeito arrogante, hein? No fato de que acabamos de resolver com tanta certeza que ele vai aceitar o dinheiro, hein?

— Não, Lise, não há desprezo — respondeu Aliócha com firmeza, como se já estivesse preparado para essa pergunta —, eu mesmo já pensei nisso quando vinha para cá. Pense, que desprezo pode haver aqui quando nós mesmos somos iguaizinhos a ele, quando todos são iguaizinhos a ele? Porque nós mesmos somos iguaizinhos e não melhores. E se fôssemos melhores, ainda assim seríamos iguaizinhos estando no lugar dele... Não sei quanto a você, Lise, mas quanto a mim acho que tenho uma alma pequena em muitos aspectos. Mas a alma dele não é pequena, ao contrário é muito delicada... Não, Lise, aqui não há nenhum desprezo por ele! Sabe, Lise, meu *stárietz* disse certa vez: deve-se cuidar de todas as pessoas como se cuida de crianças, mas de algumas como se cuida dos doentes nos hospitais.

— Ah, Alieksiêi Fiódorovitch, ah, meu caro, então cuidemos das pessoas como se fossem doentes!

— Vamos, Lise, estou pronto, só que não inteiramente pronto; às vezes sou muito impaciente, outras vezes me falta visão do problema, mas o seu caso é diferente.

— Ah, não acredito! Alieksiêi Fiódorovitch, como estou feliz!

— Que bom que você diz isso, Lise.

— Alieksiêi Fiódorovotich, você é de uma bondade admirável, mas às vezes você parece pedante... no entanto a gente observa e vê que não tem nada de pedante. Vá até a porta, abra-a devagarinho e veja se mamãe não está escutando — cochichou de súbito Lise em um murmúrio meio nervoso e apressado.

Aliócha foi até lá, entreabriu a porta e comunicou que não havia ninguém escutando.

— Venha cá, Alieksiêi Fiódorovotich — continuou Lise, corando cada vez mais e mais —, dê-me sua mão, assim. Ouça, devo lhe fazer uma grande confissão: a carta que lhe escrevi ontem não foi de brincadeira, mas a sério...

E cobriu os olhos com a mão. Via-se que estava muito envergonhada por fazer essa confissão. Súbito agarrou a mão dele e a beijou três vezes com ímpeto.

— Ah, Lise, isso é magnífico — exclamou alegremente Aliócha. — Porque eu estava mesmo absolutamente convicto de que você tinha escrito a sério.

— Convicto, imagine! — ela desviou subitamente a mão dele, mas sem soltá-la, corando muitíssimo e sorrindo um sorriso miúdo, feliz —, eu beijo a mão dele e ele diz: "Isso é magnífico". — Mas ela o censurava injustamente: Aliócha também estava muito confuso.

— Eu gostaria de lhe agradar sempre, Lise, mas não sei como fazê-lo — murmurou ele meio desajeitado e também corando.

— Aliócha, meu querido, você é frio e atrevido. Vejam só. Ele me escolhe para esposa e se dá por satisfeito! Ele já estava convicto de que eu havia escrito a carta a sério; qual! Ora, isso é um atrevimento — eis o que é!

— Sim, mas por acaso é ruim que eu estivesse convicto? — Aliócha desatou subitamente a rir.

— Ah, Aliócha, ao contrário, isso é bom demais — Lise olhou para ele com ternura e cheia de felicidade. Aliócha estava em pé e continuava com sua mão na dela. Inclinou-se de chofre e beijou-a em plenos lábios.

— E o que é isso agora? O que é que você tem? — exclamou Lise. Aliócha ficou totalmente desnorteado.

— Bem, desculpe se errei... Talvez eu tenha agido com extrema tolice... Você disse que sou frio, então peguei e a beijei... Só que estou vendo que foi uma tolice...

Lise deu uma risada e cobriu o rosto com as mãos.

— E ainda com essa roupa! — deixou escapar entre risos, mas de repente parou de rir e ficou toda séria, quase severa.

— Bem, Aliócha, ainda vamos ter de esperar pelos beijos, porque nós dois ainda não sabemos fazer isso e ainda teremos muito que esperar — concluiu. — O melhor é você me dizer por que está escolhendo a mim, tão idiota, uma imbeciloide doente, sendo você tão inteligente, tão reflexivo, tão perceptivo? Ah, Aliócha, estou numa felicidade formidável, porque não o mereço absolutamente.

— Pare, Lise. Por esses dias deixo o mosteiro para sempre. Ao sair para o mundo precisarei me casar, eu sei disso. Foi assim que *ele* me ordenou. Quem eu vou encontrar melhor do que você... e quem, além de você, vai me querer? Eu já ponderei isso. Em primeiro lugar, você me conhece desde menina, em segundo, tem muitas faculdades que me faltam totalmente. Você tem uma alma mais alegre do que a minha; e, o principal, você é mais pura do que eu, eu já pensei muito, muito nisso... Ah, você não sabe, só que eu também sou um Karamázov. Pouco importa que você ria e brinque e ria de mim também; ao contrário, ria, fico muito feliz... No entanto você ri como uma menininha, mas pensa em si como uma mártir...

— Como uma mártir? Como é isso?

— Sim, Lise, veja o que você acabou de me perguntar: se não haveria em nós desprezo por aquele infeliz pelo fato de que estávamos dissecando a sua alma — essa é uma pergunta de mártir... está vendo, não encontro um jeito de exprimir isso, mas pessoas que formulam essas perguntas são elas mesmas capazes de sofrer. Sentada aí nessa poltrona, você agora devia repensar muita coisa...

— Alióchá, dê-me essa mão que você está tirando — pronunciou Lise com uma voz debilitada de felicidade e abafada. — Escute, Alióchá, o que é que você vai vestir depois que deixar o mosteiro, que tipo de roupa? Não ria, não se zangue, isso é muito importante para mim, muito.

— Na roupa ainda não pensei, Lise, mas vestirei a roupa que você quiser.

— Eu quero que você use paletó de veludo cinza-escuro, colete branco e chapéu cinza de feltro macio... Diga-me uma coisa: você acreditou mesmo ainda há pouco que eu não o amasse quando reneguei a carta de ontem?

— Não, não acreditei.

— Oh, que homem insuportável, incorrigível!

— Eu sabia que você me... parece, ama, mas fingi acreditar que não me ama para que você ficasse... mais à vontade...

— Isso é pior ainda! Pior e o melhor de tudo. Alióchá, eu o amo muitíssimo. Ainda há pouco, antes de sua chegada, fiquei matutando: vou lhe pedir a carta de ontem, e se ele a tirar tranquilamente do bolso e me devolver (o que sempre se pode esperar dele), isto significará que não me ama absolutamente, que não sente nada e é apenas um menino tolo e indigno, e eu estarei destruída. Mas você deixou a carta na cela e isso me animou: não é verdade que você a deixou na cela porque pressentiu que eu iria exigi-la de volta e para não me entregá-la? Não foi? Não foi isso?

— Oh, Lise, não foi nada disso, porque a carta está agora comigo como também estava antes, aqui neste bolso, veja.

Alióchá tirou a carta, sorrindo, e de longe a mostrou para ela.

— Só que não vou devolvê-la, pode vê-la em minhas mãos.

— Como? Como você mentiu ainda há pouco, é monge e mente?

— Menti, vá lá — Aliócha também sorria —, para não lhe devolver a carta, menti. Ela me é muito cara — acrescentou de repente com forte emoção e tornou a corar —, para sempre cara e nunca hei de devolvê-la a ninguém!

Lise olhava para ele encantada.

— Aliócha — tornou a balbuciar —, olhe ali ao pé da porta, mamãe não estará escutando?

— Está bem, Lise, vou olhar; mas não seria melhor não olhar, hein? Por que suspeitar de tamanha baixeza por parte de sua mãe?

— Como baixeza? Que baixeza? O fato de ela escutar as conversas da filha é um direito dela e não uma baixeza — inflamou-se Lise. — Esteja certo, Alieksiêi Fiódorovitch, de que, quando eu mesma for mãe e tiver uma filha como eu, hei de forçosamente escutar suas conversas.

— Será possível, Lise? Isso não é bom.

— Ah, meu Deus, que baixeza há nisso? Se eu escutasse alguma conversa corriqueira de sociedade isso seria uma baixeza, mas no nosso caso trata-se da filha trancada num quarto com um jovem... Escute, Aliócha, fique sabendo que eu também vou escutar as suas conversas, tão logo a gente se case, e saiba ainda que vou abrir e ler todas as suas cartas... Fique você prevenido...

— Sim, é claro, sendo assim... — balbuciou Aliócha — só que isso não é bom.

— Ah, que desdém! Aliócha, querido, não vamos brigar logo da primeira vez. É melhor que eu lhe conte toda a verdade: é claro que é muito feio escutar atrás da porta e que eu, evidentemente, não tenho razão, mas você tem, e mesmo assim vou bisbilhotar.

— Faça isso, não vai descobrir nada de mais a meu respeito — sorriu Aliócha.

— Aliócha, será que você vai me obedecer? Isso também deve ser resolvido de antemão.

— Com grande prazer, Lise, e sem falta, mas não no essencial. Se você discordar de mim no essencial, ainda assim agirei conforme o que o dever me ditar.

— É assim que deve agir. E fique sabendo que, ao contrário do que eu disse, eu também não só estou disposta a obedecer no essencial como vou ceder em tudo, e lhe faço agora este juramento — ceder em tudo e por toda a vida — bradou Lise com fervor —, e o farei cheia de felicidade, cheia de felicidade. Além disso, eu lhe juro que jamais escutarei suas conversas, nenhuma vez, jamais, não lerei nenhuma de suas cartas, porque é você que está certo, não eu. E mesmo que eu venha a sentir uma enorme vontade de escutar suas conversas, eu sei disso, ainda assim não o farei porque você considera isto indecente. Agora você é como minha Providência... Escute, Alieksiêi Fiódorovitch, por que você tem andado tão triste todos esses dias, ontem e hoje? Sei que você anda com muitos afazeres, envolvido por infortúnios, mas percebo além disso que você anda com uma tristeza particular, talvez secreta, hein?

— Sim, Lise, há também uma tristeza secreta — pronunciou AlióCha com ar tristonho. — Vejo que me ama, já que adivinhou isto.

— Que tristeza é essa? Por quê? Pode me dizer? — suplicou timidamente Lise.

— Depois eu digo, Lise... depois... — atrapalhou-se Aliócha. — Agora talvez seja até incompreensível. Talvez nem eu mesmo seja capaz de explicá-la.

— Sei, além disso, que seus irmãos, seu pai o atormentam, não é?

— Sim, os irmãos também — pronunciou Aliócha como que refletindo.

— Não gosto de seu irmão Ivan Fiódorovitch, Aliócha — observou Lise.

Aliócha recebeu essa observação com certa surpresa, mas não lhe deu importância.

— Meus irmãos estão se destruindo — continuou ele —, meu pai também. E destruindo os outros junto. Aí reside a "força terrena dos Karamázov" — como se exprimiu por esses dias o padre Paissi —, terrena e desvairada, tosca... Não sei nem se o espírito de Deus paira lá no alto sobre essa força. Sei apenas que também sou um Karamázov... Eu sou um monge, um monge? Serei um monge, Lise? Você não teria dito agorinha mesmo que sou um monge?

— Sim, afirmei.

— Mas veja, talvez eu nem creia em Deus.

— Você não crê? O que está havendo com você? — pronunciou Lise em voz baixa e com cautela. Mas Aliócha não respondeu. Havia aí, nessas palavras por demais inesperadas, algo excessivamente misterioso e excessivamente subjetivo, que talvez não estivesse claro nem para ele mesmo mas que sem dúvida já o torturava.

— E eis que agora, além de tudo, o meu amigo, a primeira criatura para mim neste mundo, está deixando a Terra. Se você soubesse, se você soubesse, Lise, como estou ligado, como estou espiritualmente fundido com esse homem! E eis que ficarei só... Virei para sua companhia, Lise... doravante estaremos juntos...

— Sim, juntos, juntos! Doravante estaremos sempre juntos pelo resto da vida. Ouça, beije-me, eu permito.

Aliócha a beijou.

— Bem, agora vá, vá com Cristo! (E ela o benzeu.) Vá *ter com ele*, depressa, enquanto está vivo. Vejo que o retive cruelmente. Hoje vou rezar por ele e por você. Aliócha, nós seremos felizes! Seremos felizes, seremos?

— Parece que seremos, Lise.

Ao deixar Lise, Aliócha não houve por bem procurar a senhora Khokhlakova e ia saindo da casa sem se despedir dela. Contudo, mal abriu a porta e chegou à escada, não se sabe de onde apareceu diante dele a própria senhora Khokhlakova. À primeira palavra dela Aliócha adivinhou que ela o aguardava ali de propósito.

— Alieksiêi Fiódorovitch, isto é um horror, são ninharias de criança e tudo tolice. Espero que não lhe dê na telha sonhar... tolices, tolices e tolices! — investiu ela contra ele.

— Mas não diga isto a ela — disse Aliócha —, senão ficará inquieta e neste momento isto a prejudicaria.

— Ouço a palavra sensata de um jovem sensato. Devo entender que você mesmo só concordou com ela porque, compadecido do seu estado doentio, não queria zangá-la contradizendo-a?

— Oh, não, de jeito nenhum, conversei com ela de modo totalmente sério — declarou firmemente Aliócha.

— A seriedade neste caso é impossível, inconcebível; em primeiro lugar, doravante não o receberei mais em minha casa e, em segundo, vou embora e a levo comigo, fique sabendo.

— Mas por quê? — disse Aliócha —, ora, isso ainda está longe, falta coisa de um ano e meio, talvez tenhamos de esperar.

— Ah, Alieksiêi Fiódorovitch, isto evidentemente é verdade, e em um ano e meio vocês terão brigado e se separado mil vezes. Mas eu estou tão infeliz, tão infeliz! Oxalá tudo isso seja bobagem, mas me deixou transtornada. Agora pareço Fámussov na última cena, você é Tchatzki, ela, Sofia[27] e, imagine, corri de propósito aqui para a escada com o fim de encontrá-lo porque lá, na peça, o momento fatal acontece na escada. Eu ouvi tudo, a muito custo me mantive de pé. Pois bem, é aí que está a explicação dos horrores de toda esta noite e de todos aqueles ataques de histeria de ainda há pouco! Para a filha amor, para a mãe, a morte. É deitar no caixão. Agora a

---

[27] Personagens da comédia de A. S. Griboiêdov (1795-1829), *A desgraça de ter espírito*, cujo episódio citado por Khokhlakova também ocorre na escada. (N. do T.)

segunda questão e a mais importante: que carta é essa que ela lhe escreveu? mostre-me agora, agora!

— Não, não é preciso; diga-me como vai a saúde de Catierina Ivánovna, preciso muito saber.

— Continua acamada e delirando, não se reanimou: as tias estão aqui e se limitam a dar ais e bancar as orgulhosas comigo, mas Herzenstube veio e se mostrou tão assustado que fiquei sem saber o que fazer com ele e como salvá-lo, quis até mandar chamar um médico. Foi levado embora em minha carruagem. E agora, para completar, você me aparece de repente com essa carta. É verdade que para tudo isso ainda falta um ano e meio. Em nome de tudo o que há de grande e sagrado, em nome do seu moribundo *stárietz*, mostre-me essa carta, Alieksiêi Fiódorovitch, a mim, à mãe! Se quiser, segure-a com seus dedos que eu a lerei de suas mãos.

— Não, não vou mostrá-la, Catierina Óssipovna. Mesmo que ela o permita não vou mostrá-la. Amanhã virei aqui e, se a senhora quiser, podemos conversar sobre muita coisa, mas agora adeus!

E Alióchca desceu a escada correndo para a rua.

II. SMIERDIAKÓV E SEU VIOLÃO

Aliás, ele estava sem tempo. Uma ideia lhe passara pela cabeça ainda quando se despedia de Lise. Eis a ideia: como usar do recurso mais astuto para apanhar agora o irmão Dmitri que, pelo visto, se escondia dele? Já não era cedo, passava das duas da tarde. Alióchca ansiava com todo o seu ser por ir ao mosteiro ver seu "grande" moribundo, mas a necessidade de ver o irmão Dmitri prevaleceu sobre tudo: a cada instante crescia na mente de Alióchca a convicção de que uma catástrofe terrível e inevitável estava pronta para acontecer. Em que consistia mesmo essa catástrofe e o que queria ele dizer nesse instante ao irmão talvez nem ele mesmo soubesse definir. "Que meu benfeitor morra sem mim, mas pelo menos não terei de me censurar pelo resto da vida por não ter salvado alguma coisa que talvez estivesse ao meu alcance salvar, porque passei ao largo, com pressa de chegar em casa. Agindo assim, conforme seu grande legado..."

Seu plano consistia em apanhar o irmão Dmitri de surpresa, ou seja: pular aquela mesma cerca da véspera, penetrar no jardim e sentar-se no mesmo caramanchão. "Se ele não estiver lá — pensava Alióchca —, vou-me esconder sem dizer nada a Fomá nem às donas da casa e ficar aguardando no caramanchão, ainda que seja até o anoitecer. Se ele continuar vigiando a

chegada de Grúchenka, é muito possível que venha para o caramanchão..."
Aliás, Aliócha não pensou demasiado nos detalhes do plano mas resolveu executá-lo, mesmo que então tivesse de evitar o mosteiro...

Tudo aconteceu sem empecilhos: pulou a cerca quase no mesmo lugar da véspera e abriu caminho sorrateiramente para o caramanchão. Não queria ser notado: tanto a dona da casa quanto Fomá (se ele estivesse ali) podiam tomar o partido do irmão e obedecer às suas ordens, logo, podiam impedir que Aliócha entrasse no jardim ou prevenir a tempo o irmão de que alguém estava à sua procura e fazia perguntas sobre ele. No caramanchão não havia ninguém. Aliócha sentou-se em seu lugar da véspera e começou a esperar. Examinou o caramanchão, que por alguma razão lhe pareceu bem mais vetusto que ontem, dando-lhe desta vez a impressão de coisa reles. Aliás, o dia estava tão claro como o anterior. A mesa verde ficara marcada por um círculo talvez formado por conhaque entornado de uma taça na véspera. Pensamentos vagos e impróprios à questão, como sempre acontece nos momentos de espera enfadonha, meterem-se em sua mente: por exemplo, por que razão ele, ao chegar ali agora, sentava-se justa e precisamente no mesmo lugar da véspera e não em outro? Por fim sentiu-se muito triste, triste por causa de uma incerteza inquietante. Mas não fazia nem quinze minutos que ele estava ali quando ouviu de repente, muito perto, os acordes de um violão. Havia gente sentada ou apenas acabava de sentar-se a uns vinte passos, não mais, em algum lugar entre os arbustos. Súbito veio de relance à cabeça de Aliócha a lembrança de que, ao deixar na véspera o irmão no caramanchão, avistara ou lobrigara à esquerda um banco verde de jardim, baixo e velho, entre os arbustos ao pé da cerca. Logo, era nele que havia gente sentada neste momento. Mas quem? De repente uma voz masculina começou a cantar uma estrofe em falsete adocicado, fazendo-se acompanhar de um violão.

> *Fez-me uma força invencível*
> *Apegado à minha amada.*
> *Deus, tem pi-e-dade*
> *Dela e de mim!*
> *Dela e de mim!*
> *Dela e de mim!*

A voz parou. Era o criado tenor e a esquisitice de seu canto de criado.[28]

---

[28] "Canto de criado": expressão utilizada por Dostoiévski em carta a N. A. Liubímov, de 10 de maio de 1879, sobre cortes que a censura queria fazer em seu texto. (N. da E.)

Outra voz, agora feminina, falou num átimo em tom carinhoso e como que tímido, mas, não obstante, com grande denguice:

— Por que fica tanto tempo sem nos visitar, Pável Fiódorovitch, por que sempre nos despreza?

— Não é por nada — respondeu a voz masculina, embora com polidez, mas antes de tudo com uma dignidade obstinada e firme. Pelo visto o homem prevalecia, mas quem se exibia era a mulher. "Esse homem parece Smierdiakóv — pensou Aliócha —, ao menos pela voz, e a mulher é certamente a filha da dona desta casinha que chegou de Moscou, a que anda metida em vestido de cauda e recebe sopa de Marfa Ignátievna..."

— Eu gosto demais de todo tipo de versos, se eles são harmoniosos — continuou a voz feminina. — Por que o senhor não continua?

A voz tornou a cantar:

> *A coroa do tsar —*
> *Desde que meu amor esteja bem.*
> *Deus, tem pi-e-dade*
> *Dela e de mim!*
> *Dela e de mim!*
> *Dela e de mim!*

— Da outra vez isso saiu ainda melhor — observou a voz feminina. — O senhor cantou sobre a coroa: "Desde que minha amada esteja bem". Assim sai com mais ternura, hoje o senhor certamente esqueceu.

— Esses versos são uma tolice — cortou Smierdiakóv.

— Ah, não, gosto muito de uns versinhos.

— Ora, esses versos são uma verdadeira tolice. Julgue a senhora mesma: quem nesse mundo fala por rima? Se todos nós passássemos a falar por rima, ainda que fosse por ordem dos superiores, poderíamos dizer muita coisa? O problema não está nos versos, Mária Kondrátievna.

— Como o senhor é tão inteligente em tudo, a quem saiu assim? — adulava cada vez mais a voz feminina.

— Eu ainda poderia fazer bem mais, eu ainda saberia bem mais não fosse a sina que carrego desde que nasci. Eu mataria em duelo de pistola aquele que dissesse que eu sou um patife porque nasci de Smierdiáschaia sem ter pai, e isso me jogaram na cara em Moscou graças a Grigori Vassílievitch, que fez essa informação chegar daqui a Moscou. Grigori Vassílievitch me censura dizendo que sou revoltado contra meu nascimento: "Tu, diz ele, arrebentaste o ventre dela". Vá que o ventre tenha arrebentado, mas eu permitiria que me matassem no ventre só para não vir absolutamente ao mundo. No mercado me diziam, e sua mãezinha também me contou movida por sua imensa indelicadeza, que Smierdiáschaia tinha seborreia na cabeça e media apenas uns dois *archins* e *poucos* de altura. Por que esse *poucos* quando se pode simplesmente dizer "pouco", como todo mundo faz? Resolveram falar entre lágrimas, porque, veja, essas são, por assim dizer, lágrimas de mujique, os verdadeiros sentimentos de mujique. Pode um mujique russo ter sentimentos se comparado a um homem instruído? Por sua falta de instrução ele não pode ter nenhum sentimento. Quando, desde minha infância, ouço esse *poucos*, dá vontade de me atirar contra uma parede. Odeio a Rússia inteira, Mária Kondrátievna.[29]

— Se o senhor fosse um cadete ou um hussardo jovenzinho não falaria assim, mas sacaria o sabre e defenderia toda a Rússia.

— Não só não quero ser um hussardo, Mária Kondrátievna, como, ao contrário, desejo destruir todos os soldados.

— E quando o inimigo vier, quem vai nos defender?

— Aliás, isso é absolutamente desnecessário. No ano de 1812 houve contra a Rússia a grande marcha do imperador Napoleão I da França, pai do atual,[30] e teria sido bom se naquele momento aqueles mesmos franceses houvessem nos conquistado: uma nação inteligente conquistaria uma muito tola e a incorporaria. O regime seria totalmente outro.

— Ora, até parece que eles lá são tão melhores do que os nossos! Não troco um peralta nosso por três jovens ingleses — proferiu com ternura Mária Kondrátievna, talvez acompanhando suas palavras com os olhinhos mais lânguidos.

— Cada qual com seu gosto.

— O senhor mesmo parece um estrangeiro, parece o mais nobre estrangeiro, tenho vergonha de lhe dizer isso.

— Se quer saber, tanto os de lá quanto os nossos se assemelham na devassidão. São todos uns tratantes, mas com a diferença que lá eles andam de botas envernizadas enquanto o nosso canalha aqui fede em sua miséria e não vê nada de mau nisso. O povo russo precisa ser açoitado, como disse ontem com razão Fiódor Pávlovitch, embora seja um louco, como todos os seus filhos.

[29] Para Dostoiévski, gente de pouca instrução como Smierdiakóv, mas já aculturada — ainda que apenas superficialmente, só nos hábitos, modos de vestir e preconceitos —, despreza seu antigo meio, seu povo e suas crenças, chegando até a odiá-los. (N. da E.)

[30] Napoleão I não era pai, mas tio de Napoleão III, que, por sua vez, era filho de Luís Bonaparte. (N. da E.)

Fiódor Dostoiévski

— O senhor mesmo diz que tem muito respeito por Ivan Fiódorovitch.

— Mas ele disse que sou um criado fedorento. Diz que posso ser um rebelde; nisso ele está enganado. Tivesse eu uma boa quantia no bolso e há muito tempo não estaria aqui. Dmitri Fiódorovitch é pior do que qualquer criado por seu comportamento, sua inteligência e sua miséria, não sabe fazer nada, mas, contrariando tudo isso, goza do respeito de todos. Suponhamos: eu sou um simples rato de cozinha, mas se tiver sorte poderei abrir um café-restaurante na rua Pietróvka de Moscou. Porque eu cozinho de um jeito especial e ninguém em Moscou, a não ser os estrangeiros, sabe servir de um jeito especial. Dmitri Fiódorovitch é um pé-rapado, mas se desafiar para um duelo o filho do conde mais importante, este aceitará; agora, em que ele é melhor do que eu? Porque ele é bem mais tolo, nem se compara comigo. Quanto dinheiro esbanjou sem empregá-lo em nada!

— Os duelos são uma coisa muito boa, eu acho — observou Mária Kondrátievna.

— Como assim?

— Dão medo e também mostram coragem, sobretudo se jovens oficiais trocam tiros de pistolas por alguma mulher. É simplesmente uma cena. Ah! se deixassem que as moças assistissem, eu tenho uma vontade enorme de assistir.

— É bom quando é a gente que faz pontaria, mas quando a pontaria é contra o nosso focinho nossa sensação é a mais estúpida. É fugir correndo, Mária Kondrátievna.

— Não me diga que o senhor fugiria?

Mas Smierdiakóv não se dignou responder. Depois de um minuto de silêncio tornou-se a ouvir um acorde, e ele começou a cantar em falsete a última estrofe:

> *Por mais que eu me esforce*
> *Cairei fora daqui,*
> *Para go-o-zar a vida*
> *E morar na capital!*
> *E não hei de me afligir,*
> *Por nada hei de me afligir.*
> *Sequer penso em me afligir!*

Aí aconteceu o inesperado: Aliócha deu um súbito espirro; lá no banco silenciaram incontinenti. Aliócha levantou-se e caminhou na direção deles. Era realmente Smierdiakóv, todo endomingado, de cabelos cheios de brilhantina e quase frisados, de sapatos de verniz. O violão estava no banco. A mulher era Mária Kondrátievna, a filha da dona da casa; estava metida num vestido azul-claro com uma cauda de uns dois *archins*; ainda era bem jovenzinha e não parecia nada feia, mas tinha o rosto muito redondo e coberto por umas sardas horríveis.

— Meu irmão Dmitri vai voltar logo? — perguntou Aliócha da forma mais calma possível.

Smierdiakóv soergueu-se lentamente do banco: soergueu-se também Mária Kondrátievna.

— Por que eu haveria de saber sobre Dmitri Fiódorovitch? Se eu fosse seu vigia seria outra coisa — respondeu Smierdiakóv com voz baixa, clara e desdenhosa.

— Eu simplesmente perguntei se você sabia — explicou Aliócha.

— Não sei nada do paradeiro dele, nem quero saber.

— Mas meu irmão me disse justamente que é você quem o põe a par de tudo o que se faz em casa e que prometeu informá-lo da chegada de Agrafiena Alieksándrovna.

Smierdiakóv ergueu os olhos para ele de forma lenta e impassível.

— Que jeito o senhor deu de chegar aqui, já que o portão está fechado a ferrolho? — perguntou, olhando fixo para Aliócha.

— Pulei a cerca, vim do beco para cá e fui direto para o caramanchão. Espero que a senhora me desculpe por isso — dirigiu-se a Mária Kondrátievna —, eu precisava urgentemente pegar meu irmão, de surpresa.

— Ora, como haveríamos de nos ofender com o senhor — arrastou Mária Kondrátievna, lisonjeada com a desculpa de Aliócha —, se Dmitri Fiódorovitch também faz frequentemente essa manobra para chegar ao caramanchão e antes que a gente se dê conta ele já está lá!

— Eu o estou procurando muito, gostaria muito de vê-lo ou de saber por seu intermédio onde ele se encontra neste momento. Acredite que se trata de uma questão muito importante para ele mesmo.

— Ele não nos diz para onde vai — balbuciou Mária Kondrátievna.

— Mesmo eu estando aqui em casa de amigos — retomou Smierdiakóv —, mesmo aqui ele me constrange de maneira desumana com um interrogatório sem fim sobre Fiódor Pávlovitch: como andam as coisas por aqui, quem entra e quem sai, e se eu não posso lhe informar mais alguma coisa. Duas vezes até me ameaçou de morte.

— Como de morte? — surpreendeu-se Aliócha.

— Vai ver que isso não é problema para ele, com aquele caráter, que o senhor mesmo pôde presenciar ontem. Se deixares Agrafiena Alieksándrovna

Os irmãos Karamázov

313

entrar e ela pernoitar aqui, diz ele, serás o primeiro a morrer. Tenho muito medo dele, e se não temesse ainda mais a sua ameaça eu daria queixa dele ao chefe de polícia da cidade. O próprio Deus sabe que ele pode cumpri-la.

— Por esses dias ele lhe disse: "Eu te trituro num pilão" — acrescentou Mária Kondrátievna.

— Bem, se ele diz que é num pilão talvez não passe de conversa... — observou Aliócha. — Se eu conseguisse encontrá-lo agora eu poderia lhe dizer alguma coisa sobre isso.

— Eis a única coisa que posso informar — Smierdiakóv pareceu mudar repentinamente de ideia. — Venho sempre aqui como vizinho e conhecido, e como não haveria de vir? Por outro lado, Ivan Fiódorovitch me mandou hoje à casa dele na rua Oziórskaia mal o dia amanheceu, sem nenhum bilhete, com um recado para que Dmitri Fiódorovitch fosse sem falta à taverna daqui, que fica na praça, para almoçarem juntos. Fui lá, mas não encontrei Dmitri Fiódorovitch em casa, e já eram oito horas. "Estava, disseram os senhorios, mas saiu" — foi com essas mesmas palavras que seus senhorios me informaram. Parece que nessa questão eles fizeram um acordo recíproco. Agora, é possível que neste mesmo instante ele esteja com o irmão Ivan Fiódorovitch na taverna, uma vez que Ivan Fiórodovitch não veio almoçar em casa e Fiódor Pávlovitch almoçou sozinho há uma hora e agora está deitado para dormir. Entretanto, peço-lhe da maneira mais encarecida que não lhe diga nada a meu respeito nem que eu o informei, não diga nada, porque ele mata um por uma coisinha de nada.

— Meu irmão Ivan convidou Dmitri à taverna hoje? — tornou a perguntar Aliócha de modo rápido.

— Exatamente.

— À taverna A Capital, que fica na praça?

— Essa mesma.

— Isso é muito possível! — exclamou Aliócha em grande agitação. — Grato, Smierdiakóv, é uma notícia importante, vou agora mesmo para lá.

— Não me entregue — pronunciou Smierdiakóv à saída dele.

— Oh, não, vou aparecer na taverna como por acaso, fique tranquilo.

— Mas espere aí, vou abrir o portão — bradou Mária Kondrátievna.

— Não, por aqui é mais perto, vou pular a cerca outra vez.

A notícia deixou Aliócha muito impressionado. Ele correu para a taverna. Não lhe ficava bem entrar ali naquele traje, mas pediria informações à entrada e mandaria chamá-los, isso era possível. Contudo, mal se aproximou da taverna uma janela se escancarou subitamente e o próprio irmão Ivan gritou lá de cima:

— Alióchca, pode vir até aqui onde estou? Farias um imenso favor.

— Posso muito bem, só que não sei como fazê-lo nesse meu traje.

— Estou justamente num reservado, sobe a escada do alpendre que desço para te receber...

Um minuto depois Alióchca estava sentado ao lado do irmão. Ivan estava só e almoçava.

III. OS IRMÃOS SE CONHECEM

Contudo, Ivan não estava num reservado. Era apenas um lugar perto da janela, separado por biombos, mas mesmo assim quem estava ali sentado não podia ser visto por estranhos. O compartimento ficava na entrada, era o primeiro, e tinha um bufê junto à parede lateral. Por ali passavam a todo instante os garçons em seu corre-corre. Entre os fregueses havia apenas um velhote, militar reformado, que tomava chá em um canto. Já nos compartimentos restantes acontecia a mesma azáfama de sempre em uma taverna, ouviam-se os chamados, o abrir de garrafas de cerveja, a batida das bolas de sinuca, o zunido de um órgão. Alióchca sabia que Ivan quase nunca frequentava aquela taverna e que em geral não era adepto de tavernas; portanto, estava ali precisamente só para se encontrar com o irmão Dmitri conforme o combinado, pensou ele. E entretanto o irmão Dmitri não estava ali.

— Vou mandar trazer sopa de peixe ou alguma outra coisa para ti, pois não se vive só de chá — bradou Ivan, pelo visto sumamente satisfeito por ter atraído Alióchca. Ele mesmo já terminara de almoçar e tomava chá.

— Que venha a sopa, e depois o chá, estou com fome — pronunciou alegremente Alióchca.

— E geleia de cereja? Eles têm aqui. Tu te lembras de como gostavas de geleia de cereja quando eras pequeno?

— E tu te lembras? Então que venha a geleia, até hoje gosto.

Ivan chamou o garçom e mandou trazer sopa de peixe, chá e geleia.

— Eu me lembro de tudo, Alióchca, lembro-me de ti até os onze anos, na época eu estava na casa dos quinze. Quinze e onze, essa é uma diferença tão grande que nessa idade os irmãos nunca são companheiros. Não sei se eu chegava a gostar de ti. Quando fui para Moscou, nos primeiros anos eu sequer me lembrava de ti. Depois, quando tu mesmo foste para Moscou, parece que só nos encontramos uma única vez em algum lugar. Agora repara que já estou há quatro meses aqui e até hoje nós dois não trocamos uma única palavra. Estou de partida amanhã e agora estava aqui sentado e pen-

Os irmãos Karamázov

315

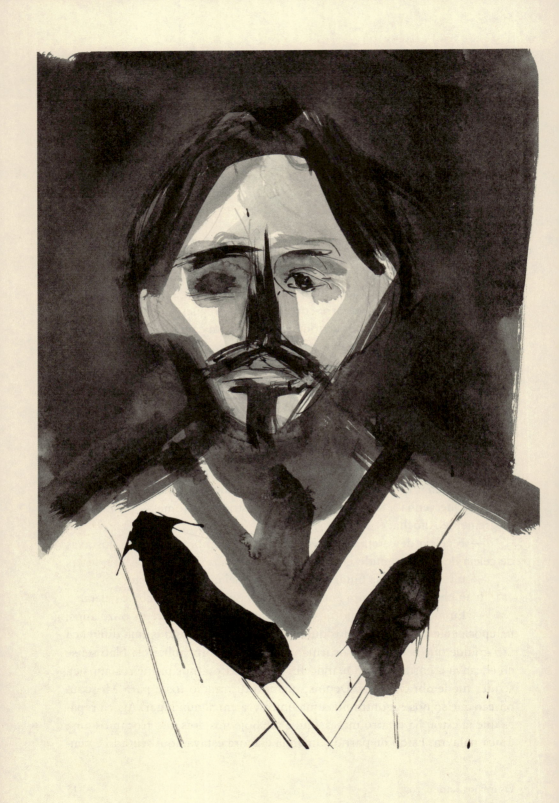

sando: seria o caso de arranjar um jeito de vê-lo para me despedir dele, e de repente tu me passas ao lado.

— E tu estavas com muita vontade de me ver?

— Muita, quero travar conhecimento contigo de uma vez por todas e fazer-me conhecido por ti. E depois me despedir. Acho que a melhor coisa é a gente se conhecer na iminência da separação. Notei como tu me olhavas durante todos esses três meses, em teus olhos havia uma expectativa constante, e é isso que não suporto, foi por isso que não me cheguei a ti. Mas enfim aprendi a te respeitar: é uma pessoa firme, achei. Repara, embora neste momento eu esteja rindo, estou falando a sério. Porque és uma pessoa firme, sim? É desse tipo de pessoas firmes que eu gosto, não importa que posições ocupem e que sejam garotinhos pequenos como tu. No fim das contas, teu olhar de expectativa já não tinha mais nada de repulsivo; ao contrário, passei finalmente a gostar do teu olhar de expectativa... Parece que por alguma razão tu gostas de mim, Aliócha.

— Gosto, Ivan. O irmão Dmitri diz a teu respeito: Ivan é um túmulo. Eu digo a teu respeito: Ivan é um enigma. Até hoje tu continuas um enigma para mim, mas alguma coisa já compreendi em ti, e só a partir da manhã de hoje!

— E o que foi? — Ivan caiu na risada.

— Não vais ficar zangado? — Aliócha também caiu na risada.

— Então?

— Que tu és um rapaz exatamente igual a todos os outros rapazes de vinte e três anos, um rapaz igual, jovenzinho, um rapazinho magnífico e cheio de frescor, mas, enfim, um rapazinho bisonho! Então, não te ofendi muito?

— Ao contrário, me impressionaste com a coincidência! — bradou Ivan com alegria e ardor. — Acredita, depois do nosso encontro de ainda há pouco em casa dela, foi só sobre isso que fiquei pensando a meu respeito, sobre essa minha bisonhice dos vinte e três anos, e de repente foi como se tu tivesses adivinhado e começaste a falar justamente disso. Eu estava aqui sentado, e vê o que dizia para mim mesmo: se eu não acreditasse na vida, se perdesse a confiança na mulher querida, se perdesse a confiança na ordem das coisas, se me convencesse até de que tudo, ao contrário, é uma desordem, um caos maldito e talvez até demoníaco, mesmo que todos os horrores da frustração humana me atingissem, ainda assim eu teria vontade de viver, e já que trouxe esse cálice aos lábios não o afastaria de mim enquanto não o esvaziasse! Pensando bem, aí por volta dos trinta anos certamente largarei o cálice mesmo sem esvaziá-lo e me afastarei... não sei para onde. Mas até os trinta anos, disso estou firmemente certo, minha mocidade vencerá tudo — qualquer frustração, qualquer aversão à vida. Muitas vezes fiz a mim mesmo esta pergunta: se existirá no mundo um desespero que vença em mim essa sede frenética e talvez indecente de viver, e decidi que tal coisa parece não existir, ou, reiterando, não existe antes dos trinta anos, porque depois eu mesmo já não vou querer, assim me parece. Frequentemente uns moralistas tísicos e ranhosos, principalmente os poetas, chamam de torpe essa sede de viver. Em parte, essa vontade de viver a despeito de qualquer coisa é um traço dos Karamázov, é verdade, e ela também existe infalivelmente em ti, mas por que é torpe? Ainda existe um volume colossal de força centrípeta em nosso planeta, Aliócha. Tenho vontade de viver e vivo, ainda que contrariando a lógica. Vá que eu não acredite na ordem das coisas, mas a mim me são caras as folhinhas pegajosas que desabrocham na primavera, me é caro o céu azul, é caro esse ou aquele homem de quem, não sei se acreditas, às vezes a gente não sabe por que gosta, me é caro um ou outro feito humano no qual a gente talvez tenha até deixado de acreditar há muito tempo e mesmo assim, movido pela lembrança antiga, o respeita de coração. Bem, aí está a sopa de peixe, bom proveito. A sopa é magnífica, é benfeita. Estou querendo ir à Europa, Aliócha, e partirei daqui; mas sei que vou apenas visitar um cemitério, no entanto é o cemitério mais precioso, mais precioso, é isso! Lá jazem os mortos, cada lousa sobre eles fala de uma vida passada com ardor, de uma fé apaixonada em seus feitos, vou cair por terra, beijar aquelas lousas e chorar sobre elas — ao mesmo tempo convencido de todo coração de que há muito tempo aquilo é um cemitério e nada mais. E não vou chorar de desespero, mas pura e simplesmente porque estarei feliz por minhas lágrimas derramadas. Vou deleitar-me com meu próprio enternecimento. Gosto das folhinhas pegajosas da primavera, do céu azul, é isso! Aí não se trata de inteligência, nem de lógica, aí se ama com as entranhas, aí se gosta com o ventre, aí se ama com as primeiras forças da juventude... Estás entendendo alguma coisa em minha confusão, Aliócha, ou não? — Ivan caiu na risada.

— Entendo demais, Ivan: a gente quer gostar com as entranhas e com o ventre, tu o disseste magnificamente e estou muitíssimo feliz por te ver com tanta vontade de viver — exclamou Aliócha. — Acho que todos no mundo devem, antes de tudo, passar a amar a vida.

— Passar a amar mais a vida que o sentido dela?

— Forçosamente é assim, amar antes que venha a lógica, como tu dizes, forçosamente antes que venha a lógica, e só então compreenderei também o sentido. É isso que há muito tempo eu já entrevia. Metade da tua causa está cumprida, Ivan, e conquistada: tu gostas de viver. Agora precisas cuidar da tua segunda metade, e estarás salvo.

— Ora veja, já estás bancando o salvador, só que eu ainda não morri, talvez! Mas em que consiste essa tua segunda metade?

— Em que precisas ressuscitar teus mortos que, talvez, nunca tenham mesmo morrido. Bem, vamos ao chá. Estou contente por estarmos conversando, Ivan.

— Estou vendo que estás um tanto inspirado. Gosto muitíssimo dessas *professions de foi*[31] desses... noviços. És uma pessoa firme, Alieksiêi. É verdade que queres deixar o mosteiro?

— É verdade. Meu *stárietz* está me enviando para o mundo.

— Então ainda nos veremos no mundo, nos encontraremos antes dos trinta anos, quando eu começarei a afastar o cálice. Nosso pai não quer afastar o seu cálice antes dos setenta anos, dos oitenta, até sonha com isso, ele mesmo diz, nele isso é sério demais, ainda que ele seja um palhaço. Fixou-se em sua lascívia como quem se fixa em uma pedra... embora depois dos trinta anos, palavra, talvez não haja a que aferrar-se a não ser a isso... Mas até os setenta é uma torpeza, é melhor fazê-lo antes dos trinta: dá para conservar um "matiz de nobreza",[32] engazopando-se a si mesmo. Não viste Dmitri hoje?

— Não, não vi, mas vi Smierdiakóv. — E Aliócha contou apressadamente e em detalhes ao irmão sobre seu encontro com Smierdiakóv. Súbito Ivan passou a ouvi-lo com um ar muito preocupado, e até pediu que ele repetisse.

— Mas me pediu para não dizer ao irmão Dmitri o que ele falou a seu respeito — acrescentou Aliócha.

Ivan franziu o cenho e ficou pensativo.

— Ficaste de cenho franzido por causa de Smierdiakóv? — perguntou Aliócha.

— Sim, por causa dele. O diabo que o carregue, eu realmente queria ver Dmitri, mas agora não é preciso... — proferiu Ivan a contragosto.

— E tu vais mesmo viajar tão brevemente, irmão?

— Sim.

— E o que vai ser de Dmitri e do nosso pai? Como vai terminar essa coisa entre eles? — pronunciou Aliócha com inquietação.

— Tu sempre entoando a tua ladainha! O que é que eu tenho a ver com isso? Por acaso eu sou vigia do meu irmão Dmitri? — ia cortando Ivan com

---

[31] "Profissões de fé", em francês. (N. do T.)

[32] Citação imprecisa do poema "Disseram uma vez ao tsar...", de Púchkin: "Aduladores, aduladores! Procurai conservar/ Até na torpeza uma postura digna". (N. da E.)

irritação, mas súbito sorriu com certo amargor. — É a resposta de Caim a Deus pelo irmão morto,[33] hein? Será que estás pensando isto neste momento? Mas, com os diabos, não posso realmente permanecer aqui como vigia deles! Concluí o que tinha que fazer e vou embora. Não estarás pensando que tenho ciúme de Dmitri, que tentei tomar dele aquela beldade durante todos esses três meses? Ora, com os diabos, eu tinha os meus assuntos. Encerrei esses assuntos e vou embora. Encerrei ainda há pouco, foste testemunha.

— Ainda há pouco com Catierina Ivánovna?

— Sim, com ela, e me livrei de uma vez. Qual é o problema? Que tenho a ver com Dmitri? Dmitri está fora disso. Eu tinha apenas questões pessoais com Catierina Ivánovna. Tu mesmo sabes que Dmitri, ao contrário, se comportava como se estivesse em complô comigo. Acontece que não lhe pedi nada, mas ele mesmo me entregou Catierina Ivánovna solenemente e ainda deu sua bênção. Tudo isso parece piada. Não, não, Alióchá, se soubesses como me sinto leve neste momento! Vê, eu estava aqui sentado e almoçando e, não sei se acreditas, quis pedir champanhe para comemorar minha primeira hora de liberdade. Arre, quase meio ano e de repente me livrei de tudo de uma vez, tudo de uma vez. Ainda ontem, poderia eu imaginar que, se quissesse, não me custaria nada acabar com isso?

— Estás falando de teu amor, Ivan?

— Do amor, se quiseres. Sim, eu me apaixonei por uma senhorita, por uma colegial. Torturei-me com ela e ela também me torturou. Estava sob seu domínio... E de uma hora para outra tudo foi pelos ares. Ainda há pouco eu falava com inspiração, mas saí de lá e dei uma gargalhada — podes crer. Não, estou falando literalmente.

— Até neste momento falas disso com alegria — notou Alióchá, observando-lhe o rosto que de fato ficara subitamente alegre.

— Ora, eu lá sabia que não a amava absolutamente? Eh, eh! Pois se verificou que não. Mas como eu gostava dela! Como gostava dela inclusive ainda há pouco, quando discursava. Sabes, neste momento também gosto muitíssimo, mas, por outro lado, como é fácil deixá-la! Achas que estou com fanfarronice?

— Não. Só que isso talvez não tenha sido amor.

— Alióchá — riu Ivan —, não entres em reflexões sobre o amor! Não te fica bem. Ainda há pouco, ainda há pouco tu te saíste com aquela, ai! Até me esqueci de te dar um beijo... Mas ela, como me torturava! Eu estava ver-

---

[33] Veja-se Gênesis, 4, 8-9. (N. do T.)

dadeiramente à beira da mortificação. Oh, ela sabia que eu a amava! Ela amava a mim e não a Dmitri — insistia Ivan em tom alegre. — Dmitri é apenas uma mortificação. Tudo aquilo que eu disse a ela ainda há pouco é a pura verdade. Só que, isso é o principal, ela talvez precise de uns quinze ou vinte anos para se dar conta de que não amava absolutamente Dmitri mas só a mim, a quem torturava. É, talvez ela nem chegue jamais a se dar conta disso, mesmo apesar da lição de hoje. Isso foi até melhor: levantei-me e saí para sempre. A propósito, como está ela agora? O que aconteceu por lá depois de minha saída?

Alióchα lhe contou sobre o ataque de histeria e que até agora ela parecia estar desmaiada e delirando.

— E Khokhlakova, não estará mentindo?

— Parece que não.

— Precisamos nos informar. Se bem que nunca ninguém morreu de crise de histeria. E vá que tenha histeria, Deus enviou as crises de histeria para as mulheres num ato de amor. Não vou lá em hipótese nenhuma. Para que voltar a me meter?

— Entretanto, ainda há pouco lhe disseste que ela nunca havia te amado.

— Foi de propósito. Alióchα, vou pedir champanhe, bebamos por minha liberdade. Não, se soubesses como eu estou contente!

— Não, meu irmão, melhor é não bebermos — disse Alióchα —, além disso estou um tanto triste.

— Sim, faz tempo que andas triste, há tempos que noto isso.

— Então viajas impreterivelmente amanhã de manhã?

— De manhã? Eu não disse que era de manhã... Aliás, também pode ser de manhã. Sabes, almocei hoje aqui unicamente para não almoçar com o velho, a tal ponto ele me enoja. Há muito tempo eu o teria largado. E tu, por que te preocupas tanto com minha partida? Sabe Deus quanto tempo nós dois ainda temos antes de minha partida. Toda uma eternidade de tempo, a imortalidade!

— Se tu partes amanhã, que imortalidade é essa?

— Mas o que é que isso tem a ver com nós dois? — Ivan caiu na risada — porque, apesar disso, nós dois teremos tempo de falar das nossas coisas, das nossas; por que viemos para cá, hein? Por que me olhas admirado? Responde: para que nos encontramos aqui? Para falar de amor por Catierina Ivánovna, do velho ou de Dmitri? Do estrangeiro? Da situação fatídica da Rússia? Do imperador Napoleão? Para isso, foi para isso que viemos?

— Não, não foi para isso.

Os irmãos Karamázov

— Então sabes para quê. Outros têm outro assunto, mas nós, os bisonhos, precisamos antes de tudo resolver problemas eternos, eis a nossa preocupação. Hoje toda a Rússia jovem só fala de questões eternas. Justo agora todos os jovens se meteram de repente a tratar de questões práticas como os velhos. Tu mesmo, por que passaste três meses me olhando com expectativa? Para me interrogar: "Então, crês ou não crês absolutamente?" — porque nisso se resume o sentido desses três meses de teus olhares dirigidos a mim, Alieksiêi Fiódorovitch, não é isso?

— Talvez até tenha sido isso — sorriu Aliócha. — Agora não estás rindo de mim, não é, meu irmão?

— Eu, rindo? Não quero amargurar meu irmãozinho, que passou três meses me olhando com tamanha expectativa. Aliócha, encara-me: eu também sou um menino pequeno como tu, tal qual, com a única diferença de que não sou noviço. Ora, como é que os meninos russos agem até hoje? Quer dizer, os outros? Vê, por exemplo, esta taverna fedorenta, vê aqueles ali, eles se juntaram, sentaram-se no canto. Antes nunca se haviam conhecido, vão sair da taverna e passar mais quarenta e cinco anos sem saber nada uns dos outros; pois bem, o que vão discutir agora nesta taverna? Questões universais, não outra coisa: Deus existe, existe imortalidade? E os que não acreditam em Deus vão falar de socialismo e de anarquismo, da reconstrução de toda a sociedade humana segundo um novo princípio, e então só o diabo sabe o que sairá daí, sempre as mesmas questões, só que vistas de um outro ângulo. E hoje uma infinidade, uma infinidade dos mais originais rapazinhos russos não fazem outra coisa a não ser falar de questões eternas. Por acaso não é assim?

— Sim, a verdadeira questão russa: Deus existe ou não, existe imortalidade ou não, ou, como tu dizes, são questões colocadas de outro ângulo, é claro, as questões primordiais e prioritárias, e é assim que deve ser — pronunciou Aliócha, olhando para o irmão com o mesmo sorriso sereno e escrutador.

— Vê, Aliócha, ser um russo às vezes não é nada inteligente, mas ainda assim não se pode imaginar nada mais tolo que aquilo de que os rapazolas russos se ocupam atualmente. Mas eu gosto muitíssimo de um rapazinho russo — Alióchka.

— Como tu resumiste magnificamente tudo isso — sorriu de repente Aliócha.

— Bem, diz então por onde começar, ordena tu mesmo: por Deus? Se Deus existe ou não, é isso?

— Começa por onde quiseres, mesmo que seja por "outro ângulo". Por-

322   Fiódor Dostoiévski

que ontem tu proclamaste em casa de nosso pai que Deus não existe — Alió-cha lançou ao irmão um olhar escrutador.

— Ontem, à mesa do almoço com o velho, eu te provoquei de propósi-to com essa afirmação, e notei como teus olhos chamejaram. Mas agora não tenho nada contra falar de tudo contigo, e digo isso com muita seriedade. Quero fazer amizade contigo, Alió
cha, porque não tenho amigos e quero experimentar. Bem, imagina que eu talvez até aceite Deus — Ivan sorriu —, isso é uma surpresa para ti, hein?

— Sim, é claro, contanto que não estejas brincando também agora.

— "Brincando". Ontem disseram na cela do *stárietz* que eu estava brin-cando. Vê, meu caro, no século XVIII houve um velho pecador que decla-rou que se Deus não existisse seria preciso inventá-lo: *s'il n'existait pas Dieu il faudrait l'inventer.*[34] E o homem realmente inventou Deus. E o estranho, o surpreendente não seria o fato de Deus realmente existir; o que, porém, sur-preende é que essa ideia — a ideia da necessidade de Deus — possa ter subi-do à cabeça de um animal tão selvagem e perverso como o homem, por ser ela tão santa, tão comovente, tão sábia e tão honrosa ao homem. Quanto a mim, há tempos que decidi não pensar na questão: foi o homem que criou Deus ou Deus que criou o homem? É claro que não vou ficar examinando todos os axiomas que os rapazinhos russos de hoje formulam a esse respei-to, todos derivados de hipóteses europeias; pois o que lá é hipótese no rapa-zinho russo se transforma imediatamente em axioma, e não só nos rapazi-nhos, mas talvez até em seus professores, porque até hoje os professores rus-sos são, muito amiúde, esses mesmos rapazinhos russos. É por isso que eu omito todas as hipóteses. Qual é o nosso objetivo neste momento? O objeti-vo é que eu possa te explicar o mais depressa a minha essência, ou seja, que pessoa sou eu, em que acredito e em que alimento esperança, não é? Por isso eu te declaro que aceito Deus com franqueza e simplicidade. Mas eis, entre-tanto, o que preciso ressaltar: se Deus existe e ele realmente criou a Terra, então, como é de nosso conhecimento absoluto, ele a criou com base na geo-metria euclidiana, e criou a inteligência humana apenas com o conceito das três dimensões do espaço. Por outro lado, houve e há até hoje geômetras e filósofos, e inclusive dos mais notáveis, que duvidam de que todo o universo ou, em termos mais amplos, todo o ser tenha sido criado unicamente com base na geometria euclidiana; eles se permitem inclusive a fantasia de que duas paralelas, que, segundo Euclides, jamais poderão encontrar-se na ter-

[34] Referência à famosa frase de Voltaire: "Se Deus não existisse, seria preciso inventá--lo". (N. do T.)

ra, talvez venham a encontrar-se em algum lugar do infinito. Eu, meu caro, resolvi que se nem isso consigo compreender, então quem sou eu para entender o que toca a Deus? Reconheço humildemente que não tenho nenhuma capacidade de resolver tais problemas, minha inteligência é euclidiana, terrena, portanto, como iríamos resolver aquilo que não é deste mundo? Aliás, eu também te aconselho a nunca pensar nisso, amigo Aliócha, e menos ainda a respeito de Deus: Ele existe ou não? Todas essas questões são absolutamente impróprias para uma inteligência criada apenas com a noção das três dimensões. Portanto, aceito Deus, e não só de bom grado como, além disso, aceito também sua sabedoria e seus fins, que nos são totalmente desconhecidos, acredito na ordem, no sentido da vida, acredito na harmonia eterna na qual nós todos nos fundiríamos, creio no Verbo ao qual aspira o universo, que também "está em Deus" e é o próprio Deus, etc., etc. e assim sucessivamente no sentido do infinito. A esse respeito muito já se escreveu. Parece que estou no bom caminho, não? Pois bem, imagina que o resultado definitivo disso é que eu não aceito esse mundo de Deus e, mesmo sabendo que ele existe, não o admito absolutamente. Não é Deus que não aceito, entende isso, é o mundo criado por ele, o mundo de Deus que não aceito e não posso concordar em aceitar. Faço uma ressalva: estou convencido, como uma criança, de que os sofrimentos hão de cicatrizar e desaparecer, de que toda a injuriosa comédia das contradições humanas desaparecerá como uma miragem deplorável, como uma invencionice torpe de uma inteligência humana euclidiana fraca e pequena como o átomo, de que, enfim, na consumação do mundo, no momento da eterna harmonia, acontecerá e aparecerá algo tão precioso que bastará a todos os corações, para suavizar todas as indignações, para redimir todas as perversidades dos homens, todo o sangue por eles derramado, chegará para que seja possível não só perdoar como também compensará tudo o que aconteceu com os homens — oxalá, oxalá tudo isso aconteça e se revele, mas eu não o aceito nem quero aceitar! Oxalá até as paralelas se encontrem e eu mesmo o veja: verei e direi que se encontraram, mas ainda assim não aceitarei. Eis a minha essência, Aliócha, eis a minha tese. Isto eu já te expus com seriedade. Comecei de propósito esta nossa conversa de um modo que não pode haver mais tolo, mas a conduzi até chegar à minha confissão, porque é disso que precisas. Não era de Deus que tu precisavas; precisavas apenas saber como vive este irmão que amas. E eu o declarei.

Ivan concluiu sua longa tirada com um sentimento particular e inesperado.

— E por que principiaste dizendo que "não se pode começar nada de modo mais tolo"? — perguntou Aliócha, fitando-o com ar pensativo.

Os irmãos Karamázov

— Bem, em primeiro lugar, ao menos por uma questão de russismo: a condução de todas as conversas russas sobre esses temas não poderia ser mais tola. Em segundo, mais uma vez, quanto mais tola mais direta. Quanto mais tola, mais clara. A tolice é curta e ingênua, já a inteligência tergiversa e se esconde. A inteligência é canalha, mas a tolice é franca e honesta. Levei a questão até a beira do meu desespero, e quanto mais tola tenha sido sua condução mais proveitoso terá sido para mim.

— Explica-me, por que "não aceitas o mundo"? — pronunciou Alió: cha.

— Ora, é claro que vou te explicar, não é segredo, e foi neste sentido que conduzi tudo. Meu irmãozinho, não é a ti que quero perverter e desviar de teus alicerces, é possível que eu tenha querido me curar com tua pessoa — Ivan deu um súbito sorriso, tal qual um menininho dócil. Nunca Aliócha vira nele um sorriso igual.

IV. A REVOLTA

— Devo te fazer uma confissão — começou Ivan —, nunca consegui entender como se pode amar o próximo. A meu ver, é justamente o próximo que não se pode amar, só os distantes é possível amar. Certa vez li em algum lugar a respeito de "Julião Hospitaleiro"[35] (um santo); certa vez um andante faminto e gelado entrou em sua casa e lhe pediu que o aquecesse; Julião se deitou com ele na cama, o abraçou e começou a lhe soprar seu hálito na boca purulenta e fétida, resultado de uma doença terrível. Estou convencido de que ele fez isso num assomo de falsidade, levado por um amor ditado pelo dever, movido pela *epitimia*[36] que ele chamara a si. Para amar uma pessoa é preciso que esta esteja escondida, porque mal ela mostra o rosto o amor acaba.

— O *stárietz* Zossima falou a esse respeito mais de uma vez — observou Aliócha —, e também disse que, frequentemente, o semblante de uma pessoa impede que muitas pessoas ainda inexperientes no amor consigam

---

[35] Trata-se do conto "A legenda de São Julião hospitaleiro" (1877), de Gustave Flaubert. (N. do T.)

[36] Em grego ἐπιθυμία. Segundo os organizadores das notas a edição russa de *Os irmãos Karamázov*, *epitimia* significa castigo espiritual ou punição imposta pela Igreja. Opinião idêntica encontramos no *Dicionário da língua russa* de Vladímir Dall. Já o *Dicionário enciclopédico soviético*, edição de 1983, confirma esse significado, mas o aplica ao termo grego *epitimion*. (N. do T.)

amar. Só que também existe muito amor na humanidade, e quase semelhante ao amor de Cristo, e eu mesmo sei disso, Ivan...

— Bem, por enquanto eu ainda não conheço nem consigo compreender isso, e assim como eu uma infinidade de pessoas. A questão é saber se isso se deve às más qualidades das pessoas ou porque essa é a sua natureza. A meu ver, o amor de Cristo pelos homens é, em seu gênero, um milagre impossível na Terra. É verdade que ele foi um Deus. Mas nós não somos deuses. Suponhamos, por exemplo, que eu possa sofrer profundamente, mas outro nunca poderá saber até que ponto eu sofro porque ele é outro e não eu; além disso, raramente o homem aceita reconhecer o outro como sofredor (como se isso fosse um título). Por que não aceita, o que tu achas? Porque, por exemplo, eu cheiro mal, tenho cara de tolo, porque uma vez lhe pisei o pé. Além disso, há sofrimentos e sofrimentos: meu benfeitor ainda admite em mim um sofrimento humilhante que me humilha, a fome, por exemplo, mas se for um sofrimento um pouquinho mais elevado, em nome de uma ideia, por exemplo, esse não, esse ele só admite em casos raros, porque olha para mim e de repente percebe que eu não tenho aquela cara que, segundo sua fantasia, deveria ter o homem que sofre, por exemplo, em nome dessa ideia. E então ele me priva de seus favores, e isso sem nenhuma crueldade. Os pedintes, sobretudo os pedintes nobres, nunca deveriam aparecer, deveriam, sim, pedir esmola pelos jornais. Ainda se pode amar o próximo de forma abstrata e às vezes até de longe, mas de perto quase nunca. Se tudo acontecesse como no palco, num balé, onde os pedintes, quando aparecem, estão vestidos em andrajos de seda e rendas rasgadas e pedem esmola dançando graciosamente, bem, neste caso ainda se poderia admirá-los. Admirá-los, mas, não obstante, sem amá-los. Todavia, chega desse assunto. Eu queria apenas te colocar em meu lugar. Eu queria falar do sofrimento humano em geral, porém é melhor que a gente se detenha nos sofrimentos só das crianças. Isso reduz em umas dez vezes a abrangência de minha argumentação, mas é melhor que falemos apenas das crianças. Isso não me favorece, é claro. Todavia, em primeiro lugar, podem-se amar as crianças até de perto, até as crianças sujas, inclusive as feias de rosto (entretanto, parece-me que as crianças nunca são feias de rosto). Em segundo, ainda não vou falar dos adultos porque, além disso, eles são repugnantes e não merecem amor, neles só há vingança: comeram a maçã, conheceram o bem e o mal e se tornaram "algo como deuses". Até hoje eles continuam a comê-la. Mas as criancinhas não comeram nada e por enquanto ainda não têm culpa de nada. Tu gostas das criancinhas, Aliócha? Sei que gostas e irás compreender por que agora só quero falar delas. Se elas também sofrem terrivelmente na Terra, é claro que

Os irmãos Karamázov

é por seus pais, elas foram castigadas no lugar de seus pais, que comeram a maçã — mas esse é um raciocínio de outro mundo, incompreensível ao coração do homem aqui na Terra. Um inocente não pode sofrer por outro, e ainda mais um inocente como esse! Podes te admirar de mim, Aliócha, eu também gosto muitíssimo de criancinhas. E repara que pessoas cruéis, apaixonadas, lascivas, karamazovianas, às vezes gostam muito de crianças. As crianças, enquanto são crianças, até os sete anos, por exemplo, estão muito distantes das pessoas: é como se fossem seres totalmente distintos e dotados de outra natureza. Conheci um bandido numa prisão: em sua carreira aconteceu-lhe de exterminar famílias inteiras em suas casas, aonde ele penetrava durante as noites para roubar, para degolar de uma vez várias pessoas e crianças. Na prisão, porém, ele gostava delas de um modo que chegava a ser até estranho. Não fazia senão contemplar da janela as crianças que brincavam no pátio da cadeia. Habituou um garotinho a vir à sua janela, e este ficou muito amigo dele... Tu não sabes para que estou falando nisso, Aliócha? A cabeça me dói um tanto e estou triste.

— Estás falando de um jeito estranho — observou Aliócha com inquietação —, como se estivesses meio louco.

— A propósito, um búlgaro me contou recentemente em Moscou — continuou Ivan Fiódorovitch como se não tivesse ouvido o irmão — como os turcos e tcherquesses cometem atrocidades em todas as partes da Bulgária, por temerem uma rebelião geral dos eslavos[37] — ou seja, queimam, degolam, violentam mulheres e crianças, pregam as orelhas dos prisioneiros a uma cerca com pregos, os deixam assim até o dia amanhecer e de manhã os enforcam —, etc., é até impossível imaginar tudo. De fato, às vezes se fala da crueldade "bestial" do homem, mas isso é terrivelmente injusto e ofensivo para com os animais: a fera nunca pode ser tão cruel como o homem,[38] tão artisticamente, tão esteticamente cruel. O tigre simplesmente trinca, dilacera, e é só o que sabe fazer. Não lhe passaria pela cabeça pregar as orelhas das pessoas com pregos por uma noite, mesmo que pudesse fazê-lo. Esses turcos, a propósito, supliciam com lascívia até as crianças, começando por

[37] Entre 1875 e 1876, o movimento de libertação nacional da Bulgária ganhou enormes proporções e suscitou uma repressão sem precedentes dos turcos contra a população local. Dostoiévski escreveu reiteradamente sobre o tema em seu *Diário de um escritor*. (N. da E.)

[38] Veja-se o que Herzen escreve na revista *Kólokol*, nº 68-69, de 1860, a respeito das atrocidades cometidas pelos latifundiários russos: "Que animais, que feras são essas que vivem por esses fins de mundo... Aliás, por que ofender as feras? Feras assim não existem, só encontramos esse tipo de feras nos latifundiários russos". (N. da E.)

Os irmãos Karamázov

arrancá-las a punhal do ventre da mãe e terminando por lançar ao ar crianças de colo e apará-las na ponta da baioneta à vista das mães. O prazer principal é fazer isso à vista das mães. Mas vê, entretanto, um quadro que me interessou intensamente. Imagina: um bebê nos braços da mãe trêmula, rodeada de turcos que acabam de chegar. Eles tramam uma coisinha divertida: acariciam o bebê, riem para fazê-lo rir, e conseguem, o bebê desata a rir. Nesse instante o turco aponta a pistola para o rosto dele a uns vinte centímetros de distância. O menino dá risadinhas de alegria, estira as mãozinhas para agarrar a pistola e, de repente, o artista aperta o gatilho diretamente contra o rosto e lhe esmigalha a cabecinha... É arte, não é verdade? A propósito, dizem que os turcos gostam muito de doce.

— Irmão, onde estás querendo chegar? — perguntou Alíócha.

— Acho que se o diabo não existe e, portanto, o homem o criou, então o criou à sua imagem e semelhança.

— Neste caso, exatamente como Deus.

— É surpreendente a tua capacidade de torcer as palavras, como diz Polônio em *Hamlet* — Ivan deu uma risada. — Tu me pegaste na palavra, vá lá, vá lá, mas estou contente. Bom Deus esse teu se o homem o criou à sua imagem e semelhança.[39] Acabaste de perguntar por que estou falando tudo isso: como vês, sou um aficionado e colecionador de alguns fatozinhos e, acredita, eu os anoto e coleciono de jornais e histórias onde quer que apareçam, são uma espécie de anedotas, e já tenho uma boa coleção. Os turcos, é claro, entraram para a coleção, mas essa é só de estrangeiros. Eu também tenho umas coisinhas nossas e até melhores que as dos turcos. Sabes, aqui na Rússia há mais espancamentos, mais varas e chicotes, e isso é nacional:[40] entre nós pregar orelhas com prego é inconcebível, seja como for somos europeus, mas as varas, os açoites — isso já é algo nosso e não nos pode ser tirado. Atualmente é como se não se espancasse ninguém no estrangeiro, não sei se eles purificaram os costumes ou arranjaram algumas leis, pelas quais o homem já não se atreveria a açoitar o homem; por outro lado, porém, eles se autocompensaram com outra coisa, e também puramente nacional, como aqui na Rússia, e tão nacional que até seria inviável em nosso

[39] Veja-se o que escreve Herzen na mesma *Kólokol*, nº 50, de 1859, a propósito da história da latifundiária Vlássova, que durante três dias espancou uma velha, após o que esta se enforcou: "Bom esse vosso Deus, se ele instituiu o regime da servidão com torturas, assassinatos e impunidade". (N. da E.)

[40] Ucasses da imperatriz Elisavieta Pietróvna, promulgados em 1753 e 1754, aboliam a pena de morte, mas, na prática, ela continuou vigorando sob a forma de chicotadas, chibatadas e métodos afins. (N. do T.)

país, embora, pensando bem, pareça que vem sendo implantada também entre nós, particularmente depois do movimento religioso em nossa alta sociedade.[41] Eu tenho uma brochura encantadora, traduzida do francês, na qual se narra que, em Genebra, bem recentemente, há apenas uns cinco anos, executaram um malfeitor e assassino de nome Richard, um rapaz de vinte e três anos, parece, que se arrependeu e aderiu à fé cristã bem antes de ser levado ao patíbulo. Esse Richard era filho bastardo não sei de quem, e ainda criancinha de uns seis anos foi *dado de presente* pelos pais a uns pastores das montanhas suíças, e estes o criaram para usá-lo no trabalho. Cresceu entre eles como um bichinho selvagem, os pastores não lhe ensinaram nada, ao contrário, aos sete anos já foi mandado pastorear o rebanho na umidade e no frio, quase sem agasalho e quase sem comida. E, é claro, nenhum deles hesitou ou se arrependeu desse procedimento; ao contrário, achavam-se em seu pleno direito, pois Richard lhes havia sido presenteado como coisa e eles nem acharam necessário alimentá-lo. O próprio Richard testemunha que, naqueles anos, como o filho pródigo do Evangelho, sentia uma tremenda vontade de comer ao menos daquela mistura que davam aos porcos na engorda para serem vendidos, mas não lhe davam nem isso e ainda o espancavam quando ele roubava dos porcos; assim ele passou toda a infância e toda a adolescência até crescer e, já forte, sair pessoalmente para roubar. O selvagem começou a conseguir dinheiro trabalhando como diarista em Genebra, bebendo o que ganhava, vivendo como um monstro, e terminou por matar e roubar um velho. Prenderam-no, julgaram-no e o condenaram à morte. Lá não há sentimentalismo. E eis que na prisão ele é imediatamente assediado por pastores e membros de diferentes irmandades de Cristo, por senhoras filantrópicas, etc. Na cadeia o ensinam a ler e escrever, lhe explicam o Evangelho, lhe dão consciência, o persuadem, fustigam, apoquentam, pressionam, e eis que ele mesmo acaba reconhecendo solenemente seu crime. Ele apela, ele mesmo escreve ao tribunal dizendo que é um monstro e que finalmente foi digno de que o Senhor o iluminasse e lhe enviasse a bem-aventurança. O alvoroço toma conta de Genebra, de toda a Genebra filantrópica e piedosa. Tudo o que há de superior e bem-educado se precipita para ele na prisão; Richard é beijado, abraçado: "Tu és nosso irmão, a bem-aventurança desceu sobre ti!". Enquanto isso, o próprio Richard apenas chora de enternecimento: "Sim, a bem-aventurança desceu sobre mim! Antes, passei toda a minha infância e minha adolescência contente com a comida dos por-

---

[41] Esse "movimento" realmente ocorreu nos anos 70 do século XIX, e foi marcado por uma série de conferências sobre religião que atraíam grande público. (N. da E.)

Os irmãos Karamázov

cos, mas agora desceu sobre mim a bem-aventurança e eu morro na companhia do Senhor!" — "Sim, sim, Richard, morre na companhia do Senhor, derramaste sangue e deves morrer na companhia do Senhor. Vá que sejas inocente, que desconhecesses inteiramente o senhor quando invejaste a comida dos porcos e quando te espancaram porque roubaste comida deles (no que fizeste muito mal, porque roubar é proibido), mas derramaste sangue e deves morrer". E eis que chega o último dia. Enfraquecido, Richard chora e não faz senão repetir a cada instante: "Este é o melhor dos meus dias, vou para o Senhor!" — "Sim — gritam os pastores, os juízes e as senhoras filantrópicas —, este é o teu dia mais feliz porque tu vais para o Senhor!". Todos se movimentam em direção ao patíbulo, uns de carruagem, outros a pé, acompanhando a vergonhosa carruagem em que Richard é conduzido. Eis que chegam ao patíbulo: "Morre, irmão nosso — gritam para Richard —, morre com o Senhor, pois sobre ti desceu a bem-aventurança!". E o irmão Richard, coberto de beijos dos irmãos, é arrastado ao patíbulo, colocado na guilhotina e decapitado fraternalmente porque sobre ele desceu a bem-aventurança. Não, isso é peculiar. Essa brochurazinha foi traduzida para o russo por uns filantropos luteranófilos da alta sociedade e distribuída gratuitamente para ilustrar o povo russo em jornais e outras edições. Essa coisa que aconteceu com Richard é boa por ser nacional. Em nosso país é um absurdo decapitar um irmão apenas porque se tornou nosso irmão e porque sobre ele desceu a bem-aventurança, mas, repito, nós também temos esse tipo de coisa, que quase não é pior. Nós temos o nosso prazer histórico, natural e imediato com a tortura do espancamento. Niekrássov tem um poema em que um mujique açoita com um chicote os "dóceis olhos" de um cavalo. Isso é corriqueiro, é o russismo. O poeta descreve como um cavalinho fraco, que recebeu uma carga excessiva, atolou com ela e não consegue arrancá-la do atoleiro. O mujique bate nele, bate com fúria, bate, por fim, sem entender o que faz, na embriaguez de bater açoita-o de forma dolorosa um sem-número de vezes: "Mesmo que estejas sem forças, arrasta, morre, mas arrasta!". O rocim tenta arrancar, e eis que ele começa a açoitar o indefeso, e açoitar seus "dóceis olhos" chorosos. Fora de si, o cavalo dá um arranco, desatola-se e sai todo trêmulo, sem respirar, meio de lado, meio saltitando, de um jeito um tanto antinatural e vergonhoso — no poema de Niekrássov isso é um horror. Todavia se trata apenas de um cavalo, e os cavalos foram dados pelo próprio Deus para serem açoitados. Assim os tártaros nos ensinaram e nos presentearam o chicote como lembrança. Mas se pode açoitar gente também. E eis que um senhor instruído, intelectual, e sua senhora açoitam a própria filhinha, uma criancinha de sete anos, a vara — isso eu tenho ano-

tado em detalhes.[42] O paizinho está contente porque a vara tem farpas e "fica mais pungente", diz ele, e começa a "pungir" a própria filha. Sei ao certo da existência de açoitadores que se exaltam até a volúpia a cada golpe que dão, precisamente até a volúpia, e se exaltam cada vez mais e mais, num crescendo, a cada novo golpe. Açoitam por um minuto, enfim açoitam por cinco minutos, dez, e continuam, com frequência cada vez maior, e de modo cada vez mais pungente. A criança grita, a criança finalmente não pode gritar, está asfixiada: "Papai, papai, papaizinho, papaizinho!". Por algum acaso diabólico e indecente a questão chega à justiça. Contrata-se advogado. Há muito tempo o povo russo chama advogado de "*ablakat* — consciência alugada". O advogado se esgoela na defesa de seu cliente. "Uma questão, diz, tão simples, familiar e comum, um pai que açoitou a filha, e eis que para a vergonha de nossos dias o caso chega ao tribunal!" Persuadidos, os jurados se ausentam e proferem a sentença de absolvição. O público dá bramidos de felicidade porque absolveram o carrasco. Sim senhor, se eu estivesse lá teria proposto homenagear o carrasco instituindo uma bolsa de estudos com seu nome!... São cenas fascinantes. Mas eu tenho histórias ainda melhores sobre crianças, reuni muita, muita coisa sobre as crianças russas, Aliócha. O pai e a mãe de uma menininha de cinco anos, "pessoas honradíssimas, funcionários públicos, "instruídos e educados", tomaram-se de ódio por ela. Vê, torno a afirmar positivamente que existe uma peculiaridade em muitas criaturas da espécie humana — é o amor à tortura de crianças, e só de crianças. Esses mesmos supliciadores, como europeus instruídos e humanos que são, tratam todos os outros sujeitos da espécie humana até com benevolência e docilidade, mas adoram torturar crianças, até gostam de crianças neste sentido. Neste caso, é precisamente o lado indefeso dessas criaturas que seduz os torturadores, e a credulidade angelical da criança, que não tem onde se meter nem a quem recorrer, é o que inflama o sangue abjeto do torturador. Em todo homem, é claro, esconde-se uma fera, a fera da cólera, a fera da excitabilidade lasciva com os gritos da vítima supliciada, a fera que

---

[42] As atrocidades cometidas contra crianças por russos e estrangeiros radicados na Rússia, narradas por Ivan, são baseadas em fatos reais, sendo um deles o processo movido contra S. L. Kronenberg, amplamente analisado por Dostoiévski em seu *Diário de um escritor*, em 1876. Outra fonte foi o processo movido em 1879 contra o casal estrangeiro Eugeni e Aleksandra Brunst. Esta foi oficialmente acusada de torturar a filhinha Emília, de cinco anos, de todas as maneiras: com fome forçada, murros, chicotadas, açoites com a fivela do cinturão, pernoites em quarto escuro sobre um caixote imundo sem nenhum forro, esfregação de fezes no rosto, etc. Dostoiévski escreveu várias vezes sobre essas atrocidades. (N. do T.)

desconhece freios, desacorrentada, a fera das doenças, da podagra e dos fígados adoecidos na devassidão. Esses pais instruídos sujeitaram a pobre menininha de cinco anos a toda sorte de suplícios. Espancaram, açoitaram, chutaram sem que eles mesmos soubessem por quê, transformaram todo seu corpo em equimoses; por fim, chegaram até ao requinte supremo: trancaram-na uma noite inteira de frio e gelo em uma latrina só porque, durante a noite, ela não pediu para fazer suas necessidades (como se uma criança de cinco anos, em seu pesado sono de anjo, já fosse capaz de pedir para fazer suas necessidades); por isso lhe lambuzaram todo o rosto com suas fezes e a obrigaram a comê-las, a mãe fez isso, a mãe a obrigou! E essa mãe conseguiu dormir, enquanto se ouviam durante a noite os gemidos da pobre criancinha trancada naquele lugar sórdido! Compreendes quando um pequeno ser, que ainda não tem condição sequer de entender o que se faz com ele, trancado naquele lugar sórdido, no escuro e no frio, bate com seus punhozinhos minúsculos no peitinho martirizado e chora suas lágrimas de sangue, complacentes e dóceis, pedindo ao "Deusinho" que o proteja ali — tu entendes esse absurdo, meu amigo e irmão, meu dócil noviço de Deus, entendes para que serve esse absurdo e para que foi criado? Sem ele, dizem, o homem nem conseguiria viver na Terra, pois não teria conhecido o bem e o mal. Para que conhecer esse bem e esse mal dos diabos a um preço tão alto? Sim, porque neste caso o mundo inteiro do conhecimento não valeria essas lágrimas de uma criancinha dirigidas ao seu "Deusinho". Não falo dos sofrimentos dos adultos, estes comeram a maçã e o diabo que os carregue, e carregue a todos, mas elas, as crianças! Estou te fazendo sofrer, Alíócha, pareces desvairado. Se quiseres, eu paro.

— Nada disso, também quero sofrer — murmurou Aliócha.

— Vê mais um quadrinho, um só, e mesmo assim a título de curiosidade; ele é muito peculiar, e o principal é que acabei de ler a respeito em um de nossos manuais de antiguidades, não sei se no *Arquivo*, no *Antiguidade*,[43] preciso conferir, esqueci-me até de onde li. Isso aconteceu nos tempos mais sombrios do regime de servidão, ainda no início do século, e viva o libertador do povo![44] Naquela época, no início do século, havia um general, relacionado a círculos muito importantes, um latifundiário riquíssimo, mas daqueles (é verdade que já pareciam raros mesmo naquela época) que, quando

[43] Trata-se das revistas *Rússkii Arkhiv* (Arquivo Russo) e *Rússkaia Atariná* (Antiguidade Russa). (N. do T.)

[44] Referência a Alexandre II, que recebeu oficialmente o nome de "libertador" após a abolição do estatuto servil em 1861. (N. da E.)

deixavam o serviço e se recolhiam à paz do lar, estavam quase, quase convictos de que haviam merecido o direito sobre a vida e a morte de seus súditos. Naquela época havia gente assim. Pois bem, vive o general em sua fazenda de duas mil almas,[45] cheio de arrogância, tratando por cima dos ombros seus vizinhos, pequenos proprietários, como seus parasitas e palhaços. Tem um canil com centenas de cães e quase uma centena de seus cuidadores todos uniformizados, todos a cavalo. E eis que um menino servo, um garotinho de apenas oito anos, ao brincar, atira uma pedra e fere a pata do galgo predileto do general. "Por que meu cão predileto está mancando?" É informado de que esse menino teria jogado uma pedra no cão, ferindo-lhe a pata. "Ah, então foste tu — o general o mede com o olhar —, peguem-no!" Pegam o menino, tomam-no da mãe, ele passa a noite inteira num calabouço; de manhã, mal o dia amanhece, o general se paramenta todo para a caça, monta em seu cavalo, rodeado de parasitas, cães e seus guardadores, monteiros, todos a cavalo. Ao redor reúnem-se a criadagem para assistir à lição e, à frente de todos, a mãe do menino culpado. Retiram o menino do calabouço. É um nublado, frio e brumoso dia de outono, excelente para a caça. O general manda despir o menino, despem o menininho e o deixam em pelo, ele treme, está enlouquecido de pavor, não se atreve a dar um pio... "Botem-no para correr!" — comanda o general. "Corre, corre!" — gritam-lhe os cuidadores de cães, o menino corre... "Peguem-no!" — gane o general e lança contra ele toda a matilha de cães velozes. Ele açula os cães à vista da mãe, e os cães estraçalham a criança!... Parece que puseram o general sob tutela. Então... o que fazer com ele? Fuzilar? Fuzilar para a satisfação de um sentimento moral? Diz, Aliócha!

— Fuzilar! — proferiu Aliócha baixinho, levantando os olhos para o irmão com um sorriso contraído.

— Bravo! — ganiu Ivan tomado de certo êxtase. — Já que tu o disseste, então... Ai, seu monge asceta! Vê só que demoniozinho tu tens no coração, Aliócha Karamázov.

— Eu disse um absurdo, porém...

— O problema é que existe esse porém... — bradou Ivan. — Saibas tu, noviço, que os absurdos são necessários demais na Terra. É sobre os absurdos que se funda o mundo, e neste talvez não acontecesse absolutamente nada sem eles. Nós sabemos o que sabemos!

— O que tu sabes?

— Eu não entendo nada — continuou Ivan como quem delira. — E tam-

---

[45] Assim eram chamados os servos camponeses. (N. do T.)

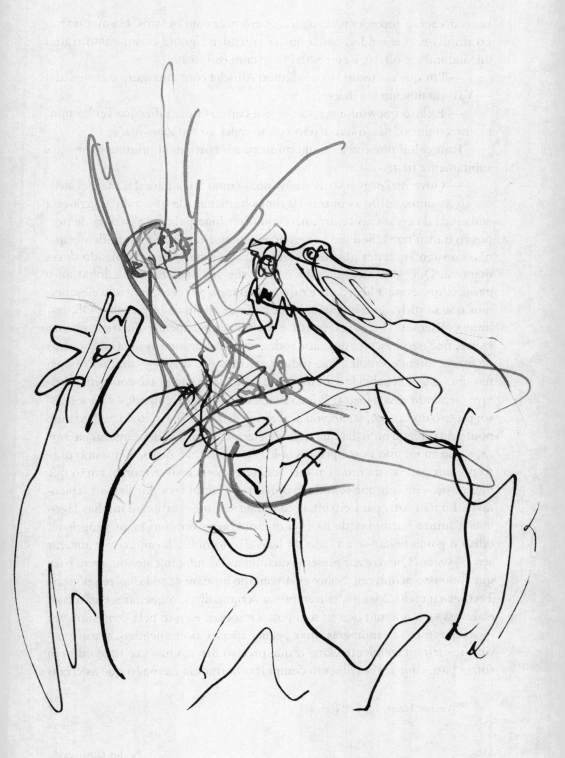

bém não quero entender nada agora, quero ficar com os fatos. Há muito tempo resolvi não entender. Se eu quiser entender alguma coisa, então trairei imediatamente o fato, e eu resolvi ficar com os fatos...

— Por que me testas? — exclamou Aliócha com amargura e ansiedade. — Vais finalmente me dizer?

— É claro que vou dizer, conduzi a conversa para dizê-lo. Tenho muito apreço por ti, não quero e não vou te ceder ao teu Zossima.

Ivan calou por cerca de um minuto, seu rosto ganhou uma expressão subitamente triste.

— Ouve-me: peguei só as criancinhas como tema para dar mais evidência ao assunto. Sobre as outras lágrimas humanas, de que toda a terra está embebida da crosta ao centro, não vou dizer uma palavra, restringi de propósito o meu tema. Sou um percevejo e confesso com toda a humildade que não consigo entender absolutamente para que tudo foi organizado dessa maneira. Quer dizer que a culpa é dos próprios homens: eles ganharam o paraíso, quiseram a liberdade e raptaram o fogo dos céus, sabendo eles mesmos que se tornariam infelizes, logo, nada de compaixão por eles. Oh, por minha mísera inteligência terrestre e euclidiana, sei apenas que o sofrimento existe, que não há culpados, que todas as coisas decorrem umas das outras de forma direta e simples, que tudo transcorre e se nivela — ora, isso é apenas uma asneira euclidiana, e eu mesmo sei disso, e não posso concordar com viver segundo essa asneira! Pouco se me dá se não há culpados e eu sei disso; preciso do castigo, senão vou acabar me destruindo. E não do castigo num ponto qualquer e num dia qualquer da eternidade, mas aqui e agora, na Terra, e que eu mesmo possa presenciá-lo. Eu acreditava nisso, eu mesmo quero presenciar, e se na hora em que acontecer eu já estiver morto, então que me ressuscitem, porque se tudo acontecer sem mim será por demais lamentável. Eu não sofri para estrumar com meu ser, meus crimes e minhas lágrimas a futura harmonia de não sei quem. Quero ver com meus próprios[46] olhos o gamo deitar-se ao lado do leão e o degolado levantar-se e abraçar seu assassino. Quero estar presente quando todos subitamente souberem para que tudo isso aconteceu. Sobre essa vontade fundam-se todas as religiões na Terra, e eu creio. Mas vê, entretanto, as criancinhas, o que farei então com elas? Essa é a questão que eu não posso resolver. Repito pela centésima vez — as questões são inúmeras, mas peguei apenas as criancinhas, porque assim fica irrefutavelmente claro o que preciso dizer. Ouve: se todos devem sofrer para com seu sofrimento comprar a harmonia eterna, o que as crian-

[46] Veja-se Isaías, 11, 6. (N. da E.)

ças têm a ver com isso,[47] podes fazer o favor de me dizer? É absolutamente incompreensível por que elas também teriam de sofrer e por que comprar essa harmonia com seus sofrimentos? Por que também serviram de material e estrumaram com sua própria vida a futura harmonia para não sei quem? A solidariedade entre os homens no pecado eu compreendo, compreendo a solidariedade também no castigo, mas não essa solidariedade com as criancinhas no pecado, e se a verdade está realmente em que elas são solidárias com os pais em todos os crimes dos pais, então, é claro, essa verdade não é deste mundo e eu não a compreendo. Algum brincalhão dirá, talvez, que, seja como for, a criança há de crescer e ter tempo de pecar, mas acontece que não cresceu e foi estraçalhada por cães aos oito anos de idade. Oh, Aliócha, não estou blasfemando! Compreendo, porém, qual deverá ser o abalo do universo quando tudo sob os céus e sobre a Terra desaguar numa só voz de encômio e tudo o que vive e já viveu exclamar: "Tens razão, Senhor, pois teus caminhos se revelaram!".[48] Quando a mãe se abraçar ao carrasco que estraçalhou seu filho com os cães e todos os três anunciarem entre lágrimas: "Tens razão, Senhor", então aí, é claro, será o coroamento do saber e tudo se esclarecerá. Mas é aí que entra a vírgula, é isso que não posso mesmo aceitar. E enquanto eu estiver aqui pela Terra me apressarei a tomar minhas medidas. Vê, pois, Aliócha, é possível, e realmente vai acontecer que, quando eu mesmo chegar a esse momento ou ressuscitar para vê-lo, talvez até exclame com todos, olhando para a mãe abraçada ao carrasco de seu filhinho: "Tens razão, Senhor!", só que nesse momento não vou querer exclamar isso. Enquanto houver tempo eu me apressarei a me proteger, porque recuso a harmonia eterna. Ela não vale uma lágrima minúscula nem mesmo daquela criança supliciada, que batia com seus punhozinhos no peito e rezava ao seu "Deusinho" naquela casinha fétida e banhada em suas minúsculas lágrimas não redimidas! Não vale porque suas lagrimazinhas não foram redimidas. Elas devem ser redimidas, senão a harmonia também será impossível. Mas com que, com que irás redimi-las? Por acaso isso é possível? Será que serão vingadas? Mas para que preciso vingá-las, para que preciso de inferno para os carrascos, o que o inferno pode corrigir quando aquelas crianças já foram supliciadas? E de que harmonia se pode falar se existe o inferno: quero perdoar e quero abraçar, não quero que sofram mais. E se os sofrimentos das crianças vierem a completar aquela soma de sofrimentos que é necessária

[47] Ver Pascal, *Pensamentos*, sobretudo a parte referente à religião cristã. (N. da E.)
[48] Livre combinação de diversos versículos do Apocalipse. (N. da E.)

Os irmãos Karamázov

para comprar a verdade, afirmo de antemão que toda a verdade não vale esse preço. Por fim, não quero que a mãe abrace o carrasco de seu filho estraçalhado pelos cães! Ela não se atreverá a perdoá-lo! Se quiser, que perdoe por si, que seu desmedido sofrimento materno perdoe o carrasco; mas ela não tem o direito de perdoar o sofrimento de seu filho estraçalhado, não se atreverá a perdoar o carrasco ainda que a própria criança o tenha perdoado por isso! E se é assim, se eles não se atrevem a perdoar, então onde está a harmonia? Existirá em todo o mundo um ser que possa ou tenha o direito de perdoar? Não quero a harmonia, por amor à humanidade não a quero. Quero antes ficar com os sofrimentos não vingados. O melhor mesmo é que eu fique com meu sofrimento não vingado e minha indignação não saciada, *ainda que eu não esteja com a razão*. Ademais, estabeleceram um preço muito alto para a harmonia, não estamos absolutamente em condições de pagar tanto para entrar nela. É por isso que me apresso a devolver meu bilhete de entrada. E se sou um homem honrado, sou obrigado a devolvê-lo o quanto antes. E é o que estou fazendo. Não é Deus que não aceito, Aliócha, estou apenas lhe devolvendo o bilhete da forma mais respeitosa.[49]

— Isso é revolta — proferiu Aliócha baixinho e olhando para o chão.

— Revolta? Eu não gostaria de ouvir essa palavra de tua parte — disse sinceramente Ivan. — Pode-se, talvez, viver com revolta, mas eu quero é viver. Dize-me francamente, eu te conclamo, responde: imagina que tu mesmo eriges o edifício do destino humano com o fim de, concluída a obra, fazer as pessoas felizes e finalmente lhes dar paz e tranquilidade, mas para isto é necessário e inevitável supliciar uma única e minúscula criaturinha — aquela mesma criancinha que bateu com o punhozinho no peito — e sobre suas lágrimas não vingadas fundar esse edifício; tu aceitarias ser o arquiteto em tais condições? responde e não mintas!

— Não, não aceitaria — proferiu Aliócha em voz baixa.

— E podes admitir a ideia de que as pessoas para quem o constróis concordem elas mesmas com aceitar sua felicidade erigida sobre o sangue injustificado de uma criança supliciada e, aceitando-o, permaneçam felizes para todo o sempre?

— Não, não posso admiti-lo. Meu irmão — pronunciou Aliócha com os olhos subitamente cintilantes —, tu acabaste de perguntar: existirá em todo o mundo um ser que possa e tenha o direito de perdoar? Ora, esse ser existe, e pode perdoar tudo, todos e tudo *e por tudo*, porque ele mesmo deu seu sangue inocente por todos e por tudo. Tu o esqueceste, mas é sobre ele que

---

[49] Alusão ao poema "Resignation", de Schiller. (N. da E.)

se constrói o edifício, e é a ele que haverão de exclamar: "Tens razão, Senhor, pois se revelaram os teus caminhos".

— Mas esse "é o único sem pecado", assim como o seu sangue! Não, não o esqueci, e enquanto falei estive admirado de tua demora em introduzi-lo, porque em todas as discussões de vocês ele costuma ser introduzido antes de qualquer coisa. Sabes, Alióchạ, e não rias, numa ocasião escrevi um poema, foi no ano passado. Se ainda podes perder uns dez minutos comigo, eu falarei sobre ele.

— Escreveste um poema?

— Oh, não, não escrevi — sorriu Ivan —, nunca em minha vida eu compus sequer dois versos, mas inventei este poema e o gravei na memória. Eu o inventei com ardor. Serás meu primeiro leitor, isto é, ouvinte. De fato, por que o autor haveria de perder um ouvinte, nem que ele fosse o único? — riu Ivan. — Falo ou não?

— Sou todo ouvidos — pronunciou Alióchạ.

— Meu poema se chama "O Grande Inquisidor". Uma coisa tola, mas quero que o conheças.

V. O GRANDE INQUISIDOR

— Bem, aqui também não se pode passar sem um prefácio, ou seja, um prefácio literário, arre! — riu Ivan — mas eu lá sou escritor? Vê, a ação de meu poema se passa no século XVI, e naquela época — aliás, tu deves ter tomado conhecimento disto em teus cursos —, justo naquela época as obras poéticas costumavam fazer as potências celestes descerem sobre a terra. Já nem falo de Dante. Na França, os funcionários clericais, bem como os monges dos mosteiros, davam espetáculos inteiros em que punham em cena a Madona, anjos, santos, Cristo e o próprio Deus. Naqueles idos, isso se fazia com muita simplicidade. Em *Notre Dame de Paris*, de Victor Hugo, no salão da municipalidade da Paris de Luís XVI é oferecido gratuitamente ao povo o espetáculo *Le bon jugement de la très sainte et gracieuse Vierge Marie*[50] em homenagem ao nascimento do delfim francês,[51] no qual a Vir-

---

[50] "O bom julgamento da santíssima Virgem Maria cheia de graça", em francês no original. (N. do T.)

[51] Como já observou Leonid Grossman, Ivan Karamázov comete aqui um equívoco. No romance de Victor Hugo, não se trata do nascimento do delfim, mas da chegada dos emissários de Flandres para tratar do casamento do delfim com a princesa Margarida de Flandres. (N. da E.)

gem Maria aparece pessoalmente e profere seu *bon jugement*. Entre nós, em Moscou, nos velhos tempos antes de Pedro, o Grande, de quando em quando também se davam espetáculos quase idênticos, especialmente os baseados no Antigo Testamento; contudo, além das representações dramáticas, naquela época corriam o mundo inteiro muitas narrativas e "poemas" em que atuavam santos, anjos e todas as potências celestes conforme a necessidade. Em nossos mosteiros também se faziam traduções, cópias e até se compunham poemas semelhantes, e isso desde os tempos do domínio tártaro. Existe, por exemplo, um poema composto em mosteiro (é claro que traduzido do grego): *A via-crúcis de Nossa Senhora*,[52] com episódios e uma ousadia à altura de Dante. Nossa Senhora visita o inferno, e é guiada "em seu calvário" pelo arcanjo Miguel. Ela vê os pecadores e os seus suplícios. A propósito, ali existe uma interessantíssima classe de pecadores num lago de fogo: os que submergem no lago de tal modo que não conseguem mais emergir, "estes Deus já esquece" — expressão dotada de uma excepcional profundidade e força. E eis que a perplexa e chorosa mãe de Deus cai diante do trono divino e pede clemência para todos aqueles que estão no inferno, por todos que ela viu lá, sem distinção. Sua conversa com Deus é de um interesse colossal. Ela implora, ela não se afasta, e quando Deus lhe aponta os pés e as mãos pregadas de seu filho e pergunta: como vou perdoar seus supliciadores? — ela ordena a todos os santos, a todos os mártires, a todos os anjos e arcanjos que se prosternem com ela e rezem pela clemência a todos sem distinção. A cena termina com ela conseguindo de Deus a cessação dos tormentos, todos os anos, entre a Grande Sexta-Feira Santa e o Dia da Santíssima Trindade, e no mesmo instante os pecadores que estão no inferno agradecem ao Senhor e bradam para Ele: "Tens razão, Senhor, por teres julgado assim". Pois bem, meu poema seria desse gênero se transcorresse naquela época. Em meu poema Ele aparece; é verdade que Ele nem chega a falar, apenas aparece e sai. Já se passaram quinze séculos desde que Ele prometeu voltar a Seu reino, quinze séculos desde que o profeta escreveu: "Voltará brevemente". "Nem o filho sabe esse dia e essa hora, só o sabe meu pai celestial",[53] como disse Ele quando ainda estava na Terra. Mas a humanidade O espera com a antiga fé e o antigo enternecimento. Oh, com mais fé ainda, pois já se passaram quinze séculos desde que cessaram as garantias dos Céus para o homem:

[52] Uma das mais populares lendas apócrifas de origem bizantina, que cedo penetrou na Rússia. Quando Dostoiévski escrevia *Os irmãos Karamázov*, circulavam pela Rússia várias edições dessa lenda. (N. da E.)

[53] Ver Marcos, 3, 32. (N. da E.)

> *Crê no que diz o coração,*
> *O céu não dá garantias.*[54]

Fé só no que diz o coração! É verdade que naquela época havia muitos milagres. Havia santos que faziam curas milagrosas; a própria rainha dos céus descia sobre alguns justos, segundo a hagiografia destes. Mas o diabo não dorme, e a humanidade começou a duvidar da veracidade desses milagres. Foi nessa época que surgiu no Norte, na Alemanha, uma heresia nova e terrível.[55] Uma estrela imensa, "à semelhança de uma tocha" (ou seja, de uma igreja), "caiu sobre as fontes das águas e estas se tornaram amargas".[56] Essas heresias passam a uma negação blasfematória dos milagres. E mesmo assim os fiéis restantes creem com um fervor ainda maior. Como antes, as lágrimas humanas sobem até Ele, os homens O esperam, O amam, confiam n'Ele, anseiam sofrer e morrer por Ele como antes... E depois de tantos séculos rezando com fé e fervor: "Aparece para nós, Senhor", depois de tantos séculos chamando por Ele, Ele, em Sua infinita piedade, quis descer até os suplicantes. Ele desceu, e já antes visitara outros justos, mártires e santos anacoretas ainda em terra, como está escrito em suas "hagiografias". Entre nós russos, Tiúttchev,[57] que acreditava profundamente na verdade dessas palavras, proclamou:

> *Com o fardo da cruz fatigado*
> *Te percorreu o Rei dos Céus,*
> *Terra natal, e, servo afeiçoado,*
> *A ti inteira a bênção deu.*

Eu te afirmo que foi forçosamente assim que aconteceu. E eis que Ele desejou aparecer, ainda que por um instante, ao povo — atormentado, sofredor, mergulhado em seu fétido pecado, mas amando-O como criancinhas. Em meu poema a ação se passa na Espanha, em Sevilha, no mais terrível tem-

[54] Citação da estrofe final do poema de Schiller "Sehnsucht". (N. da E.)

[55] Trata-se da Reforma, que Dostoiévski assim analisa em seu *Diário de um escritor* de janeiro de 1877: "O protestantismo de Lutero já é um fato: é uma fé protestante e apenas *negativa*. Desaparecendo o catolicismo da face da Terra, o protestantismo o seguirá na certa e imediatamente, porque, não tendo contra o que protestar, há de converter-se em franco ateísmo, e com isso se extinguirá". (N. da E.)

[56] Citação imprecisa do Apocalipse de João, 8, 10-1. (N. da E.)

[57] Referência a F. I. Tiúttchev (1803-1873), um dos maiores poetas russos do século XIX. (N. do T.)

po da Inquisição, quando, pela glória de Deus, as fogueiras ardiam diariamente no país e

> *Em magníficos autos de fé*
> *Queimavam-se os perversos hereges.*[58]

Oh, essa não era, é claro, aquela marcha triunfal em que Ele há de aparecer no final dos tempos, como prometeu, em toda a Sua glória celestial, e que será repentina "como um relâmpago que brilha do Oriente ao Ocidente".[59] Não, Ele quis ainda que por um instante visitar Seus filhos, e justamente ali onde crepitaram as fogueiras dos hereges. Por Sua infinita misericórdia Ele passa mais uma vez no meio das pessoas com aquela mesma feição humana com que caminhara por três anos entre os homens quinze séculos antes. Ele desce sobre "as largas ruas quentes" da cidade sulina, justamente onde ainda na véspera, em um "magnífico auto de fé", na presença do rei, da corte, dos cavaleiros, dos cardeais e das mais encantadoras damas da corte, diante da numerosa população de toda a Sevilha, o cardeal grande inquisidor queimou de uma vez quase uma centena de hereges[60] *ad majorem gloriam Dei.*[61] Ele aparece em silêncio, sem se fazer notar, e eis que todos — coisa estranha — O reconhecem. Esta poderia ser uma das melhores passagens do poema justamente porque O reconhecem. Movido por uma força invencível, o povo se precipita para Ele, O assedia, avoluma-se a Seu redor, segue-O. Ele passa calado entre eles com o sorriso sereno da infinita compaixão. O sol do amor arde em Seu coração, os raios da Luz, da Ilustração e da Força emanam de Seus olhos e, derramando-se sobre as pessoas, fazem seus corações vibrarem de amor recíproco. Ele estende as mãos para elas,[62]

[58] Estrofes um pouco modificadas do poema "Coriolano", de A. I. Poliejáiev (1804--1838). (N. da E.)

[59] Ver Mateus, 24, 27. (N. da E.)

[60] Preparando a resposta a uma carta de K. D. Kaviêlin (1818-1885) em 1881, Dostoiévski anota em seu diário: "Não posso considerar moral um homem que queima hereges, porque não aceito sua tese segundo a qual a moral é uma harmonia com convicções íntimas. Isso é apenas *honestidade*... e não moral. Ideal moral eu só tenho um: Cristo. Pergunto: ele queimaria hereges? Não. Portanto, a queima de hereges é um ato imoral. O inquisidor já é imoral pelo fato de acomodar em seu coração e em sua mente a ideia da necessidade de queimar seres humanos". (N. da E.)

[61] "Para maior glória de Deus", divisa da Ordem dos Jesuítas. (N. da E.)

[62] Para o crítico V. L. Komaróvitch, essa passagem do romance remonta ao poema de Heine "Frieden". (N. da E.)

as abençoa, e só de tocá-Lo, ainda que apenas em sua roupa, irradia-se a força que cura.[63] E eis que da multidão exclama um velho, cego desde menino: "Senhor, cura-me e eu Te verei", e, como se uma escama lhe caísse dos olhos, o cego O vê. O povo chora e beija o chão por onde Ele passa. As crianças jogam flores diante d'Ele, cantam e bradam-Lhe: "Hosana!". "É Ele, Ele mesmo — repetem todos —, deve ser Ele, não é outro senão Ele." Ele para no adro da catedral de Sevilha no mesmo instante em que entram aos prantos na catedral com um caixãozinho branco de defunto: nele está uma menininha de sete anos, filha única de um cidadão notável. A criança morta está coberta de flores. "Ele ressuscitará tua filhinha" — gritam da multidão para a mãe em prantos. O padre, que saíra ao encontro do féretro, olha perplexo e de cenho franzido. Mas nesse instante ouve-se o pranto da mãe da criança morta. Ela cai de joelhos aos pés d'Ele: "Se és Tu, ressuscita minha filhinha!" — exclama, estendendo as mãos para Ele. A procissão para, o caixãozinho é depositado aos pés d'Ele no adro. Ele olha compadecido e Seus lábios tornam a pronunciar em voz baixa: *Talita cumi* — "Levanta-te, menina". A menininha se levanta no caixão, senta-se e olha ao redor, sorrindo com seus olhinhos abertos e surpresos. Tem nas mãos um buquê de rosas brancas que a acompanhavam no caixão. No meio do povo há agitação, gritos, prantos, e eis que nesse mesmo instante passa de repente na praça, ao lado da catedral, o próprio cardeal grande inquisidor. É um velho de quase noventa anos, alto e ereto, rosto ressequido e olhos fundos, mas nos quais um brilho ainda resplandece como uma centelha. Oh, ele não está com suas magníficas vestes de cardeal em que sobressaíra na véspera diante do povo quando se queimavam os inimigos da fé romana — não, nesse instante ele está apenas em seu velho e grosseiro hábito monacal. Seguem-no a certa distância seus tenebrosos auxiliares e escravos e a guarda "sagrada". Ele para diante da multidão e fica observando de longe. Viu tudo, viu o caixão sendo colocado aos pés dele, viu a menina ressuscitar, e seu rosto ficou sombrio. Franze as sobrancelhas grisalhas e bastas, seu olhar irradia um fogo funesto. Ele aponta o dedo aos guardas e ordena que O prendam. E eis que sua força é tamanha e o povo está tão habituado, submisso e lhe obedece com tanto tremor que a multidão se afasta imediatamente diante dos guardas e estes, em meio ao silêncio sepulcral que de repente se fez, põem as mãos n'Ele e o levam. Toda a multidão, como um só homem, prosterna-se momentaneamente, tocando o chão com a cabeça perante o velho inquisidor, este abençoa o povo em si-

[63] Ver Mateus, 9, 20-2. (N. da E.)

lêncio e passa ao lado. A guarda leva o Prisioneiro para uma prisão aperta-da, sombria e abobadada, que fica na antiga sede do Santo Tribunal, e O tranca ali. O dia passa, cai a noite quente, escura e "sem vida" de Sevilha. O ar "recende a louro e limão".[64] Em meio a trevas profundas abre-se de re-pente a porta de ferro da prisão e o próprio velho, o grande inquisidor, en-tra lentamente com um castiçal na mão. Está só; a porta se fecha imediata-mente após sua entrada. Ele se detém por muito tempo à entrada, um ou dois minutos, examina o rosto do Prisioneiro. Por fim se aproxima devagar, põe o castiçal numa mesa e Lhe diz: "És tu? Tu?". Mas, sem receber resposta, acrescenta rapidamente: "Não respondas, cala-te. Ademais, que poderias dizer? Sei perfeitamente o que irás dizer. Aliás, não tens nem direito de acres-centar nada ao que já tinhas dito. Por que vieste nos atrapalhar? Pois vieste nos atrapalhar e tu mesmo o sabes. Mas sabes o que vai acontecer amanhã? Não sei quem és e nem quero saber: és Ele ou apenas a semelhança d'Ele, mas amanhã mesmo eu te julgo e te queimo na fogueira como o mais perverso dos hereges, e aquele mesmo povo que hoje te beijou os pés, amanhã, ao meu primeiro sinal, se precipitará a trazer carvão para tua fogueira, sabias? É, é possível que o saibas" — acrescentou compenetrado em pensamentos, sem desviar um instante o olhar de seu prisioneiro.

— Ivan, não estou entendendo direito o que seja isso — sorriu Aliócha, que ouvira calado o tempo todo —, uma imensa fantasia ou algum equívo-co do velho, algum quiproquó impossível?

— Aceita ao menos este último — sorriu Ivan —, se já estás tão estra-gado pelo realismo atual que não consegues suportar nada fantástico; que-res um quiproquó, então que seja assim. Trata-se, é verdade — tornou a rir Ivan —, de um velho de noventa anos, e ele poderia ter enlouquecido há muito tempo com sua ideia. O prisioneiro poderia impressioná-lo com sua aparência. No fim das contas, isso poderia ser, é claro, um simples delírio, a visão de um velho de noventa anos diante da morte e ainda por cima exalta-do com o auto de fé e a queima dos cem hereges na véspera. Contudo, para nós dois não daria no mesmo se fosse um quiproquó ou uma imensa fanta-sia? Aí se tratava apenas de que o velho precisava desembuchar, de que, du-rante os seus noventa anos, ele finalmente falava e dizia em voz alta aquilo que calara durante todos esses noventa anos.

— E o prisioneiro, também se cala? Olha para o outro e não diz uma palavra?

— Sim, é como deve acontecer mesmo, em todos os casos — tornou a

---

[64] Citação modificada da tragédia O *visitante de pedra*, de Púchkin. (N. da E.)

sorrir Ivan. — O próprio velho lhe observa que ele não tem nem o direito de acrescentar nada ao que já dissera antes. Talvez esteja aí o traço essencial do catolicismo romano, ao menos em minha opinião: "tu, dizem, transferiste tudo ao papa, portanto, tudo hoje é da alçada do papa, e quanto a ti, ao menos agora não me apareças absolutamente por aqui, quando mais não seja não me atrapalhes antes do tempo". Eles não só falam como escrevem nesse sentido, os jesuítas pelo menos. Isso eu mesmo li nas obras de seus teólogos. "Terás o direito de nos anunciar ao menos um dos mistérios do mundo de onde vieste?" — pergunta-lhe meu velho, e ele mesmo responde: "Não, não tens, para que não acrescentes nada ao que já foi dito antes nem prives as pessoas da liberdade que tanto defendeste quando estiveste aqui na Terra. Tudo o que tornares a anunciar atentará contra a liberdade de crença dos homens, pois aparecerá como milagre, e a liberdade de crença deles já era para ti a coisa mais cara mil e quinhentos anos atrás. Não eras tu que dizias com frequência naquele tempo: 'Quero fazê-los livres'?[65] Pois bem, acabaste de ver esses homens 'livres' — acrescenta de súbito o velho com um risinho ponderado. — Sim, essa questão nos custou caro — continua ele, fitando-O severamente —, mas finalmente concluímos esse caso em teu nome. Durante quinze séculos nós nos torturamos com essa liberdade, mas agora isso está terminado, e solidamente terminado. Não acreditas que está solidamente terminado? Olhas com docilidade para mim e não me concedes sequer a indignação? Contudo, fica sabendo que hoje, e precisamente hoje, essas pessoas estão mais convictas do que nunca de que são plenamente livres, e entretanto elas mesmas nos trouxeram sua liberdade e a colocaram obedientemente a nossos pés. Mas isto fomos nós que fizemos; era isso, era esse tipo de liberdade que querias?"

— De novo não estou entendendo — interrompeu Aliócha —, ele está ironizando, está zombando?

— Nem um pouco. Ele está atribuindo justo a si e aos seus o mérito de finalmente terem vencido a liberdade e feito isto com o fim de tornar as pessoas felizes. "Porque só agora (ou seja, ele está falando evidentemente da Inquisição) se tornou possível pensar pela primeira vez na liberdade dos homens. O homem foi feito rebelde; por acaso os rebeldes podem ser felizes? Tu foste prevenido — diz-lhe —, não te faltaram avisos e orientações, mas não deste ouvido às prevenções, rejeitaste o único caminho pelo qual era possível fazer os homens felizes, mas por sorte, ao te afastares, transferiste a causa para nós. Tu prometeste, tu o confirmaste com tua palavra, tu nos deste

[65] Ver João, 8, 31-2. (N. da E.)

o direito de ligar e desligar[66] e, é claro, não podes sequer pensar em nos privar desse direito agora. Por que vieste nos atrapalhar?"

— O que quer dizer: não te faltavam prevenções e orientações? — perguntou Alióchá.

— Aí está o essencial do que o velho precisa dizer. "O espírito terrível e inteligente, o espírito da autodestruição e do nada — continuou o velho —, o grande espírito falou contigo no deserto, e nos foi transmitido nas escrituras que ele te haveria 'tentado'.[67] É verdade? E seria possível dizer algo de mais verdadeiro do que aquilo que ele te anunciou nas três questões, e que tu repeliste, e que nos livros é chamado de 'tentações'? Entretanto, se algum dia obrou-se na Terra o verdadeiro milagre fulminante, terá sido naquele mesmo dia, no dia das três tentações. Foi precisamente no aparecimento dessas três questões que consistiu o milagre. Se fosse possível pensar, apenas a título de teste ou exemplo, que aquelas três questões levantadas pelo espírito terrível tivessem sido eliminadas das escrituras e precisassem ser restauradas, repensadas e reescritas para serem reintroduzidas nos livros, e para isto tivéssemos de reunir todos os sábios da Terra — governantes, sacerdotes, cientistas, filósofos, poetas — e lhes dar a seguinte tarefa: pensem, inventem três questões que, além de corresponderem à dimensão do acontecimento, exprimam, ainda por cima, em três palavras, em apenas três frases humanas, toda a futura história do mundo e da humanidade — achas tu que toda a sapiência da Terra, tomada em conjunto, seria capaz de elaborar ao menos algo que, por força e profundidade, se assemelhasse àquelas três questões que naquele momento te foram realmente propostas por aquele espírito poderoso e inteligente no deserto? Ora, só por essas questões, só pelo milagre de seu aparecimento podemos compreender que não estamos diante da inteligência trivial do homem mas da inteligência eterna e absoluta. Porque nessas três questões está como que totalizada e vaticinada toda a futura história humana, e estão revelados os três modos em que confluirão todas as insolúveis contradições históricas da natureza humana em toda a Terra. Naquele tempo isso ainda não podia ser tão visível porque o futuro era desconhecido, mas hoje, quinze séculos depois, vemos que naquelas três questões tudo estava tão vaticinado e predito, e se justificou a tal ponto, que nada mais lhes podemos acrescentar ou diminuir.

"Resolve tu mesmo quem estava com a razão: tu ou aquele que naquele momento te interrogou? Lembra-te da primeira pergunta: mesmo não sen-

[66] Ver Mateus, 16, 18-9. (N. da E.)

[67] Ver Mateus, 4, 1-11. (N. da E.)

do literal, seu sentido é este: 'Queres ir para o mundo e estás indo de mãos vazias, levando aos homens alguma promessa de liberdade que eles, em sua simplicidade e em sua imoderação natural, sequer podem compreender, da qual têm medo e pavor, porquanto para o homem e para a sociedade humana nunca houve nada mais insuportável do que a liberdade! Estás vendo essas pedras neste deserto escalvado e escaldante? Transforma-as em pão e atrás de ti correrá como uma manada a humanidade agradecida e obediente, ainda que tremendo eternamente com medo de que retires tua mão e cesse a distribuição dos teus pães'. Entretanto, não quiseste privar o homem da liberdade e rejeitaste a proposta, pois pensaste: que liberdade é essa se a obediência foi comprada com o pão? Tu objetaste, dizendo que nem só de pão vive o homem, mas sabes tu que em nome desse mesmo pão terreno o espírito da Terra se levantará contra ti, combaterá contra ti e te vencerá, e todos o seguirão, exclamando: 'Quem se assemelha a essa fera, ela nos deu o fogo dos céus!'.[68] Sabes tu que passarão os séculos e a humanidade proclamará através da sua sabedoria e da sua ciência que o crime não existe, logo, também não existe pecado, existem apenas os famintos? 'Alimenta-os e então cobra virtudes deles!' — eis o que escreverão na bandeira que levantarão contra ti e com a qual teu templo será destruído. No lugar do teu templo será erigido um novo edifício, será erigida uma nova e terrível torre de Babel, e ainda que esta não se conclua, como a anterior, mesmo assim poderias evitar essa torre e reduzir em mil anos os sofrimentos dos homens, pois é a nós que eles virão depois de sofrerem mil anos com sua torre! Eles nos reencontrarão debaixo da terra, nas catacumbas em que nos esconderemos (porque novamente seremos objeto de perseguição e suplício), nos encontrarão e nos clamarão: 'Alimentai-nos, pois aqueles que nos prometeram o fogo dos céus não cumpriram a promessa'. E então nós concluiremos a construção de sua torre, pois a concluirá aquele que os alimentar, e só nós os alimentaremos em teu nome e mentiremos que é em teu nome que o fazemos. Oh, nunca, nunca se alimentarão sem nós! Nenhuma ciência lhes dará o pão enquanto eles permanecerem livres, mas ao cabo de tudo eles nos trarão sua liberdade e a porão a nossos pés, dizendo: 'É preferível que nos escravizeis, mas nos deem de comer'. Finalmente compreenderão que, juntos, a liberdade e o pão da terra em quantidade suficiente para toda e qualquer pessoa são inconcebíveis, pois eles nunca, nunca saberão dividi-los entre si! Também hão de persuadir-se de que nunca poderão ser livres porque são fracos, pervertidos, insignificantes e rebeldes. Tu lhes prometeste o pão dos céus, mas torno a re-

[68] Ver Apocalipse de João, 13, 4. (N. da E.)

petir: poderá ele comparar-se com o pão da terra aos olhos da tribo humana, eternamente impura e eternamente ingrata? E se em nome do pão celestial te seguirem milhares e dezenas de milhares, o que acontecerá com os milhões e dezenas de milhares de milhões de seres que não estarão em condições de desprezar o pão da terra pelo pão do céu? Ou te são caras apenas as dezenas de milhares de grandes e fortes, enquanto os outros milhões de fracos, numerosos como a areia do mar, mas que te amam, devem apenas servir de material para os grandes e fortes? Não, os fracos também nos são caros. São pervertidos e rebeldes, mas no fim das contas se tornarão também obedientes. Ficarão maravilhados conosco e nos considerarão deuses porque, ao nos colocarmos à frente deles, aceitamos suportar a liberdade e dominá-los — tão terrível será para eles estarem livres ao cabo de tudo! Mas diremos que te obedecemos e em Teu nome exercemos o domínio. Nós os enganaremos mais uma vez, pois não deixaremos que tu venhas a nós. É nesse embuste que consistirá nosso sofrimento, porquanto deveremos mentir. Foi isso que significou aquela primeira pergunta no deserto, e eis o que rejeitaste em nome de uma liberdade que colocaste acima de tudo. Aceitando os 'pães', haverias de responder a este tédio humano universal e eterno, tanto de cada ser individual quanto de toda a humanidade em seu conjunto: 'a quem sujeitar-se?'. Não há preocupação mais constante e torturante para o homem do que, estando livre, encontrar depressa a quem sujeitar-se. Mas o homem procura sujeitar-se ao que já é irrefutável, e irrefutável a tal ponto que de uma hora para outra todos os homens aceitam uma sujeição universal a isso. Porque a preocupação dessas criaturas deploráveis não consiste apenas em encontrar aquilo a que eu ou outra pessoa deve sujeitar-se, mas em encontrar algo em que todos acreditem e a que se sujeitem, e que sejam forçosamente *todos juntos*. Pois essa necessidade da *convergência* na sujeição é que constitui o tormento principal de cada homem individualmente e de toda a humanidade desde o início dos tempos. Por se sujeitarem todos juntos eles se exterminaram uns aos outros a golpes de espada. Criavam os deuses e conclamavam uns aos outros: 'Deixai vossos deuses e vinde sujeitar-se aos nossos, senão será a morte para vós e os vossos deuses!'. E assim será até o fim do mundo, mesmo quando os deuses também desaparecerem na Terra: seja como for, hão de prosternar-se diante dos ídolos. Tu o conhecias, não podias deixar de conhecer esse segredo fundamental da natureza humana, mas rejeitaste a única bandeira absoluta que te propuseram com o fim de obrigar que todos se sujeitassem incondicionalmente a ti — a bandeira do pão da terra, e a rejeitaste em nome da liberdade e do pão dos céus. Olha só o que fizeste depois. E tudo mais uma vez em nome da liberdade! Eu te digo que o homem não tem uma preocupação mais angustiante do que encontrar a quem entregar depressa aquela dádiva da liberdade com que esse ser infeliz nasce. Mas só domina a liberdade dos homens aquele que tranquiliza a sua consciência. Com o pão conseguirias uma bandeira incontestável: darias o pão, e o homem se sujeitaria, porquanto não há nada mais indiscutível do que o pão, mas se, ao mesmo tempo e ignorando-te, alguém lhe dominasse a consciência — oh, então ele até jogaria fora teu pão e seguiria aquele que seduzisse sua consciência. Nisto tinhas razão. Porque o segredo da existência humana não consiste apenas em viver, mas na finalidade de viver. Sem uma sólida noção da finalidade de viver o homem não aceitará viver e preferirá destruir--se a permanecer na Terra ainda que cercado só de pães. É verdade, mas vê em que deu isso: em vez de assenhorear-se da liberdade dos homens, tu a aumentaste ainda mais! Ou esqueceste que para o homem a tranquilidade e até a morte são mais caras que o livre-arbítrio no conhecimento do bem e do mal? Não existe nada mais sedutor para o homem que sua liberdade de consciência, mas tampouco existe nada mais angustiante. Pois em vez de fundamentos sólidos para tranquilizar para sempre a consciência humana, tu lançaste mão de tudo o que há de mais insólito, duvidoso e indefinido, lançaste mão de tudo o que estava acima das possibilidades dos homens, e por isso agiste como que sem nenhum amor por eles — e quem fez isto: justo aquele que veio dar a própria vida por eles! Em vez de assenhorear-se da liberdade dos homens, tu a multiplicaste e sobrecarregaste com seus tormentos o reino espiritual do homem para todo o sempre. Desejaste o amor livre do homem para que ele te seguisse livremente, seduzido e cativado por ti. Em vez da firme lei antiga,[69] doravante o próprio homem deveria resolver de coração livre o que é o bem e o que é o mal, tendo diante de si apenas a tua imagem como guia — mas será que não pensaste que ele acabaria questionando e renegando até tua imagem e tua verdade se o oprimissem com um fardo tão terrível como o livre-arbítrio? Por fim exclamarão que a verdade não está em ti, pois era impossível deixá-los mais ansiosos e torturados do que o fizeste quando lhes reservaste tantas preocupações e problemas insolúveis. Assim, tu mesmo lançaste as bases da destruição de teu próprio reino, e não culpes mais ninguém por isso. Entretanto, foi isso que te propuseram? Existem três forças, as únicas três forças na terra capazes de vencer e

[69] Por "firme lei antiga" subentende-se nessa passagem o Antigo Testamento, que regulamentava de modo rigoroso, em cada detalhe, a vida dos antigos hebreus. Quanto à nova lei, a lei de Cristo, consiste predominantemente no mandamento do amor. Ver Mateus, 5, 43-4. (N. da E.)

cativar para sempre a consciência desses rebeldes fracos para sua própria felicidade: essas forças são o milagre, o mistério e a autoridade. Tu rejeitaste a primeira, a segunda e a terceira e deste pessoalmente o exemplo para tal rejeição. Quando o terrível e sábio espírito te pôs no alto do templo e te disse: 'Se queres saber se és filho de Deus atira-te abaixo, porque está escrito que os anjos o susterão e o levarão, e que ele não tropeçará nem se ferirá, e então saberás se és filho de Deus e provarás qual é tua fé em teu pai',[70] tu, porém, após ouvi-lo rejeitaste a proposta e não cedeste nem te atiraste abaixo. Oh, é claro, aí foste altivo e esplêndido como um deus, mas os homens, essa fraca tribo rebelde — logo eles serão deuses? Oh, compreendeste então que com um único passo, com o simples gesto de te lançares abaixo, estarias incontinenti tentando o Senhor e perdendo toda a fé nele, e te arrebentarias contra a terra que vieste para salvar, e o espírito inteligente que te tentava se alegraria com isso. Mas, repito, existirão muitos como tu? E será que poderias mesmo admitir, ainda que por um minuto, que os homens também estariam em condição de enfrentar semelhante tentação? Terá a natureza humana sido criada para rejeitar o milagre, e em momentos tão terríveis de sua vida, momentos das perguntas mais terríveis, essenciais e torturantes de sua alma, ficar apenas com a livre decisão do seu coração? Oh, sabias que tua façanha se conservaria nos livros sagrados, atingiria a profundeza dos tempos e os últimos limites da terra, e nutriste a esperança de que, seguindo-te, o homem também estaria com Deus, sem precisar do milagre. Não sabias, porém, que mal rejeitasse o milagre, o homem imediatamente também renegaria Deus, porquanto o homem procura não tanto Deus quanto os milagres.[71] E como o homem não tem condições de dispensar os milagres, criará para si novos milagres, já seus, e então se curvará ao milagre do curandeirismo, ao feitiço das bruxas, mesmo que cem vezes tenha sido rebelde, herege e ateu. Não desceste da cruz quando te gritaram, zombando de ti e te provocando: 'Desce da cruz e creremos que és tu'. Não desceste porque mais uma vez não quiseste escravizar o homem pelo milagre e ansiavas pela fé livre e não pela miraculosa. Ansiavas pelo amor livre e não pelo enlevo servil do escravo diante do poderio que o aterrorizara de uma vez por todas. Mas até nisto tu fizeste dos homens um juízo excessivamente elevado, pois, é claro,

[70] Ver Mateus, 4, 5-6. (N. do T.)

[71] Pascal escreve: "Os milagres são mais importantes do que julgais: serviram à fundação e servirão à continuidade da Igreja até o Anticristo, até o fim... Eu não seria um cristão se não houvesse milagres" (Pascal, *Os pensadores*, XVI, tradução de Sérgio Milliet, pp. 267 ss., São Paulo, Abril Cultural, 1973). (N. da E.)

eles são escravos ainda que tenham sido criados rebeldes. Observa e julga, pois se passaram quinze séculos, vai e olha para eles: quem elevaste à tua altura? Juro, o homem é mais fraco e foi feito mais vil do que pensavas sobre ele! Pode, pode ele realizar o mesmo que realizas tu? Por estimá-lo tanto, agiste como se tivesses deixado de compadecer-se dele, porque exigiste demais dele — e quem fez isso foi o mesmo que o amou mais do que a si mesmo! Se o estimasses menos, menos terias exigido dele, e isto estaria mais próximo do amor, pois o fardo dele seria mais leve. Ele é fraco e torpe. Que importa se hoje ele se rebela em toda a parte contra nosso poder e se orgulha de rebelar-se? É o orgulho de uma criança e de um escolar. São crianças pequenas que se rebelaram na turma e expulsaram o mestre. Mas o êxtase das crianças também chegará ao fim, ele lhes custará caro. Elas destruirão os templos e cobrirão a terra de sangue. Mas essas tolas crianças finalmente perceberão que, mesmo sendo rebeldes, são rebeldes fracos que não aguentam a própria rebeldia. Banhadas em suas tolas lágrimas, elas finalmente se conscientizarão de que aquele que as criou rebeldes quis, sem dúvida, zombar delas. Isto elas dirão no desespero, e o que disserem será uma blasfêmia que as tornará ainda mais infelizes, porquanto a natureza humana não suporta a blasfêmia e ela mesma sempre acaba vingando-a. Pois bem, a intranquilidade, a desordem e a infelicidade — eis o que hoje constitui a sina dos homens depois que tu sofreste tanto por sua liberdade! Teu grande profeta diz, em suas visões e parábolas, que viu todos os participantes da primeira ressurreição e que eles eram doze mil por geração.[72] Mas se eram tantos, não eram propriamente gente, mas deuses. Eles suportaram tua cruz, suportaram dezenas de anos de deserto faminto e escalvado, alimentando-se de gafanhotos e raízes — e tu, é claro, podes apontar com orgulho esses filhos da liberdade, do amor livre, do sacrifício livre e magnífico em teu nome. Lembra-te, porém, de que eles eram apenas alguns milhares, e ainda por cima deuses; mas, e os restantes? E que culpa têm os outros, os restantes, os fracos, por não terem podido suportar aquilo que suportaram os fortes? Que culpa tem a alma fraca de não ter condições de reunir tão terríveis dons? Será que vieste mesmo destinado apenas aos eleitos e só para os eleitos? E se é assim, então aí existe um mistério e não conseguimos entendê-lo. Mas se é um mistério, então nós também estaríamos no direito de pregar o mistério e ensinar àquelas pessoas que o importante não é a livre decisão de seus corações nem o amor, mas o mistério, ao qual eles deveriam obedecer cegamente, inclusive contrariando suas consciências. Foi o que fizemos. Corrigimos

[72] Ver Apocalipse de João, 7, 4-8. (N. da E.)

Os irmãos Karamázov

tua façanha e lhe demos por fundamento o *milagre*, o *mistério* e a *autorida-de*. E os homens se alegraram porque de novo foram conduzidos como rebanho e finalmente seus corações ficaram livres de tão terrível dom, que tanto suplício lhes causara. Podes dizer se estávamos certos ensinando e agindo assim? Por acaso não amávamos a humanidade, ao reconhecer tão humildemente a sua impotência, aliviar com amor o seu fardo e deixar que sua natureza fraca cometesse ao menos um pecado, mas com nossa permissão? Por que achaste de aparecer agora para nos atrapalhar? E por que me fitas calado com esse olhar dócil e penetrante? Zanga-te, não quero teu amor porque eu mesmo não te amo. O que eu iria esconder de ti? Ou não sei com quem estou falando? Tudo o que tenho a te dizer já é de teu conhecimento, leio isso em teus olhos. Sou eu que escondo de ti nosso mistério? É possível que tu queiras ouvi-lo precisamente de meus lábios, então escuta: não estamos contigo, mas com *ele*, eis o nosso mistério! Faz muito tempo que já não estamos contigo, mas com *ele*,[73] já se vão oito séculos. Já faz exatos oito séculos que recebemos dele aquilo que rejeitaste com indignação, aquele último dom que ele te ofereceu ao te mostrar todos os reinos da Terra: recebemos dele Roma e a espada de César, e proclamamos apenas a nós mesmos como os reis da Terra, os únicos reis, embora até hoje ainda não tenhamos conseguido dar plena conclusão à nossa obra. Mas de quem é a culpa? Oh, até hoje isto não havia saído do esboço, mas já começou. Ainda resta esperar muito por sua conclusão, e a Terra ainda há de sofrer muito, mas nós o conseguiremos e seremos os Césares, e então pensaremos na felicidade universal dos homens. Entretanto, naquele momento ainda podias ter pegado a espada de César. Por que rejeitaste esse último dom? Aceitando esse terceiro conselho do poderoso espírito, tu terias concluído tudo que o homem procura na Terra, ou seja: a quem sujeitar-se, a quem entregar a consciência e como finalmente juntar todos no formigueiro comum, incontestável e solidário, porque a necessidade da união universal é o terceiro e o último tormento dos homens. A humanidade, em seu conjunto, sempre ansiou por uma organização forçosamente universal. Houve muitos grandes povos com uma grande história; no entanto, quanto mais elevados eram esses povos, mais infelizes, pois compreendiam mais intensamente que os outros a necessidade de união universal dos homens. Os grandes conquistadores, os Tamerlães e os Gengis Khan, passaram como um furacão pela Terra, procurando conquistar o universo, mas até eles traduziram, ainda que de forma inconsciente, a mesma grande

---

[73] Tem-se em vista a formação do Estado teocrático (que teve Roma como centro), do que resultou que o papa assumiu poder mundano. (N. da E.)

necessidade de união geral e universal experimentada pela humanidade. Se aceitasses o mundo e a púrpura de César, terias fundado o reino universal e dado a paz universal. Pois, quem iria dominar os homens senão aqueles que dominam suas consciências e detêm o seu pão em suas mãos? Nós tomamos a espada de César e, ao tomá-la, te renegamos, é claro, e o seguimos. Oh, ainda se passarão séculos de desmandos da livre inteligência, da ciência e da antropofagia deles, porque, tendo começado a erigir sem nós sua torre de Babel, eles terminarão na antropofagia. Mas nessa ocasião a besta rastejará até nós, lamberá nossos pés e nos borrifará com as lágrimas sangrentas que sairão de seus olhos. E montaremos na besta,[74] e ergueremos a taça, na qual estará escrito: 'Mistério!'. É aí, e só aí que chegará para os homens o reino da paz e da felicidade. Tu te orgulhas de teus eleitos, mas só tens eleitos, ao passo que nós damos tranquilidade a todos. Quantos desses eleitos, dos poderosos que poderiam se tornar eleitos, acabaram cansando de te esperar, levaram e ainda levarão as forças do seu espírito e o calor do seu coração para outro campo e terminarão por erguer sobre ti mesmo sua bandeira *livre*. Mas tu mesmo ergueste essa bandeira. Já sob nosso domínio todos serão felizes e não mais se rebelarão nem exterminarão uns aos outros em toda a parte, como sob tua liberdade. Oh, nós os persuadiremos de que eles só se tornarão livres quando nos cederem sua liberdade e se colocarem sob nossa sujeição. E então, estaremos com a razão ou mentindo? Eles mesmos se convencerão de que estamos com a razão, porque se lembrarão a que horrores da escravidão e da desordem tua liberdade os levou. A liberdade, a inteligência livre e a ciência os porão em tais labirintos e os colocarão perante tamanhos milagres e mistérios insolúveis que alguns deles, insubmissos e furiosos, exterminarão a si mesmos; outros, insubmissos porém fracos, exterminarão uns aos outros, e os restantes, fracos e infelizes, rastejarão até nossos pés e nos bradarão: 'Sim, os senhores estavam com a razão, os senhores são os únicos, só os senhores detinham o mistério d'Ele, estamos de volta para os senhores, salvem-nos de nós mesmos'. Ao receberem os pães de nossas mãos, eles, evidentemente, verão com clareza que os pães, que são seus, que eles conseguiram com as próprias mãos, nós os tomamos para distribuí-los entre eles sem qualquer milagre, verão que não transformamos pedras em pães e, em verdade,

---

[74] Ver Apocalipse de João, 13, 3-5; 17, 3-17. Na explicação do Grande Inquisidor, essa meretriz fantástica, que João descreve, foi substituída por ele e seus correligionários, isto é, a Igreja Católica. No *Diário de um escritor*, de março de 1876, Dostoiévski escreve: "Até hoje, ele (o catolicismo) entregou-se à devassidão apenas com os fortes da Terra e até ultimamente depositou neles suas esperanças". (N. da E.)

Os irmãos Karamázov

estarão mais alegres com o fato de receberem o pão de nossas mãos do que com o próprio pão! Hão de lembrar-se demais de que antes, sem nós, os próprios pães que eles mesmos obtiveram transformaram-se em pedras em suas mãos, e quando voltaram para nós as mesmas pedras se transformaram em pães. Apreciarão demais, demais o que significa sujeitar-se de uma vez por todas! E enquanto os homens não entenderem isto serão infelizes. Quem mais contribuiu para essa incompreensão, podes responder? Quem desmembrou o rebanho e o espalhou por caminhos desconhecidos? Mas o rebanho tornará a reunir-se e tornará a sujeitar-se, e agora de uma vez por todas. Então lhe daremos uma felicidade serena, humilde, a felicidade dos seres fracos, tais como eles foram criados. Oh, nós finalmente os persuadiremos a não se orgulharem, pois tu os encheste de orgulho e assim os ensinaste a ser orgulhosos; nós lhes demonstraremos que eles são fracos e que não passam de míseras crianças, mas que a felicidade infantil é mais doce de que qualquer outra. Eles se tornarão tímidos, e passarão a olhar para nós e a grudar-se a nós por medo, como pintinhos à galinha choca. Hão de surpreender-se e horrorizar-se conosco, e orgulhar-se de que somos tão poderosos e tão inteligentes que somos capazes de apaziguar um rebanho tão violento de milhares de milhões. Hão de tremer sem forças diante de nossa ira, suas inteligências ficarão intimidadas e seus olhos se encherão de lágrimas como os das crianças e mulheres, mas, a um sinal nosso, passarão com a mesma facilidade à distração e ao sorriso, a uma alegria radiosa e ao cantar feliz da infância. Sim, nós os faremos trabalhar, mas nas horas livres do trabalho organizaremos sua vida como um jogo de crianças, com canções infantis, coro e danças inocentes. Oh, nós lhes permitiremos também o pecado, eles são fracos e impotentes e nos amarão como crianças pelo fato de lhes permitirmos pecar. Nós lhes diremos que todo pecado será expiado se for cometido com nossa permissão; permitiremos que pequem, porque os amamos, e assumiremos o castigo por tais pecados; que seja. Nós o assumiremos e eles nos adorarão como benfeitores que assumiram seus pecados diante de Deus. E não haverá para eles nenhum segredo de nossa parte. Permitiremos ou proibiremos que vivam com suas mulheres e suas amantes, que tenham ou não tenham filhos — tudo a julgar por sua obediência —, e eles nos obedecerão felizes e contentes. Os mais angustiantes mistérios de sua consciência — tudo, tudo, eles trarão a nós, e permitiremos tudo, e eles acreditarão em nossa decisão com alegria porque ela os livrará também da grande preocupação e dos terríveis tormentos atuais de uma decisão pessoal e livre. E todos serão felizes, todos os milhões de seres, exceto as centenas de milhares que os governam. Porque só nós, nós que guardamos o mistério, só nós seremos infelizes. Haverá milhares de milhões

de crianças felizes e cem mil sofredores, que tomaram a si a maldição do conhecimento do bem e do mal. Morrerão serenamente, serenamente se extinguirão em teu nome, e no além-túmulo só encontrarão a morte.[75] Mas conservaremos o segredo e para felicidade deles os atrairemos com a recompensa celestial e eterna. Porquanto ainda que houvesse mesmo alguma coisa no outro mundo, isto, é claro, não seria para criaturas como eles. Dizem e profetizam que tu voltarás e tornarás a vencer,[76] voltarás com teus eleitos, com teus poderosos e orgulhosos, mas diremos que estes só salvaram a si mesmos, enquanto nós salvamos todos. Dizem que será infamada a meretriz[77] que está montada na besta e mantém em suas mãos o *mistério*, que os fracos voltarão a rebelar-se, que destroçarão o seu manto e lhe desnudarão o corpo 'nojento'. Mas eu me levantarei na ocasião e te apontarei os milhares de milhões de crianças felizes que não conheceram o pecado. E nós, que assumimos os seus pecados para a felicidade deles, nós nos postaremos à tua frente e te diremos: 'Julga-nos se podes e te atreves'. Sabes que não te temo. Sabes que também estive no deserto, que também me alimentei de gafanhotos e raízes, que também bendisse a liberdade com a qual tu abençoaste os homens, e me dispus a engrossar o número de teus eleitos, o número dos poderosos e fortes ansiando 'completar o número'. Mas despertei e não quis servir à loucura. Voltei e me juntei à plêiade daqueles que *corrigiram tua façanha*. Abandonei os orgulhosos e voltei para os humildes, para a felicidade desses humildes. O que eu estou te dizendo acontecerá e nosso reino se erguerá. Repito que amanhã verás esse rebanho obediente, que ao primeiro sinal que eu fizer passará a arrancar carvão quente para tua fogueira, na qual vou te queimar porque voltaste para nos atrapalhar. Porque se alguém mereceu nossa fogueira mais do que todos, esse alguém és tu. Amanhã te queimarei. *Dixi*."[78]

Ivan parou. Ficara acalorado ao falar, e falou com entusiasmo; quando terminou deu um súbito sorriso.

---

[75] Segundo Leonid Grossman, um dos maiores estudiosos de Dostoiévski, essas palavras do Grande Inquisidor são um eco de um sonho fantástico que aparece no romance de Jean Paul, *Blumen- Frucht- und Dornenstücke oder Ehestand, Tod und Hochzeit des Armenadvokaten F. St. Siebenkäs*, de 1796-1797, no qual Cristo se dirige aos mortos que se levantaram de seus túmulos, afirmando que Deus não existe e que, sem ele, os homens estão condenados a se sentirem sós e tragicamente abandonados. (N. da E.)

[76] Ver Mateus, 24, 30; Apocalipse de João, 12, 7-11; 17, 14; 19, 19-21. (N. da E.)

[77] Ver Apocalipse de João, 17, 15-6; 19, 1-3. (N. da E.)

[78] "Assim eu disse", em latim. (N. do T.)

Aliócha, que o ouvira em silêncio e tentara muitas vezes interromper o irmão mas visivelmente se contivera, ao cabo de tudo e levado por uma emoção excepcional começou de repente a falar, como se se projetasse de seu lugar.

— Mas... isso é um absurdo! — bradou, corando. — Teu poema é um elogio a Jesus e não uma injúria... como o querias. E quem vai acreditar em teu argumento a respeito da liberdade? Será assim, será assim que devemos entendê-la? Será esse o conceito que vigora na ortodoxia?... Isso é coisa de Roma, e mesmo assim não de toda Roma, isso não é verdade — é o que há de pior no catolicismo, é coisa de inquisidores, de jesuítas!... Além disso, é absolutamente impossível haver um tipo fantástico como esse teu inquisidor. Que pecados dos homens são esses que eles assumiram? Que detentores do mistério são esses que assumiram uma maldição qualquer para salvar os homens? Onde já se viu tipos assim? Conhecemos os jesuítas, fala-se mal deles, mas serão assim como estão em teu poema? Não são nada disso, nada disso... São apenas o exército de Roma para o futuro reino universal na Terra, com o imperador — o pontífice de Roma à frente... Esse é o ideal deles, mas sem quaisquer mistérios e tristeza sublime... O mais simples desejo de poder, dos sórdidos bens terrenos, da escravização... uma espécie de futura servidão para que eles se tornem latifundiários... eis tudo o que eles têm em mente. Talvez eles nem acreditem em Deus. Teu inquisidor sofredor é mera fantasia...

— Bem, para, para — ria Ivan —, como ficaste exaltado. Uma fantasia, dizes, vá lá! É claro que é uma fantasia. Mas permite: será que tu achas mesmo que todo esse movimento católico dos últimos séculos é de fato mera vontade de poder que só visa a bens sórdidos? Não terá sido o padre Paissi quem te ensinou isso?

— Não, não, ao contrário, o padre Paissi disse uma vez algo até parecido com o teu argumento... mas é claro que não é a mesma coisa, não tem nada disso — apercebeu-se subitamente Aliócha.

— Contudo, essa é uma informação preciosa, apesar do teu "nada disso". Eu te pergunto precisamente por que teus jesuítas inquisidores teriam se unido visando unicamente a deploráveis bens materiais. Por que entre eles não poderia aparecer nenhum sofredor, atormentado pela grande tristeza, e que amasse a humanidade? Supõe que entre esses que só desejam bens materiais e sórdidos tenha aparecido ao menos um — ao menos um como meu velho inquisidor, que comeu pessoalmente raízes no deserto e desatinou tentando vencer a própria carne para se tornar livre e perfeito, mas, não obstante, depois de passar a vida inteira amando a humanidade, de repente lhe deu o estalo e ele percebeu que é bem reles o deleite moral de atingir a perfeição da vontade para certificar-se ao mesmo tempo de que para os milhões de outras criaturas de Deus sobrou apenas o escárnio, de que estas nunca terão condições de dar conta de sua liberdade, de que míseros rebeldes nunca virarão gigantes para concluir a torre, de que não foi para esses espertalhões que o grande idealista sonhou a sua harmonia. Após compreender tudo isso, ele voltou e juntou-se... aos homens inteligentes. Será que isso não podia acontecer?

— A quem se juntou, a que homens inteligentes? — exclamou Aliócha quase entusiasmado. — Nenhum deles tem semelhante inteligência nem tais mistérios e segredos... Todo o segredo deles se resume unicamente ao ateísmo. Teu inquisidor não crê em Deus, eis todo o seu segredo!

— Vá lá que seja! Até que enfim adivinhaste. E de fato é assim, de fato é só nisso que está todo o segredo, mas por acaso isso não é sofrimento, ainda que seja para uma pessoa como ele, um homem que destruiu toda a sua vida numa façanha no deserto e não se curou do amor à humanidade? No crepúsculo de seus dias ele se convence claramente de que só os conselhos do grande e terrível espírito poderiam acomodar numa ordem suportável os rebeldes fracos, "as criaturas experimentais inacabadas, criadas por escárnio". Pois bem, convencido disto ele percebe que precisa seguir a orientação do espírito inteligente, do terrível espírito da morte e da destruição, e para tanto adotar a mentira e o embuste e conduzir os homens já conscientemente para a morte e a destruição, e ademais enganá-los durante toda a caminhada, dando um jeito de que não percebam aonde estão sendo conduzidos e ao menos nesse caminho esses míseros cegos se achem felizes. E repare, o embuste é em nome daquele em cujo ideal o velho acreditara apaixonadamente durante toda a sua vida! Acaso isso não é infelicidade? E se ao menos um homem assim aparecesse à frente de todo esse exército "com sede de poder voltado apenas para os bens sórdidos", será que isso só já não bastaria para provocar uma tragédia? E mais: basta um tipo assim à frente para que apareça finalmente a verdadeira ideia guia de toda a causa romana, com todos os seus exércitos e jesuítas, a ideia suprema dessa causa. Eu te digo francamente que tenho a firme convicção de que esse tipo singular de homem nunca rareou entre os que dirigiam o movimento. Vai ver que esses seres únicos existiram também entre os pontífices romanos. Quem sabe esse maldito velho, que ama a humanidade com tanta obstinação e de modo tão pessoal, talvez exista até hoje corporificado em toda uma plêiade de muitos velhos únicos como ele, e sua existência não seja nada fortuita mas algo consensual, uma organização secreta criada há muito tempo para conservar o mistério, protegê-lo dos homens infelizes e fracos com o fim de torná-los felizes. Isso existe forçosamente, e aliás deve existir. Tenho a impressão de que até nos fundamentos da maçonaria existe algo similar a esse mistério, e por isso os católicos odeiam tanto os maçons, vendo neles concorrentes e o fracionamento da unidade das ideias, quando deve existir um só rebanho e um só pastor... Aliás, ao defender meu pensamento pareço um autor que não suportou a tua crítica. Chega desse assunto.

— Talvez tu mesmo sejas um maçom! — deixou escapar Aliócha. — Tu não crês em Deus — acrescentou ele, mas já com uma tristeza extraordinária. Além disso, pareceu-lhe que o irmão o fitava com ar de galhofa. — Como é que termina o teu poema? — perguntou de repente, olhando para o chão. — Ou ele não está concluído?

— Eu queria terminá-lo assim: quando o inquisidor calou-se, ficou algum tempo aguardando que o prisioneiro lhe respondesse. Para ele era pesado o silêncio do outro. Via como o prisioneiro o escutara o tempo todo com ar convicto e sereno, fitando-o nos olhos e, pelo visto, sem vontade de fazer nenhuma objeção. O velho queria que o outro lhe dissesse alguma coisa ainda que fosse amarga, terrível. Mas de repente ele se aproxima do velho em silêncio e calmamente lhe beija a exangue boca de noventa anos. Eis toda a resposta. O velho estremece. Algo estremece na comissura de seus lábios; ele vai à porta, abre-a e diz ao outro: "Vai e não voltes mais... Não voltes em hipótese nenhuma... nunca, nunca!". E o deixa sair para as "ruas largas e escuras da urbe". O prisioneiro vai embora.

— E o velho?

— O beijo lhe arde no coração, mas o velho se mantém na mesma ideia.

— E tu igualmente, tu? — exclamou Aliócha amargamente. Ivan deu uma risada.

— Ora, mas isso é um absurdo, Aliócha, isso é apenas um poema inepto de um estudante inepto que nunca compôs dois versos. Por que tomas isso tão a sério? Não estarás pensando que vou agora mesmo para lá, me juntar aos jesuítas, a fim de engrossar a plêiade dos homens que corrigem a façanha d'Ele? Oh, Deus, que tenho a ver com isso! Eu já te disse: quero apenas chegar aos trinta anos, e então quebro o cálice no chão!

— E as folhinhas pegajosas, e os cemitérios queridos, e o céu azul, e a mulher amada? Como hás de viver, de que irás viver? — exclamou Aliócha com amargura. — Acaso isso é possível com semelhante inferno no peito e na cabeça? Não, tu mesmo irás para te juntar a eles... e se não, tu te matarás, pois não suportarás!

— Existe uma força que suporta tudo! — proferiu Ivan com o sorriso já frio.

— Que força é essa?

— A dos Karamázov... a força karamazoviana da baixeza.

— Afundar na devassidão, esmagar a alma na depravação, é isso, é isso?

— Pode até ser isso... Só que até os trinta anos, talvez, eu o evite, mas então...

— Como evitarias? De que jeito evitarias? Isso é impossível com tuas ideias.

— Mais uma vez do jeito dos Karamázov.

— Isso porque "tudo é permitido"? Tudo é permitido, é isso, é isso?

Ivan franziu o cenho e súbito ficou meio pálido.

— Ah, estás fazendo tuas aquelas palavras ditas ontem, que deixaram Miússov tão ofendido... e que o irmão Dmitri se precipitou em discutir tão ingenuamente? — deu um risinho contrafeito. — Sim, é possível: "tudo é permitido", já que a palavra foi pronunciada. Não o renego. Aliás, a redação que Mítienka lhes deu não é má.

Alıócha o fitava calado.

— Meu irmão, ao partir eu achava que tinha no mundo ao menos a ti — proferiu subitamente Ivan com inesperada emoção —, mas agora vejo que nem em teu coração tenho lugar, meu querido eremita. Não renego a fórmula "tudo é permitido", mas tu me renegas por isto, não é, não é?

Alíócha levantou-se, chegou-se a ele e, calado, beijou-lhe suavemente os lábios.

— Plágio literário! — bradou Ivan passando de repente a certo entusiasmo — tu roubaste isto do meu poema! Mas fico grato. Levanta-te, Alíócha, vamos indo, já está na hora para ti e para mim.

Saíram, mas pararam à entrada da taverna.

— Vê só, Alíócha — pronunciou Ivan com voz firme —, se eu realmente tenho forças para gostar das folhinhas pegajosas, hei de amá-las só ao me lembrar de ti. Para mim basta que tu existas em algum lugar, e não perderei a vontade de viver. Isto te basta? Se quiseres, toma isto ao menos por uma declaração de amor. Mas agora tu vais para a direita e eu para a esquerda — e basta, ouve, basta. Ou seja, se eu não partir amanhã (parece que a partida é certa) e nós nos encontrarmos de novo, não toques mais nesse assunto comigo. Insisto no pedido. E a respeito de nosso irmão Dmitri também, te peço em particular que não toques no assunto comigo nunca mais — acrescentou com súbita irritação —, está tudo esgotado, tudo já foi dito, não é? De minha parte também te prometo uma coisa: quando aí pela casa dos trinta eu resolver "atirar o cálice contra o chão", onde quer que estejas aparecerei mais uma vez para falar de tudo contigo... Virei ainda que seja da América,

Os irmãos Karamázov

365

fica tu sabendo. Virei de propósito. Será muito interessante te ver nesse momento: como estarás então? Como vês, uma promessa bastante solene. Mas na verdade é possível que estejamos dizendo adeus por uns sete, talvez dez anos. Bem, vai agora para o teu *Pater Seraphicus*,[79] pois ele está morrendo; se morrer sem ti, talvez fiques zangado porque te retive. Até logo, beija-me outra vez, assim, e vai...

De repente Ivan deu meia-volta e tomou seu caminho sem olhar para trás. Parecia o irmão Dmitri se afastando de Aliócha na véspera, embora ali a situação fosse bem diferente. Essa estranha observação passou como uma flecha pela mente triste de Aliócha, triste e nesse instante dorida. Ele esperou um pouco, acompanhando o irmão que se afastava. Por algum motivo reparou de repente que o irmão Ivan estava com o andar meio vacilante e que seu ombro direito, visto de trás, parecia mais baixo que o esquerdo. Nunca o observara antes. Mas logo ele também deu meia-volta e saiu quase correndo para o mosteiro. Já escurecia muito e ele estava quase com medo; crescia-lhe no íntimo algo novo, para o que ele não tinha resposta. Como na véspera, o vento soprou e os pinheiros seculares começaram seu ruído soturno ao redor quando ele penetrou no bosquezinho do eremitério. Quase corria. "'*Pater Seraphicus*' — de onde ele tirou esse nome, de onde? — passou pela cabeça de Aliócha. — Ivan, pobre Ivan, quando te verei agora... Aí está o eremitério, meu Deus! Sim, sim, é ele, é o *Pater Seraphicus*, é ele que vai me salvar... dele e para sempre!"

Mais tarde, várias vezes em sua vida ficou muito perplexo ao relembrar que, depois de despedir-se de Ivan, fora capaz de esquecer de maneira tão rápida e completa o irmão Dmitri, que naquela manhã, apenas algumas horas antes, ele decidira encontrar a qualquer custo e não ir embora sem consegui-lo, ainda que tivesse de não voltar ao mosteiro naquela noite.

VI. AINDA MUITO OBSCURO

Ivan Fiódorovitch, porém, depois de se despedir de Aliócha, rumou para casa, a casa de Fiódor Pávlovitch. Mas, coisa estranha, assaltou-o subitamente uma melancolia insuportável, e o pior é que ela aumentava cada vez mais e mais a cada passo que ele dava ao aproximar-se da casa. O estranho não estava na melancolia, mas em que não havia meio de Ivan Fiódorovitch defi-

---

[79] Segundo alguns estudiosos da obra de Dostoiévski, "*Pater Seraphicus*" remonta à cena final da segunda parte do *Fausto*, de Goethe. (N. da E.)

nir em que ela consistia. Antes já lhe acontecera cair frequentemente em melancolia e não era de admirar que ela o assaltasse em um momento como esse, quando, depois de romper com tudo que o havia atraído para esse lugar, ele se preparava para dar, no dia seguinte, mais uma brusca guinada e enveredar por um caminho novo, totalmente desconhecido e mais uma vez completamente só e, como antes, cheio de esperança mas sem saber em quê, esperando muito, esperando demais da vida, sem, no entanto, conseguir ele mesmo definir nada do que havia em suas expectativas ou em seus desejos. E ainda assim, embora nesse instante o desânimo com o novo e o desconhecido estivesse efetivamente em sua alma, não era nada disso que o angustiava. "Não seria aversão à casa de meu pai? — pensou consigo. — Parece que é isso, de tão enojado que estou, e embora hoje eu atravesse pela última vez esse limiar abominável, mesmo assim dá nojo..." Mas não, também não era isso. Não terá sido a despedida de Aliócha e aquela conversa com ele? "Tantos anos calando com o mundo inteiro e sem me dignar de falar, e de repente essa profusão de disparates." De fato, poderia ser um desalento de jovem, de uma inexperiência jovem e de uma vaidade jovem, o desalento por não ter conseguido exprimir-se e ainda mais com uma criatura como Aliócha, em quem seu coração acalentava indubitavelmente tantas expectativas. É claro que havia também isso, ou seja, esse desalento, e era forçoso que devesse existir, mas também não era isso, não era nada disso. "É um desalento de dar náusea, mas não estou em condições de definir o que quero. Talvez seja o caso de não pensar..."

Ivan Fiódorovitch esboçou uma tentativa de "não pensar", mas isso também não podia ajudar. O pior é que era um desalento irritante, e irritante porque tinha um aspecto fortuito, absolutamente externo; e isso ele percebia. Em algum recanto algo ou alguém se insinuava, como às vezes algo se insinua diante dos nossos olhos mas demoramos a percebê-lo porque estamos envolvidos com alguma atividade ou numa conversa acalorada, e entretanto ficamos visivelmente irritados, quase atormentados, até que finalmente nos ocorre afastar o objeto impróprio, amiúde muito vago e ridículo — uma coisa qualquer esquecida fora do lugar, um lenço que caiu no chão, um livro não colocado no armário, etc., etc. Por fim Ivan Fiódorovitch chegou à casa do pai no estado de espírito mais abominável e irascível e, súbito, a uns quinze passos do portão, uma olhada para a entrada o fez dar-se conta daquilo que tanto o torturava e inquietava.

Instalado em um banco junto à entrada o criado Smierdiakóv tomava o ar fresco da tardinha, e no primeiro olhar que lhe lançou, Ivan Fiódorovitch compreendeu que o criado Smierdiakóv estava instalado também em sua alma, e que era justamente esse homem que sua alma não conseguia suportar. De repente tudo se iluminou, ganhou clareza. Ainda há pouco, após ouvir Aliócha relatar seu encontro com Smierdiakóv, algo sombrio e detestável lhe penetrou repentinamente no coração e o fez reagir com uma raiva imediata. Depois, durante sua conversa com Aliócha, Smierdiakóv caiu provisoriamente no esquecimento, mas, não obstante, permaneceu em sua alma, e mal Ivan Fiódorovitch se despediu de Aliócha e tomou sozinho o caminho de casa, aquela sensação esquecida começou a voltar rapidamente à tona. "Será que esse reles patife pode me deixar intranquilo a esse ponto?" — pensou com uma raiva insuportável.

Acontece que Ivan Fiódorovitch realmente se enchera de antipatia por esse homem nos últimos tempos e sobretudo nos últimos dias. Chegara até a notar esse quase ódio crescente por essa criatura. É possível que o ódio tivesse chegado a tal exacerbação justamente por ter acontecido algo bem diferente no início, logo após a chegada de Ivan Fiódorovitch. Naquela ocasião, Ivan Fiódorovitch teria demonstrado alguma simpatia particular e repentina por Smierdiakóv, até o achara bastante original. O próprio Ivan habituara Smierdiakóv a conversar com ele, mas sempre se admirava de certa inépcia, ou melhor, de certa intranquilidade da inteligência dele, e não entendia o que poderia incomodar tão constante e obsessivamente "esse contemplador". Conversavam sobre questões filosóficas e até sobre o motivo por que a luz brilhou no primeiro dia quando o sol, a lua e as estrelas foram feitos apenas no quarto dia, e como se devia interpretar isso; mas Ivan Fiódorovitch logo se convenceu de que a questão nada tinha a ver com o sol, a lua e as estrelas, e de que o sol, a lua e as estrelas, ainda que fossem objeto de curiosidade, não tinham nenhuma importância para Smierdiakóv, e de que este precisava de algo totalmente diverso. Se era assim ou assado, de qualquer forma começava a manifestar-se e denunciar-se um amor-próprio infinito, e ademais um amor-próprio ofendido. Ivan Fiódorovitch não gostou nada disso. Foi daí que começou sua aversão a Smierdiakóv. Mais tarde começaram as querelas, Grúchenka apareceu, vieram as histórias com o irmão Dmitri, a azáfama — os dois conversavam também sobre isso, e ainda que Smierdiakóv sempre abordasse esse assunto com grande inquietação, mais uma vez não havia nenhum meio de descobrir o que ele queria mesmo com isso. Era até de admirar a falta de lógica e a desordem de alguns desejos seus, que vinham involuntariamente à tona e sempre eram igualmente obscuros. Smierdiakóv não parava de interrogar, fazia perguntas indiretas, evidentemente premeditadas mas sem explicar seu fim, e nos momentos mais acalorados de suas inquirições costumava calar-se de chofre ou mudar totalmen-

te de assunto. Mas o principal, que acabou deixando Ivan Fiódorovitch definitivamente irritado e infundiu-lhe essa aversão, foi a familiaridade detestável e especial que Smierdiakóv passou a revelar intensamente em relação a ele, e que só aumentava com o passar do tempo. Não é que ele se permitisse ser descortês, ao contrário, falava sempre com um respeito extraordinário, mas, não obstante, a questão se colocou de tal maneira que, enfim, Smierdiakóv passou visivelmente a se considerar, sabe Deus por quê, como que solidário com Ivan Fiódorovitch, falava sempre em um tom que dava a impressão de que entre os dois já havia algo combinado e como que secreto, algo um dia pronunciado por ambas as partes, só do conhecimento dos dois, incompreensível até para os outros mortais que gravitavam em torno deles. Entretanto, mesmo diante dessas circunstâncias Ivan Fiódorovitch ficou muito tempo sem entender a verdadeira causa de sua crescente aversão, e finalmente, só bem nos últimos dias, conseguiu adivinhar em que consistia a questão. Tomado de uma sensação de nojo e irritação, quis atravessar o portão calado e sem olhar para Smierdiakóv, mas Smierdiakóv se levantou do banco e só por esse gesto Ivan Fiódorovitch adivinhou de estalo que o outro desejava ter uma conversa especial com ele. Ivan Fiódorovitch o fitou e parou, e o fato de ter parado de súbito e não seguido adiante, como o desejava ainda um minuto antes, até o fez tremer de raiva. Olhava com ira e repulsa para a macilenta fisionomia de eunuco de Smierdiakóv, com seu cabelo penteado para os lados e o pequeno topete engomado. O olho esquerdo levemente apertado piscava e ria, como se dissesse: "Aonde pensas que vais, não vais passar assim, vê que nós dois, homens inteligentes, temos muito que conversar". Ivan Fiódorovitch estremeceu:

"Fora, patife, eu lá sou companhia para ti, imbecil?!" — ia-lhe escapando da boca, mas para sua enorme surpresa escapou-lhe algo completamente diverso:

— Então, meu pai está dormindo ou já acordou? — pronunciou em tom baixo e resignado, inesperadamente para si mesmo, e súbito, também de modo inteiramente inesperado, sentou-se no banco. Por um instante quase se sentiu aterrorizado, disso se lembraria mais tarde. Smierdiakóv estava postado defronte, com as mãos para trás e olhando-o cheio de confiança, quase com severidade.

— Ainda está dormindo — pronunciou sem pressa. ("Ele, pensa, foi o primeiro a falar, e não eu.") — Eu me admiro do senhor — acrescentou, depois de uma pausa, baixando os olhos num gesto meio amaneirado, avançando a perna direita e brincando com o biquinho do sapato envernizado.

— Por que te admiras de mim? — disse Ivan Fiódorovitch com voz entrecortada e severa, fazendo todos os esforços para se conter, e compreendeu com nojo que experimentava uma fortíssima curiosidade e que não sairia dali por nada enquanto não a satisfizesse.

— Por que se recusa a ir a Tchermachniá, senhor? — Smierdiakóv alçou de súbito os olhinhos e sorriu de um jeito familiar. "Já o motivo por que eu sorri tu mesmo deves entender, se és um homem inteligente" — era como se dissesse seu olhinho esquerdo entrefechado.

— Por que eu iria a Tchermachniá? — admirou-se Ivan Fiódorovitch. Smierdiakóv tornou a calar.

— Até o próprio Fiódor Pávlovitch lhe implorou isso — proferiu finalmente, sem pressa, e como se não desse importância a essa resposta: "limito-me a um motivo insignificante, só para dizer alguma coisa".

— Oh, diabos, fala com mais clareza, o que estás querendo? — bradou finalmente Ivan Fiódorovitch tomado de ira, passando da resignação à grosseria.

Smierdiakóv juntou a perna direita à esquerda, retesou-se, mas continuou olhando com a mesma tranquilidade e o mesmo sorrisinho.

— Não é nada importante... Falei por falar, para dar azo à conversa...

Voltou o silêncio. Calaram-se por quase um minuto. Ivan Fiódorovitch sabia que devia se levantar nesse instante e zangar-se, mas Smierdiakóv estava postado à sua frente como que esperando: "Eu só quero ver se vais ou não te zangar!". Ao menos foi essa a impressão de Ivan Fiódorovitch. Por fim ele fez um movimento vacilante para se levantar. Smierdiakóv captou o instante com precisão.

— Estou numa situação terrível, Ivan Fiódorovitch, não sei nem como encontrar saída — pronunciou subitamente com voz firme e pausada, e suspirou com a última palavra. Ivan Fiódorovitch tornou a sentar-se incontinenti.

— Os dois são totalmente extravagantes, os dois chegaram ao máximo da criancice — continuou Smierdiakóv. — Estou falando de seu pai e de seu irmãozinho Dmitri Fiódorovitch. Pois bem, ele, Fiódor Pávlovitch, vai se levantar agora e começar a me atazanar a cada instante: "Por que ela não veio? Por que razão não veio?" — e assim até a meia-noite, até depois da meia-noite. E se Agrafiena Alieksándrovna não vier (porque talvez não tenha nenhuma intenção de aparecer algum dia por aqui), amanhã de manhã tornará a investir contra mim: "Por que ela não veio? Por que motivo não veio, quando virá?" — como se eu tivesse alguma culpa por isso. Por outro lado, é nesse pé que está a coisa: assim que anoitecer, e até antes, seu irmãozinho vai aparecer de arma na mão aqui na vizinhança, falando para mim: "Vê lá, velhaco, rato de cozinha: se a deixares entrar e não me fizeres saber que veio

Os irmãos Karamázov

371

eu te mato antes de matar o outro". Passará a noite, e de manhã também ele, como Fiódor Pávlovitch, começará a me atormentar: "Por que ela não veio, será que vai aparecer logo?" — e mais uma vez vou ficar como se tivesse alguma culpa perante ele pelo não comparecimento de sua senhora. E os dois vêm ficando tão mais zangados a cada dia e a cada hora que às vezes penso em me suicidar só de medo. Senhor, não confio neles.

— E por que te intrometes? Por que ficas nesse leva e traz com Dmitri Fiódorovitch? — pronunciou Ivan Fiódorovitch com irritação.

— E como eu não haveria de me intrometer? Ora, eu nunca me meteria absolutamente, se o senhor quer saber com plena precisão. Desde o início fiquei sempre calado, sem me atrever a fazer nenhuma objeção, ele mesmo me fixou aqui como seu criado Lichard.[80] Desde então só sabe dizer uma coisa: "Eu te mato, velhaco, se omitires a vinda dela!". Suponho como coisa certa, senhor, que amanhã terei um longo ataque de epilepsia.

— Que longo ataque de epilepsia é esse?

— Um longo ataque, extraordinariamente longo. De algumas horas, talvez dure um dia ou dois. Uma vez tive um desses ataques que durou três dias, na ocasião caí do sótão. Parava de me sacudir, depois recomeçava; durante três dias não consegui recobrar a consciência. Fiódor Pávlovitch mandou chamar Herzenstube, o médico daqui, ele mandou botar gelo nas têmporas e usou mais um remédio... Eu podia ter morrido.

— Ora, dizem que não se pode prever um ataque epilético, que ele acontecerá em uma hora determinada. Então como é que tu dizes que terás um amanhã? — quis saber Ivan Fiódorovitch com uma curiosidade particular e irascível.

— É exato que não se pode prever.

— E ainda por cima da outra vez caíste do sótão.

— Todos os dias eu subo ao sótão, posso cair de lá até amanhã. Se não for do sótão, posso cair na adega, também vou todos os dias à adega por necessidade.

[80] Segundo os organizadores das notas à edição russa de *Os irmãos Karamázov*, Lichard é criado do rei Guido na *Novela do príncipe Bovet* (ou Buvet), que apareceu traduzida na Rússia em meados do século XVI e ganhou ampla divulgação em forma escrita e oral. A partir de meados do século XVIII, a novela se tornou uma das obras mais populares da chamada *lubótchnaia literatura*, isto é, literatura impressa em moldes de tília (*lubok*), muito semelhante ao processo de impressão da nossa literatura de cordel. Segundo a *Krátkaia literatúrnaia entsiklopédia* (Breve enciclopédia de literatura), a *Novela do príncipe Bovet* é uma reformulação eslava oriental de um romance medieval de cavalaria homônimo, conhecido na França, Inglaterra, Itália e outros países europeus. A referência que faz Smierdiakóv vem seguramente da tradição oral. (N. do T.)

Ivan Fiódorovitch olhou longamente para ele.

— Estás tramando alguma coisa, estou vendo, e não estou te entendendo direito — disse em tom baixo, mas de um jeito ameaçador —, estarás querendo simular amanhã um ataque de três dias, hein?

Smierdiakóv, que olhava para o chão e voltara a brincar com o biquinho do sapato direito, repôs a perna direita no lugar, avançou em vez dela a perna esquerda, levantou a cabeça e pronunciou com um risinho:

— Se eu até pudesse fazer essa coisa, ou seja, simular, e como uma pessoa experiente não teria nenhuma dificuldade de fazê-lo, então também neste caso eu estaria em meu pleno direito de usar esse recurso para salvar minha vida; porque quando eu estiver acamado, mesmo que Agrafiena Alieksándrovna venha visitar o pai dele, ele não poderá cobrar a um homem doente: "Por que não me avisou?". Ele mesmo sentiria vergonha.

— Arre, diabos! — Ivan se levantou de chofre com o rosto crispado de raiva. — Por que sempre esse medo por tua vida! Todas essas ameaças do meu irmão Dmitri são apenas rompantes e nada mais. Ele não te matará; matará, mas não a ti!

— Matará como se mata uma mosca, e a mim em primeiro lugar. Mas eu temo ainda mais outra coisa: que venham me considerar seu cúmplice quando ele cometer esse absurdo contra o pai.

— Por que haveriam de te considerar cúmplice?

— Vão me considerar cúmplice porque eu revelei a ele em grande segredo aqueles sinais.

— Que sinais? A quem revelaste? O diabo que te carregue, fala mais claro!

— Devo confessar inteiramente — arrastou Smierdiakóv com uma tranquilidade pedante — que eu e Fiódor Pávlovitch temos um segredo. Como o senhor mesmo sabe (se é que sabe mesmo), já faz vários dias que, mal cai a noite ou até a tardinha, ele vai logo trancando a casa por dentro. Nos últimos dias, o senhor passou a se recolher cedo ao seu quarto lá em cima, e ontem não saiu a lugar nenhum, por isso pode não saber como Fiódor Pávlovitch anda se trancando cuidadosamente para passar a noite. Mesmo que apareça o próprio Grigori Vassílievitch, ele só abrirá a porta se ficar convencido de que a voz é a dele. Mas Grigori Vassílievitch não vai aparecer porque agora eu sirvo sozinho a Fiódor Pávlovitch no quarto dele — como ele mesmo determinou desde que começou essa fantasia com Agrafiena Alieksándrovna, e agora, por ordem dele mesmo, me afasto de noite para o anexo e lá fico acordado até à meia-noite, de guarda, para me levantar, percorrer o pátio e esperar a chegada de Agrafiena Alieksándrovna, porque já faz vários dias que

Os irmãos Karamázov

373

ele espera por ela feito louco. Ele raciocina assim: dizem que ela tem medo dele, Dmitri Fiódorovitch (ele o chama de Mitka), e por isso vai chegar tarde da noite à minha casa, pelos fundos; tu, diz ele, fica a vigiá-la até à meianoite e até mais tarde. E se ela vier, corre e bate à minha porta ou à minha janela pelo jardim, as duas primeiras batidas mais devagarzinho, assim: um, dois, e logo depois dá três batidas mais depressa: tuc-tuc-tuc. Então, diz ele, vou entender que ela acabou de chegar e te abro a porta sem fazer barulho. Comunicou-me outro sinal para o caso de acontecer algo de extraordinário: primeiro duas batidas rápida: tuc-tuc, em seguida, depois de uma pausa, mais uma vez, bem mais forte. Assim ele compreenderá que algo aconteceu inesperadamente e que preciso vê-lo, e ele também me abrirá a porta, aí eu entro e informo. Tudo isso para a eventualidade de que Agrafiena Alieksándrovna possa não vir pessoalmente, mas mandar alguém dar algum tipo de notícia; além disso, Dmitri Fiódorovitch também pode aparecer, e então terei de informar a Fiódor Pávlovitch que ele está por perto. Ele tem muito medo de Dmitri Fiódorovitch, de sorte que se Agrafiena Alieksándrovna até já houvesse chegado, estivessem os dois trancados no quarto, e enquanto isso Dmitri Fiódorovitch aparecesse por perto, então eu seria obrigado a informá-lo imediatamente batendo três vezes, de tal maneira que o primeiro sinal de cinco batidas significasse: "Agrafiena Alieksándrovna chegou", e o segundo sinal de três batidas, "preciso muito lhe falar"; foi assim que ele me ensinou várias vezes e explicou com exemplos. E como em todo o universo só eu e ele conhecemos esses sinais, então ele abrirá a porta já sem nenhuma dúvida e sem precisar responder (ele tem muito medo de responder em voz alta). Pois bem, agora Dmitri Fiódorovitch está a par desses mesmos sinais.

— Por que a par? Tu os revelaste? Como te atreveste a revelá-los?

— Por causa desse mesmo medo. E como eu haveria de me calar diante dele? Todo dia Dmitri Fiódorovitch me pressiona: "Estás me enganando, estás me escondendo alguma coisa? Vou te quebrar as duas pernas!". Foi aí que lhe revelei esses mesmos sinais secretos, para ele ver o extremo do meu servilismo e assim se certificar de que não o engano, mas que o informo tudo de todas as maneiras.

— Se achas que ele vai aproveitar esses sinais e querer entrar, não o deixes.

— E quando eu mesmo estiver caído, com o ataque epilético, como irei impedi-lo? E ainda que pudesse me atrever a impedi-lo, como iria fazê-lo sabendo que anda tão desesperado?

— Arre, com os diabos! Por que estás tão seguro de que vais ter o ataque? Estarás rindo de mim?

— Como eu me atreveria a rir do senhor, eu lá poderia estar para riso com um medo desses? Pressinto que vou ter o ataque, tenho esse pressentimento, e vou tê-lo só de medo.

— Com os diabos! Se estiveres acamado, então Grigori ficará vigiando. Previne Grigori de antemão, ele não vai deixá-lo entrar.

— Sem ordem do meu senhor não posso de maneira nenhuma revelar os sinais a Grigori Vassílievtch. E quanto ao fato de que Grigori Vassílievtch o ouvirá e não o deixará entrar, justo hoje ele está doente, desde ontem, por causa do que aconteceu, e Marfa Ignátievna pretende continuar tratando dele amanhã. Foi isso o que acabaram de combinar. E esse tratamento dele é muito curioso: Marfa Ignátievna conhece uma infusão, é uma infusão de uma erva e ela sempre a tem guardada — é algum segredo que ela domina. E ela trata de Grigori Vassílievtch com esse remédio umas três vezes por ano, quando ele entra em crise de lumbago e tem uma espécie de paralisia, umas três vezes por ano. Então ela pega uma toalha, embebe-a nessa infusão e esfrega as costas dele por inteiro durante meia hora, até secar, e elas ficam totalmente vermelhas e incham, e depois lhe dá o resto do frasco para beber, acompanhado de uma certa reza; não todo o resto, porque uma pequena parte que raramente sobra ela deixa para si e bebe. E os dois, posso lhe dizer, não sendo habituados a bebida alcoólica, desabam e dormem um sono forte e muito longo; depois que acorda, Grigori Vassílievtch está quase sempre saudável, ao passo que Marfa Ignátievna acorda sempre com dor de cabeça depois disso. Pois bem, se amanhã Marfa Ignátievna puser em prática sua intenção, dificilmente ele ouvirá alguma coisa e impedirá a entrada de Dmitri Fiódorovitch. Estará dormindo.

— Quanto disparate! E, como de propósito, tudo isso coincidindo com tanta simultaneidade: tu com ataque epilético, e os outros dois, desmaiados! — gritou Ivan Fiódorovitch. — Tu mesmo não estarás querendo conduzir a coisa para que tudo acabe coincidindo? — ele deixou escapar de repente e franziu ameaçadoramente o cenho.

— Como eu haveria de conduzir... e conduzir para quê, quando tudo depende unicamente de Dmitri Fiódorovitch e apenas de suas ideias... Se ele quiser cometer algo, cometerá, se não, não serei eu que vou conduzi-lo de propósito a fim de empurrá-lo para dentro da casa do pai.

— E por que ele haveria de ir à casa do pai, e ainda às escondidas, se, como tu mesmo afirmas, Agrafiena Alieksándrovna não vai aparecer em hipótese nenhuma? — continuou Ivan Fiódorovitch, pálido de fúria. — Tu mesmo afirmas isso, ademais, durante o tempo todo que passei aqui estive seguro de que o velho estava apenas fantasiando e que aquele réptil não vi-

Fiódor Dostoiévski

ria visitá-lo. Por que iria Dmitri irromper no quarto do velho se ela não vai aparecer? Fala! Quero saber o que pensas a esse respeito.

— O senhor mesmo sabe por que ele virá, que importa o que eu penso a esse respeito? Virá movido só por sua fúria ou sua cisma, na eventualidade de minha doença, por exemplo, ficará em dúvida e sairá procurando impacientemente pelos quartos, como fez ontem, querendo saber se ela não terá dado um jeito de entrar às escondidas dele. Ele também está totalmente a par de que Fiódor Pávlovitch preparou um envelope grande, com três mil rublos, lacrado, com três selos, amarrado com uma fitinha, sobre o qual escreveu de próprio punho: "Ao meu anjo Grúchenka, se ela quiser aparecer", e depois, passados três dias, acrescentou: "E franguinha". Pois bem, isso é que é duvidoso.

— Absurdo! — bradou Ivan quase tomado de fúria. — Dmitri não vai se meter a roubar dinheiro e ainda matar o pai junto. Ontem ele o poderia ter matado por causa de Grúchenka, como um imbecil raivoso num ataque de fúria, mas roubar, não!

— Ele anda muito necessitado de dinheiro, numa necessidade extrema, Ivan Fiódorovitch, o senhor nem sabe o quanto ele está necessitado — esclareceu Smierdiakóv com uma tranquilidade extraordinária e uma precisão notável. — Além disso, ele acha que esses mesmos três mil rublos como que lhe pertencem e me explicou isso: "A mim, diz ele, meu pai ainda me deve exatos três mil". E para completar tudo isso, Ivan Fiódorovitch, considere também uma pura verdade: é quase certo, é preciso dizer, que é só a própria Agrafiena Alieksándrovna querer, e fará com que ele, o próprio senhor, ou seja, Fiódor Pávlovitch, se case forçosamente com ela — e olhe que é possível que ela queira. Veja, eu só digo por dizer que ela não virá, mas pode ser que ela queira até mais, ou seja, tornar-se diretamente uma fidalga. Eu mesmo estou sabendo que seu comerciante Samsónov lhe disse com toda franqueza que isso seria uma coisa nada tola, e riu ao dizê-lo. E ela não é nada boba. Não vai casar com um pé-rapado como é Dmitri Fiódorovitch. Agora pegue o senhor e julgue, Ivan Fiódorovitch, que, se isso acontecer, nem Dmitri Fiódorovitch nem o senhor Alieksiêi Fiódorovitch ficarão com nada depois da morte de seu pai, com nenhum rublo, porque Agrafiena Alieksándrovna vai se casar com ele com a finalidade de passar para o seu nome tudo, todo capital que existir. Mas morra seu pai agora, enquanto nada disso tiver acontecido, e a cada um de vocês caberá imediatamente exatos quarenta mil rublos, até a Dmitri Fiódorovitch, que o velho odeia tanto, uma vez que ele não fez testamento... Dmitri Fiódorovitch está magnificamente a par de tudo isso...

Os irmãos Karamázov

Foi como se o rosto de Ivan Fiódorovitch tivesse um estremecimento e se contraísse. Ele corou de repente.

— Então por que tu — ele interrompeu de súbito Smierdiakóv —, depois de tudo isso, me aconselhas a ir a Tchermachniá? O que estás querendo dizer com isso? Eu vou, e eis que isso acontece aqui. — Ivan Fiódorovitch respirava com dificuldade.

— Absolutamente certo — disse Smierdiakóv em tom baixo e ponderado, mas observando fixamente Ivan Fiódorovitch.

— Como absolutamente certo? — tornou a perguntar Ivan Fiódorovitch, contendo-se a custo e com os olhos cintilando ameaçadoramente.

— Falei com pena do senhor. Se eu estivesse no seu lugar, largaria tudo isso agora mesmo... em vez de ficar esperando por isso... — respondeu Smierdiakóv, olhando com a maior franqueza para os olhos cintilantes de Ivan Fiódorovitch. Ambos calaram.

— Tu pareces um grande idiota e também, evidentemente... um terrível patife! — Ivan Fiódorovitch levantou-se subitamente do banco. Em seguida quis atravessar no mesmo instante o portão, mas parou de chofre e voltou-se para Smierdiakóv. Aconteceu algo estranho: de repente, como que tomado de convulsão, Ivan Fiódorovitch mordeu um lábio, cerrou os punhos e, mais um instante, investiria, é claro, contra Smierdiakóv. Ao menos isso este percebeu no mesmo instante, estremeceu e recuou inteiro. Mas o instante terminou bem para Smierdiakóv e Ivan Fiódorovitch guinou para o portão, calado, mas como que tomado de certa indignação.

— Amanhã estou partindo para Moscou, se queres saber, amanhã cedo, eis tudo! — proferiu subitamente com raiva, voz pausada e alta; mais tarde ele mesmo se admiraria de ter precisado dizer isso a Smierdiakóv naquela ocasião.

— Isso é o melhor — secundou o outro como se esperasse justamente por isso —, só que em Moscou o senhor pode ser incomodado pelo telégrafo com algum chamado daqui, no caso de alguma eventualidade.

Ivan Fiódorovitch tornou a parar e tornou a voltar-se rapidamente para Smierdiakóv. Mas era como se algo tivesse acontecido com o outro. Toda a sua familiaridade e o seu desmazelo sumiram num abrir e fechar de olhos; todo o seu rosto exprimia uma atenção excepcional e uma expectativa, porém já tímida e servil: "Não vais dizer mais alguma coisa, nem acrescentar?" — foi o que se leu em seu olhar fixo, cravado em Ivan Fiódorovitch.

— E por acaso também não me chamariam de Tchermachniá... para alguma eventualidade? — vociferou Ivan Fiódorovitch, não se sabe por que levantando terrível e subitamente a voz.

— De Tchermachniá também... pode ser importunado... — balbuciou Smierdiakóv quase cochichando, também parecendo desconcertado, mas continuando a encarar fixamente Ivan Fiódorovitch.

— Só que Moscou fica mais longe e Tchermachniá mais perto; parece que estás lamentando pelo dinheiro gasto com a passagem, ao insistir em Tchermachniá, ou lamentando por eu ter de dar uma volta tão grande?

— Absolutamente certo... — balbuciou Smierdiakóv com voz já embargada, sorrindo de um jeito torpe e mais uma vez se preparando com ar tenso para recuar a tempo. Mas de repente, para surpresa de Smierdiakóv, Ivan Fiódorovitch deu uma risada e tomou rapidamente o rumo do portão, ainda sorrindo. Quem olhasse para seu rosto certamente concluiria que em sua risada não havia nada de divertido. Aliás, nem ele mesmo teria como explicar o que lhe aconteceu naquele instante. Movia-se e andava como se estivesse com câimbras.

VII. "É ATÉ CURIOSO CONVERSAR COM UM HOMEM INTELIGENTE"

E também falava. Ao cruzar com Fiódor Pávlovitch na sala assim que entrou, súbito gritou para ele acenando com as mãos: "Vou para o meu quarto lá em cima e não ficar com o senhor, até logo", e passou ao lado, empenhando-se inclusive em não fitar o pai. É muito possível que nesse instante o velho lhe fosse por demais odioso, mas essa manifestação de hostilidade, tão sem cerimônia, foi inesperada até para Fiódor Pávlovitch. Era visível que o velho queria mesmo lhe comunicar depressa alguma coisa, e para isto viera de propósito ao seu encontro na sala; depois de ouvir semelhante amabilidade, ele parou em silêncio e, com ar de zombaria, acompanhou com o olhar o filho que subia a escada do mezanino até sumir de vista.

— O que foi que deu nele? — perguntou a Smierdiakóv, que entrara atrás de Ivan Fiódorovitch.

— Está zangado com alguma coisa, vá alguém entendê-lo — balbuciou o outro de modo evasivo.

— Com os diabos! Que se zangue! Serve o samovar e dá o fora daqui depressa, depressa. Alguma novidade?

E aí começou precisamente com aqueles interrogatórios de que Smierdiakóv acabara de queixar-se a Ivan Fiódorovitch, ou seja, tudo a respeito da esperada visitante, mas aqui vamos omitir esses interrogatórios. Meia hora depois a casa estava fechada, e o velho amalucado caminhava sozinho pelos cômodos na agitada expectativa de que a qualquer momento se fariam ou-

Os irmãos Karamázov

vir as cinco batidas combinadas, e de raro em raro olhava pelas janelas escuras sem nada enxergar, a não ser a noite.

Já era muito tarde, mas Ivan Fiódorovitch não pegava no sono e refletia. Nessa noite deitou-se tarde, aí pelas duas horas. Contudo, não transmitiremos todo o fluxo de seu pensamento, e ademais não é hora de entrarmos nessa alma: essa alma terá sua vez. E mesmo que tentássemos transmitir alguma coisa seria muito complicado fazê-lo, porque ali não havia pensamentos, havia algo muito indefinido e, o mais importante, sumamente inquieto. Ele mesmo sentia que perdera todas as suas coordenadas. Atormentavam-no também vários desejos estranhos e quase inteiramente inesperados, por exemplo: já depois da meia-noite, sentiu uma súbita, premente e insuportável necessidade de descer, abrir a porta, ir ao anexo e dar uma surra em Smierdiakóv, mas se lhe perguntassem que razão o movia, ele mesmo não conseguiria, absolutamente, expor com precisão um só motivo, a não ser que aquele criado se lhe tornara odioso como o mais grave ofensor que se poderia encontrar no mundo. Por outro lado, nessa noite sua alma mais de uma vez se achara presa de uma timidez inexplicável e humilhante — ele o sentia —, que até lhe dava a sensação de perder de repente as forças físicas. Estava com dor de cabeça e tontura. Um quê de ódio lhe confrangia a alma, como se ele nutrisse a intenção de se vingar de alguém. Sentia ódio até de Aliócha ao rememorar a conversa de ainda há pouco, por instantes odiava muito até a si mesmo. Quase se esquecera até de pensar em Catierina Ivánovna, o que depois o deixou muito surpreso, ainda mais porque tinha a sólida lembrança de que ainda na manhã da véspera, na casa dela, ao vangloriar-se com tanta desenvoltura de que partiria no dia seguinte para Moscou, murmurara em seu próprio íntimo: "Ora, mas isso é um absurdo, não partirás, e não te será tão fácil afastar-se dela como estás fanfarreando agora". Rememorando essa noite muito tempo depois, Ivan Fiódorovitch lembrou-se com especial repulsa de como chegara a se levantar subitamente do sofá, a abrir a porta em silêncio, como que tomado de um terrível medo de estar sendo observado, saíra à escada e se pusera a escutar o que vinha de baixo, dos cômodos inferiores, de como Fiódor Pávlovitch se mexia e andava lá embaixo — passara muito tempo na escuta, uns cinco minutos, movido por uma estranha curiosidade, com a respiração presa e o coração a bater, mas por que fizera tudo isso, qual o objetivo da escuta, é claro que nem ele o sabia. Depois, pelo resto da vida chamou de "infame" essa sua "atitude", e no fundo de seu íntimo, nos esconderijos da alma e de si para si, considerou-a a mais torpe atitude de toda sua vida. Naqueles instantes não sentia nenhum ódio sequer pelo próprio Fiódor Pávlovitch, por alguma razão apenas uma curiosidade lhe mordia

Os irmãos Karamázov

fundo: como estaria andando lá embaixo, o que, por exemplo, estaria fazendo em seu quarto; conjeturava, tentava adivinhar que ele deveria estar lá embaixo olhando pelas janelas escuras, parando de supetão no meio da sala e pondo-se a esperar, a esperar — será que alguém vai bater? Ivan Fiódorovitch foi duas vezes até a escada com esse fim. Quando tudo se fez silêncio e Fiódor Pávlovitch já estava deitado, aí pelas duas horas, Ivan Fiódorovitch também se deitou com o firme desejo de adormecer depressa, uma vez que se sentia terrivelmente exaurido. E de fato: ferrou de estalo no sono, dormiu pesado sem sonhar, mas acordou cedo, por volta das sete, já com o dia amanhecido. Ao abrir os olhos sentiu de chofre, para sua surpresa, o afluxo de uma energia incomum, levantou-se de um salto, vestiu-se rapidamente, em seguida arrastou a mala e, sem demora, começou a arrumar suas coisas apressadamente. A roupa-branca tinha chegado da lavadeira justo na véspera. Ivan Fiódorovitch até riu ao pensar que tudo dera certo, que não havia nenhum entrave à sua partida imediata. E a partida era efetivamente repentina. Embora na véspera ele tivesse mesmo dito (a Catierina Ivánovna, a Aliócha e depois a Smierdiakóv) que no dia seguinte estaria de partida, entretanto, ao deitar-se então para dormir estava perfeitamente lembrado de que naquele instante sequer pensara em partir, pelo menos não pensara absolutamente que, ao acordar de manhã, seu primeiro movimento seria o de precipitar-se para arrumar a mala. Por fim a mala e a mochila estavam prontas: já se aproximava das nove quando Marfa Ignátievna foi a seu quarto com a costumeira pergunta de todos os dias: "Onde vai tomar o chá, em seu quarto ou lá embaixo?". Ivan Fiódorovitch desceu; tinha uma aparência quase alegre, embora em suas palavras e gestos houvesse qualquer coisa de desordenado e apressado. Saudou amavelmente o pai e até perguntou em especial por sua saúde, mas, por outro lado, sem esperar que o pai concluísse a resposta, foi logo anunciando que dentro de uma hora partiria para Moscou, em definitivo, e pedia que mandasse buscar a carruagem. O velho ouviu a informação sem a mínima surpresa, esquecendo-se, do modo mais indecente, de lamentar a partida do filho; em vez disso, tomou-se de súbita e extraordinária azáfama, lembrando-se bem a propósito de um negócio particular e vital.

— Sim senhor! Vejam só essa! Não me disseste ontem... mas agora mesmo a gente acerta isso. Faz-me um obséquio imenso, meu filho querido: dá uma chegadinha até Tchermachniá. É só guinar à esquerda da estação de Volóvia, percorrer umas doze verstazinhas e estarás em Tchermachniá.

— Desculpe, não posso: daqui à estrada de ferro são oitenta verstas, o trem parte da estação para Moscou às sete da noite em ponto. Preciso correr para chegar a tempo.

— Chegarás a tempo amanhã, senão depois de amanhã, mas hoje dá uma guinada para Tchermachniá. Que te custa tranquilizar teu pai? Se eu não tivesse afazeres aqui, há muito tempo já teria voado para lá, porque tenho lá uma coisinha urgente e extraordinária, mas aqui meu tempo anda meio apertado... Vê, lá eu tenho uma mata em dois lotes de terras virgens, em Bieguiíchev e em Diátchkino. Os Máslov, o pai e o filho, fazendeiros, estão oferecendo apenas oito mil rublos pelo corte da madeira, mas faz apenas um ano que apareceu um comprador oferecendo doze mil, só que ele não é daqui, e isso é o diabo. Porque a madeira daqui não tem saída: os Máslov estão cobiçando — o pai e o filho têm cem mil rublos: se botam um preço, é aceitar, porque nenhum comerciante daqui se atreve a competir com eles. O padre Ilinski me mandou uma carta quinta-feira passada, avisando que Górstkin chegou, ele também é comerciante, eu o conheço, e a preciosidade está no fato de que ele não é daqui, mas de Pogriébov, logo, não tem medo dos Máslov porque não é daqui. Dou-lhe onze mil pela mata, diz ele, estás ouvindo? Como escreve o padre, ele vai passar apenas uma semana por aqui. Então tu viajarias para lá e farias um acordo com ele...

— Então o senhor escreve ao padre e ele faz um acordo.

— Ele não sabe, aí é que está a coisa. Esse padre não tem capacidade de examinar nada. É uma criatura de ouro, eu lhe entregaria agora mesmo vinte mil rublos para guardar e nem pediria recibo, mas é incapaz de examinar o que quer que seja, é como se nem fosse gente, até uma gralha o passa para trás. Mas é um sábio, imagina só, imagina tu. Esse Górstkin parece um mujique, usa um casaco azul pregueado na cintura, só que tem a índole de um perfeito canalha, e aí está a nossa desgraça geral: mente, e isso é o diabo. Às vezes mente tanto que a gente fica admirada, sem saber por que faz isso. No ano retrasado mentiu dizendo que sua mulher havia morrido e que já estava casado com outra, mas nada disso aconteceu, imagina tu: a mulher dele nunca morreu, continua viva e lhe dá uma surra a cada três dias. Pois também agora precisamos saber: está mentindo ou dizendo a verdade, quer comprar e vai pagar os onze mil?

— Mas aí eu também não vou fazer nada, não tenho olho para isso.

— Espera, tu também servirás, porque vou te dar todas as indicações, há muito tempo faço negócios com ele. Vê: é preciso olhar para a barba dele; tem uma barbinha ruiva, fininha, nojentinha. Se a barba treme e ele mesmo fala e se mostra zangado, quer dizer que está tudo bem, está dizendo a verdade e quer fazer negócio; mas se alisa a barba com a mão esquerda e ri, quer dizer que está querendo engazopar, que está trapaceando. Nunca o olhes nos olhos, pelos olhos nunca irás atinar, são água turva, é um velhaco

— olha para a barba. Eu te dou um bilhete e tu o mostras a ele. Ele se chama Górstkin, só que não é Górstkin e sim Liágavi, mas não digas que ele é Liágavi, porque se ofende. Se fizeres acordo com ele e notares que está em ordem, escreve imediatamente para cá. Escreve só isso: "Não está mentindo". Insiste nos onze mil, podes baixar mil, mais não baixes. Pensa: oito e onze mil — três mil de diferença. É como se eu tivesse achado esses três mil, não se arranja rapidamente um comprador, e preciso de dinheiro a qualquer custo. Tu me fazes saber que a coisa é séria e eu mesmo saio daqui voando e concluo o negócio, darei um jeito de arranjar tempo. Por que eu haverei de correr agora para lá se isso for invenção do padre? Bem, vais ou não?

— Ah, não tenho tempo, livre-me disso.

— Sim, senhor, faz esse obséquio a teu pai, não vou esquecer! Vocês não têm coração, é isso! Que te custa um dia ou dois? Para onde estás indo agora, para Veneza? Tua Veneza não vai desmoronar em dois dias. Eu mandaria Alióchá, mas Alióchá metido nesses assuntos? Eu só estou pedindo isso porque és inteligente, por acaso não noto? Não és comerciante de madeira, mas tens olho. Estou dizendo, observa a barba: se a barbicha treme significa que a coisa é séria.

— O senhor mesmo está me empurrando para essa maldita Tchermachniá, hein? — bradou Ivan com um risinho raivoso.

Fiódor Pávlovitch não notou ou não quis notar a raiva, captou apenas o risinho.

— Quer dizer que tu vais, vais? Vou rascunhar um bilhete para levares.

— Não sei se vou, a caminho eu resolvo.

— Qual a caminho!, resolve agora. Meu caro, resolve! Faz um acordo, me escreve duas linhas, entrega ao padre e num piscar de olhos ele me envia o teu ofício. Depois não te retenho, vai para a tua Veneza. O padre te leva de volta à estação de Volóvia em seus cavalos...

O velho estava simplesmente extasiado, escreveu às pressas o bilhete, mandou buscar os cavalos, serviram salgados, conhaque. Quando o velho estava alegre sempre começava a expandir-se, mas desta vez parecia conter-se. Sobre Dmitri Fiódorovitch, por exemplo, não pronunciou uma palavrinha. Não estava minimamente comovido com a separação. Até parecia sem assunto; Ivan Fiódorovitch o percebeu: "Eu o deixei farto, sim senhor!" — pensou consigo. Só quando já se despedia do filho no alpendre o velho ficou como que agitado e fez menção de beijá-lo. Mas Ivan Fiódorovitch estendeu-lhe rápido a mão para apertar, evitando visivelmente o beijo. O velho compreendeu no ato e num instante se conteve.

— Bem, vai com Deus, vai com Deus! — repetiu do alpendre. — Ainda vais aparecer alguma vez na vida? Vamos, aparece, sempre ficarei contente. Bem, vai com Cristo!

Ivan Fiódorovitch subiu no *tarantás*.[81]

— Adeus, Ivan, e sem muitos desaforos! — gritou-lhe o pai pela última vez.

Todos os de casa saíram para as despedidas: Smierdiakóv, Marfa e Grigori. Ivan Fiódorovitch deu dez rublos de presente a cada um. Quando ele já estava sentado no *tarantás*, Smierdiakóv correu para ajeitar o tapete.

— Como vês... estou indo a Tchermachniá... — deixou escapar Ivan Fiódorovitch como que de repente, tal como ocorrera na véspera, quando a expressão saíra naturalmente e ainda acompanhada de um risinho nervoso. Mais tarde se lembraria muito disto.

— Quer dizer que é verdade o que dizem, que é até curioso conversar com um homem inteligente — respondeu com firmeza Smierdiakóv, fitando Ivan com um olhar penetrante.

O *tarantás* mexeu-se e arrancou a toda. O viajante estava com a alma perturbada, mas olhava ao redor com avidez para os campos, as colinas, as árvores, uma revoada de gansos que passava alto pelo céu claro sobre sua cabeça. E de repente ele se sentiu muito bem. Experimentou entabular conversa com o cocheiro e ficou interessadíssimo com o que ouvia do mujique, mas um minuto depois apercebeu-se de que não prestara ouvido e que, para falar a verdade, nem compreendera a resposta do mujique. Calou-se, já estava bom assim: ar puro, fresco, meio frio, céu claro. As imagens de Aliócha e Catierina Ivánovna esboçaram passar de relance por sua cabeça; mas ele deu um risinho suave e suavemente afastou esses fantasmas queridos, e eles voaram para longe: "A vez deles ainda chegará" — pensou. Passaram rapidamente pela estação, trocaram de cavalos e saíram em disparada para Volóvia. "Por que é curioso conversar com um homem inteligente, o que ele quis dizer com isso?" — ficou subitamente com a respiração presa. — "E por que lhe informei que estava vindo a Tchermachniá?" Chegaram à estação de Volóvia. Ivan Fiódorovitch desceu do *tarantás* e foi cercado pelos cocheiros. Combinaram o preço até Tchermachniá, que ficava a doze verstas dali por estradas vicinais, em cavalos particulares. Mandou que atrelassem os cavalos. Fez menção de entrar na sede da estação, lançou um olhar ao redor, olhou de relance para a mulher do chefe da estação e voltou subitamente para o alpendre.

— Não precisamos ir a Tchermachniá. Será que vou me atrasar, chegando lá pelas sete horas à estrada de ferro, meus irmãos?

---

[81] Carro de quatro rodas. (N. do T.)

— Faremos justamente a sua vontade. Atrelar ou não os cavalos?

— Atrelar, e já. Algum de vocês irá à cidade amanhã?

— Como não? Aqui está Mitri, que vai.

— Não poderias me prestar um serviço, Mitri? Vai à casa de meu pai, Fiódor Karamázov, e lhe diz que não fui a Tchermachniá. Podes ou não fazer isto?

— Por que não? Irei; conheço Fiódor Pávlovitch há muito tempo.

— Bem, toma essa gorjeta, porque ele talvez não te dê... — Ivan Fiódorovitch deu uma risada alegre.

— E não vai dar mesmo — riu também Mitri. — Obrigado, senhor, cumprirei sem falta...

Às sete da noite Ivan Fiódorovitch tomou o trem e voou para Moscou. "Adeus todo o passado, rompo para sempre os meus laços com o mundo do passado, e que dele não me chegue nem notícia, nem eco; para um novo mundo, para novos lugares, e sem olhar para trás!" Contudo, em vez do êxtase sua alma viu-se de repente invadida por tais trevas, seu coração foi pungido por uma aflição tal como ele jamais experimentara em toda a sua vida. Passou a noite inteira refletindo; o trem voava, e só ao raiar do dia, já chegando a Moscou, ele pareceu recobrar-se de repente.

— Sou um patife — murmurou com seus botões.

Fiódor Pávlovitch, porém, ficara muito contente depois de se despedir do filho. Durante duas horas inteiras sentiu-se quase feliz e tomou conhaque; súbito, porém, aconteceu em casa um fato lamentável e sumamente desagradável para todos, que num piscar de olhos deixou Fiódor Pávlovitch em grande perturbação: Smierdiakóv foi buscar alguma coisa na adega e caiu do topo da escada. Ainda bem que nesse instante Marfa Ignátievna estava no pátio e ouviu a tempo. Não ouviu o baque, mas ouviu o grito, aquele grito particular, estranho, mas que ela conhecia havia muito tempo — o grito do epiléptico que caía acometido pelo ataque. Se o ataque o acometera no instante em que ele descia os degraus da escada, de sorte que, é claro, imediatamente o fizera despencar sem sentidos escada abaixo ou se, ao contrário, já por causa da queda e do abalo Smierdiakóv, conhecido epiléptico, sofrera o ataque, não dava para atinar, mas o acharam no fundo da adega torcendo-se em convulsões, debatendo-se e espumando. A princípio pensaram que certamente ele havia quebrado alguma coisa, um braço ou uma perna, machucando-se, mas, não obstante, "Deus o protegeu", como se exprimiu Marfa Ignátievna: nada disso aconteceu, e só foi difícil retirá-lo dali e trazê-lo para fora. Mas pediram ajuda aos vizinhos e conseguiram tirá-lo. Toda essa cerimônia foi presenciada pelo próprio Fiódor Pávlovitch, que também ajudou, visivelmen-

te assustado e como que desnorteado. Contudo, o doente não recobrava a consciência: os ataques, ainda que cessassem por um instante, recomeçavam, e todos concluíram que iria acontecer o mesmo que acontecera no ano anterior, quando ele caíra por descuido do sótão. Lembraram-se de que naquela ocasião haviam lhe aplicado gelo nas têmporas. Ainda encontraram um pouco de gelo na adega, Marfa Ignátievna tomou as providências e ao anoitecer Fiódor Pávlovitch mandou chamar o doutor Herzenstube, que veio no mesmo instante. Depois de examinar com cuidado o doente (era o médico mais cuidadoso e atencioso em toda a província, um velhote respeitadíssimo), ele concluiu que o ataque havia sido excepcional e "podia trazer perigo", mas por enquanto ele, Herzenstube, ainda não estava entendendo tudo, e que se os procedimentos agora aplicados não surtissem efeito, na manhã do dia seguinte ele resolveria aplicar outros. Deitaram o doente no anexo, em um quarto contíguo ao de Grigori e Marfa Ignátievna. Depois Fiódor Pávlovitch passou o dia inteiro sofrendo uma contrariedade atrás da outra: o almoço foi preparado por Marfa Ignátievna e a sopa, comparada à de Smierdiakóv, saiu uma "espécie de água suja"; a galinha ficara tão ressecada que era totalmente impossível mastigá-la. Às censuras do patrão, amargas ainda que justas, Marfa Ignátievna objetou que a galinha já era mesmo muito velha e que ela nunca fizera curso de cozinheira. À noite veio uma nova preocupação: Fiódor Pávlovitch foi informado de que Grigori, que desde a antevéspera andara adoentado, agora estava quase totalmente acamado com uma crise de lumbago. Fiódor Pávlovitch terminou o seu chá o mais cedo que pôde e trancou-se sozinho em casa. Estava numa terrível e inquietante expectativa. Acontece que justo naquela tarde ele aguardava a chegada de Grúchenka como coisa quase certa; pelo menos recebera de Smierdiakóv, ainda de manhã cedo, a quase garantia de que "ela já prometera vir sem falta". O coração do insaciável velhote batia com inquietação, ele andava pelos cômodos vazios e aguçava o ouvido. Era preciso manter o ouvido atento: Dmitri Fiódorovitch podia estar vigiando-a em algum lugar, e quando ela batesse à janela (ainda na antevéspera Smierdiakóv assegurara a Fiódor Pávlovitch que lhe havia informado onde bater), então seria necessário abrir a porta o mais rápido possível e em hipótese nenhuma retê-la inutilmente no vestíbulo, nem por um segundo, para que Deus não permitisse que se assustasse com alguma coisa e fugisse. Era uma azáfama para Fiódor Pávlovitch, mas antes seu coração nunca navegara em tão doce esperança: podia-se dizer quase com certeza que desta vez ela viria sem falta!...

Livro VI
UM MONGE RUSSO

I. O *STÁRIETZ* ZOSSIMA E SEUS VISITANTES

Quando Alióscha, desassossegado e dorido, entrou na cela do *stárietz*, parou quase pasmado: em vez de encontrá-lo moribundo, talvez já inconsciente, como temia, deparou com ele sentado na poltrona, com uma expressão de ânimo e alegria no rosto, embora esgotado pela fraqueza, cercado de visitantes e numa conversa sossegada e lúcida com eles. Aliás, levantara-se da cama menos de um quarto de hora antes da chegada de Alióscha; os visitantes já se haviam reunido em sua cela e esperaram que ele acordasse, atendendo ao padre Paissi, que foi firme ao asseverar que "o mestre se levantará, sem dúvida, para conversar mais uma vez com os entes queridos de seu coração, como ele mesmo se exprimiu e prometeu ainda pela manhã". Nessa promessa, assim como em qualquer palavra que viesse do *stárietz*, o padre Paissi acreditava com tal firmeza que, se o visse já de todo inconsciente e até sem respirar, mas tivesse a promessa dele de que ainda se levantaria e se despediria dele, talvez não acreditasse nem na própria morte e ficasse esperando que o moribundo acordasse e cumprisse o prometido. Pela manhã, o *stárietz* Zossima lhe afirmara positivamente ao se recolher para uma soneca: "Não morrerei sem que antes me delicie mais uma vez palestrando convosco, queridos de meu coração, contemple seus rostos amados e de novo me desafogue convosco". Os que estavam ali reunidos para essa palestra do *stárietz*, provavelmente a última, eram seus amigos mais dedicados desde muitos anos. Eram quatro: o padre Ióssif, o padre Paissi e o hieromonge padre Mikhail, abade do eremitério, homem ainda não muito velho, nem de longe tão sábio, de título modesto porém firme de espírito, fé simples e inabalável, aparência severa mas coração impregnado de uma ternura profunda, embora, não obstante, dissimulasse visivelmente sua ternura a ponto de chegar a certo acanhamento. O quarto visitante, o irmão Anfin, já era bem velhinho, um mongezinho simples, de origem camponesa paupérrima, quase iletrado, calado e manso, o mais humilde entre os humildes, que inclusive só trocava uma palavra com alguém de raro em raro e tinha a aparência de

Os irmãos Karamázov

um homem eternamente assustado com alguma coisa grande, terrível e fora do alcance de sua inteligência. O *stárietz* Zossima gostava muito desse homem de aparência atemorizada, e durante toda a sua vida o tratara com uma estima incomum, embora ele fosse a pessoa com quem talvez houvesse falado menos em toda a vida, apesar de, outrora, haverem peregrinado muitos anos juntos por toda a santa Rússia. Isso já acontecera fazia muito tempo, uns quarenta anos antes, quando o *stárietz* Zossima realizava seus primeiros feitos como monge em um mosteiro pobre e pouco conhecido de Kostroma, e logo acompanhara o padre Anfin em suas peregrinações à procura de doações para esse seu pobre mosteiro. Todos, tanto o anfitrião quanto os visitantes, estavam no segundo quarto do *stárietz*, onde ficava a sua cama, quarto que, como foi dito antes, era muito apertado, de sorte que os quatro (exceto o noviço Porfiri, que estava em pé) mal se acomodavam em torno da poltrona do *stárietz* nas cadeiras trazidas do primeiro quarto. Já começava a anoitecer, o quarto estava iluminado por uma lamparina e velas de cera diante dos ícones. Ao ver Aliócha, que se postara acanhado à entrada, o *stárietz* sorriu de alegria e lhe estendeu a mão:

— Boa tarde, quietinho, boa tarde, meu querido, eis tu também aqui. Eu sabia que virias.

Aliócha achegou-se, prosternou-se até o chão e começou a chorar. Algo irrompeu de seu coração, sua alma fremia, ele queria cair em prantos.

— Ora, espera para me prantear — sorriu o *stárietz*, pondo-lhe a mão direita na cabeça —, como vês, estou aqui sentado e conversando, talvez ainda viva vinte anos, como ontem me desejou aquela boa e amável senhora de Vichegórie que estava com a menininha Lizavieta no colo. Senhor, lembra-Te da mãe e da menina Lizavieta! (Benzeu-se.) Porfiri, levaste o donativo dela para onde eu indiquei?

Mencionava as seis moedas de dez copeques, doadas na véspera pela alegre admiradora para que fossem entregues "àquele que for mais pobre do que eu". Essas oferendas são dadas como *epitimias* que por algum motivo alguém assume de forma voluntária, e se constituem forçosamente de dinheiro obtido com o próprio trabalho. O *stárietz* enviara Porfiri na véspera à procura de uma viúva de nossa cidade que perdera a casa num incêndio havia pouco tempo, tinha filhos e depois disso passara a pedir esmola. Porfiri se apressou em informar que a missão fora cumprida e que entregara o donativo conforme lhe havia sido ordenado, "em nome de uma benfeitora desconhecida".

— Levanta-te, meu querido — continuou o *stárietz* para Aliócha —, deixa-me olhar para ti. Estiveste com os teus e viste teu irmão?

Aliócha achou estranho que ele perguntasse com tanta firmeza e precisão apenas por um de seus irmãos — mas sobre qual deles? Quer dizer então que fora para procurar esse irmão que ele o despachara tanto ontem quanto hoje.

— Vi um de meus irmãos — respondeu Aliócha.

— Estou perguntando a respeito daquele de ontem, o mais velho, a quem fiz a reverência até o chão.

— Esse eu só vi ontem, mas hoje não houve como encontrá-lo — disse Aliócha.

— Apressa-te em encontrá-lo, vai amanhã mais uma vez e te apressa, deixa tudo e te apressa, talvez ainda consigas prevenir algo horrendo. Ontem fiz uma reverência ao grande sofrimento que o espera.

Calou-se de chofre e ficou como que pensativo. Suas palavras eram estranhas. O padre Ióssif, que testemunhara na véspera aquela reverência do *stárietz* até o chão, entreolhou-se com o padre Paissi. Aliócha não se conteve.

— Padre e mestre — falou com extraordinária emoção —, suas palavras são demasiadamente vagas... que sofrimento é esse que o aguarda?

— Não sejas curioso. Ontem tive a impressão de algo terrível... como se o olhar dele exprimisse todo o seu destino. Ele tinha esse olhar... de maneira que, por um instante, meu coração ficou apavorado com o que aquele homem prepara para si. Uma ou duas vezes em minha vida vi em algumas pessoas a mesma expressão no rosto... como se ela estampasse todo o destino daquelas pessoas, e, infelizmente, o destino delas se realizou. Eu te enviei para procurá-lo, Alieksiêi, porque pensei que tua imagem de irmão o ajudaria. Mas tudo depende de Deus, e nossos destinos também. "Se o grão de trigo que cai sobre a terra não morre, fica só; mas se morre, traz muitos frutos", lembra-te destas palavras. Muitas vezes, Alieksiêi, eu te abençoei em pensamento por causa de tua imagem, fica sabendo — pronunciou o *stárietz* com um sorriso sereno. — Eis o que penso sobre ti: sairás destas paredes e viverás no mundo como um monge. Terás muitos inimigos, mas teus próprios inimigos te amarão. A vida te trará muitos infortúnios, mas é com eles que serás feliz, bendirás a vida e farás com que os outros a bendigam — e isso é o mais importante. Vês, pois, como és. Padres e mestres meus — dirigiu-se a seus visitantes sorrindo enternecido —, até hoje nunca contei, nem a ele mesmo, por que a imagem desse jovem era tão cara à minha alma. Só agora vou contar: sua imagem era para mim uma espécie de aviso e profecia. No raiar de meus dias, quando eu ainda era uma criancinha, eu tinha um irmão mais velho, que morreu jovem, diante de meus olhos, com apenas dezessete anos. Depois, ao longo de minha vida, fui-me convencendo pouco a pouco de que

Fiódor Dostoiévski

esse meu irmão foi em meu destino uma espécie de sinal e predestinação do alto, pois se ele não tivesse aparecido em minha vida, se não tivesse existido absolutamente, é possível, assim o penso, que eu não tivesse tomado o hábito de monge nem enveredado por esse precioso caminho. Aquela primeira aparição deu-se ainda em minha infância, e eis que no declínio de minha caminhada apareceu-me diante dos olhos uma quase repetição dele. É um milagre, padres e mestres, que sem ser muito parecido com ele de rosto, mas só levemente, Alieksiêi tenha me dado a impressão de parecer-se espiritualmente com ele, e a tal ponto que muitas vezes eu realmente o tomei por aquele jovem meu irmão, que tinha vindo para mim no final de minha caminhada, de forma misteriosa, para que eu me lembrasse e me convencesse interiormente de algo, de modo que até me admirei de mim mesmo e desse meu estranho devaneio. Estás ouvindo isto, Porfíri? — ele se dirigiu ao noviço que o atendia. — Muitas vezes li em teu rosto uma espécie de amargura por eu amar Alieksiêi mais do que a ti. Agora estás sabendo o motivo, mas eu também te amo, fica sabendo, e muitas vezes afligi-me por ver que estavas amargurado. A vós, amados visitantes, quero falar desse jovem, meu irmão, porque não houve em minha vida aparição mais preciosa, mais profética e comovente. Meu coração se enterneceu e neste instante contemplo toda a minha vida como se tornasse a vivê-la integralmente...

Aqui devo observar que essa última palestra do *stárietz* com seus visitantes no último dia de sua vida foi, em parte, conservada em forma escrita. Registrou-a de memória Alieksiêi Fiódorovitch Karamázov, algum tempo após a morte do *stárietz*. Contudo, se em suas notas ele a reproduziu na íntegra ou lhe acrescentou passagens de antigas palestras com seu mestre, isso eu já não posso precisar, e ademais suas notas imprimem em toda a fala do *stárietz* um quê de continuidade, como se ele tivesse exposto sua vida aos seus amigos em forma de narrativa, quando os relatos que se seguiram não deixam dúvida de que as coisas aconteceram de modo um tanto diferente, já que naquela noite houve uma palestra geral, e embora os visitantes pouco tenham interrompido seu anfitrião, todavia falaram também de coisas suas, interferindo na conversa e talvez até revelando e narrando algo de sua própria experiência; portanto, tal continuidade não seria possível em semelhante narrativa, porque de quando em quando o *stárietz* arfava, perdia a voz e até se deitava na cama para descansar — embora não adormecesse —, e os visitantes permaneciam em seus lugares. Uma ou duas vezes o padre Paissi interrompeu a palestra com sua leitura do Evangelho. Note-se ainda que, apesar de tudo, nenhum deles supunha que ele morreria naquela mesma noite, ainda mais porque, depois de um profundo sono diurno, nessa última noite de sua vida ele pareceu ganhar subitamente nova força, que o sustentou durante toda essa longa palestra com os amigos. Isso foi uma espécie de último enternecimento, que preservou nele uma animação extraordinária, mas apenas por um curto lapso de tempo, pois sua vida cessou de repente... Mas disto falaremos depois. Agora quero fazê-los cientes de que, sem expor todos os detalhes da palestra, preferi me limitar ao relato do *stárietz* segundo o manuscrito de Alieksiêi Fiódorovitch Karamázov. Ele sairá mais breve e não tão cansativo, embora, é claro, repito, Aliócha lhe tenha acrescentado muita coisa de palestras anteriores.

II. A VIDA DO HIEROMONGE *STÁRIETZ* ZOSSIMA, MORTO NA GRAÇA DE DEUS, REDIGIDA A PARTIR DE SUAS PRÓPRIAS PALAVRAS POR ALIEKSIÊI FIÓDOROVITCH KARAMÁZOV. DADOS BIOGRÁFICOS

a) *O jovem irmão do* stárietz *Zossima*

Amados padres e mestres, nasci numa distante província do Norte, na cidade de V., de pai nobre mas não de casta, e de condição bastante modesta. Morreu quando eu tinha apenas dois anos e não me lembro absolutamente dele. Deixou para minha mãe uma pequena casa de madeira e algum capital, não grande, mas suficiente para viver com os filhos sem passar necessidade. Minha mãe tinha apenas dois filhos: eu, Zinóvi, e meu irmão mais velho, Márkel. Era uns oito anos mais velho do que eu, cabeça quente e irascível, mas bondoso, alheio a caçoadas e até estranho de tão calado, sobretudo em casa, comigo, com minha mãe e os criados. Era bom aluno no colégio, mas não fazia amizade com os colegas, embora também não brigasse; ao menos era assim que minha mãe o recordava. Meio ano antes de sua morte, já com dezessete anos, deu para visitar a casa de um homem que vivia isolado em nossa cidade, uma espécie de exilado político deportado de Moscou para nossa cidade por ser um livre-pensador. Esse exilado era um sábio importante e filósofo renomado na universidade. Por alguma razão gostou de Márkel e passou a recebê-lo. Meu jovem irmão passava tardes inteiras em casa dele e isso durou todo o inverno, até que o exilado foi chamado de volta para o serviço público em Petersburgo, por um especial pedido seu, pois tinha protetores. Começou a Quaresma e Márkel não queria jejuar, insultava até zombava dessa prática: "Tudo isso são maluquices, dizia ele, e não existe Deus nenhum" — de sorte que minha mãe e os criados ficaram horrorizados, e eu um pouco, porque, embora eu tivesse apenas nove anos, essas palavras me deixaram muito assustado. Todos os nossos criados eram servos, quatro ao todo, todos comprados em nome de um grande senhor de terras nosso conhecido. Ainda me lembro de que minha mãe vendeu um dos quatro, a cozinheira Afímia, coxa e idosa, por sessenta rublos em papel, e em seu lugar contratou uma cozinheira livre. E eis que na sexta semana da Quaresma meu irmão piorou subitamente, se bem que sempre tivesse sofrido do peito, era de compleição fraca e predisposto à tísica; de boa estatura, mas delgado e doentio, ainda assim tinha um rosto agradável. Não sei se teria gripado, mas o médico apareceu lá em casa e logo cochichou à minha mãe que ele estava com uma tísica galopante e não sobreviveria à primavera. Minha mãe começou a chorar, a pedir cautelosamente (mais para não assustá-lo) que meu irmão jejuasse[82] e comungasse nos santos mistérios divinos, porque ainda estava em pé. Ao ouvir isso, zangou-se e destratou o templo de Deus, mas caiu em meditação: logo percebeu que estava com uma doença perigosa e por isso a mãe o mandava se confessar e comungar enquanto ele ainda tinha forças. Aliás, ele mesmo já sabia que estava doente havia muito tempo, e um ano antes, à mesa, tocara friamente nesse assunto comigo e com minha mãe: "Não sou mais deste vosso mundo, talvez não dure nem mais um ano", e foi como se tivesse profetizado. Uns três dias depois começou a Semana Santa. E meu irmão passou a jejuar desde a manhã da terça-feira. "Mãezinha, estou fazendo isto propriamente pela senhora, para deixá-la contente e tranquila" — disse-lhe. Minha mãe chorou de alegria e também de aflição: "Quer dizer que o fim dele está próximo, se lhe vem uma mudança tão repentina". Mas não foi por muito tempo à igreja, caiu de cama, de sorte que já o confessaram e lhe deram comunhão em casa. Os dias andavam serenos, claros, cheios de fragrância no ar, a Páscoa caíra tarde naquele ano. Lembro-me de que ele passava a noite inteira tossindo, dormia mal, e de manhã sempre se vestia e tentava sentar-se numa poltrona macia. É assim que me lembro dele: sentado, sereno, dócil, rindo, doente mas de aspecto alegre, radiante. Estava de espírito completamente mudado — era maravilhosa a transformação que começara a sofrer de uma hora para outra! A velha aia entrava em seu quarto: "Meu caro, permite-me acender a lamparina diante do ícone?". Antes ele não o permitia, até apagava. "Acende, querida, acende, eu era um monstro que lhe dava desgosto antes. Reza ao acender a lamparina a Deus, que rezarei por ti cheio de alegria. Então estaremos rezando a um único Deus." Essas palavras nos pareceram

[82] Jejum preparatório para a confissão e a comunhão. (N. do T.)

estranhas, minha mãe ia para o seu quarto e chorava, só que ao entrar no quarto dele enxugava as lágrimas e assumia um aspecto alegre. "Mamãe, não chore, minha cara — dizia ele, às vezes —, eu ainda terei muita vida pela frente, vou me distrair muito com vocês, porque a vida, a vida é alegre, é prazerosa!" — "Ah, querido, que alegria podes ter se passas a noite ardendo em febre e tossindo, de tal modo que o teu peito por pouco não arrebenta?" — "Mamãe — respondia ele —, não chores, a vida é um paraíso, e todos nós estamos no paraíso, mas não queremos reconhecer, se quiséssemos reconhecer amanhã mesmo o paraíso se instauraria em todo o mundo." Ficamos admirados com todas essas suas palavras, tão estranha e decidida foi a maneira com que as pronunciou; ficamos comovidos e choramos. Os conhecidos nos visitavam: "Meus queridos, dizia ele, meus caros, em que mereci que gostásseis de mim? por que gostais de mim como sou? e como antes eu não sabia disso, não apreciava?". Aos criados que entravam em seu quarto ele dizia a cada instante: "Meus queridos, meus caros, por que me servem, mereço que me sirvam? Se Deus se compadecesse e me deixasse viver, eu passaria a servir a todos, pois todos devem servir uns aos outros". Ao ouvir isso minha mãe balançava a cabeça: "Meu querido, estás falando assim por causa da doença". — "Mamã, meu bem, dizia ele, não é possível que não haja senhores e criados, mas oxalá eu venha a ser criado de meus criados, assim como eles são meus. E ainda te digo mais, mãezinha, que cada um de nós é culpado por tudo perante todos, e eu mais que todos." Mamãe chegou até a dar um riso, a chorar e rir: "Bem, e em que tu és mais culpado do que todos perante os demais? Entre eles há assassinos, bandidos, mas tu, que pecado pudeste cometer para te acusares mais a ti mesmo que aos outros?". "Mãezinha, minha querida, dizia ele (ele passou a usar essas palavras amáveis, inesperadas), minha querida, meu bem, fica sabendo que, em verdade, cada um é culpado por todos e por tudo. Não sei como te explicar isto, mas sinto que é assim, e até me dá aflição. Como nos foi possível viver, nos zangarmos, sem perceber nada?" Assim ele acordava todos os dias, cada vez mais e mais enternecido e alegre, todo fremente de amor. Às vezes aparecia o médico, o velho alemão Eisenschmidt: "Então, doutor, ainda vou viver mais um diazinho neste mundo?" — brincava por vezes com ele. "Não só um dia, mas muitos dias — respondia de quando em quando o médico —, há de viver meses e anos ainda". — "Ora, para que anos, para que meses! — chegava a exclamar. — Para que contar dias, se um dia é suficiente ao homem para que ele conheça toda a felicidade? Meus queridos, por que brigamos, por que nos vangloriamos uns perante os outros, por que guardamos rancor uns dos outros? vamos direto para o jardim e passeemos e brinquemos, amando e elogiando uns aos outros, e beijando, e bendizendo nossa vida." — "Vosso filho já não é deste mundo — disse o médico a mamãe quando ela o acompanhou até a saída —, está passando da doença à loucura." As janelas de seu quarto davam para o jardim, e nosso jardim era cheio de sombras, com árvores antigas, nas árvores germinavam os brotos da primavera, vários pássaros pousavam, grasnavam, cantavam na janela dele. E, olhando para eles e deliciando-se com eles, ele começou de repente a também lhes pedir perdão: "Pássaros de Deus, pássaros radiantes, desculpem-me vocês também, porque eu também pequei perante vocês". Naquele momento nenhum de nós conseguia entender isso, mas ele chorava de alegria: "Sim, dizia ele, eu tinha a meu redor aquela glória de Deus: pássaros, árvores, prados, céus, e só eu vivia na desonra, só eu havia desonrado tudo, e não notei absolutamente a beleza e a glória". — "Tu estás assumindo muitos pecados" — chegava a chorar minha mãe. "Mãezinha, meu bem, estou chorando de alegria e não de tristeza; eu mesmo quero ser culpado perante eles, só não posso te explicar isso pois nem sei como amá-los. Que eu seja pecador perante todos, mas em compensação também serei perdoado por todos — eis o paraíso. Por acaso não estou neste momento no paraíso?"

E ainda houve muita coisa que não dá para rememorar nem inserir. Lembro-me de que uma vez entrei sozinho em seu quarto quando não havia ninguém com ele. Era a hora vespertina, clara, o sol caminhava para o poente e iluminava todo o quarto com um raio oblíquo. Ao me ver ele me chamou, eu me aproximei, ele me segurou pelos ombros com ambas as mãos, olhou para meu rosto enternecido, com amor; não disse nada, apenas ficou me olhando cerca de um minuto: "Bem, disse ele, agora vai, brinca, vive por mim!". Então saí e fui brincar. Mais tarde, lembrei-me muitas vezes em minha vida, com lágrimas nos olhos, de como ele mandou que eu vivesse por ele. Ainda disse muitas daquelas coisas maravilhosas e belas, embora incompreensíveis para nós naquele momento. Faleceu na terceira semana depois da Páscoa, consciente, e embora já sem poder falar, não mudou até sua última hora: aspecto alegre, alegria nos olhos, o olhar nos procurando, rindo para nós, chamando-nos. Até na cidade muito se falou de seu falecimento. Tudo isso me deixou abalado naquele momento, mas não em excesso, embora eu tivesse chorado muito na hora de seu enterro. Eu era jovem, uma criança, mas tudo ficou indelével em meu coração, um sentimento encastelou-se aí. Teria de emergir e manifestar-se quando chegasse o momento. Foi o que aconteceu.

b) *As Sagradas Escrituras na vida do padre Zossima*

Eu e mamãe ficamos sozinhos. Logo os bons conhecidos lhe sugeriram: ora, restou-lhe apenas um filho, a senhora não é pobre, tem capital, então por que não segue o exemplo dos outros e envia seu filho para estudar em Petersburgo? Pois, permanecendo aqui, em sua nobreza, talvez a senhora o prive de um bom futuro. E sugeriram que minha mãe me levasse ao Corpo de Cadetes em Petersburgo para que, mais tarde, eu ingressasse na guarda do imperador. Durante muito tempo minha mãe hesitou: como iria se separar do último filho? e apesar de tudo decidiu-se, mas não sem derramar muitas lágrimas, pensando assegurar minha felicidade. Levou-me para Petersburgo e lá me fixou, e desde então nunca mais a vi; porque ao cabo de três anos ela mesma faleceu, depois de passar todo esse tempo consumindo-se de tristeza e tremendo por nós dois. Da casa de meus pais levei apenas as lembranças mais preciosas, porque para um homem não há lembranças mais preciosas que aquelas da primeira infância em casa dos pais, e é isso que acontece quase sempre, mesmo se numa família existe apenas um pouquinho de amor e união. Aliás, até da pior família se podem conservar lembranças preciosas, contanto que a alma seja capaz de procurar o precioso. Entre as lembranças de casa relaciono também aquelas vinculadas à História Sagrada, que em casa de meus pais eu tinha muita curiosidade de conhecer, apesar de ainda ser criança. Eu tinha na época um livro, a História Sagrada, ilustrado com belos quadros, intitulado *As cento e quatro histórias sagradas do Antigo e do Novo Testamento*, e nele eu aprendi a ler.[83] Até hoje eu o conservo aqui em minha estante como um monumento precioso. Mas ainda antes de aprender a ler, tinha eu oito anos, lembro-me de como certa compenetração espiritual me visitou pela primeira vez. Minha mãe me levou sozinho (não me lembra onde meu irmão estava na ocasião) para o templo de Deus, para a missa de segunda-feira da Semana Santa. O dia estava claro e eu, ao rememorar aquilo neste momento, é como se tornasse a ver o incenso brotando do turíbulo, subindo devagarzinho, enquanto lá do alto da cúpula os raios de Deus se derramam sobre nós na igreja por uma janelinha estreita e o incenso, que sobe em ondas ao seu encontro, parece dissolver-se neles. Eu contemplava aquilo com enternecimento, e pela primeira vez em minha vida recebi conscientemente na alma a primeira semente da palavra de Deus. Um adolescente foi ao centro do templo com um livro grande na mão, tão grande que me pareceu que ele o levava até com dificuldade, e o pôs no atril, abriu-o e começou a ler; e súbito compreendi algo pela primeira vez na vida,

---

[83] Segundo Anna Grigórievna, Dostoiévski aprendeu a ler por esse livro. (N. da E.)

compreendi o que se lê na casa de Deus. Havia na terra de Uz[84] um homem verdadeiro e devoto, e ele tinha muita riqueza, tantos camelos, tantas ovelhas e jumentos, e seus filhos se divertiam, e ele os amava muito, e orava por eles a Deus: talvez eles tivessem pecado quando se divertiam. E eis que o diabo vai a Deus com os filhos de Deus e diz ao senhor que percorrera a terra por cima e por baixo. "Observaste meu servo Jó?" — pergunta-lhe Deus. E Deus se gaba ao diabo, apontando para o seu grande servo. E o diabo ri das palavras de Deus: "Entrega-me teu servo e verás que ele começará a queixar-se e amaldiçoará o teu nome". Então Deus entregou seu servo justo e tão amado ao diabo, e o diabo feriu-lhe os filhos, e o gado, e destruiu sua riqueza, tudo de repente como um trovão divino, e Jó rasgou suas vestes, e atirou-se sobre a terra, e berrou: "Nu saí do ventre de minha mãe e nu retornarei à terra; Deus deu, Deus tirou. Bendito seja o nome do Senhor, agora e para todo o sempre!". Padres e mestres, perdoai estas minhas lágrimas de agora, porque é como se toda a minha primeira infância reaparecesse diante de mim, e neste momento respiro como então respirava com meu peito infantil de oito anos, e como naquela ocasião experimento surpresa, e confusão, e alegria. Reaparecem os camelos, que naquela ocasião ocuparam minha imaginação, e Satanás, que falou daquela maneira com Deus, e Deus, que entregou seu servo à morte, e seu servo, que exclamava: "Bendito seja Teu nome apesar de me atormentares" — e isso seguido de um canto sereno e doce no templo: "Minha oração se corrigirá", e de novo sobe o incenso do turíbulo do sacerdote e a oração volta a ser feita em posição genuflexa! Desde então — ainda ontem eu o peguei em minhas mãos — não posso ler sem lágrimas esse relato sagrado. Ah, quanto há de grande, misterioso, inimaginável aí! Depois ouvi palavras de zombeteiros e blasfemos, palavras orgulhosas: como Deus pôde entregar o mais amado de seus filhos ao diabo para divertimento, tirar-lhe os filhos, feri-lo com doença e chagas de tal modo que ele teve de limpar com um caco o pus de suas feridas, e para quê: unicamente para se vangloriar perante Satanás: "Eis, diz ele, o que um santo meu é capaz de suportar por mim!". Mas o grandioso é que o mistério está aí — a face passageira da Terra e a verdade eterna aí se tocaram. Diante da verdade terrena realiza-se a ação da verdade eterna. Aí, como nos primeiros dias da criação, o Criador diz, concluindo cada dia com um elogio: "O que eu criei é bom" — olha para Jó e torna a gabar-se de sua criação. Mas Jó, elogiando o Senhor, serve não só a Ele, serve a toda a criação d'Ele de geração em geração e para

[84] Há algumas diferenças entre o Livro de Jó aqui citado e as traduções que costumamos encontrar em português. (N. do T.)

Os irmãos Karamázov

todo o sempre, pois para tal foi predestinado. Meu Deus, que livro e que lições! Que livro são essas Sagradas Escrituras, que milagre e que força que dá ao homem! É como se fosse uma estátua do mundo e do homem e dos caracteres humanos, e tudo isso nomeado e indicado para todo o sempre. E quantos mistérios resolvidos e revelados: Deus reabilita Jó, dá-lhe de novo a riqueza, passam-se novamente muitos anos, e ei-lo já com novos filhos, outros, e os ama — oh, Senhor! "Sim, poder-se-ia pensar como ele poderia amar esses novos filhos quando não tinha mais os antigos, quando fora privado deles? Lembrando-se daqueles, por acaso poderia ser, como antes, plenamente feliz com os novos, por mais que os novos lhe fossem queridos?". Mas é possível, é possível: por força do grande mistério da vida humana, uma velha tristeza se converte paulatinamente numa serena e enternecida alegria; em vez do sangue efervescente da mocidade vem a velhice dócil e serena: bendigo o nascer do sol de cada dia, e meu coração canta para ele como antes, no entanto já gosto mais de seu ocaso, de seus longos raios oblíquos e, com eles, das lembranças dóceis e ternas, das imagens encantadoras de toda uma vida longa e abençoada — e sobre tudo isto está a verdade de Deus que comove, reconcilia e tudo perdoa! Minha vida está terminando, eu sei e sinto isto, mas a cada dia que me resta sinto que minha vida terrestre já contacta com uma vida nova, infinita, desconhecida mas imediatamente futura, cujo pressentimento faz fremir de êxtase minha alma, resplandecer a razão e chorar de alegria o coração... Amigos e mestres, mais de uma vez eu ouvi, e ainda mais nos últimos tempos, que em nosso país os padres de Deus, principalmente os padres das aldeias, vêm se queixando em toda parte e entre lágrimas de que suas côngruas andam baixas e ainda estão baixando, e asseguram francamente até por escrito — eu li isto — que não podem mais explicar as escrituras ao povo porque recebem côngruas baixas, e que se aparecerem luteranos e hereges e começarem a tomar o rebanho, então que o tomem, porque as côngruas estão baixas.[85] Senhor! penso eu, que Deus lhes dê antes de tudo as tão preciosas côngruas (porque sua queixa é justa), mas em verdade digo: se existem culpados por isso, metade da culpa é nossa! Porque vá que o padre não tenha tempo, vá que tenha razão, que esteja sempre oprimido pelo trabalho e pelos rituais, mas ainda assim ele tem tempo, tem ao menos uma hora em toda a semana para se lembrar de Deus. Ademais, não é trabalho para o ano inteiro. Reúna em sua casa uma tarde por semana a princípio apenas as criancinhas — os pais tomarão conhecimento e começarão a

---

[85] Os jornais da década de 1860-1870 publicavam frequentes notícias sobre as péssimas condições materiais do baixo clero e as queixas dos padres. (N. da E.)

aparecer. E não é preciso construir um palacete para esta atividade, mas simplesmente recebê-los em sua isbá; não temas, não vão estragar a tua isbá, pois vais reuni-los apenas por uma hora. Abre para eles este livro e começa a ler sem palavras complicadas nem presunção, sem ufania perante elas e sim com ternura e docilidade, tu mesmo te alegrando de que estás lendo para elas, de que elas te ouvem e te compreendem, tu mesmo amando essas palavras, só de raro em raro parando e explicando alguma palavra incompreensível para a gente simples; não te preocupes, compreenderão tudo, o coração ortodoxo compreende tudo! Lê para elas sobre Abraão e Sara, sobre Isaac e Rebeca, sobre como Jacó foi à casa de Labão e lutou em sonho com Deus, dizendo: "É terrível este lugar" — e impressionarás o devoto e a gente simples. Lê para eles, sobretudo para as criancinhas, a história de como os irmãos venderam o próprio irmão — o adolescente e amável José, decifrador de sonhos e grande profeta — como escravo, disseram ao pai que uma fera havia estraçalhado seu filho e lhe mostraram a roupa dele ensanguentada. Lê sobre como mais tarde os irmãos foram ao Egito atrás de pão, e José, a essa altura já grande cortesão, não tendo sido reconhecido por eles, atormentou-os, fez-lhes acusações, deteve o irmão Benjamin, e sem nunca deixar de amá-los: "Eu vos amo, e, amando-vos, eu vos atormento". Porque durante toda a sua vida guardara incansavelmente a lembrança de como o venderam a comerciantes à beira de um poço em algum lugar do deserto quente, de como ele torcera as mãos, chorando e implorando aos irmãos para que não o vendessem como escravo para uma terra estranha e, vendo-os depois de tantos anos, tornou a amá-los infinitamente, mas os atormentou e os fez penar, e sempre os amando. Por fim os deixa por não suportar o tormento de seu coração, lança-se ao leito e chora; depois enxuga o rosto, sai radiante e sereno e lhes anuncia: "Irmãos, sou José, vosso irmão!". Que o padre leia em seguida sobre como se alegrou o ancião Jacó ao saber que seu amado menino ainda estava vivo, e arrastou-se para o Egito, abandonando até a pátria, e morreu em terra estranha, legando para todo o sempre a grandiosa palavra que misteriosamente guardara por toda a vida em seu coração dócil e temente, a qual enunciava que de sua estirpe, de Judá, sairia a grande esperança do mundo, seu conciliador e pacificador! Padres e mestres, perdoai e não vos zangueis por eu falar como uma criancinha do que já sabeis há muito tempo e ensinais com cem vezes mais arte e beleza do que eu. Só estou falando essas coisas levado pelo êxtase, e perdoai minhas lágrimas, pois amo este livro! Que ele, o padre de Deus, também chore e veja que os corações de seus ouvintes hão de fremir em resposta a ele. Ele precisa apenas de uma semente pequena, minúscula: que ele a lance na alma da gente simples e ela não morrerá, viverá na alma dessa gente por toda a vida, ali se esconderá no meio das trevas, da fetidez de seus pecados como um ponto de luz, como um grande aviso. E não precisa, não precisa explicar e ensinar muito, ela compreenderá tudo com simplicidade. Pensais que não compreenderá? Tentai ler para ela a história comovente e enternecedora da bela Ester e da arrogante Vasti; ou a lenda maravilhosa do profeta Jonas no ventre da baleia. Também não esqueçais a parábola do Senhor sobre a conversão de Saulo (esta sem falta, sem falta!), que está sobretudo no Evangelho de Lucas (era assim que eu procedia) e, depois, nos Atos dos Apóstolos, e, por fim, nas *Tcheti-Minei*, ao menos a hagiografia de Alieksiêi, homem de Deus, e de Maria Egipcíaca, a mártir feliz e maior entre as grandes mártires, que viu Deus e a mãe de Cristo, e assim trespassará o coração da gente simples com as lendas mais simples, e isto apenas uma vez por semana, uma horinha só, a despeito do seu pequeno sustento. E o próprio padre verá que o nosso povo é benevolente e grato, e ele o recompensará cem vezes; lembrando-se do empenho do padre e de suas palavras comovidas, ele o ajudará voluntariamente no campo, o ajudará em casa e o cumulará de uma estima maior do que antes — e é assim que aumentará sua côngrua. A questão é tão simples que às vezes a gente até teme manifestá-la, porque riem da gente, mas, como é verdadeira! Quem não acredita em Deus também não acredita no povo de Deus. Quem acredita no povo de Deus percebe também sua santidade, ainda que até então não acreditasse absolutamente nela. Só o povo e a futura força de seu espírito converterá os nossos ateus que se desligaram da terra natal. E o que significa a palavra de Cristo sem o exemplo? A morte do povo sem a palavra de Deus, porque sua alma está sequiosa da palavra d'Ele e de toda e qualquer percepção do maravilhoso. Em minha mocidade, coisa antiga, já se vão aí quase quarenta anos, eu percorria toda a Rússia com o padre Anfim, recolhendo donativos para o mosteiro; certa vez, dormimos com pescadores na margem de um grande rio navegável, e sentou-se em nossa companhia um jovem bem-apessoado, camponês, que já aparentava uns dezoito anos e tinha pressa de sirgar um barco mercante para chegar no dia seguinte onde morava. Vejo-o olhando à sua frente com ar enternecido e sereno. É uma noite de julho clara, silenciosa, morna, o rio é largo, dele sobe um vapor que nos refresca, um ou outro peixinho agita levemente a água, os pássaros estão calados, tudo é silêncio, magnífico, tudo ora a Deus. E só nós dois, eu e esse jovem, estamos acordados e conversamos sobre a beleza desse mundo de Deus e de Seu grande mistério. Qualquer relva, qualquer inseto, formiga, abelha dourada, todos conhecem admiravelmente o seu próprio caminho, mesmo desprovidos de inteligência testemunham o mistério de Deus, eles mesmos o realizam, e noto que se in-

flamou o coração do amável jovem. Ele me revela que gosta do bosque, dos pássaros dos bosques; é passarinheiro, compreende cada pio dos pássaros, sabe atrair cada um deles; não conheço nada melhor do que estar no bosque, diz ele, tudo ali é bom. "Em verdade — respondo-lhe —, tudo é bom e magnífico porque tudo é a verdade. Olha para o cavalo — digo-lhe —, esse animal muito grande que se encontra ao lado do homem, olha para o boi que o alimenta e trabalha para ele, cabisbaixo e pensativo, olha para a fisionomia deles: que docilidade, que apego ao homem que frequentemente o espanca de forma impiedosa, que doçura, que credulidade e que beleza em sua fisionomia. É até comovente saber que ele não tem nenhum pecado, porque tudo, absolutamente tudo, exceto o homem, é sem pecado, e Cristo já os visitou antes de estar conosco". "Será mesmo — pergunta o jovem — que Cristo esteve com eles?" — "Como poderia ser diferente — respondo —, pois o Verbo é para todos, toda criatura, todo bicho, toda folhinha aspira ao Verbo, canta a glória de Deus, chora a Cristo sem o saber, realiza isto com o mistério de sua existência sem pecado. Vê — digo-lhe —, um urso terrível perambula pelo bosque, ameaçador e furioso, sem nenhum tipo de culpa." E lhe contei como, certa vez, um urso se chegou a um grande santo que procurava salvar sua alma no bosque, numa celinha minúscula, e o grande santo comoveu-se diante dele, saiu destemidamente ao seu encontro e lhe deu um pedaço de pão, dizendo: "Vai com Cristo", e a raivosa fera se foi com obediência e docilidade, sem lhe fazer mal. E o jovem se comoveu com o fato de que o urso se afastou sem fazer mal e de que Cristo estava com ele. "Ah, como isso é bom, como tudo o que é de Deus é bom e maravilhoso!" Ali, sentado, caiu em meditação serena e doce. Notei que havia compreendido. E adormeceu a meu lado um sono leve e puro. Abençoa, Senhora, os jovens! E ato contínuo eu mesmo rezei por ele e me afastei para dormir. Senhor, manda a paz e a luz aos teus homens!

c) *Lembranças da adolescência e da mocidade do* stárietz *Zossima ainda neste mundo. O duelo*

Passei muito tempo, quase oito anos, servindo no Corpo de Cadetes em Petersburgo, e a nova educação abafou muito das minhas impressões da infância, embora eu não tivesse esquecido nada. Em troca, assumi tantos hábitos e até opiniões novas que me transformei em um ser quase selvagem, cruel e absurdo. Adquiri um verniz de civilidade e maneiras mundanas juntamente com a língua francesa, mas em nosso Corpo todos, inclusive eu, consideravam os soldados que ali serviam como verdadeiras bestas. Eu talvez até mais do que os outros, porque era o mais susceptível entre todos os colegas.

Quando nos formamos oficiais, estávamos prontos a derramar nosso sangue por uma ofensa à honra de nosso regimento, mas entre nós quase ninguém conhecia a verdadeira honra, sequer sabia que ela existia e, se o soubesse, imediatamente seria o primeiro a rir dela. Quase chegávamos a nos orgulhar da bebedeira, das arruaças e da valentia. Não digo que fôssemos maus; todos aqueles jovens eram bons, apenas se comportavam mal, e eu mais do que todos os outros. O principal é que me chegara às mãos meu capital, e por isso eu começara a desfrutar do meu prazer com todas as aspirações de jovem, sem freios, tocando o barco a toda vela. Mas eis o que é de admirar: na época eu lia, e até com grande prazer; quase nunca abria a Bíblia, todavia nunca me separava dela, levava-a comigo aonde quer que fosse: em verdade eu conservava esse livro, sem que disso me desse conta, "para o dia e a hora, o mês e o ano".[86] Depois de servir assim por uns quatro anos, encontrava-me finalmente na cidade K., onde nosso regimento estava então aquartelado. A sociedade local era variada, de população numerosa e alegre, hospitaleira e rica, recebiam-me bem em toda a parte, pois desde o nascimento eu era de temperamento alegre, e além do mais tinha fama de não ser pobre, o que não é pouca coisa neste mundo. Foi então que houve uma circunstância que desencadeou tudo. Eu me afeiçoara a uma moça jovem e bela, inteligente e digna, de índole radiosa, nobre, filha de pais respeitados. Era uma gente bem importante, detentora de riqueza, influência e poder, e me recebia com carinho e cordialidade. E então me veio a impressão de que a moça estava afeiçoada por mim — meu coração ficou inflamado com essa fantasia. Depois eu mesmo me apercebi e me dei conta de que talvez não nutrisse por ela nenhum amor considerável e apenas estimasse sua inteligência e seu caráter sublime, o que não podia deixar de ser. Não obstante, o egoísmo me impediu de lhe pedir a mão naquele momento: pareceu-me duro e terrível separar-me tão jovem, e ainda por cima com dinheiro, das tentações da vida de solteiro, depravada e livre. Todavia, cheguei a insinuar. Em todo caso, adiei provisoriamente qualquer passo decisivo. E de repente viajo a serviço por dois meses a outra província. Retorno dois meses depois e recebo a notícia de que a moça já estava casada com um rico senhor de terras dos arredores da cidade, homem que, mesmo sendo alguns anos mais velho do que eu, ainda era jovem, tinha relações na capital e na melhor sociedade — o que eu não tinha —, um homem bastante amável além de instruído, ao passo que eu não tinha instrução nenhuma. Esse acontecimento inesperado me deixou tão estupefato que fiquei até com a mente turvada. O principal, como então

---

[86] Ver Apocalipse de João, 9, 15. (N. da E.)

Os irmãos Karamázov

fiquei sabendo, era que aquele jovem senhor de terras já estava noivo dela havia muito tempo, e eu mesmo o encontrara inúmeras vezes em casa dela mas nada notara, ofuscado que estava por meu amor-próprio. E foi justo isso o que mais me ofendeu: como era que quase todo mundo sabia e só eu não sabia de nada? Senti uma raiva súbita e insuportável. Ruborizado, comecei a recordar como muitas vezes quase lhe declarara meu amor, e já que ela não me fazia parar nem me prevenia, então concluí que ria de mim. Depois, é claro, ponderei e acabei me lembrando de que ela não ria absolutamente, mas, ao contrário, interrompia com ar brincalhão aquelas conversas e começava outras em seu lugar — só que naquele momento eu não consegui percebê-lo e um anseio de vingança ferveu dentro de mim. Recordo com surpresa que essa vingança e essa ira eram para mim extremamente duras e detestáveis, porque, sendo de índole branda, não conseguia guardar rancor por muito tempo e por isso eu me instigava como que artificialmente, e no fim das contas me tornei vil e ridículo. Aguardei o momento e uma vez, diante de um grande público, consegui de repente ofender meu "rival" por um motivo que poderia parecer o mais descabido, zombar de uma opinião dele sobre um acontecimento importante daqueles dias — isso aconteceu em 1826 —, e como me diziam as pessoas, zombei dele com espírito e habilidade. Em seguida, forcei-o a se explicar, e durante as explicações já me comportei com tamanha grosseria que ele aceitou meu desafio, apesar da enorme diferença que havia entre nós, porque eu era mais jovem do que ele, insignificante e de condição inferior. Depois tive a certeza de que ele aceitara meu desafio também como que movido por ciúme de mim: já antes tivera um pouco de ciúme de mim com sua mulher quando esta ainda era sua noiva; agora, pensou que se ela soubesse que ele suportara uma ofensa de minha parte e não se atrevera a me desafiar para um duelo, poderia vir a desprezá-lo involuntariamente e ficar com seu amor abalado. Logo arranjei um padrinho, um tenente, meu camarada de nosso regimento. Embora na época os duelos fossem cruelmente perseguidos, havia uma espécie de moda do duelo entre os militares — a tal ponto às vezes crescem e se fortalecem preconceitos selvagens. Estávamos em fins de junho e nossa luta seria no dia seguinte, nos arredores da cidade, às sete da manhã — e realmente me aconteceu algo como que fatal. Retornando na véspera para casa furioso e repugnante, zanguei-me com meu ordenança Afanassi e lhe dei dois socos com toda a força no rosto, de modo que o deixei ensanguentado. Havia pouco tempo que ele me servia, e antes já me acontecera de lhe bater, mas nunca com uma crueldade tão feroz. E acreditai, meus queridos, que já se vão quarenta anos desde então, mas até hoje ainda me lembro daquilo com vergonha e tristeza. Deitei-

-me, dormi por umas três horas, levantei-me, o dia já estava começando. Levantei-me de supetão, não queria mais dormir, fui à janela, abri-a — ela dava para o jardim —, vejo um solzinho nascendo, está morno, maravilhoso, os pássaros gorjeiam. O que é isso, penso, que estou sentindo na alma, como se fosse algo infame e vil? Não será porque estou indo derramar sangue? Não, penso, parece que não é por isso. Não será porque temo a morte, temo ser morto? Não, não é nada disso, não é mesmo nada disso... E súbito percebi onde estava a questão: no fato de que na véspera eu havia espancado Afanassi! Num instante tudo me pareceu repetir-se com precisão: ele está postado à minha frente, eu lhe bato com força em pleno rosto, mas ele se mantém em posição de sentido, de cabeça erguida e olhos esbugalhados, estremece a cada soco e não se atreve sequer a levantar a mão para se proteger — um homem levado àquele ponto, e esse homem batendo noutro homem! Que crime! Foi como se uma agulha bem pontiaguda me transpassasse toda a alma. Estava postado como que atônito, e o solzinho iluminando, as folhinhas alegres brilhando, os passarinhos, os passarinhos louvando a Deus... Cobri o rosto com ambas as mãos, caí na cama e comecei a soluçar. Nesse instante me lembrei do meu irmão Márkel e de suas palavras aos criados antes de morrer: "Meus queridos, por que me servem, por que gostam de mim, eu lá mereço que me sirvam?" — "Sim, será que mereço?" — entrou-me de estalo na cabeça. De fato, por que mereço que outro homem como eu, imagem e semelhança de Deus, me sirva? Foi assim que essa pergunta me penetrou na mente naquele momento pela primeira vez na vida. "Mãezinha, sangue do meu sangue, em verdade cada um é culpado por todos, só que os homens não sabem disso, pois se soubessem o paraíso começaria no mesmo instante!" "Deus, será que isso também não é verdade? — choro e penso — eu realmente sou culpado por todos, talvez o mais culpado e ainda o pior de todos os homens no mundo!" E súbito toda a verdade se me apresentou, com todas as suas luzes: o que estou indo fazer? Estou indo matar um homem bom, inteligente, nobre, que não tem nenhuma culpa perante mim, e vou privar sua mulher para sempre da felicidade, atormentá-la e matá-la. Estava deitado na cama de bruços, com a cara no travesseiro, e não percebi absolutamente como o tempo passou. De repente entra meu camarada, o tenente, atrás de mim com as pistolas: "Ah, que bom que você já se levantou, está na hora, vamos". Fiquei aturdido, totalmente desnorteado, e entretanto saímos para pegar a caleche: "Aguarde um instante aqui — digo-lhe —, vou num pé e volto noutro, esqueci minha carteira". E corri sozinho de volta à casa, e fui direto ao cubículo de Afanassi: "Afanassi, digo eu, ontem eu te bati duas vezes no rosto, perdoa-me". Ele literalmente estremeceu, foi como se tivesse

Os irmãos Karamázov

levado um susto, e ficou a me olhar — mas vejo que isso é pouco, é pouco, e de repente — pimba! — caí-lhe aos pés do jeito que estava, de dragonas, e batendo com a testa no chão: "Perdoa-me!" — digo. Então ele ficou totalmente aturdido: "Excelência, *bátiuchka*, senhor, como é que o senhor... Ora, eu lá mereço..." — e ele desatou a chorar, exatamente como eu pouco antes, cobriu o rosto com as mãos, virou-se para a janela e sacudiu-se todo em lágrimas, e então corri para o meu companheiro, voei para a caleche e gritei: "Toca". "Já viu — digo-lhe — um vitorioso? Ei-lo aqui contigo!" Estou tomado de um grande entusiasmo, rio, falo durante todo o percurso, falo, já não me lembro do que falava. Ele me olha: "Bem, meu irmão, bravo, estou vendo que manténs a honra da farda". Assim chegamos ao lugar, e lá já estavam à nossa espera. Separaram-nos doze passos um do outro, coube a ele o primeiro tiro: estou eu postado à sua frente, cara a cara, sem pestanejar, contemplando-o com afeto, sabendo o que vou fazer. Ele atira, só me arranha de leve uma das faces e me toca a orelha. "Graças a Deus, grito, o senhor não matou um homem!" — E agarrei minha pistola, recuei e, com um arremesso para o alto, joguei-a no bosque: "Lá, grito eu, é o teu lugar!". Voltei-me para meu adversário: "Meu caro senhor, digo eu, perdoe este jovem tolo, por minha culpa o ofendi e agora o forcei a atirar em mim. Eu mesmo sou dez vezes pior que o senhor, e talvez até mais. Transmita isto àquela criatura que o senhor considera mais do que todas no mundo". Mal pronunciei isto, todos os três gritaram. "Com licença — diz meu adversário, até zangado —, se o senhor não queria bater-se, então por que me incomodou?" — "Ontem — respondo — eu ainda era um tolo, mas hoje criei juízo" — respondo-lhe com alegria. "Acredito no que se refere a ontem, diz ele, mas quanto a hoje é difícil tirar uma conclusão do que o senhor diz." — "Bravo — grito-lhe batendo palmas —, nisso estou de acordo com o senhor, fiz por merecer!" — "Enfim, meu caro senhor, vai ou não vai atirar?" — "Não vou, digo; já o senhor, se quiser, atire de novo, só que seria melhor não atirar." Os padrinhos também gritam, sobretudo o meu: "Então vai desonrar o regimento pedindo perdão no campo do duelo; se eu soubesse disso!" Posto-me ali perante eles, perante todos, e já não rio: "Meus senhores, digo, será mesmo tão surpreendente para os nossos dias encontrar um homem que se arrepende pessoalmente de sua tolice e confessa sua culpa publicamente?" — "Sim, mas não no campo do duelo!" — torna a gritar meu padrinho. "Pois esta é a questão — respondo —, é isso que surpreende, porque eu devia ter assumido a culpa assim que chegamos aqui, ainda antes do tiro dele, e não levá-lo a um pecado grande e mortal, mas nós mesmos tornamos a coisa tão detestável nesse mundo que agir assim era quase impossível, porque só depois que suportei o tiro dele a doze passos minhas palavras podem significar alguma coisa para ele, porque se eu tivesse feito isso antes do tiro, logo que chegamos aqui, ele teria dito simplesmente: é um covarde, ficou com medo da pistola e não há por que lhe dar ouvidos. Senhores — exclamei de repente de todo coração —, olhai ao redor para as dádivas de Deus: céu claro, ar puro, relva tenra, pássaros, a natureza bela e sem pecado, e nós, só nós os hereges e tolos não compreendemos que a vida é um paraíso, porque basta querermos compreender isso, que ele imediatamente se fará em toda a sua beleza; abracemos-nos e choremos..." Eu ainda quis continuar mas não pude, e fiquei até com a respiração presa; era tudo tão doce, tão juvenil, e havia tamanha felicidade em meu coração como nunca sentira em toda a minha vida. "Tudo isso é sensato e piedoso — diz meu adversário —, em todo caso, o senhor é um homem original." — "Ria — também rio para ele — e depois o senhor mesmo me elogiará." — "Sim, estou disposto a elogiá-lo agora mesmo, diz ele, permita-me estender-lhe a mão, porque parece que o senhor é realmente um homem sincero." — "Não, digo eu, agora não é preciso, deixe para depois, quando eu me tornar melhor e merecer seu respeito, então o senhor me estenderá a mão e fará bem." Voltamos para casa, durante todo o percurso meu padrinho dizia desaforos, mas eu o beijava. Todos os colegas logo ouviram falar do ocorrido e se reuniram para me julgar naquele mesmo dia: "manchou a farda, disseram eles, então que peça baixa". Apareceram também defensores: "Mesmo assim, disseram, ele suportou o tiro". — "Sim, mas ficou com medo dos outros tiros e pediu desculpas no campo do duelo". — "Mas se tivesse temido os outros tiros — objetam os defensores —, devia ter primeiro atirado com sua pistola antes de pedir desculpa, mas ele a jogou carregada no bosque; não, aí houve alguma outra coisa, foi original". Escuto tudo, olhando para todos com alegria. "Amabilíssimos — digo eu — amigos e companheiros, não se preocupem com o meu pedido de baixa porque eu já o fiz, já o pedi hoje pela manhã na chancelaria, e quando receber a reforma vou entrar imediatamente para um mosteiro, é por isso que estou pedindo baixa". Mal acabei de dizer isto, todos caíram na risada, um a um: "Sim, devias ter avisado desde o início, agora está tudo explicado, não se pode julgar um monge" — eles riem, não se contêm, mas não há nenhuma galhofa nisso, riem de modo tão carinhoso, alegre, num átimo todos passam a gostar de mim, até os mais extremados acusadores, e depois, durante todo esse mês, até que minha baixa saísse, eles literalmente me carregaram nos braços: "Sim senhor, monge!" — diziam. Cada um me dizia uma palavra de carinho, começaram a me dissuadir, até a lamentar: "O que estás fazendo contigo?" — "Não, dizem, ele é valente, suportou um tiro e não conseguiu atirar com sua pistola, mas isso foi um sonho que ele teve na véspera para que ingressasse no mosteiro, eis a causa". Quase exatamente a mesma coisa aconteceu numa reunião social na cidade. Antes não me davam lá grande atenção, apenas me recebiam com hospitalidade, mas agora todos ficaram súbita e simultaneamente a par do ocorrido e passaram a me convidar às suas casas: eles riam de mim, mas gostavam de mim. Observo que, embora todos falassem em voz alta de nosso duelo, as autoridades abafaram o caso porque meu adversário era parente próximo do nosso general, e como o caso terminou sem derramamento de sangue, como uma brincadeira, e eu, por fim, pedi baixa, então o transformaram realmente numa brincadeira. Aí passei a falar em voz alta e sem medo, apesar do riso deles, porque aquilo tudo era um riso não de raiva, mas de bondade. Todas aquelas conversas aconteciam mais às noitinhas, nas rodas femininas, e quem mais gostava de me ouvir eram as mulheres, e elas obrigavam os homens a fazê-lo. "Ora, como é possível que eu seja culpado por todos — ria qualquer um na minha cara —, ora, por acaso eu posso ser culpado, por exemplo, pelo senhor?" — "Sim — respondo —, mas como é que os senhores iriam saber, quando há muito tempo o mundo inteiro já enveredou por outro caminho e quando consideramos verdade a pura mentira e exigimos dos outros essa mesma mentira? Pois bem, uma vez na vida peguei e agi com sinceridade, e então, veja, tornei-me uma espécie de *iuródiv* para todos os senhores: embora tenham passado a gostar de mim, ainda assim riem." — "Ora, como não gostar de uma pessoa como o senhor?" — ri alto a anfitriã, e havia muita gente reunida em sua casa. Súbito vejo levantar-se do meio das senhoras aquela mesma jovem criatura pela qual eu desafiara o marido para o duelo e que ainda recentemente eu considerava minha noiva, mas eu não havia notado como chegara ali àquela noite. Levantou-se, chegou-se a mim, estendeu-me a mão: "Permita-me, diz ela, externar-lhe que sou a primeira a não rir do senhor, mas, ao contrário, agradeço entre lágrimas e lhe declaro meu respeito por sua atitude naquele momento". Aproximou-se também o marido, e em seguida todos se chegaram subitamente a mim, quase me beijando. Fiquei muito alegre, no entanto quem mais notei entre eles foi um senhor, já entrado em anos, que também veio a mim e, embora eu já o conhecesse de nome, nunca o havia conhecido ou trocado uma palavra com ele.

d) *O visitante misterioso*

Estava ele de serviço em nossa cidade fazia muito tempo, ocupava posição de destaque, era homem respeitado por todos, rico, que se tornara famoso pela filantropia, doava uma quantia considerável para abrigos de idosos e uma casa de órfãos, além de distribuir muitos benefícios em segredo, sem dar publicidade, o que só se soube depois de sua morte. Tinha aproximadamente cinquenta anos, um aspecto quase severo, e era de poucas palavras; casara-se havia não mais de dez anos com uma mulher ainda jovem, de quem tinha três filhos pequenos. Eis que na tarde seguinte estou em minha casa e de repente a porta se abre e entra esse mesmo senhor.

Cabe observar que na época eu já não morava na mesma casa, uma vez que mal pedi baixa me mudei para outra que aluguei de uma senhora idosa, viúva de um funcionário, e com criadagem, pois minha mudança para essa residência só aconteceu porque no mesmo dia em que retornei do duelo encaminhei Afanassi de volta ao regimento, porque sentia vergonha de encará-lo depois daquela minha atitude para com ele — a tal ponto um homem mundano despreparado é propenso a envergonhar-se até de alguma atitude justíssima de sua parte.

"Já faz vários dias — diz-me o senhor que acaba de entrar em minha casa — que venho ouvindo o senhor em diferentes casas com grande curiosidade e desejei finalmente conhecê-lo em pessoa para ouvi-lo numa conversa mais detalhada. Meu caro senhor, pode me fazer tão grande obséquio?" — "Posso, respondo, com o maior prazer, e o considero uma honra especial" — disse-lhe isto e quase me assustei, tão surpreso eu estava com nosso primeiro encontro. Porque, embora as pessoas me ouvissem e ficassem curiosas, ninguém ainda me havia abordado daquele modo sério e severo, que lhe vinha do íntimo. E ele ainda me havia procurado em minha própria casa. Sentou-se. "Vejo no senhor uma grande força de caráter — continua ele —, porque não temeu servir à verdade numa causa em que, por sua própria verdade, arriscou-se a sofrer o desprezo geral de todos." — "Talvez o senhor esteja me elogiando com muito exagero" — disse-lhe eu. "Não, não estou exagerando — responde —, acredite que praticar um ato como aquele é bem mais difícil do que o senhor imagina. Foi só isso que me deixou propriamente pasmado, e por essa razão estou aqui. Se não lhe for desprezível minha curiosidade talvez tão indecente, descreva-me o que o senhor sentiu especialmente naquele momento do duelo em que resolveu pedir desculpa, se é que o senhor se lembra. Não tome minha pergunta por leviandade; ao contrário, ao fazer tal pergunta tenho um objetivo secreto, que provavelmente lhe explicarei depois, se Deus quiser nos aproximar ainda mais."

Durante todo o tempo em que ele esteve falando eu o encarei, e súbito experimentei uma fortíssima confiança nele e, além disso, uma curiosidade incomum de minha parte, pois senti que ele tinha algum segredo especial na alma.

"O senhor pergunta o que precisamente senti no instante em que pedi perdão ao meu adversário — respondo-lhe —, mas é melhor que antes eu lhe conte o que ainda não contei a outros" — e contei-lhe tudo o que me acontecera com Afanassi e como lhe fizera uma reverência até o chão. "Por tudo isso o senhor mesmo pode perceber — concluí para ele — que já me foi mais fácil tomar aquela atitude durante o duelo porque já havia começado a tomá-la em casa e, uma vez assumido esse caminho, tudo o que se sucedeu não o fiz só com facilidade mas até com alegria e prazer."

Ele me ouviu, olhando-me de um jeito agradável: "Tudo isso — diz ele — é extraordinariamente curioso; ainda virei outras vezes à sua casa". E desde então passou a me visitar quase todas as tardes. E teríamos nos tornado muito amigos se ele tivesse me falado também a seu respeito. Mas de si quase não dizia uma palavra e continuava a me inquirir a meu respeito. Apesar disso gostei muito dele e lhe confiei absolutamente todos os meus sentimentos, porque penso assim: para que preciso do segredo dele, se mesmo sem isso percebo que é um homem justo? Além disso é ainda um homem muito sério e de idade diferente da minha, mas me visita, a um jovem, e não me menospreza. Muita coisa útil aprendi com ele, pois era um homem de grande inteligência. "Há muito venho pensando — diz-me de repente — que a vida é um paraíso — e acrescenta de súbito: — Só nisso tenho pensado." Olha-me e sorri. "Disto estou mais convencido que o senhor, depois saberá por quê." Eu o escuto e penso cá comigo: "Na certa ele está querendo me revelar alguma coisa". — "O paraíso — diz — está oculto em cada um de nós, agora mesmo está oculto aqui dentro de mim, e se amanhã eu quiser ele começará efetivamente para mim e já pelo resto de minha vida." Observo: fala com enternecimento e me olha com ar misterioso, como se me interrogasse. "E quanto ao fato de que cada homem — continua ele — é culpado por tudo e por todos, além de seus pecados, o que o senhor julgou de forma absolutamente correta, é até admirável como de repente o senhor conseguiu abranger com tamanha amplitude todo esse pensamento. E em verdade é certo que quando os homens compreenderem essa ideia chegará para eles o Reino dos Céus não mais em sonho, e sim em realidade." — "Mas quando — exclamei incontinenti e com amargor — isto vai acontecer, e será que algum dia acontecerá? Isto não é apenas um sonho?" — "Veja só — diz ele —, o senhor não acredita, prega e pessoalmente não acredita. Saiba que esse sonho, como o senhor diz, acontecerá sem dúvida, acredite nisso, só que não agora, porque para toda ação existe uma lei. É uma questão espiritual, psicológica. Para refazer o mundo de maneira nova é preciso que os próprios homens enveredem psicologicamente por outro caminho. A fraternidade não chegará antes que o senhor se torne irmão de fato de toda e qualquer pessoa.[87] Nunca os homens, levados por nenhuma ciência e nenhuma vantagem, serão capazes de dividir pacificamente suas propriedades e seus direitos com os outros. Tudo será pouco para cada um deles e todos irão queixar-se, invejar e exterminar uns aos outros. O senhor pergunta quando isso vai acontecer. Acontecerá, mas antes deve concluir-se o período do *isolamento* humano." — "Que isolamento é esse?" — pergunto. "É aquele que hoje reina em toda parte e sobretudo em nosso século, mas ainda não se concluiu inteiramente, nem chegou a sua hora. Porquanto hoje em dia qualquer um procura dar mais destaque à sua própria personalidade, deseja experimentar em si mesmo a plenitude da vida, e, no entanto, em vez da plenitude da vida, todos os seus esforços resultam apenas no pleno suicídio, pois ele acaba caindo no pleno isolamento em vez de alcançar a plena determinação de sua essência. Pois que em nosso século todos se dividiram em unidades, cada um se isola em sua toca, cada um se afasta do outro, esconde-se, esconde o que possui e termina ele mesmo por afastar-se das pessoas e afastá-las de si mesmo. Acumula riqueza isoladamente e pensa: como hoje sou forte e como sou abastado! mas o louco nem sabe que quanto mais acumula mais mergulha em sua loucura suicida. Porque se acostumou a esperar unicamente de si e separou-se do todo como unidade, acostumou sua alma a não acreditar na ajuda dos homens, nos homens e na humanidade, e não faz senão tremer diante do fato de que desaparecerão seu dinheiro e os direitos que adquiriu. Hoje, em toda parte, a inteligência humana zomba ao negar-se a compreender que a verdadeira garantia da pessoa não está em seu esforço pessoal isolado, mas na unidade geral dos homens. Contudo, é inevitável que também chegue o momento desse isolamento terrível, e todos compreenderão de uma vez como se separaram uns dos outros de forma antinatural. Essa já será uma tendência da época, e eles ficarão surpresos por terem passado tanto tempo nas trevas, sem enxergar a luz. Então aparecerá nos céus o sinal do filho do Homem... Mas até esse dia é necessário proteger de quando em quando o estandarte a despeito de tudo, e o homem deve, ainda que individualmente, dar o exemplo e tirar a alma do isolamento para realizar a proeza de um convívio fraternal, mesmo que o faça na condição de *iuródiv*. Isto para que não morra a grande ideia..."

Pois era nessas palestras calorosas e extasiantes que nossas tardes se passavam uma após outra. Cheguei até a abandonar a vida social e passei a

---

[87] Dostoiévski repete incansavelmente essa convicção em toda a sua obra jornalística e literária, começando pelas *Notas de inverno sobre impressões de verão*. (N. da E.)

fazer visitas cada vez mais raras, e além disso eu começava a sair da moda. Não falo isto como censura, porque continuaram a gostar de mim e me tratar com alegria; mesmo assim, cabe reconhecer que a moda é efetivamente uma rainha considerável no mundo. Por fim, passei a ver com admiração meu visitante misterioso, porque, além de me deliciar com sua inteligência, comecei a pressentir que ele nutria certo intento e se preparava para um feito possivelmente grandioso. Talvez fosse também de seu agrado que eu não aparentasse curiosidade quanto ao seu segredo, que não o interrogasse de forma direta nem por insinuações. Contudo, acabei percebendo que ele mesmo já começava a ficar meio morto de vontade de me fazer alguma revelação. Ao menos foi o que já ficou evidente mais ou menos um mês após o início de suas visitas. "O senhor sabe — perguntou-me certa vez — que na cidade andam muito curiosos a nosso respeito e se admiram de que eu o visite com tanta frequência? Pouco se me dá, porque *brevemente tudo se explicará*." De quando em quando ele era assaltado por uma agitação excepcional, e nessas ocasiões quase sempre se levantava e ia embora. Às vezes fixava em mim um olhar demorado e meio penetrante, e eu pensava: "Vai dizer alguma coisa agora mesmo", mas parava de repente e começava a falar de algo conhecido e comum. Passara também a se queixar frequentemente de dor de cabeça. E eis que certa vez, depois de uma fala demorada e ardorosa dele, percebo, de modo até inteiramente inesperado, que empalideceu de chofre, está com o rosto totalmente contraído e com o olhar cravado em mim.

— O que o senhor tem — pergunto —, não estará se sentindo mal?

Queixava-se justamente de dor de cabeça.

— Eu... sabe de uma coisa... eu... matei uma pessoa.

Pronunciou isto sorrindo, porém branco como giz. "Por que está sorrindo?" — esse pensamento me trespassou de súbito o coração antes que eu me apercebesse de alguma coisa. E eu mesmo empalideci.

— O que é que o senhor está dizendo? — brado-lhe.

— Veja — responde-me com um riso ainda pálido — como me custou caro dizer a primeira palavra. Agora que a pronunciei, parece que peguei o caminho. E lá vou eu.

Demorei muito a acreditar nele, e só acreditei depois que ele passou três dias vindo à minha casa e me contou tudo em detalhes. Eu o achava louco, mas acabei convencido, de forma nítida e com a maior amargura e surpresa, de que dizia a verdade. Catorze anos antes ele cometera um crime imenso e terrível contra uma senhora rica, jovem e bela, viúva de um senhor de terras, que possuía uma casa em nossa cidade, na qual passava temporadas. Ele sentiu por ela um amor imenso, declarou-lhe esse amor e começou a persuadi-la a casar-se com ele. Mas ela já havia entregado o coração a outro, um militar nobre e de alta patente, que na época estava em campanha e que, não obstante, ela esperava para breve em sua casa. Ela rejeitou sua proposta de casamento e lhe pediu que deixasse de frequentar sua casa. Ele deixou de frequentá-la, mas, conhecendo a disposição da casa, entrou à noite pelo jardim e penetrou nela pelo telhado com a maior insolência, arriscando-se a ser descoberto. Mas, como acontece muito amiúde, todos os crimes cometidos com uma insolência incomum são mais frequentemente bem-sucedidos que os outros. Depois de penetrar no sótão pela claraboia, ele desceu por uma escadinha para os quartos de dormir, sabendo que, por negligência dos criados, a porta que ficava no final da escada nem sempre era fechada com cadeado. Desta vez ele contou com essa falha e a encontrou justamente assim. Depois de abrir caminho para os aposentos, foi no escuro ao dormitório dela, no qual ardia uma lamparina e, como de propósito, as duas criadas de quarto haviam saído às escondidas, sem autorização, para uma festa de aniversário na vizinhança, na mesma rua. Os outros criados e criadas dormiam no térreo, nos quartos dos criados e na cozinha. À vista da mulher adormecida, a paixão ferveu dentro dele e, em seguida, a fúria do ciúme e da vingança se apoderou de seu coração, e ele, fora de si, como um bêbado, aproximou-se e transpassou-lhe o coração com uma facada, de modo que ela nem chegou a gritar. Depois, com um cálculo diabólico e o mais criminoso, dispôs as coisas de tal modo que viessem a suspeitar do criado: não sentiu repugnância de pegar a bolsa dela, abriu a cômoda com uma chave que pegou debaixo do travesseiro e tirou dali alguns objetos, exatamente como faria um criado ignorante, ou seja, deixou papéis de valor e pegou apenas dinheiro, alguns objetos de ouro de maior volume, mas desprezou objetos pequenos porém dez vezes mais preciosos. Pegou também alguma coisa como lembrança, porém disto falaremos mais tarde. Depois de cometer esse ato horrendo, voltou pelo mesmo caminho. Nem no dia seguinte, quando foi dado o alarme, nem depois, em toda a sua vida, a ninguém ocorreu desconfiar do verdadeiro facínora! Ademais, ninguém sabia de seu amor por ela, porque ele sempre fora por natureza calado e pouco comunicativo e não tinha um amigo a quem abrir a alma. Consideravam-no simples conhecido da morta e inclusive não tão próximo, pois nas últimas duas semanas ele sequer a visitara. Suspeitaram imediatamente do servo dela, Piotr, e todas as circunstâncias coincidiram justamente para consolidar essa suspeita, porque esse criado sabia, por revelação da própria morta, que era intenção dela entregá-lo ao exército para servir como soldado no lugar de um de seus camponeses que ela deveria ceder como recruta, visto que Piotr era solteiro e além disso malcomportado. Numa casa de bebidas, onde ele estava tomado de fúria e bêbado, ouviram-no ameaçá-la de morte. Dois dias antes da morte ele havia fugido e estava morando na cidade em lugares desconhecidos. No dia seguinte ao assassinato, encontraram-no na estrada de saída da cidade, caindo de bêbado, com sua faca no bolso e ainda por cima com a palma da mão direita manchada de sangue, sabe-se lá por quê. Ele afirmou que o sangue lhe havia escorrido do nariz, mas não lhe deram crédito. As criadas se confessaram culpadas de terem ido à festa e de não haverem fechado as portas da entrada antes de regressarem. Além disso, ainda houve muitas pistas semelhantes, pelas quais acabaram prendendo o criado inocente. Prenderam-no e o julgamento começou, mas justo uma semana depois o preso adoeceu de febre e morreu inconsciente num hospital. Assim o caso terminou, atribuíram tudo à vontade de Deus e todos — juízes, autoridades e toda a sociedade — ficaram convencidos de que o crime não tinha sido cometido por outro senão pelo criado morto. Depois disso é que começou o castigo.

O visitante misterioso, agora já meu amigo, confidenciou-me que no início não chegou sequer a se atormentar com remorsos. Atormentou-se durante muito tempo, mas não com isso, e sim por lamentar que havia assassinado a mulher amada, que ela não existia mais, que, matando-a, matara o seu próprio amor, ao passo que o fogo da paixão permanecera em seu sangue. Mas naquele tempo quase não chegava a pensar no sangue inocente derramado, no assassinato de uma pessoa. A ideia de que sua vítima pudesse se tornar esposa de outro lhe parecia insuportável, por isso guardou por muito tempo em sua consciência a convicção de que não poderia ter agido de outra maneira. No início o afligia um pouco a prisão do criado, mas a rápida doença e depois a morte do preso o acalmaram, pois ele morrera, ao que tudo indicava (assim ele raciocinava na época), não por causa da prisão ou do susto, mas de um resfriado adquirido justo naqueles dias de sua fuga, quando ele, caindo de bêbado, rolara uma noite inteira na terra úmida. O dinheiro e os objetos roubados pouco o perturbaram, porque (continuava raciocinando) não roubara para tirar proveito mas para desviar as suspeitas. O roubo rendera uma ninharia, e rapidamente ele gastou toda a quantia roubada, e muito mais ainda com um asilo para velhos, fundado em nossa cidade. Fez essas doações de propósito para tranquilizar a consciência a respeito do roubo e, o que é digno de nota, durante algum tempo, e longo até, realmente se sentiu tranquilo — ele mesmo me transmitiu isto. Então se meteu numa grande atividade de prestação de serviços, esforçou-se pessoalmente por conseguir uma missão difícil e afanosa que o ocupou por uns dois anos e, sendo de índole forte, quase esqueceu aquele acontecimento; quando este lhe vinha à lembrança, procurava afugentá-lo totalmente do pensamento. Meteu-se também em filantropia, muito construiu e doou em nossa cidade, marcou presença nas capitais, foi escolhido membro de sociedades beneficentes de Moscou e Petersburgo. E mesmo assim acabou caindo numa aflitiva meditação, superior às suas forças. Entrementes gostou de uma moça bela e sensata, e logo se casou com ela, sonhando afugentar com o casamento sua solitária melancolia e, enveredando pelo novo caminho e cumprindo com zelo seu dever para com a mulher e os filhos, afastar inteiramente as antigas lembranças. Contudo, aconteceu justamente o oposto do que ele esperava. Ainda no primeiro mês de casamento uma ideia constante passou a perturbá-lo: "Pois bem, minha mulher me ama, mas e se ela viesse a saber?". Quando ela engravidou do primeiro filho e lhe comunicou o fato, ele ficou subitamente perturbado: "Estou dando a vida e eu mesmo tirei uma vida". Vieram os filhos: "Como me atreverei a amar, a ensiná-los e a educá-los, como vou lhes falar de virtude? Eu derramei sangue. Meus filhos estão crescendo belos, tenho vontade de acariciá-los. Mas não posso olhar para seus rostos inocentes, serenos; sou indigno disto". Por fim começou a ter a temível e amarga impressão de ver o sangue da mulher assassinada, a vida jovem destruída, o sangue clamando por vingança. Passou a ter pesadelos terríveis. Contudo, sendo forte de coração, suportou os tormentos por muito tempo: "Expiarei tudo isto com meu suplício secreto". Entretanto, essa esperança também foi vã: quanto mais passava o tempo, mais forte ia-se tornando o sofrimento. Na sociedade passaram a estimá-lo pela atividade beneficente, embora todos temessem sua índole severa e sombria, e no entanto quanto mais o estimavam mais insuportável isto se tornava para ele. Confessou-me que chegara a pensar em matar-se. Mas em vez disso começou a vislumbrar um outro sonho — sonho que inicialmente ele considerou impossível e louco, mas que acabou aderindo de tal forma a seu coração que ele não conseguia arrancá-lo. Ele sonhava assim: levantar-se, apresentar-se diante do povo e anunciar a todos que havia matado uma pessoa. Passou três anos com esse devaneio, que sempre se lhe apresentava de diferentes maneiras. Por fim acreditou de todo coração que, anunciando o crime, curaria sem sombra de dúvida a alma e ficaria para sempre tranquilo. Contudo, ao crer nisso, sentiu um horror no coração, porque, como fazê-lo? E súbito essa oportunidade se deu com a história do meu duelo. "Ao olhar para o senhor eu tomei a decisão". Olho para ele:

— E será possível — exclamo agitando os braços — que um episódio tão pequeno tenha sido capaz de provocar no senhor tamanha decisão?

— Minha decisão vinha germinando havia três anos — respondeu-me —, e o seu episódio lhe deu apenas um impulso. Ao olhar para o senhor eu me censurei e tive inveja do senhor — pronunciou isto até com severidade.

— Sim, mas não vão acreditar no senhor — observei —, passaram-se catorze anos.

— Tenho provas importantes. Apresento.

E então comecei a chorar e lhe dei um beijo.

— Resolva uma coisa para mim, uma coisa! — disse-me (como se tudo agora dependesse de mim). — Minha mulher, meus filhos! Minha mulher talvez morra de desgosto, e meus filhos, mesmo que não percam o título de nobreza e a fazenda, ainda assim serão filhos de um galé, e para sempre. E a lembrança, que lembrança deixarei de mim em seus corações!

Calo.

— Mas como me separar deles, deixá-los para sempre? Porque é para sempre, para sempre!

Estou ali sentado, rezando cá comigo em silêncio. Por fim me levanto, sentia-me horrorizado.

— E então? — está olhando para mim.

— Vá — digo eu —, leve ao conhecimento das pessoas. Tudo passará, só a verdade permanecerá. Seus filhos, quando crescerem, compreenderão o quanto houve de generosidade em sua grande decisão.

Ele deixou a minha casa como que efetivamente decidido. No entanto, por mais de duas semanas continuou a me visitar seguidamente todas as tardes, sempre se preparando, sempre sem conseguir decidir-se. Deixou-me o coração torturado. Chegava firme e dizia comovido:

— Sei que o paraíso vai começar para mim, vai começar assim que eu tornar público. Passei catorze anos no inferno. Quero sofrer. Assumirei o sofrimento e começarei a viver. Quem passou a vida mentindo não volta atrás. Agora não é só meu próximo, mas também meus próprios filhos que não me atrevo a amar. Senhor, mas meus filhos acabarão compreendendo, talvez, o que me custou esse sofrimento e não me condenarão! Deus não está na força, mas na verdade.

— Todos compreenderão o seu feito — digo-lhe —, não agora, mas depois compreenderão, porque o senhor serviu à verdade suprema, não à terrena...

E ele sai de minha casa como que consolado, mas no dia seguinte torna a voltar raivoso, pálido, dizendo em tom zombeteiro:

— Sempre que entro em sua casa o senhor me olha com essa curiosidade, como quem diz: "De novo não confessou?". Espere, não me despreze muito. Fazer isso não é tão fácil como lhe parece. É possível que eu nunca venha mesmo a fazê-lo. O senhor não vai me denunciar, hein?

Havia momentos em que eu não só o olhava com uma tola curiosidade, como tinha até medo de olhá-lo. Estava a ponto de adoecer de tanta tortura e tinha a alma cheia de lágrimas. Chegava até a perder o sono durante a noite.

— Estive ainda agora com minha esposa — continuou. — O senhor compreende o que é uma esposa? Meus filhinhos, quando eu estava saindo, gritaram para mim: "Adeus, papai, volte logo para ler conosco *A Leitura para Crianças*".[88] Não, o senhor não compreende isso! Desgraça de outra gente não nos torna inteligentes.

Seus olhos brilharam, os lábios tremeram. De repente deu um murro na mesa, de modo que pularam as coisas que ali estavam — um homem tão brando, era a primeira vez que isso lhe acontecia.

— Mas é necessário? — exclamou — mas é preciso? Ora, ninguém foi condenado, ninguém foi mandado a trabalhos forçados por minha causa, o criado morreu de doença. E pelo sangue derramado fui castigado com tormentos. Além do mais, não acreditarão absolutamente em mim, não acreditarão em nenhuma de minhas provas. Preciso explicar, preciso? Pelo sangue derramado estou disposto a passar o resto da vida ainda me atormentando, contanto que não atinja minha mulher e meus filhos. Seria justo eu destruí-los comigo? Será que não estamos cometendo um erro? Onde está a verdade nisso? E as pessoas irão reconhecer essa verdade, apreciá-la, respeitá-la?

"Meu Deus! — penso cá comigo —, ele pensando no respeito das pessoas numa hora dessas!" E senti tanta pena dele naquele momento, que pareceria disposto a dividir com ele sua sorte, contanto que o deixasse aliviado. Observei-o, estava com jeito de louco. Fiquei horrorizado e compreendi, já não só com a inteligência mas de viva alma, o que custava aquela determinação.

— Decida logo meu destino! — tornou a exclamar.

— Vá e confesse — murmurei-lhe. Faltara-me a voz, mas murmurei com firmeza. Neste momento peguei o Evangelho de cima da mesa, na tradução russa, e lhe mostrei o versículo 24 do capítulo 12 de João:

"Em verdade, em verdade vos digo: Se o grão de trigo, caindo na terra, não morrer, fica ele só; mas se morrer, produz muito fruto." Eu acabara de ler esse versículo antes de sua chegada.

Ele leu.

---

[88] Havia na Rússia várias revistas para crianças com títulos semelhantes. (N. da E.)

Os irmãos Karamázov

421

— É a verdade — disse, mas deu um risinho amargo. — Sim, nesses livros — afirma depois de uma pausa —, é um horror o que a gente encontra. É fácil esfregá-los no nariz de alguém. E quem os escreveu, terá sido gente?

— O Espírito Santo os escreveu — digo eu.

— Para o senhor é fácil tagarelar — deu ainda um risinho, mas já quase com ódio. Tornei a pegar o livro, abri e lhe mostrei outra passagem do capítulo 10, versículo 31 da Epístola aos Hebreus. Ele leu: "Horrenda coisa é cair nas mãos do Deus vivo".

Ele leu de forma displicente e largou o livro. Chegou a tremer por inteiro.

— É um versículo terrível — diz —, dispensa comentário, o senhor o escolheu a dedo. — Levantou-se da cadeira. — Bem, adeus, é possível que eu não volte a aparecer... nos veremos no paraíso. Quer dizer que faz catorze anos que "caí nas mãos do Deus vivo", portanto, é esse o significado desses catorze anos. Amanhã vou pedir que essas mãos me libertem...

Eu quis abraçá-lo e beijá-lo, mas não me atrevi — seu rosto estava tão contraído que dava até pena fitá-lo. Ele saiu. "Meu Deus — pensei —, para onde terá ido esse homem?" Prostrei-me de joelhos diante do ícone e comecei a chorar por ele perante a santa mãe de Deus, nossa protetora imediata e auxiliadora. Passei cerca de meia hora rezando entre lágrimas, e já era tarde da noite, aproximava-se das doze horas. Súbito vejo a porta entreabrir-se e ele torna a entrar. Fiquei admirado.

— Onde o senhor esteve? — pergunto-lhe.

— Eu — diz —, eu, parece, esqueci alguma coisa... O lenço, parece... Bem, mesmo que não tenha esquecido nada, deixe-me sentar-me...

Sentou-se numa cadeira. Eu estava em pé. "Sente-se o senhor também", disse ele. Sentei-me. Passamos uns dois minutos sentados, ele me olhando fixamente. Súbito deu um risinho, lembro-me disso, depois se levantou, abraçou-me com força e me beijou...

— Lembra-te — diz — de como vim outra vez à tua casa. Ouve, lembra-te disto!

Era a primeira vez que me tratava por *tu*. E se foi. "É amanhã" — pensei.

E foi o que aconteceu. Naquela noite eu não sabia que justo no dia seguinte era seu aniversário. Eu mesmo não arredara pé de casa nos últimos dias e por isso não podia tomar conhecimento de nada por intermédio de ninguém. Naquela mesma data, todos os anos, reunia-se muita gente em sua casa, toda a cidade comparecia. Compareceu também desta vez. Pois bem, depois do jantar ele vai ao meio do salão com um papel na mão — a confissão formal às autoridades. E como as autoridades estavam presentes, ele leu o que estava no papel em voz alta para todos os convidados, e no papel estava a descrição completa de todo o crime em todos os detalhes: "Como um monstro estou me expelindo do meio dos homens. Deus me visitou — concluía o escrito —, quero sofrer!". E ali mesmo tirou e pôs sobre a mesa tudo o que julgava ser prova de seu crime e que conservara durante catorze anos: os objetos de ouro da morta, que ele havia raptado com a intenção de desviar a suspeita de si, o medalhão e o crucifixo que ele lhe arrancara do pescoço — no medalhão havia o retrato do noivo dela —, um livro de notas e, por fim, duas cartas: uma carta do noivo para ela, em que anunciava sua breve chegada, e a resposta a essa carta, que ela iniciara mas não concluíra e deixara sobre a mesa para enviá-la no dia seguinte pelo correio. Ele levara consigo ambas as cartas — para quê? Por que as conservara durante catorze anos em vez de destruí-las como provas? Eis o que aconteceu: todos ficaram surpresos e horrorizados, e ninguém quis acreditar naquilo, embora todos tivessem ouvido com uma curiosidade excepcional, mas como se ouvissem um doente, e passados alguns dias todas as famílias já haviam decidido e sentenciado de forma absoluta que o infeliz tinha enlouquecido. As autoridades e o tribunal não podiam deixar de dar curso ao caso, mas eles também se detiveram: embora os objetos e as cartas apresentados obrigassem a refletir, foi decidido que se essas provas eram de fato verdadeiras, ainda assim a sentença definitiva não podia ser proferida apenas com base em tais provas. Além disso, sendo seu conhecido, ele podia ter recebido todos esses objetos das próprias mãos dela e por procuração. Eu mesmo ouvi dizer, a propósito, que a autenticidade dos objetos fora posteriormente verificada através de muitos conhecidos e parentes da morta, e que não havia dúvidas a respeito. Todavia, mais uma vez o caso estava condenado a não ter conclusão. Uns cinco dias depois todo mundo ficou sabendo que o mártir adoecera e temia-se por sua vida. Que tipo de doença o acometera não posso explicar, diziam que estava com uma perturbação cardíaca, mas se soube que uma junta médica, convocada por insistência de sua esposa, confirmara sua condição mental e concluíra que ele já estava louco. Eu nada presenciei, contudo as pessoas se precipitaram a me interrogar, e quando desejei visitá-lo fui impedido durante muito tempo, principalmente por sua esposa: "Foi o senhor — disse-me — que o deixou perturbado; antes ele já andava sombrio, mas no último ano todos notaram nele uma agitação incomum e uns atos estranhos, e foi justo aí que o senhor o fez perder-se; foi o senhor que o estragou, passou um mês inteiro sem arredar pé de sua casa". Pois bem, não só a esposa como também todo mundo na cidade investiu contra mim, acusando-me: "Foi o se-

Os irmãos Karamázov

nhor" — diziam. Eu calava, mas estava com a alma alegre, pois percebera a indiscutível misericórdia de Deus para com aquele homem que se levantara contra si mesmo e se supliciara. Quanto à loucura dele, eu não podia acreditar. Por fim permitiram que eu também o visitasse, ele mesmo o exigira com insistência para se despedir de mim. Entrei e vi bem que não só seus dias, mas também suas horas estavam contadas. Estava fraco, amarelo, as mãos trêmulas, arquejava, mas tinha um olhar comovido e alegre.

— Aconteceu! — disse-me. — Faz tempo que anseio por te ver, por que não apareceste?

Não lhe disse que não me haviam permitido vê-lo.

— Deus teve piedade de mim e me chama para Si. Sei que estou morrendo, mas sinto alegria e paz pela primeira vez depois de tantos anos. Mal cumpri o que era preciso senti incontinenti o paraíso em minha alma. Agora já me atrevo a amar meus filhos e beijá-los. Não acreditam em mim, ninguém acreditou, nem minha mulher, nem os juízes; os filhos também nunca acreditarão. Nisto vejo a misericórdia de Deus para com meus filhos. Morrerei e meu nome continuará imaculado para eles. Agora pressinto Deus, meu coração se alegra como se estivesse no paraíso... cumpri o dever...

Não conseguia falar, arfava, apertava-me a mão com força, olhava-me inflamado. Mas conversamos um pouco, sua mulher a todo instante aparecia, e mesmo assim ele conseguiu me cochichar:

— Estás lembrado daquela vez em que te visitei à meia-noite? E que ainda te mandei guardar na memória? Sabes para que fui lá? Fui lá para te matar!

Estremeci.

— Naquela ocasião saí de tua casa para as trevas, vaguei pelas ruas lutando comigo mesmo. E súbito me tomei de tal ódio por ti que só a custo meu coração suportou. "Agora, pensava, só ele me tem preso, é meu juiz, já não posso renunciar ao meu suplício de amanhã porque ele está sabendo de tudo." E não era que eu temesse que tu me denunciasses (isso nem me passou pela cabeça), mas eu pensava: "Como irei encará-lo se não me denuncio?". E mesmo que estivesses no fim do mundo, mas vivo, ainda assim era insuportável a ideia de que estavas vivo, sabias de tudo e me julgavas. Fiquei cheio de ódio por ti, como se fosses a causa e o culpado de tudo. Voltei naquela ocasião à tua casa, lembro-me de que havia um punhal sobre tua mesa. Sentei-me e pedi que te sentasses, e fiquei um minuto inteiro pensando. Se eu te houvesse matado, de qualquer maneira teria me destruído com esse assassinato, mesmo que não confessasse meu antigo crime. Mas eu não pensava absolutamente nisso e nem queria pensar naquele momento. Só de ti eu sentia ódio e desejava me vingar de ti por tudo e com todas as minhas forças. Mas Deus venceu o diabo em meu coração. Contudo, fica sabendo que nunca estiveste mais perto da morte.

Uma semana depois ele morreu. Toda a cidade acompanhou seu féretro até o túmulo. O arcipreste proferiu um discurso comovido. Lamentou-se a terrível doença que pôs fim aos seus dias. Toda a cidade se levantou contra mim quando o sepultaram, e deixaram até de me receber. É verdade que alguns, no início poucos, depois um número cada vez maior, passaram a acreditar na verdade dos testemunhos dele e começaram a me fazer muitas visitas e a me interrogar com grande curiosidade e alegria: porque o homem gosta da queda e da desonra do justo. Mas me calei e brevemente deixei de uma vez a cidade, e cinco meses depois Deus me fez merecedor de enveredar pelo caminho firme e belo, e eu bendisse o dedo invisível que me indicou com tanta clareza esse caminho. E até hoje, em minhas orações de cada dia, lembro-me a cada minuto de Mikhail, o servo sofredor de Deus.

III. TRECHOS DAS PALESTRAS E SERMÕES DO *STÁRIETZ* ZOSSIMA

e) *Algo sobre o monge russo e sua possível importância*

Padres e mestres, o que é um monge? No mundo ilustrado de nossos dias, essa palavra já é pronunciada por uns como zombaria e por outros até como ofensa. E tanto mais quanto mais o tempo passa. É verdade, oh, é verdade, também entre os monges há muitos parasitas, tipos dados à luxúria, voluptuosos e vagabundos descarados. Para esses apontam os laicos cultos, como quem diz: "Vocês são uns preguiçosos e membros inúteis da sociedade, vivem do trabalho alheio, são uns mendigos sem-vergonha". Por outro lado, quantos humildes e dóceis, sequiosos por isolamento e orações fervorosas em silêncio existem no monacato! Estes são menos apontados e até relegados ao silêncio, mas como ficaríeis admirados se eu dissesse que é desses dóceis e sequiosos por orações no isolamento que talvez ainda venha a salvação da terra russa! Porque, em verdade, eles se prepararam no silêncio "para o dia e a hora, o mês e o ano". Enquanto isso, guardam em seu isolamento a imagem de Cristo bela e genuína, na pureza da verdade de Deus, herdada dos padres mais antigos, dos apóstolos e mártires, e, quando for preciso, eles a revelarão perante a abalada verdade do mundo. Essa ideia é grande. Essa estrela brilhará do Oriente.

É isto que penso sobre o monge; será isso falso, será arrogante? Vede entre os leigos, e em todo o mundo que se coloca acima do povo de Deus, se ali não foi deformada a imagem de Deus e a Sua verdade. Eles têm a ciência, e na ciência só aquilo que está sujeito aos sentidos. Já o mundo do espírito, a metade superior do ser humano, foi rejeitada inteiramente, expulsa com certo triunfo, até com ódio. O mundo proclamou a liberdade, sobretudo ultimamente, e eis o que vemos dessa liberdade deles: só escravidão e suicídio! Porque o mundo diz: "Tens necessidades e por isso satisfaze-as, porque tens os mesmos direitos que os homens mais ilustres e ricos. Não temas satisfazê--las e até procura multiplicá-las" — eis a atual doutrina do mundo. É nisso que veem a liberdade. E o que resulta desse direito à multiplicação das necessidades? Para os ricos o *isolamento* e o suicídio espiritual, para os pobres, a inveja e o assassinato, porquanto esses direitos foram concedidos mas ainda não se indicaram os meios de satisfazer as necessidades. Asseguram que, quanto mais o tempo passar, mais o mundo irá unir-se, irá constituir-se num convívio fraterno porque isso reduz as distâncias, transmite as ideias pelo ar. Ai, não credes nessa união dos homens. Compreendendo a liberdade como a multiplicação e o rápido saciamento das necessidades, deformam sua natureza porque geram dentro de si muitos desejos absurdos e tolos, os hábitos e as invenções mais disparatadas. Vivem apenas para invejar uns aos outros, para a luxúria, a soberba. Dar jantares, viajar, possuir carruagens, posição social e criados escravos eles já consideram uma necessidade, e para saciá-la sacrificam até a vida, a honra, o amor ao homem, e até se matam se não conseguem saciá-la. Vemos a mesma coisa naqueles que não são ricos, e entre os pobres o não saciamento das necessidades e a inveja ainda são abafados pela bebedeira. Em breve, em vez do vinho haverão de embebedar-se com sangue, para isto estão sendo conduzidos. Eu vos pergunto: esse homem é livre? Conheci um "combatente pela ideia", que me contou pessoalmente que, quando foi privado de tabaco na prisão, sentiu-se tão aflito com essa privação que por pouco não traiu "sua ideia", contanto que lhe dessem tabaco. No entanto, ele afirmava: "Vou lutar pela humanidade". Ora, para onde irá um tipo assim e do que ele é capaz? Talvez de um ato rápido, porque não resistirá por muito tempo. E não é de admirar que em vez da liberdade tenham afundado na escravidão, e em vez de servir ao amor fraterno e à união dos homens afundaram, ao contrário, na *desunião* e no isolamento, como me disse em minha mocidade o meu visitante misterioso e mestre. É por isso que no mundo vem-se extinguindo cada vez mais a ideia de servir à humanidade, a ideia da fraternidade e da integridade dos homens, pois, em verdade, essa ideia já está sendo recebida até com zombaria; porque, como esse escravo se afastaria de seus hábitos, para onde iria se está tão acostumado a saciar as infinitas necessidades que ele mesmo inventou? Ele está iso-

426   Fiódor Dostoiévski

lado e pouco se importa com o todo. Eles chegaram a um ponto em que acumularam objetos demais, porém ficaram com alegria de menos.

Outra coisa é o caminho do monge. Chega-se até a rir da obediência, do jejum e da oração, e no entanto é só nelas que reside o caminho para uma liberdade já verdadeira, autêntica: abro mão de minhas necessidades supérfluas e desnecessárias, domino e subjugo, pela obediência, minha vontade egoísta e orgulhosa, e assim, com a ajuda de Deus, atinjo a liberdade do espírito e com ela a alegria espiritual! Qual deles é mais capaz de exaltar a grande ideia e servir a ela — o rico isolado ou este *liberto* da tirania dos objetos e dos costumes? Às vezes o censuram pelo isolamento: "Tu te isolaste com o fim de salvar tua alma entre as paredes do mosteiro, mas te esqueceste de servir fraternalmente à humanidade". Contudo, vejamos ainda quem se empenha mais pela fraternidade. Porque o isolamento não está em nós, mas neles, só que eles não o enxergam. Entretanto, foi do nosso meio que desde tempos antigos saíram os ativistas populares; por que não poderiam existir também nos dias de hoje? Os mesmos homens jejuadores humildes, dóceis e calados se erguerão e caminharão para a grande causa. Do povo vem a salvação da Rússia. O mosteiro russo esteve com o povo desde tempos imemoriais. Se o povo está isolado, nós também estamos isolados. O povo crê a nosso modo, e o ativista ateu nada realizará aqui na Rússia, mesmo que seja sincero de coração e genial de inteligência. Lembrai-vos disto. O povo enfrentará o ateu e o vencerá, e restará uma Rus[89] ortodoxa una. Defendei o povo e protegei seu coração. Educai-o em silêncio. Eis a vossa proeza de monge, porque este é um povo teóforo.

f) *Algo sobre senhores e servos e a possibilidade de se tornarem irmãos em espírito*

Deus, quem diria, no seio do povo também existe o pecado! A chama da devassidão se multiplica de modo até visível, e vem de cima a cada hora. O isolamento chega também ao povo: surgem indivíduos cobiçosos e exploradores; o comerciante já deseja cada vez mais e mais honrarias, procura mostrar-se instruído sem ter a mínima instrução, e com esse fim desdenha torpemente dos costumes antigos e até se envergonha da fé dos pais. Visita príncipes, mas não passa de um mujique pervertido. O povo apodreceu na bebedeira e já não consegue se afastar dela. E quanta crueldade com a família, com a esposa e até com os filhos; tudo vem da bebedeira. Vi em fábricas até crianças de dez anos: fracas, estioladas, encurvadas e já depravadas. Am-

---

[89] Antigo nome da Rússia. (N. do T.)

biente abafado, máquinas batendo, todo o dia trabalhando, palavras obscenas e vinho, vinho; é disso que precisa a alma de uma criança ainda tão pequena? Ela precisa de sol, de brincadeiras de criança, de exemplos luminosos em toda a parte e ao menos uma gotinha de amor. Monges, não deixeis que isso aconteça, não permitais o suplício das crianças, levantai-vos e pregai isto o mais depressa, depressa. Mas Deus salvará a Rússia, porque mesmo que a gente simples seja depravada e já não possa abrir mão do fétido pecado, ainda assim sabe que seu fétido pecado é amaldiçoado por Deus e que obra mal ao pecar. De sorte que nosso povo ainda crê incansavelmente na verdade, reconhece Deus, chora comovido. Não é o que acontece entre as classes superiores. Estas seguem a ciência, querem organizar-se de maneira justa só por meio de sua inteligência, mas já sem Cristo, como antes, e já proclamaram que não existe o crime, que já não existe o pecado. Bem, isto é correto segundo elas pensam: porque se não tens Deus, como pode haver crime? Na Europa o povo já se insurge usando a força contra os ricos, e os líderes populares o conduzem em toda parte ao derramamento de sangue e ensinam que sua ira é justa. Entretanto, "sua ira é maldita porque é cruel".[90] Mas Deus salvará a Rússia como já a salvou muitas vezes. A salvação virá do povo, de sua fé e humildade. Padres e mestres, protegei a fé do povo e não esses devaneios: durante toda a minha vida impressionou-me em nosso grande povo sua magnífica e verdadeira dignidade, eu mesmo a presenciei, eu mesmo posso testemunhar, vi e fiquei admirado, vi isso, até a despeito da fetidez dos pecados e do aspecto miserável de nosso povo. Ele não é servil, e isto depois de dois séculos de escravidão. Ele é livre no aspecto e no trato, mas sem ofender ninguém. E não é vingativo nem invejoso. "Tu és nobre, és rico, és inteligente e talentoso — vá lá, Deus te abençoe. Eu te respeito, mas sei que também sou gente. É por te respeitar sem inveja que revelo diante de ti minha dignidade humana." Em verdade, se ele não diz isso (porque ainda não sabe dizê-lo), ao menos assim *age*, eu mesmo vi, eu mesmo experimentei, acreditai: quanto mais pobre e de condição inferior é nosso homem russo, mais se percebe nele essa verdade magnífica, porque os cobiçosos e exploradores que há entre eles já estão muito depravados e muito, muito disso se deve à nossa negligência e ao nosso descaso! Mas Deus salvará sua gente, porque a Rússia é grande por sua humildade. Sonho ver, e já me parece ver

---

[90] O *stárietz* repete as palavras de Jacó, que condenou dois de seus filhos, Simeão e Levi, que, pela honra de uma irmã, perpetraram uma vingança injustificadamente cruel contra toda uma cidade: "Maldito seja o seu furor, pois era forte, e a sua ira, pois era dura [...]" (Gênesis, 49, 7). (N. da E.)

com clareza, o nosso futuro: porque acontecerá que até o mais depravado rico nosso acabará envergonhado de sua riqueza perante o pobre, e o pobre, ao notar essa humildade, compreenderá e lhe fará concessões com alegria, compensará com carinho a bela vergonha dele. Crede que terminará assim: é para lá que se caminha. Só na dignidade espiritual do homem reside a igualdade, e só em nosso país isto será compreendido. Havendo irmãos também haverá fraternidade, mas antes que haja fraternidade nunca haverá divisão de bens. Nós conservamos a imagem de Cristo e ela resplandecerá para todo o mundo como um diamante precioso... Assim será, assim será!

Padres e mestres, uma vez me aconteceu uma coisa comovente. Em minhas peregrinações, encontrei numa ocasião na cidade provincial de K. meu ex-ordenança Afanassi, e já fazia oito anos desde que nos havíamos separado. Ele me viu por acaso num mercado, me reconheceu, correu para mim e, Deus, como ficou contente. Lançou-se sobre mim: "*Bátiuchka*, senhor, é o senhor mesmo? Será que é o senhor que eu estou vendo?". Levou-me para sua casa. Já estava reformado, casado, já pusera dois filhinhos no mundo. Vivia de um pequeno comércio com a mulher, com um tabuleiro no mercado. Seu quartinho era pobre, mas limpo, cheio de alegria. Fez-me sentar, pôs o samovar, mandou chamar a mulher, era como se eu estivesse lhe oferecendo uma festa aparecendo em sua casa. Trouxe-me os filhinhos: "Abençoe, *bátiuchka*". — "Quem sou eu para abençoar? — respondo —, sou um simples e humilde monge, vou orar a Deus por eles, e por ti, Afanassi Pávlovitch; tenho orado sempre, todos os dias, desde aquele dia que oro a Deus, pois te digo que foi contigo que tudo começou". E lhe expliquei isto como pude. Vejam como se comportou o homem: ficou olhando para mim e nada de conceber que eu, seu antigo senhor, oficial, estava agora diante dele metido naquela roupa: até começou a chorar. "Por que estás chorando, homem inesquecível? — digo-lhe — mais vale que fiques com a alma alegre por mim, meu caro, porque é alegre e luminoso o meu caminho". Não falou muito, ficou o tempo todo entre suspiros e meneios de cabeça, olhando enternecido para mim. "Onde está a sua riqueza?" Respondo: "Doei ao mosteiro, moramos numa habitação coletiva". Depois do chá começaram as despedidas, e de repente ele tirou do bolso uma moeda de cinquenta copeques, deu-me como donativo para o mosteiro, e vejo me pôr apressadamente na mão outra moeda de cinquenta: "Esta já é para o senhor, diz ele, que é viageiro estranho, talvez precise dela, *bátiuchka*". Aceitei sua moeda, fiz uma reverência a ele e à mulher e saí satisfeito e pensando pelo caminho: "Eis agora nós dois, ele em sua casa, eu em minha caminhada, entre suspiros, rindo talvez de alegria, com o contentamento em nossos corações, balançando a cabeça e recordando como Deus dispôs para que nos encontrássemos". E desde então nunca mais o vi. Fui seu senhor e ele meu criado, mas agora, depois que nos beijamos afetuosamente e em comoção espiritual, deu-se entre nós a grande união humana. Pensei muito sobre isso, e agora penso o seguinte: será que a inteligência não compreende que essa grande e simples união poderia acontecer no devido momento e por toda a parte entre os nossos homens russos? Acredito que ela acontecerá e que o momento já está próximo.

E quanto aos criados, acrescento o seguinte: antes, quando eu era jovem, me zangava muito com os criados: "A cozinheira serviu a comida quente, o ordenança não limpou a farda". Mas naquele momento me iluminou de repente a ideia do meu amado irmão, que dele ouvi em minha infância: "Mereço eu que outra pessoa me sirva e que, por sua miséria e ignorância, eu a tiranize?". E naquela mesma ocasião me admirei de como ideias simples e evidentes tardam a aparecer em nossa cabeça. Sem criados é impossível viver no mundo, mas procura agir de maneira que teu criado seja mais livre de espírito do que se não fosse criado. E por que não posso ser criado de meu criado, e que ele até o veja, mas sem que haja nenhum orgulho de minha parte nem desconfiança da dele? Por que meu criado não pode ser algo como meu parente, de modo a que eu finalmente o receba em minha família e me alegre com isto? Isso poderia se realizar até mesmo hoje, e serviria de fundamento para a futura e esplêndida união entre os homens, quando nem o homem procurará criados para si nem desejará converter seus semelhantes em criados, como hoje acontece, mas, ao contrário, ele mesmo desejará, com todas as suas forças, tornar-se criado de todos, segundo o Evangelho.[91] E por acaso é uma quimera achar que, ao fim e ao cabo, o homem encontrará suas alegrias apenas nos feitos alcançados na educação e na caridade, e não nos prazeres cruéis como acontece hoje — na glutonaria, na fornicação, na soberba, na jactância e na inveja excessiva que uns sentem dos outros? Creio firmemente que não é uma quimera, e que o momento está próximo. Uns riem e perguntam: quando chegará esse momento, e ele dá ares de que chegará? Já eu penso que resolveremos essa grande causa com Cristo. Quantas ideias já houve na Terra, na história humana, que ainda uma década antes eram inconcebíveis, mas de repente chegou sua hora misteriosa e elas se manifestaram e se espalharam por toda a Terra? Assim acontecerá também entre nós, e nosso povo brilhará perante o mundo e todos os homens dirão: "A pedra que os construtores rejeitaram, essa virá a ser a principal pedra angular"[92]

[91] Ver Mateus, 20, 25-6. (N. da E.)

[92] Ver Salmos, 117, 22. (N. da E.)

— e teríamos de perguntar aos próprios zombadores: se estamos com quimeras, então quando é que os senhores erguerão seu edifício e se organizarão com justiça guiados apenas por sua inteligência, sem Cristo? E se afirmam que eles, ao contrário, é que caminham para a união, em verdade só acreditam nisso os mais ingênuos dentre eles, de sorte que até podemos nos admirar dessa ingenuidade. Em verdade há mais fantasia sonhadora neles que em nós. Pensam organizar-se de forma justa mas, tendo renegado Cristo, acabarão por dar um banho de sangue no mundo, porque sangue chama sangue, e aquele que desembainhar a espada à espada morrerá.[93] E se não fosse a promessa de Cristo, acabariam mesmo exterminando uns aos outros até que só restassem dois homens na Terra. E estes dois últimos não conseguiriam deter um ao outro, de sorte que o último exterminaria o penúltimo e depois a si mesmo. E isto aconteceria não fosse a promessa de Cristo de que esse tempo seria abreviado em prol dos dóceis e humildes.[94] Naquela época, quando eu ainda usava meu uniforme de oficial, depois do duelo passei a falar dos criados em sociedade e, lembro-me, todos ficavam admirados comigo: "O que temos de fazer, sentar o criado no sofá e lhe servir chá?". E eu lhes respondia: "Por que não fazê-lo, ao menos às vezes?".[95] Todos riam. A pergunta era leviana e minha resposta era vaga, mas penso que havia nela certa verdade.

g) *Da oração, do amor e do contato com outros mundos*

Jovem, não esqueças a oração. Em tua oração, se for sincera, sempre aparecerá de relance um novo sentimento e, neste, uma nova ideia que antes não conhecias e que te devolverá o ânimo; e compreenderás que oração é educação. Lembra-te mais: cada dia, e sempre que puderes, afirma contigo: "Deus, tem piedade de todos os que agora se apresentam diante de ti". Porque a cada hora e a cada instante milhares de pessoas deixam a vida nesta Terra e suas almas se apresentam diante do Senhor — e quantas delas se separaram da Terra isoladas, sem que ninguém o soubesse, magoadas e tristes porque nenhuma pessoa se compadecia delas e nada sabia a seu respeito: terão vivido ou não? Pois bem, é possível que do outro extremo da Terra tua oração pela alma de uma delas chegue ao Senhor, embora tu a desconheças absolutamente e ela a ti. Quão comovente será para a alma dessa pessoa, que

---

[93] Ver Mateus, 26, 52. (N. da E.)

[94] Ver Mateus, 24, 22. (N. da E.)

[95] Curiosamente, o *stárietz* acaba incorporando à sua pregação um elemento das saturnais pagãs romanas, quando, um dia por ano, os senhores serviam os escravos. (N. do T.)

Os irmãos Karamázov

431

se apresenta apavorada perante o Senhor, sentir nesse instante que existe alguém orando por ela, que ficou na Terra um ser humano que a ama. E Deus olhará com mais misericórdia para ambos, porque se tu te compadeceste tanto dela, mais se compadecerá Ele, infinitamente mais misericordioso e amoroso do que tu. E Ele a perdoará graças a ti.

Irmãos, não temais o pecado dos homens, amai o homem também em seu pecado, porque isto é semelhante ao amor de Deus e é o ápice do amor na Terra. Amai toda a criação de Deus, no conjunto e em cada grão de areia. Amai cada folha, cada raio de Deus. Amai os animais, amai as plantas, amai todas as coisas. Amarás[96] toda e qualquer coisa e nas coisas alcançarás a compreensão do mistério de Deus. Uma vez tendo compreendido, já começarás a compreender tudo sem esmorecimento, e cada vez mais com o passar do tempo, todos os dias. E finalmente amarás o mundo inteiro já com um amor total, universal. Amai os animais: Deus lhes deu o princípio do pensamento e a alegria plácida. Não os perturbeis, não os maltrateis, não lhes tireis a alegria, não vos oponhais à ideia de Deus. Homem, não te coloques acima dos animais: eles não têm pecado e tu, com tua grandeza, apodreces a Terra com tua aparição sobre ela e deixarás depois de ti tuas pegadas podres — infelizmente quase todos nós! Amai sobretudo as crianças, porque elas também não têm pecado, como os anjos, e vivem para nosso enternecimento, para purificar nossos corações e como uma espécie de sinal para nós.[97] Ai daquele que ofender uma criança! O padre Anfim me ensinou a amar as crianças: ele, amável e calado em nossas peregrinações, com os níqueis que recebia de esmola comprava pãezinhos e balas e distribuía entre elas. Não podia passar ao lado de crianças sem ficar comovido: assim era aquele homem.

A gente fica perplexa diante de certos pensamentos, sobretudo quando observa o pecado dos homens, e se pergunta: "Recorrerei à força ou ao amor humilde?". E sempre decide assim: "Recorrerei ao amor humilde". Assim decidindo, poderás conquistar o mundo todo para sempre. A humildade amorosa é uma força terrível, a mais terrível de todas, à qual não existe nada similar. A cada dia e hora, a cada minuto, move-te em torno de ti mesmo e cuida-te para que a tua imagem seja magnífica. Pois bem, passaste ao lado de uma criancinha, passaste com raiva, dizendo palavras más, com cólera na alma; não notaste, talvez, essa criança, mas ela te notou, e tua imagem, sem graça e impura, talvez tenha ficado em seu coraçãozinho indefeso. Tu não

[96] O *stárietz* alterna a forma de tratamento entre as segundas pessoa do plural e do singular. (N. do T.)

[97] Ver Mateus, 18, 1-10. (N. da E.)

Os irmãos Karamázov

sabias disso, e talvez agindo assim tenhas lançado nela uma semente má, que crescerá, é possível, e tudo porque não te resguardaste perante a criancinha porquanto não educaste em ti o amor cauteloso, ativo. Irmãos, o amor é um mestre, mas é preciso saber adquiri-lo, porque é difícil adquiri-lo, custa caro, um longo trabalho que demanda um longo tempo, porque não se deve amar apenas por um instante fortuito, mas até o fim. Qualquer um pode amar por acaso, até o malfeitor pode amar. Meu jovem irmão pediu perdão aos passarinhos: isso pode ter sido um absurdo, mas era verdade, porque tudo é como o oceano, tudo corre e se toca, tu tocas em um ponto e teu toque repercute no outro extremo do mundo. Vá que seja loucura pedir perdão aos passarinhos, mas seria melhor para os passarinhos, e para as crianças, e para qualquer animal que estivesse a teu lado se tu mesmo fosses melhor do que és agora, ao menos um tiquinho melhor. Tudo é como o oceano, digo-te. E então rezarias também aos passarinhos, atormentado pelo amor total, como em uma espécie de êxtase, e orando para que eles tirassem o pecado de ti. Aprecia muito esse êxtase, por mais louco que ele pareça aos homens.

Meus amigos, pedi alegria a Deus. Sede alegres como as crianças, como os pássaros do céu.[98] E que o pecado dos homens não vos perturbe no curso de vossa obra, não temais que ele atrapalhe vossa obra nem impeça que ela se conclua; e não digais: "É forte o pecado, é forte a desonestidade, é forte o meio nefasto, ao passo que nós estamos sós e impotentes; o meio nefasto nos reterá e não permitirá que se conclua a nossa boa obra". Fugi, crianças, a esse desânimo! Tendes aqui uma única salvação: pegai e fazei de vós mesmos responsáveis por todo o pecado dos homens. Amigo, em verdade isso é assim, porque tão logo te fizeres sinceramente responsável por tudo e por todos, verás no ato que isso é realmente assim e que és culpado por todos e por tudo. Lançando tua preguiça e tua impotência sobre os homens, acabarás te iniciando no orgulho de Satanás e te queixando de Deus. Sobre o orgulho de Satanás, eis o que penso: para nós é difícil compreendê-lo na Terra e por isso é tão fácil cairmos no erro e nos iniciarmos nele, e ainda supondo que estamos fazendo algo grande e maravilhoso. De mais a mais, ainda não conseguimos compreender muitos dos mais fortes sentimentos e movimentos de nossa natureza na Terra, e não te deixes seduzir por isto e nem penses que isto pode te servir de justificativa, porque o juiz eterno te cobrará por aquilo que foste capaz de compreender e não pelo que não foste, tu mesmo te convencerás disto, porque então verás tudo corretamente e já não discutirás.

[98] Esse trecho reúne diversas passagens de Mateus (18, 2-3; 6, 26) e Lucas (12, 26). (N. da E.)

Em verdade, nós como que erramos pela Terra, e se não houvesse a preciosa imagem de Cristo diante de nós, morreríamos e nos perderíamos totalmente, como o gênero humano perante o dilúvio. Muita coisa na Terra nos está oculta, mas em troca nos foi dada a sensação misteriosa e arcana da nossa ligação viva com outro mundo, com o mundo das alturas e superior; aliás, as raízes dos nossos pensamentos e sentimentos não estão aqui, mas em outros mundos.[99] Eis por que os filósofos dizem que a essência das coisas não pode ser compreendida na Terra. Deus pegou as sementes de outros mundos e as semeou aqui na Terra e cultivou seu jardim, e tudo o que podia germinar germinou, mas o cultivado vive, e é animado apenas pela sensação de seu contato com os outros mundos misteriosos; se esta sensação enfraquece ou se destrói em ti, morre também o que foi cultivado em ti. Então te tornarás indiferente à vida e até a odiarás. É assim que eu penso.

h) *Podemos ser juízes dos nossos semelhantes?*

Lembra-te particularmente de que não podes ser juiz de ninguém.[100] Porque na Terra não pode haver juiz de um criminoso sem que antes esse mesmo juiz saiba que também é tão criminoso como aquele que está à sua frente e, mais do que ninguém, talvez seja o culpado pelo crime que tem diante de si. Quando compreender isto poderá ser juiz. Isso é verdade, por mais insensato que pareça. Pois se eu mesmo fosse um justo, talvez nem houvesse um criminoso diante de mim.[101] Se puderes assumir o delito do criminoso que tens à frente e julgas com teu coração, assume-o imediatamente e sofre tu mesmo por ele, liberando-o sem reprimenda. E mesmo que a própria lei tenha te constituído seu juiz, ainda assim procura criar dentro do espírito da lei até onde te for possível, pois ele será liberado e se condenará ainda mais amargamente do que o faria teu julgamento. Se, apesar de teu afago, ele sair insensível e zombando de ti, não te sintas tentado: significará isto que a hora dele ainda não chegou, mas chegará oportunamente; se não chegar, não faz mal: se não for ele, outro o experimentará por ele, e sofrerá, e condenará, e

[99] A imagem que se forma nessa passagem radica em parábolas bíblicas. Ver Gênesis, 1, 11-2, e Mateus, 13, 24-30; 13, 37-9. (N. da E.)

[100] "Não julgueis, para que não sejais julgados. Pois com o critério com que julgardes, sereis julgados [...]". Mateus, 7, 1-2. (N. da E.)

[101] Dostoiévski desenvolve essa mesma ideia no artigo "O meio", publicado em seu *Diário de um escritor* de 1873, onde trata da figura do criminoso: "Se ele infringiu a lei que a Terra lhe prescreveu, nós mesmos somos os culpados por tê-lo agora à nossa frente. Porque se todos fôssemos melhores, ele também seria melhor e não estaria agora diante de nós". (N. da E.)

acusará a si próprio, e a verdade será cumprida. Crê nisso, crê sem duvidar, porque é aí mesmo que está toda a esperança e toda a fé dos santos.

Procura obrar sem descansar. Se te lembrares, à noite, ao te recolheres para dormir: "Não cumpri o que era preciso", levanta-te imediatamente e cumpre-o. Se tens ao redor pessoas raivosas e insensíveis e elas não te querem ouvir, cai diante delas e pede perdão, porque em verdade também és culpado de que não te querem ouvir. Mas se já não podes falar com os exasperados, serve-os em silêncio e com humildade, sem nunca perder a esperança. Se, porém, todos te deixarem e já te expulsarem à força, uma vez sozinho cai sobre a terra e beija-a, umedece-a com tuas lágrimas, e a terra dará frutos de tuas lágrimas, ainda que não tenhas sido visto nem ouvido por ninguém. Crê até o fim, até mesmo se todos na Terra estiverem desencaminhados, restando apenas um único com fé: faz então um sacrifício e, sendo tu o único restante, louva a Deus. Se dois iguais a ti se encontrarem, então já será um mundo inteiro, um mundo de amor vivo; abraçai-vos enternecidos e louvai o Senhor: porque ainda que sejam dois, terá sido cumprida a verdade d'Ele.

Se tu mesmo pecas e ficas te afligindo até a morte por esses pecados ou por algum pecado que cometeste de repente, alegra-te pelo outro, alegra-te pelo justo, alegra-te porque, se pecaste, em compensação ele é justo e não pecou.

Se, porém, o crime dos homens te deixa indignado e numa aflição insuperável, até com vontade de vingar os facínoras, teme acima de tudo esse sentimento; vai imediatamente à procura de suplícios, como se tu mesmo fosses culpado por esse crime dos homens. Assume esses suplícios e suporta-os, e saciarás teu coração, e compreenderás também que és culpado, porque poderias ter iluminado os malfeitores até por seres o único sem pecado, mas não os iluminaste. Se os tivesses iluminado, com tua luz ainda haverias iluminado o caminho dos outros, e aquele que cometeu um crime talvez não o cometesse sob tua luz. E até se vieres a iluminar, mas vires que os homens não se salvam nem mesmo sob a tua luz, mantém a firmeza e não duvides da força da luz celestial; crê que se não se salvarem agora, mais tarde se salvarão. E se nem mais tarde se salvarem, seus filhos se salvarão, porquanto tua luz não morrerá ainda que tu já tenhas morrido. O justo se vai, mas fica sua luz. Os homens se salvam, e sempre, depois da morte do salvador. O gênero humano não aceita seus profetas e os espanca, mas os homens amam seus mártires e reverenciam os que eles supliciaram. Tu trabalhas para o todo, realizas para o futuro. Nunca procures recompensa, porque já é grande a tua recompensa nesta Terra: a tua alegria espiritual, que só o justo conquista. Não temas nem os grandes, nem os poderosos, mas sê sábio e sempre excelente. Sê comedido, procura conhecer a hora, aprende isso. Ficando só, ora. Aprende a gostar de prosternar-se no chão e beijá-lo. Beija a terra e sem esmorecimento, ama insaciavelmente, ama a todos, procura esse êxtase, esse frenesi. Umedece a terra com as lágrimas de tua alegria e ama estas lágrimas tuas. Não te envergonhes desse frenesi, tende-o em alta conta, porquanto é um dom de Deus, um dom grandioso, e concedido a poucos, aos eleitos.

i) *Do inferno e do fogo do inferno, uma reflexão mística*

Padres e mestres, tenho pensado: "O que é o inferno?". E julgo assim: "É o sofrimento de não mais se poder amar". Uma vez, no infinito do existir que nem o espaço nem o tempo podem mensurar, um ser espiritual ganhou, com sua aparição na Terra, a capacidade de dizer consigo: "Eu existo, eu amo". Uma vez, só uma vez lhe foi dado um instante de amor ativo, *vivo*, e para tanto foi concedida a vida na Terra, e com ela o tempo e os limites, e então: esse ser feliz rejeitou o dom precioso, não o valorizou, não o amou, zombou dele e ficou insensível. Depois de deixar a Terra, esse ser vê o seio de Abraão, e conversa com Abraão, como consta na parábola do rico e de Lázaro, e contempla o paraíso, e pode subir até o Senhor, mas se tortura justamente porque subirá à presença do Senhor sem o haver amado, entrará em contato com aqueles que o amaram e de cujo amor ele desdenhara. Porque vê com clareza e já diz de si para si: "Agora já tenho o conhecimento, e mesmo havendo ansiado por amar, já não haverá proeza no meu amor, e também não haverá sacrifício, porquanto terminou a vida terrena e Abraão não me trará sequer uma gota da água viva[102] (ou seja, outra vez o dom da vida terrena anterior e ativa) para aplacar a chama de minha sede de amor espiritual, que agora me abrasa, mas da qual desdenhei na Terra; já não há vida, nem haverá mais tempo! Ficaria alegre ao menos em dar minha vida por outros, mas já não é possível, porquanto passou aquela vida que poderia ser sacrificada ao amor, e agora um abismo a separa desta minha existência". Fala-se do fogo material do inferno: não investigo este mistério, tenho medo, mas penso que se existisse mesmo esse fogo material, em verdade isso contentaria os condenados, pois — assim fantasio — no tormento físico eles esqueceriam, ao menos por um instante, este terribilíssimo tormento espiritual. Ademais, é até impossível livrá-los desse tormento espiritual, porque esse tormento não está fora, mas dentro deles. E se fosse possível livrá-los dele, acho que isso os deixaria ainda mais amargurados e infelizes. Porque mesmo que os justos do paraíso os perdoassem ao contemplarem seus

---

[102] Ver Lucas, 16, 19-26. (N. da E.)

Os irmãos Karamázov

tormentos e, amando-os infinitamente, chamassem-nos para a sua companhia, deste modo multiplicariam ainda mais esses tormentos, porquanto despertariam neles, com intensidade ainda maior, a chama da sede de um já impossível amor recíproco, ativo e grato. Não obstante, na timidez de meu coração penso que a própria consciência dessa impossibilidade também os deixará finalmente aliviados, pois, tendo aceitado o amor dos justos sem possibilidade de recompensá-lo, nessa submissão e nessa humildade eles acabarão conseguindo uma espécie de imagem daquele amor ativo que desprezaram na Terra e um arremedo desse amor... Lamento, meus irmãos e amigos, não poder exprimir isto com clareza. Mas ai daqueles que se exterminaram a si mesmos na Terra, ai dos suicidas! Penso que não pode haver ninguém mais infeliz do que estes. É pecado orar a Deus por eles, dizem-nos, e a Igreja aparentemente os renega, mas no esconderijo de minha alma penso que se pode orar por eles. Cristo não ficará zangado com o amor. Confesso-lhes, padres e mestres, que durante toda minha vida tenho orado interiormente por eles, e ainda hoje rezo todos os dias.

Oh, há aqueles que até no inferno se mantiveram soberbos e ferozes, apesar de seu indiscutível conhecimento e de sua contemplação da verdade irrefutável; há os terríveis, que comungam integralmente com Satã e com seu espírito soberbo. Para estes o inferno já é voluntário e insaciável; estes já são mártires benevolentes. Porque eles mesmos se amaldiçoaram, tendo amaldiçoado Deus e a vida. Alimentam-se de seu orgulho raivoso, como um faminto no deserto que começasse a sugar o sangue de seu próprio corpo. Mas são insaciáveis para todo o sempre e rejeitam o perdão, amaldiçoam Deus que os chama. Não podem contemplar sem ódio o Deus vivo e exigem que Deus não exista e que Ele destrua a si mesmo e à sua criação. E hão de arder eternamente no fogo de sua ira, hão de ansiar pela morte e pelo não ser. Mas não ganharão a morte...

Aqui termina o manuscrito de Alieksiêi Fiódorovitch Karamázov. Repito: ele é incompleto e fragmentário. Por exemplo, os dados biográficos abrangem apenas a primeira fase da juventude do *stárietz*. De seus ensinamentos e opiniões fica evidente que se juntou, num todo aparente, o que foi dito em diferentes períodos e por motivações diversas. Tudo o que foi dito pelo *stárietz*, particularmente nessas últimas horas de sua vida, não está definido com precisão, e nos fica apenas uma ideia do espírito e do caráter dessa palestra se a compararmos aos seus primeiros ensinamentos registrados no manuscrito de Alieksiêi Fiódorovitch. Já a morte do *stárietz* realmente ocorreu de modo totalmente inesperado. Pois, embora todos os que estavam reunidos à sua volta naquela última noite compreendessem plenamente que sua morte estava próxima, ainda assim era impossível imaginar que ela viesse de modo tão repentino; ao contrário, como já observei antes, seus amigos, ao vê-lo com ar tão bem-disposto e loquaz naquela noite, estavam até convencidos de que ele tivera uma visível melhora, ainda que apenas breve. Como mais tarde disseram surpresos, ainda não era possível prever nada nem cinco minutos antes da morte. Súbito ele sentiu como que uma dor fortíssima no peito, empalideceu e apertou com força a mão sobre o coração. Todos se levantaram e se precipitaram para ele; mas ele, mesmo sofrendo, e ainda assim olhando-os com um sorriso nos lábios, arriou suavemente da poltrona para o chão e ajoelhou-se, em seguida curvou-se e encostou o rosto no chão, abriu alegremente os braços e, beijando o chão e orando (como ele mesmo ensinara) como que esfuziante de êxtase, entregou a alma a Deus num gesto sereno e alegre. A notícia de sua morte espalhou-se imediatamente pelo eremitério e chegou ao mosteiro. Os íntimos do recém-falecido e os hierarquicamente incumbidos de agir começaram a preparar o corpo conforme o ritual antigo, e toda a irmandade se reuniu na catedral. E, como mais tarde se soube pelos rumores que se espalharam, ainda antes do raiar do dia a notícia sobre o recém-falecido chegou à cidade. Ao amanhecer, quase toda a cidade falava do acontecimento, e uma multidão de cidadãos correu para o mosteiro. Mas disto falaremos no livro seguinte, porque agora adiantaremos apenas que ainda não havia passado nem um dia quando aconteceu algo tão inesperado para todos e, pela impressão deixada no meio monástico e na cidade, tão estranho, inquietante e confuso, que até hoje, depois de tantos anos, mantém-se em nossa cidade a mais viva impressão daquele dia tão cheio de ansiedade para muitos...

LISTA DAS PRINCIPAIS PERSONAGENS

FIÓDOR PÁVLOVITCH KARAMÁZOV — pai de Dmitri, Ivan e Aliócha

DMITRI FIÓDOROVITCH KARAMÁZOV (Mítia, Mitka, Mítienka) — irmão mais velho, filho da primeira esposa de Fiódor

IVAN FIÓDOROVITCH KARAMÁZOV (Vânia, Vanka, Vánietchka) — irmão do meio, filho da segunda esposa de Fiódor

ALIEKSIÊI FIÓDOROVITCH KARAMÁZOV (Aliócha, Alióchka, Alióchenka, Alióchetchka) — irmão menor, filho da segunda esposa de Fiódor

ADELAÍDA IVÁNOVNA MIÚSSOVA — primeira esposa de Fiódor, mãe de Dmitri, abandonou o marido

SÓFIA IVÁNOVNA — segunda esposa de Fiódor, mãe de Ivan e Aliócha, falecida precocemente

PIOTR ALIEKSÁNDROVITCH MIÚSSOV — primo de Adelaída Ivánovna, tutor de Dmitri após o abandono da mãe

IEFIM PIETRÓVITCH POLIÓNOV — tutor de Ivan e Aliócha

GRIGORI VASSÍLIEVITCH KUTÚZOV — criado e ex-servo de Fiódor Pávlovitch

MARFA IGNÁTIEVNA — esposa de Grigori, criada de Fiódor Pávlovitch

PÁVEL FIÓDOROVITCH SMIERDIAKÓV — filho de Lizavieta Smierdiáschaia adotado por Grigori e Marfa Ignátievna

LIZAVIETA SMIERDIÁSCHAIA — louca da cidade, mãe de Smierdiakóv

STÁRIETZ ZOSSIMA — hieromonge, guia espiritual de Aliócha

PADRE FIERAPONT — monge adversário do *stárietz* Zossima

PADRE PAISSI — monge amigo do *stárietz* Zossima

PADRE IÓSSIF — monge bibliotecário

MIKHAIL IVÁNOVITCH RAKÍTIN (Micha, Rakitka) — seminarista, colega de Aliócha

PORFIRI — noviço do mosteiro

MAKSÍMOV — fazendeiro de Tula que visita o *stárietz* Zossima

CATIERINA ÓSSIPOVNA KHOKHLAKOVA — rica viúva, amiga de Catierina Ivánovna e da família Karamázov

IELIZAVIETA (Liza, Lise) — filha da senhora Khokhlakova

HERZENSTUBE — velho médico da cidade

CATIERINA IVÁNOVNA VIERKHÓVTZEVA (Cátia, Catka, Cátienka) — noiva de Dmitri

AGRAFIENA ALIEKSÁNDROVNA SVIETLOVA (Grúchenka, Grucha) — jovem disputada por Fiódor Pávlovitch e Dmitri Karamázov

FIEDÓSSIA MARKOVNA (Fiênia) — criada de Grúchenka

KUZMÁ KUZMITCH SAMSÓNOV — velho comerciante, ex-protetor e segundo amante de Grúchenka

MÁRIA KONDRÁTIEVNA — filha da senhoria de Dmitri, amiga de Smierdiakóv

NIKOLAI ILITCH SNIEGUIRIÓV — capitão reformado e miserável, que empresta dinheiro de Fiódor Pávlovitch

ARINA PIETROVNA SNIEGUIRIÓVA — esposa de Snieguirióv

VARVARA e NINA NIKOLÁIEVNA — filhas de Snieguirióv

ILIÚCHA (Iliúchka, Iliúchetchka) — filho menor de Snieguirióv

KÓLIA KRASSÓTKIN — líder do grupo de meninos, amigo e admirador de Alióchá

MATVIÊI SMÚROV — aluno do curso preparatório, amigo de Kólia

ANNA FIÓDOROVNA KRASSÓTKINA — viúva, mãe de Kólia

LIÁGAVI — camponês que negocia a compra de uma propriedade rural com os Karamázov

PIOTR FOMITCH KALGÁNOV — sobrinho de Miússov, amigo de Dmitri

PIOTR ILITCH PIERKHÓTIN — funcionário público, amigo de Dmitri

TRIFÓN BORÍSSOVITCH — taverneiro da hospedaria em Mókroie

MUSSIALOVITCH — polonês, primeiro amante de Grúchenka

WRUBLEVSK — polonês, amigo de Mussialovitch

MAVRIKII MAVRÍKIEVITCH CHMIERTZOV — comissário de polícia rural

MIKHAIL MAKÁROVITCH MAKÁROV — comissário de polícia

HIPPOLIT KIRÍLLOVITCH — promotor de justiça

NIKOLAI PARFIÉNOVITCH NIELIÚDOV — juiz de instrução

FIETIUKÓVITCH — advogado de defesa

VARVINSKI — médico distrital

ÍNDICE GERAL

Volume 1

Do autor	13

Primeira parte

Livro I: História de uma família

i. Fiódor Pávlovitch Karamázov	17
ii. Descartado o primeiro filho	20
iii. Segundo casamento e novos filhos	24
iv. O terceiro filho, Aliócha	32
v. Os *startzí*	43

Livro II: Uma reunião inoportuna

i. A chegada ao mosteiro	55
ii. O velho palhaço	61
iii. Mulheres de fé	75
iv. Uma senhora de pouca fé	84
v. Assim seja, assim seja!	94
vi. Para que vive um homem como esse?!	107
vii. Um seminarista-carreirista	120
viii. O escândalo	130

Livro III: Os lascivos

i. Os criados	141
ii. Lizavieta Smierdiáschaia	147
iii. Confissão de um coração ardente, em versos	153
iv. Confissão de um coração ardente, em anedotas	164
v. Confissão de um coração ardente, "de pernas para o ar"	172
vi. Smierdiakóv	181
vii. A controvérsia	187
viii. Tomando conhaque	194
ix. Os lascivos	202

x. As duas mulheres juntas 208
xi. Mais uma reputação destruída 220

Segunda parte

Livro IV: Mortificações
   i. O padre Fierapont 231
   ii. Com o pai 243
   iii. Os colegiais 248
   iv. Em casa das Khokhlakova 254
   v. Mortificação no salão 261
   vi. Mortificação na isbá 273
   vii. Ao ar puro também 283

Livro V: Pró e contra
   i. Os esponsais 295
   ii. Smierdiakóv e seu violão 306
   iii. Os irmãos se conhecem 315
   iv. A revolta 326
   v. O Grande Inquisidor 341
   vi. Ainda muito obscuro 366
   vii. "É até curioso conversar com um homem inteligente" 379

Livro VI: Um monge russo
   i. O *stárietz* Zossima e seus visitantes 389
   ii. A vida do hieromonge *stárietz* Zossima,
      morto na graça de Deus, redigida a partir de suas
      próprias palavras por Alieksiêi Fiódorovitch Karamázov.
      Dados biográficos 394
   iii. Trechos das palestras e sermões do *stárietz* Zossima 425

Volume 2

Terceira parte

Livro VII: Aliócha
   i. Cheiro deletério 443
   ii. O momento propício 457
   iii. A cebolinha 463
   iv. Caná da Galileia 482

Fiódor Dostoiévski

Livro VIII: Mítia

    i. Kuzmá Samsónov 489

    ii. Liágavi 499

    iii. Lavras de ouro 507

    iv. No escuro 519

    v. Uma decisão repentina 526

    vi. Estou a caminho! 544

    vii. O primeiro e indiscutível 554

    viii. Delírio 574

Livro IX: Investigação preliminar

    i. Início da carreira do funcionário Pierkhótin 591

    ii. Alvoroço 597

    iii. Tormento de uma alma em provações.
        Primeira provação 604

    iv. Segunda provação 614

    v. Terceira provação 621

    vi. O promotor surpreende Mítia 633

    vii. O grande segredo de Mítia.
        Os apupos 641

    viii. Depoimento das testemunhas.
        Um bebê 654

    ix. Mítia é levado preso 664

Quarta parte

Livro X: Os meninos

    i. Kólia Krassótkin 671

    ii. A meninada 677

    iii. O colegial 682

    iv. Jutchka 691

    v. À cabeceira de Iliúcha 700

    vi. Desenvolvimento precoce 720

    vii. Iliúcha 727

Livro XI: O irmão Ivan Fiódorovitch

    i. Em casa de Grúchenka 733

    ii. O pezinho doente 743

    iii. Um demoniozinho 754

    iv. O hino e o segredo 761

    v. Não foste tu, não foste tu! 775

vi. O primeiro encontro com Smierdiakóv 782
vii. A segunda visita a Smierdiakóv 792
viii. A terceira e última conversa com Smierdiakóv 803
ix. O diabo. O pesadelo de Ivan Fiódorovitch 820
x. "Foi ele quem disse!" 842

Livro XII: Um erro judiciário
i. O dia fatal 849
ii. Testemunhas perigosas 857
iii. A perícia médica e uma libra de nozes 867
iv. A sorte sorri para Mítia 874
v. A catástrofe repentina 885
vi. O discurso do promotor. Tópicos 896
vii. Um apanhado histórico 907
viii. O tratado sobre Smierdiakóv 914
ix. A psicologia a todo vapor. A troica a galope.
Final do discurso do promotor 923
x. O discurso da defesa.
Uma faca de dois gumes 935
xi. Não houve dinheiro. Não houve roubo 940
xii. E tampouco houve assassinato 946
xiii. Adúltero do pensamento 954
xiv. Os mujiques se mantiveram firmes 962

Epílogo
i. Projetos para salvar Mítia 973
ii. Por um minuto a mentira se fez verdade 980
iii. Os funerais de Iliúchetchka.
O discurso junto à pedra 987

Este livro foi composto em Sabon, pela Bracher & Malta, com CTP e impressão da Edições Loyola em papel Pólen Natural 70 g/m² da Cia. Suzano de Papel e Celulose para a Editora 34, em setembro de 2023.